3e ÉDITION

Les conceptions de l'être humain

THÉORIES ET PROBLÉMATIQUES

3ᵉ ÉDITION

Les conceptions de l'être humain

THÉORIES ET PROBLÉMATIQUES

Bruno Leclerc
Professeur en éthique au département des sciences humaines
de l'Université du Québec à Rimouski

Salvatore Pucella
Professeur de philosophie au cégep de Rimouski

ERPI

ÉDITIONS DU RENOUVEAU PÉDAGOGIQUE INC.

5757, RUE CYPIHOT, SAINT-LAURENT (QUÉBEC) H4S 1R3
TÉLÉPHONE : (514) 334-2690   TÉLÉCOPIEUR : (514) 334-4720
COURRIEL : erpidlm@erpi.com   w w w . e r p i . c o m

La rédaction de la première édition de cet ouvrage a été rendue
possible grâce à la participation du Service de recherche
et de perfectionnement du cégep de Rimouski.

Supervision éditoriale : Sylvain Bournival
Révision linguistique : Bérengère Roudil
Correction des épreuves : Marthe Bouchard (Mart-Edi)
Iconographie : Chantal Bordeleau
Index : Monique Dumont

Supervision de la production : Muriel Normand
Conception et réalisation de la couverture : Sylvie Morissette
Infographie : Eykel Design

Dépôt légal: 2e trimestre 2004
Bibliothèque nationale du Québec
Bibliothèque nationale du Canada

Imprimé au Canada

ISBN 2-7613-1414-X   1234567890   II   0987654
                          20271   ABCD   VO-7

Le domaine de la philosophie [...]
se ramène aux questions suivantes :

1. Que puis-je savoir ?
2. Que dois-je faire ?
3. Que m'est-il permis d'espérer ?
4. Qu'est-ce que l'homme ?

À la première question
répond la *métaphysique*,
à la deuxième la *morale*,
à la troisième la *religion*,
à la quatrième l'*anthropologie*.
Mais au fond, on pourrait
tout ramener à l'anthropologie,
puisque les trois premières questions
se rapportent à la dernière.

Emmanuel Kant, *Logique*.

AVANT-PROPOS

Il est peu d'observateurs de l'évolution actuelle de nos sociétés qui ne s'intéressent pas, de manière directe ou indirecte, à la problématique des conceptions de l'être humain. Plusieurs mettent l'accent sur le caractère pluraliste et démocratique de nos sociétés et constatent qu'il n'y a plus de définition dominante de la « nature humaine », d'où l'éclatement des consensus sur les règles qui encadraient traditionnellement l'action humaine et lui donnaient un sens.

En l'absence de tels consensus, les problèmes moraux, sociaux et politiques sérieux semblent perdurer, quand ils ne se multiplient ou ne s'aggravent pas, sans qu'on sache trop comment réagir. On assiste ainsi, impuissants, à la recrudescence des comportements violents liés au racisme et à l'intolérance. On observe une polarisation de l'opinion publique en faveur de l'euthanasie, tandis que le législateur hésite à modifier les lois qui protègent la vie humaine. On s'inquiète de la détérioration de la situation socioéconomique d'un nombre croissant de personnes menacées par la misère. On s'interroge sur la capacité des autorités sociales à juguler la montée de la criminalité, dans un contexte où l'idée même de responsabilité ou d'imputabilité est remise en question. On est interpellé par l'augmentation des suicides chez les jeunes, alors que leurs perspectives d'avenir sont de plus en plus incertaines. Bref, il semble que notre mode de vie crée de plus en plus de problèmes, au moment même où le consensus sur la nature humaine qui pourrait servir de guide à leur résolution n'a jamais été aussi ténu.

Est-il juste d'imputer la difficulté que nous éprouvons à résoudre les dilemmes éthiques et sociaux actuels au caractère pluraliste et démocratique de nos sociétés, notamment à la diversité des conceptions de l'être humain ? Serait-il souhaitable que nous retournions à un modèle explicatif unique de l'univers et de l'être humain ? L'expérience des institutions démocratiques et du pluralisme étant historiquement récente et très inégalement vécue dans l'ensemble du monde contemporain, il serait plus prudent de chercher la cause de nos conflits et de nos dissensions dans l'absence d'une véritable culture démocratique – une culture qui favoriserait chez chaque personne l'acquisition des connaissances et des habiletés la rendant apte à participer plus activement aux débats et à la résolution des problèmes de société.

La participation aux débats démocratiques et à la définition de perspectives d'action appelle une réflexion individuelle et collective d'ordre philosophique ; il s'agit d'un exercice de mise en commun, de confrontation et d'intégration, dans un modèle cohérent, des savoirs sur l'être humain issus de l'histoire de la pensée, de la réflexion philosophique contemporaine et des recherches scientifiques actuelles. En d'autres termes, avant de proposer des solutions juridiques, éthiques ou politiques aux problèmes humains, il faut pouvoir les concevoir et les situer en regard d'une représentation cohérente de l'être humain, de ses limites, de ses besoins, de ses aspirations et de ses moyens d'action individuels et collectifs.

On emploie l'expression *anthropologie philosophique* pour désigner ce travail de réflexion. Dans son usage courant, le terme « anthropologie » désigne l'ensemble des disciplines scientifiques qui étudient l'être humain. Dans le champ philosophique, il caractérise les œuvres ou les recherches qui prennent l'être humain comme centre d'intérêt ou comme objet de spéculation. Une anthropologie philosophique propose une définition de l'être humain, elle en décrit la spécificité, elle en exprime l'originalité, elle en interprète le devenir. On parle de l'anthropologie philosophique propre à un penseur ou à un courant de pensée pour circonscrire les éléments de définition de l'être humain qu'ils proposent.

C'est un exercice de ce genre que nous proposons dans cet ouvrage, qui présente cinq conceptions de l'être humain – les conceptions ou anthropologies rationaliste, naturaliste, marxiste, freudienne et existentialiste – couplées chacune à l'un des cinq problèmes de société évoqués dans le deuxième paragraphe.

Nous avons fait le choix méthodologique de présenter chaque conception sous un jour favorable. Nous avons voulu mettre en évidence l'apport de chacune à l'élaboration d'une représentation cohérente de l'être humain et, éventuellement, à la résolution de problèmes de société. Cet apport présente deux aspects. D'une part, chacune des cinq conceptions met l'accent sur une dimension essentielle de la réalité humaine – la rationalité, la vie biologique, la vie sociale, la vie psychique ou l'existence – tout en cherchant à donner une représentation globale ou universelle de l'être humain. D'autre part, les penseurs qui ont élaboré et défendu ces conceptions occupent une place déterminante non seulement dans l'histoire des idées sur l'être humain, mais aussi dans la réflexion contemporaine sur l'être humain.

STRUCTURE DE L'OUVRAGE

L'exposé des cinq anthropologies philosophiques suit un canevas précis qui comporte cinq moments consécutifs. Chaque anthropologie débute par une **mise en situation** inspirée d'un problème concret vécu par de jeunes adultes. Cette étape fait ressortir la pertinence d'une réflexion plus approfondie sur l'être humain. Elle permet de constater que certaines situations vécues mettent en cause des conceptions de l'être humain issues de la tradition philosophique, des sciences biologiques ou des sciences humaines, et que ces conceptions doivent être analysées.

L'analyse des conceptions de l'être humain est structurée autour de deux grands axes : d'abord les **fondements théoriques**, puis l'**anthropologie** proprement dite. L'étude des fondements théoriques et de leurs racines historiques vise à définir les concepts importants de même que les postulats théoriques et les options méthodologiques qui sont nécessaires à une bonne compréhension des conceptions de l'être humain. Celles-ci sont analysées à travers le prisme des cinq mêmes thèmes, ce qui permet la comparaison d'un chapitre à l'autre : les thèmes de la spécificité, de la sociabilité, de la liberté et de la destinée humaines, et celui de la croyance religieuse. Les principaux éléments de comparaison entre ces thèmes sont présentés de manière synthétique en conclusion de l'ouvrage.

L'analyse des aspects historiques, théoriques et anthropologiques est l'occasion de présenter des **textes d'auteurs**, extraits d'œuvres marquantes des principaux penseurs qui ont défendu la conception étudiée. Les extraits choisis viennent illustrer, étayer et approfondir l'exposé principal. Pour la plupart, ils illustrent bien l'argumentation philosophique et traitent d'un thème important de l'anthropologie philosophique. Plusieurs se prêtent particulièrement bien à des exercices d'analyse et de commentaire de texte. Pour faciliter la lecture d'un certain nombre de textes d'auteurs plus longs ou plus complexes, nous proposons, dans une perspective d'autoapprentissage, une reformulation synthétique des idées principales. Sauf exception, nous ne présentons pas de textes de commentateurs, le contact direct avec les écrits des penseurs nous paraissant plus fécond.

L'analyse de chaque conception est suivie de **remarques critiques** qui visent à en indiquer certaines limites sur les plans théorique et pratique et à mettre en relief certains aspects problématiques qui appellent une recherche ultérieure et une ouverture aux autres conceptions. La formulation de ces critiques se veut une invitation à poursuivre la réflexion dans un esprit constructif, en reconnaissant l'apport de chaque conception à la compréhension de l'être humain.

Enfin, une démarche d'ouverture à la pratique vient conclure chaque chapitre. La **problématique** concrète lancée dans la mise en situation est reprise ici et présentée dans ses dimensions principales. L'exercice vise un double objectif : d'une part, montrer la pertinence d'une réflexion d'ordre théorique sur l'être humain pour la résolution de problèmes pratiques ; d'autre part, inviter l'étudiant à formuler sa position personnelle et à exercer son jugement critique sur la conception étudiée, et ce à partir d'une situation vécue qui lui est plus immédiatement accessible.

Cet ouvrage propose donc une démarche d'apprentissage organisée selon *quatre niveaux de cohérence*. Au premier niveau, *l'ordre de présentation des conceptions* vise à respecter leur entrée en scène et leur développement dans l'histoire de la pensée, dans la mesure où il est possible de le faire pour des courants de pensée qui ont évolué concurremment dans le temps.

Au deuxième niveau, l'étude des cinq conceptions est structurée selon *un canevas similaire* qui favorise une lecture transversale des chapitres, le but étant de permettre la maîtrise progressive des composantes anthropologiques de base et de faciliter la comparaison entre les modèles anthropologiques. Ce canevas a été décrit dans les paragraphes précédents.

Le troisième niveau vise *l'intégration de la réflexion sur les modèles théoriques et sur les problématiques concrètes*. En faisant d'une problématique contemporaine importante l'amorce puis le point de chute de chaque conception théorique, nous voulons traduire clairement dans la démarche d'apprentissage l'un des objectifs fondamentaux de la réflexion philosophique sur l'être humain : rendre la personne apte à mieux légitimer ses choix éthiques et politiques.

Enfin, le quatrième niveau est celui de *l'appropriation par l'étudiant des éléments d'histoire de la pensée, des textes d'auteurs, des concepts fondamentaux ainsi que des éléments principaux des conceptions théoriques et des problématiques*. Plusieurs rubriques intégrées au texte de chacun des chapitres favorisent cette appropriation. Une notice biographique figure en marge du texte principal chaque fois qu'un auteur important est cité ou mentionné. Des exercices d'apprentissage visant l'évaluation formative ou l'autoévaluation sont proposés à la fin de chaque chapitre. Enfin, des résumés rappellent en quelques lignes les éléments théoriques principaux de chacune des sections et sous-sections.

Ces outils, d'abord conçus pour aider l'étudiant dans sa lecture personnelle, peuvent aussi bien servir à susciter des activités de groupe, des séminaires ou des travaux d'équipe sur les problématiques actuelles, ou encore des recherches plus poussées.

ÉLÉMENTS NOUVEAUX DE LA TROISIÈME ÉDITION

Cette troisième édition a fait l'objet de modifications importantes tant sur le plan du contenu que sur le plan des outils pédagogiques.

A. Tout d'abord, nous avons fait de la question de la foi religieuse un nouveau thème anthropologique à débattre, dans le développement de chacune des cinq conceptions. Nous invitons ainsi l'étudiant à réfléchir aux enjeux de la croyance religieuse à la lumière des théories et des critiques issues des cinq conceptions anthropologiques. Par exemple, la problématique de l'existence de Dieu est traitée du point de vue rationaliste, notamment selon la perspective kantienne. L'étude des théories de l'évolution, dans le cadre de la conception naturaliste, est l'occasion d'évoquer le débat entre créationnisme et évolutionnisme. Dans le chapitre sur le marxisme, la présentation de la critique de la religion de Feuerbach est développée. Il n'y a donc plus de chapitre spécifique consacré à la conception chrétienne de l'être humain, comme dans les deux premières éditions de l'ouvrage. Mais les enseignants qui en font la demande pourront obtenir le texte intégral de *La conception chrétienne de l'être humain*, dans la version de 1998, en format électronique, ou se le procurer directement à l'adresse Internet suivante : www.erpi.com.

B. Ensuite, nous avons enrichi le chapitre sur la conception rationaliste de l'être humain d'une section complète sur Rousseau, critique de la notion de progrès. Cette nouvelle section permet de présenter le débat entre les auteurs rationalistes du Siècle des lumières sur le sens et la portée de la notion de progrès. Ce débat préfigure le débat actuel sur les enjeux du progrès technoscientifique et socio-économique. Ajoutons que, dans le chapitre sur la conception rationaliste, nous avons recouru de manière accrue à la pensée de Descartes et à celle de Kant dans le développement des thèmes anthropologiques.

C. Pour ce qui est des outils pédagogiques, nous proposons à la fin du livre un guide pratique sur la dissertation, selon le modèle de la confrontation entre deux positions anthropologiques opposées. Ce guide offre une méthodologie permettant en premier lieu de transformer le sujet en question ayant une forme alternative, et en second lieu de composer la dissertation elle-même. Il comprend également une grille de vérification et une liste de sujets de dissertation.

Ce guide s'inspire directement de l'objectif spécifique du programme de formation en philosophie au niveau collégial : contribuer à l'éducation des jeunes à la citoyenneté en permettant l'acquisition des connaissances et des habiletés intellectuelles propres à la philosophie. Former des citoyens aptes à participer de manière critique et créative aux débats de la cité est un pari éducatif qui repose sur l'idée suivante : le débat public mené par des citoyens formés aux habitus de la réflexion et de la discussion sur des enjeux d'ordre philosophique, qu'ils soient anthropologiques, politiques ou éthiques, peut aboutir à des accords plus raisonnés concernant le mode de vie collectif et le bien-être individuel qui en dépend. Dans cette optique de la participation à la vie démocratique, les accords raisonnés se distinguent par leur caractère libre et éclairé, par le fait qu'ils sont porteurs de sens pour les individus et les communautés, et ne sont pas simplement l'expression d'intérêts particuliers ou corporatifs imposés par la force ou par les techniques de persuasion sur le mode de la pensée unique.

D. De plus, nous avons introduit en maints endroits, dans chacun des chapitres, une nouvelle rubrique : « Sujet de réflexion », qui vise l'actualisation des problématiques anthropologiques. Nous invitons ainsi les étudiants à faire une réflexion personnelle sur le sens de leur propre existence et à mettre les conceptions théoriques et les problématiques étudiées à l'épreuve de leur propre vision de l'être humain. Ces sujets de réflexion s'inscrivent dans la perspective de l'ouvrage qui consiste à faire appel à l'esprit critique et à la créativité du lecteur.

TABLE DES MATIÈRES

CHAPITRE 2
LA CONCEPTION NATURALISTE DE L'ÊTRE HUMAIN 94

CHAPITRE 4
LA CONCEPTION FREUDIENNE DE L'ÊTRE HUMAIN 235

CHAPITRE 5
LA CONCEPTION EXISTENTIALISTE DE L'ÊTRE HUMAIN 297

CHAPITRE 1

La conception
rationaliste
de l'être humain

SAVOIR QUOI PENSER... OU SAVOIR PENSER?

Gilles vient de terminer ses études secondaires. Mais ça lui est bien égal. Son diplôme, il l'a obtenu de justesse, après plusieurs échecs. Bien que ses professeurs lui aient maintes fois répété qu'il avait tout ce qu'il fallait pour réussir, il ne parvient pas à croire en ses capacités. Se sentant peu appuyé par sa famille, il a abandonné l'idée de s'inscrire au cégep : il n'arrive pas à faire un choix de carrière et envisage l'avenir de façon plutôt pessimiste.

Il quitte bientôt la maison familiale pour tenter sa chance à Montréal. Seul et sans argent, occupant sporadiquement des emplois sans intérêt rémunérés au salaire minimum, il flâne dans les couloirs du métro et dans les parcs. Là, il rencontre un groupe de jeunes marginaux auquel il s'intègre progressivement. Ces jeunes adultes se disent révoltés contre la société qui les rejette et cherchent à se constituer un discours exprimant leur mal de vivre et les causes de leur situation.

Ils fréquentent régulièrement des sites Internet qui militent en faveur de la suprématie de la « race blanche » et écoutent ensemble la musique des groupes rock qui prône la violence. Ils en arrivent ainsi à considérer les immigrants noirs, juifs et arabes comme inférieurs et à les tenir pour responsables de tous les problèmes sociaux, en particulier le chômage. De plus, ils voient d'un mauvais œil les personnes homosexuelles qui, selon eux, pervertissent les rapports « naturels » entre hommes et femmes : « Il faudrait donner un État aux homosexuels et l'entourer de barbelés. Comme ils ne peuvent pas se reproduire, en cent ans, ils disparaîtraient. »

Gilles participe régulièrement aux séances de discussion et de défoulement du groupe, sans se poser de questions. Il est trop heureux d'avoir trouvé un groupe d'appartenance dont les liens sont très étroits. Il sait désormais quoi penser, arrive à comprendre sa situation et peut exprimer sa révolte.

Le jeune homme adopte progressivement une *attitude* raciste et intolérante. Il manifeste une tendance à agir d'une certaine manière avec les homosexuels et avec les personnes appartenant aux minorités ethniques. Les psychologues distinguent trois composantes dans l'attitude[1]. Tout d'abord, la composante cognitive est le fait que l'attitude vise un objet spécifique (les Noirs, les homosexuels), auquel sont attribuées des caractéristiques (paresse, délinquance, perversion). Ensuite, la composante affective correspond aux réactions de dégoût, de rejet, de mépris et d'agressivité envers l'objet. Enfin, la composante comportementale est le fait que la personne adopte un certain type de comportement en présence de l'objet (violence verbale ou physique).

---

1. Voir B. Matalon, « Attitude (psychologie) », dans *Encyclopédie philosophique universelle*, tome II, *Les notions philosophiques*, Paris, PUF, 1990, p. 186.

On peut analyser l'attitude de Gilles en fonction de ces trois composantes. Ainsi, Gilles éprouve des sentiments de plus en plus hostiles à l'égard des personnes appartenant aux minorités ethniques ou homosexuelles : c'est la composante affective. Il exprime ses sentiments dans des propos violents qui pourraient se traduire en actes : c'est la composante comportementale. Enfin, il adopte une certaine idée de l'être humain : c'est la composante cognitive. Les slogans racistes qu'il s'approprie de plus en plus à propos de la supériorité de la race blanche et les stéréotypes sexuels qu'il défend renvoient à une conception des rapports entre personnes et entre groupes ethniques dans laquelle domine l'idée de hiérarchie. Certaines classes d'êtres humains sont tenues pour supérieures aux autres. Comprenant des personnes douées de capacités physiques ou intellectuelles « supérieures », elles sont « naturellement » dominantes. Dans cette perspective, il est « normal » que les gens de race blanche imposent leur manière de concevoir l'ordre social et les relations humaines, quitte à utiliser la violence pour maintenir ou rétablir la hiérarchie « naturelle » entre les humains.

Gilles ne se préoccupe pas de la *justification* des thèses racistes. Ainsi, la question de savoir si l'existence d'une hiérarchie naturelle entre classes d'humains peut être démontrée ne l'intéresse pas. Les mots d'ordre qu'il présente de plus en plus comme « ses » idées, il les a simplement appris auprès de ses amis. Eux-mêmes ont glané leurs slogans, sans trop se poser de questions, dans la propagande néonazie qui circule ouvertement sur Internet. Gilles ne doute de rien. Il ne s'interroge pas sur le bien-fondé de « ses » idées. Il ne remet pas en question l'idée de l'être humain qu'il propage. Il sait quoi penser.

On peut affirmer que l'idée que Gilles se fait de l'être humain se situe au niveau de l'*opinion*. Le terme « opinion » désigne une *croyance subjective* qui n'a pas été élaborée selon une méthode rigoureuse d'argumentation et qui n'a pas fait l'objet d'une démonstration quant à son fondement dans la réalité. L'opinion est le résultat d'une attitude passive du sujet : elle se forme généralement sous l'influence de l'entourage, du milieu social et culturel. On dit qu'elle est un *préjugé* : elle est « déjà jugée » ; elle est acceptée sans remise en question, sans examen critique. Ceux qui la partagent peuvent l'apprécier très positivement, et même lui donner une valeur de connaissance vraie. Mais, ils n'entreprennent aucune réflexion rigoureuse pour fonder, justifier cette valeur. On note d'ailleurs que leur résistance à la critique est d'autant plus forte qu'ils ont fait de l'opinion en question un pilier de leur vie de tous les jours.

L'attitude de Gilles est à l'opposé de l'*attitude rationnelle*, qui consiste à prendre la raison comme source et guide des prises de position et des choix de comportement. Dans l'attitude rationnelle, la composante cognitive l'emporte sur les composantes affective et comportementale. Adopter une attitude rationnelle, c'est chercher à enraciner l'action humaine dans la connaissance, c'est tenter de formuler des règles universelles pour atteindre la connaissance. Un courant de pensée philosophique, qui se confond avec les origines mêmes de la philosophie occidentale, donne la priorité à la raison humaine : il s'agit du rationalisme. Dans les pages qui suivent, nous allons présenter la conception de l'être humain qui découle du rationalisme. Pour ce faire, nous devons d'abord considérer la notion de raison, qui constitue la pierre angulaire de cette pensée.

2 FONDEMENTS THÉORIQUES
LE POUVOIR DE LA RAISON

2.1 L'ATTITUDE RATIONNELLE

Les philosophes grecs ont été, il y a vingt-quatre siècles, les premiers penseurs occidentaux à adopter une attitude rationnelle dans la recherche de la connaissance et dans la conduite de la vie. Au point de départ, ils ont reconnu la *parole* comme le trait distinctif de l'être humain. Le texte suivant du rhéteur grec Isocrate[2] en témoigne :

> La parole [...] est à l'origine des biens les plus grands. En effet, de tous nos autres caractères aucun ne nous distingue des animaux. Nous sommes même inférieurs à beaucoup sous le rapport de la rapidité, de la force, des autres facilités d'action. Mais, parce que nous avons reçu le pouvoir de nous convaincre mutuellement et de faire apparaître à nous-mêmes l'objet de nos décisions, non seulement nous nous sommes débarrassés de la vie sauvage, mais nous nous sommes réunis pour construire des villes ; nous avons fixé des lois ; nous avons découvert des arts et, presque toutes nos inventions, c'est la parole qui nous a permis de les conduire à bonne fin. C'est la parole qui a fixé les limites légales entre la justice et l'injustice, entre le mal et le bien ; si cette séparation n'avait pas été établie, nous serions incapables d'habiter les uns près des autres. [...] C'est grâce à la parole que nous formons les esprits incultes et que nous éprouvons les intelligences ; car nous faisons de la parole précise le témoignage le plus sûr de la pensée juste ; une parole vraie, conforme à la loi et à la justice, est l'image d'une âme saine et loyale. C'est avec l'aide de la parole que nous discutons des affaires contestées et que nous poursuivons nos recherches dans les domaines inconnus. Les arguments par lesquels nous convainquons les autres en parlant, sont

---

2. Rhéteur grec (436-338 av. J.-C.). Il proposa la rhétorique comme discipline morale et comme fondement de l'éducation et de la vie en société.

les mêmes que nous utilisons lorsque nous réfléchissons ; nous appelons orateurs ceux qui sont capables de parler devant la foule et nous considérons comme de bon conseil ceux qui peuvent sur les affaires s'entretenir avec eux-mêmes de la façon la plus judicieuse. En résumé, pour caractériser ce pouvoir, nous verrons que rien de ce qui se fait avec intelligence, n'existe sans le concours de la parole ; la parole est le guide de toutes nos actions comme de toutes nos pensées ; on recourt d'autant plus à elle que l'on a plus d'intelligence[3] [...].

RÉSUMÉ DE LA PENSÉE DE L'AUTEUR

La parole caractérise l'être humain en propre :

1. Elle distingue l'être humain de l'animal et lui permet d'échapper à la vie sauvage.

2. La communication par le langage habilite les humains à transformer le monde à leur image, à développer les arts et les techniques.

3. Elle rend possible la cohabitation des humains par la définition de règles de vie commune et de lois.

4. Le dialogue permet de résoudre les conflits individuels et collectifs.

5. Les arguments qui servent à résoudre les conflits font appel aux mêmes règles de l'intelligence qui rendent possible la connaissance du réel.

La conclusion d'Isocrate contient déjà l'essentiel de la pensée rationaliste : « la parole est le guide de toutes nos actions comme de toutes nos pensées ». En faisant de la parole l'expression même de la *raison*, la philosophie grecque antique pose la raison comme trait distinctif de l'être humain. Définie comme faculté responsable du langage et de la pensée, la raison devient le concept central de la conception de l'être humain : dénominateur commun de tous les humains, elle définit l'être humain en tant que tel.

Nous développerons ultérieurement ces éléments de l'anthropologie rationaliste. Pour le moment, il suffit de comprendre comment l'attitude rationnelle permet à l'être humain d'échapper à l'emprise de l'opinion et du préjugé.

Deux caractéristiques essentielles définissent l'attitude rationnelle des premiers philosophes grecs.

3. Isocrate, *Nicoclès*, dans *Discours*, tome II, Paris, Les Belles Lettres, 1942, p. 121.

Elle est d'abord *critique*, en ce qu'elle présuppose une méfiance à l'égard des apparences, des données brutes de la perception ou de l'expérience commune. Elle conduit à remettre en question les idées reçues, à mettre en doute les croyances populaires et les explications mythiques de l'univers; autrement dit, elle remet en question l'autorité sous toutes ses formes.

Elle est aussi *justificative*: elle conduit à s'interroger sur le sens de la vie et de l'expérience humaine en général de même que sur l'univers physique, politique ou moral. Et elle pousse celui qui l'adopte à justifier les réponses qu'il apporte à ces questions au moyen d'une argumentation qui vise à démontrer, à prouver.

On la qualifie de rationnelle précisément parce qu'elle prend appui sur une définition de la raison en tant que faculté dominante ou fonction spécifique de l'être humain : si nous pouvons échapper à l'opinion et au préjugé, c'est que nous sommes doués du pouvoir de raisonner. Mais qu'est-ce donc que « raisonner »? C'est en examinant diverses fonctions de la raison que nous parviendrons à préciser le sens et la portée de cette activité particulière.

Rappel des IDÉES PRINCIPALES

2.1 L'ATTITUDE RATIONNELLE

L'attitude rationnelle consiste à prendre la raison comme guide de nos pensées et de nos choix. Elle est critique et justificative.

À l'opposé, l'attitude non rationnelle consiste à agir en fonction d'opinions reposant sur :
• des croyances subjectives,
• des préjugés ou des apparences,
• l'ignorance des faits.

2.2 LES FONCTIONS DE LA RAISON

En tant que faculté de l'esprit humain, la raison peut se définir par ses rôles ou fonctions. Nous en distinguerons trois :

a) La raison rend possible le dialogue logique entre les humains. En effet, la raison permet d'organiser le discours[4] selon des lois logiques universelles, c'est-à-dire accessibles à tous. Elle habilite ainsi l'être humain à dépasser le cadre de son expérience subjective pour communiquer avec ses semblables sur la base de règles communes

---

4. Ici et dans la suite de ce chapitre, nous utilisons le terme *discours* non pas au sens de développement oratoire, mais au sens d'« énoncé [prononcé ou écrit] supérieur à la phrase, considéré du point de vue des règles d'enchaînement des suites de phrases ». (*Dictionnaire de linguistique*, Paris, Larousse, 1989, p. 156.)

qui permettent de prouver, de démontrer ou de justifier et, éventuellement, de convaincre. On peut appeler *fonction logique* ce rôle de la raison.

b) La raison permet de connaître le monde. La raison organise dans un ensemble cohérent des analyses, des observations et des données accessibles à l'appréciation ou à la vérification. Elle produit des explications des phénomènes naturels qui sont objectives et valables pour tous. Elle rend ainsi possible l'élaboration d'un savoir universel sur le monde qui nous entoure. C'est là la *fonction cognitive* de la raison.

c) La raison permet de juger en vue de l'action. La raison permet de déterminer le bon et le mauvais dans l'ordre pratique. Elle juge ce qui peut être fait et ce qui ne peut l'être, elle justifie les choix dans l'ordre de l'action. Il s'agit de la *fonction pratique* de la raison.

L'être humain est donc doué d'une faculté, la raison, qui lui permet de dialoguer, de connaître, de juger et de choisir. Bien sûr, l'exercice de la raison comporte une possibilité d'erreur. Dans l'ordre de la connaissance, l'être humain peut confondre le vrai et le faux. Dans l'ordre pratique, il peut confondre le bon et le mauvais. D'où la *nécessité de l'éducation*, de la formation du jugement : l'être humain doit apprendre à se servir de sa raison pour atteindre la connaissance vraie et l'action juste.

Reprenons maintenant une à une ces trois fonctions de la raison.

2.2.1 La fonction logique de la raison

D'après le rationalisme, les êtres humains peuvent dialoguer parce que leur discours est structuré selon des *règles universelles* établies par la raison. Ces règles définissent les liens qui doivent exister entre les propositions et entre les termes qui les composent ; elles constituent donc des conditions de validité ou de vérité du discours.

La *cohérence du discours* est assurée essentiellement par le respect de deux principes qui servent d'assise à l'agencement des termes et des propositions et qui règlent toute l'activité de la raison : le principe d'identité et le principe de non-contradiction.

a) Le principe d'identité. Il exprime une première exigence à respecter : à l'intérieur d'un même discours, il faut utiliser les mots et les propositions toujours dans le même sens, à moins d'une décision contraire expressément formulée. La signification d'un concept ou le sens d'une proposition doivent demeurer identiques ou *univoques* tout au long d'un même discours. Le principe d'identité est la condition première de toute opération logique et de toute communication sensée.

b) Le principe de non-contradiction. Il exprime une deuxième exigence fondamentale : celle de ne pas se contredire, de ne pas affirmer et nier, en même temps et sous le même rapport, un terme ou une proposition. Seul le discours *consistant*, non contradictoire, permet le progrès dans les échanges d'idées entre personnes. En effet, si on peut amener un interlocuteur à admettre une thèse qu'il avait d'abord rejetée ou encore à nier une thèse qu'il avait précédemment affirmée, le débat est terminé. L'un des participants est obligé de reconnaître que son discours n'est pas valable, parce que, selon les termes d'Aristote, «il ne parvient pas à se mettre d'accord avec lui-même[5]».

Dans sa présentation de l'enseignement de Socrate, Éric Weil[6] formule ainsi la nécessité de la fonction logique de la raison:

> [Pour élucider le sens des mots et des discours,] il n'existe qu'une seule voie, celle de la discussion continue, du dialogue incessant, de la confrontation des opinions: si l'interlocuteur finit par se contredire, c'est la preuve qu'il est ignorant, ignorant même de sa propre ignorance. Constamment, il faut essayer de fixer le sens des mots à l'aide de définitions et d'analyses, chercher les concepts qui saisissent ce qui se présente comme possédant une qualité ou une nature communes et faire attention à ce que n'y entre que ce qu'on a en vue et que cela y entre tout entier. Ce n'est qu'à ce prix que l'on peut espérer que les hommes dans la cité se comprendront et, se comprenant, s'entendront sur ce qu'ils veulent, sur leur morale, sur ce que sont vraiment la piété, la justice, le droit. La raison est cela: savoir de quoi l'on parle, savoir ensuite ce que l'on veut, ce que l'on peut vouloir sans se contredire. Socrate n'a rien à enseigner en dehors de cette purification du discours, plutôt des discours multiples et incohérents entre eux[7] [...].

Voici en quels termes Platon rapporte les propos de Socrate accusé d'impiété et de corruption de la jeunesse, crimes passibles de la peine de mort selon les lois d'Athènes. Sa défense est en fait un plaidoyer en faveur du dialogue rationnel, qu'il oppose à la persuasion reposant sur l'appel aux sentiments d'autrui:

> En voilà assez, juges: les arguments que je puis donner pour ma défense se réduisent à peu près à ceux-là, ou peut-être à quelques autres du même genre. Mais peut-être se trouvera-t-il quelqu'un parmi vous qui s'indignera, en se souvenant que lui-même, ayant à soutenir un procès de moindre conséquence que le mien, a prié et supplié les juges avec force larmes, qu'il a fait monter au tribunal ses petits-enfants, beaucoup de parents et d'amis, tandis que moi, je ne veux naturellement rien faire de tout cela, alors même que je peux me croire en butte au suprême danger. Il se peut qu'en pensant à cela, il me tienne rigueur et qu'irrité de mon

5. Aristote, *Métaphysique*, livre A, 4, traduction de J. Tricot, Paris, Vrin, 1964, p. 38.
6. Éric Weil (1904-1977). Philosophe rationaliste, l'un des principaux rédacteurs de la revue *Critique*. Œuvres majeures: *Hegel et l'État* (1950), *Logique de la philosophie* (1951) et *Philosophie politique* (1956).
7. Éric Weil, «Raison», dans *Encyclopædia Universalis*, Corpus 19, Paris, 1989, p. 503.

procédé, il dépose son suffrage avec colère. Si quelqu'un de vous est dans ces sentiments, ce que je ne crois pas pour ma part, mais enfin s'il les a, je crois que je lui ferai une réponse raisonnable, en lui disant : « Moi aussi, excellent homme, j'ai des parents ; car, comme dit Homère, je ne suis pas né d'un chêne ni d'un rocher, mais d'êtres humains. Aussi ai-je des parents et des fils, Athéniens, au nombre de trois, dont l'un est déjà dans l'adolescence, et les deux autres tout petits. » Cependant je ne les ai pas amenés ici pour vous engager à m'absoudre. Pourquoi donc n'en veux-je rien faire ? Ce n'est point par bravade, Athéniens, ni par mépris pour vous. Que j'envisage la mort avec assurance ou non, c'est une autre question. Mais pour mon honneur, pour le vôtre et celui de la cité tout entière, il ne me semble pas convenable de recourir à aucun de ces moyens, à mon âge et avec ma réputation, vraie ou fausse. [...]

Indépendamment de l'honneur, Athéniens, il ne me paraît pas non plus qu'il soit juste de prier son juge et de se faire absoudre par ses supplications ; il faut l'éclairer et le convaincre. Car le juge ne siège pas pour faire de la justice une faveur, mais pour décider de ce qui est juste. Il a juré, non pas de favoriser qui bon lui semble, mais de juger suivant les lois. Nous ne devons donc pas plus vous accoutumer au parjure que vous ne devez vous y accoutumer vous-mêmes, car nous offenserions les dieux les uns et les autres. N'attendez donc pas de moi, Athéniens, que je recoure devant vous à des pratiques que je ne juge ni honnêtes, ni justes, ni pieuses, surtout par Zeus, lorsque je suis accusé d'impiété par Métélos ici présent[8].

RÉSUMÉ DE LA PENSÉE DE L'AUTEUR

1. Certains accusés risquant la peine de mort tentent d'émouvoir leurs juges en présentant leurs enfants au tribunal et en implorant la clémence.

2. J'ai moi aussi une famille, mais je ne la présenterai pas, car il n'est pas convenable de chercher à influencer ainsi ses juges.

3. La seule attitude raisonnable consiste à éclairer et à convaincre le tribunal.

---

8. Platon, *Apologie de Socrate*, dans *Œuvres complètes*, tome II, traduction d'Émile Chambry, Paris, Garnier-Flammarion, 1965, p. 46-48 (34b-35d).

SOCRATE
(470-399 av. J.-C.)

Philosophe athénien connu à travers les *Dialogues* de Platon. Reconnu comme le père de la philosophie, sa pensée reflète une confiance inébranlable dans la pensée humaine, capable de conduire à la connaissance de soi et au bonheur. Sa vie et sa pensée ont été animées par la célèbre maxime de l'oracle de Delphes : « Connais-toi toi-même. »

Je n'ai que faire de mettre à l'épreuve des « si tu y tiens », des « si c'est ton opinion », mais un « toi » et un « moi » ; et, quand je dis ce « toi » et ce « moi », c'est qu'il n'y a pas de meilleur moyen, je crois, de mettre notre argumentation à l'épreuve, sinon d'en éliminer les « si » !
(Protagoras)

Grâce à la raison, l'être humain est en mesure de justifier des prises de position, de défendre un point de vue à l'aide d'arguments rationnels. Ces arguments ne relèvent pas de l'autorité, des croyances personnelles, de la tradition ou des intérêts purement subjectifs, mais plutôt des connaissances qui sont issues de l'analyse des faits et que d'autres peuvent vérifier puisqu'elles sont accessibles à tous. Le discours argumentatif peut être critiqué, contesté et remis en question car il se fonde sur le réel. Il est à la base du dialogue et vise essentiellement à convaincre, comme disait Socrate.

Au terme de l'examen de cette première fonction de la raison, soulignons l'importance du discours argumentatif et du dialogue. Le discours argumentatif suppose *l'égalité* des interlocuteurs. De plus, il permet de régler les conflits sans recourir à la violence : on utilise la force des arguments au lieu de l'argument de la force (toujours source d'injustice). Si l'homme veut exclure la violence, il doit s'engager à argumenter et à dialoguer, donc à penser.

Enfin, le discours argumentatif permet à l'homme *d'éprouver la solidité de ses arguments*, de ses positions. Les débats lui permettent ainsi de progresser dans ses recherches, dans ses savoirs. L'homme ne peut « bien penser » que grâce à son appartenance à une communauté, comme le souligne Kant : « Penserions-nous beaucoup, et penserions-nous bien, si nous ne pensions pas pour ainsi dire en commun avec d'autres, qui nous font part de leurs pensées et auxquels nous communiquons les nôtres[9] ? »

Si les règles logiques universelles établies par la raison rendent possible le dialogue cohérent entre les humains, elles ne peuvent seules élaborer le contenu cognitif du

---

9. Emmanuel Kant, *Qu'est-ce que s'orienter dans la pensée ?*, Paris, Vrin, 1993, p. 86.

discours, c'est-à-dire les savoirs. En d'autres termes, la raison, dans sa fonction logique, nous permet d'analyser et de critiquer la qualité argumentative des différents discours, mais elle ne peut seule nous permettre de progresser dans l'acquisition du savoir. La connaissance du réel fait appel à une autre fonction de la raison, la fonction cognitive, qui formule les règles de correspondance entre les représentations du réel et le réel lui-même, tel qu'il nous est accessible par l'expérience des sens.

Rappel des IDÉES PRINCIPALES

2.2.1 La fonction logique de la raison

La raison, faculté spécifique de l'être humain, rend possible le dialogue, grâce à la structuration du discours selon des règles universelles. Le discours devient cohérent grâce à l'utilisation de termes univoques et non contradictoires. Il est alors compréhensible et acceptable pour tous.

2.2.2 La fonction cognitive de la raison

Le rationalisme soutient que le *réel est connaissable*, c'est-à-dire que l'esprit humain peut comprendre les phénomènes naturels et les réalités humaines sur une base rationnelle, sans recourir à des explications d'ordre magique ou mythique. À titre d'exemple, l'histoire des épidémies en Occident nous met en présence des deux types d'explication.

L'*explication mythique* attribue l'origine des épidémies à des forces mystérieuses ou surnaturelles, à la colère divine provoquée par l'impiété humaine, par exemple. L'épidémie est ainsi présentée comme un fléau imposé à l'homme contre sa volonté, comme une fatalité impossible à maîtriser ; il peut seulement la craindre et tenter de la conjurer au moyen de prières ou de pratiques expiatoires, comme les sacrifices rituels ou les pénitences collectives, qui visent à apaiser les forces hostiles. Ainsi, on trouve dans la Bible un exemple éloquent d'explication mythique : celle de la peste des Philistins en 1141 av. J.-C. L'origine de la peste y est attribuée au vol de l'Arche d'Alliance par les Philistins et la fin de l'épidémie y coïncide avec la remise de l'Arche aux Hébreux[10].

L'*explication rationnelle* fait appel à la raison humaine pour expliquer les causes et l'évolution des épidémies, considérées comme des phénomènes naturels. Elle vise à constituer une connaissance exacte du phénomène afin de le maîtriser éventuellement.

---

10. *Premier livre de Samuel*, chap. 4-7.

Les connaissances biomédicales modernes mettent en évidence, parmi les causes des épidémies, des agents bactériens ou viraux spécifiques, la promiscuité, le manque d'hygiène ainsi qu'une alimentation déficiente. Il est toutefois intéressant de noter qu'une explication du type rationnel a pu être conçue plusieurs siècles avant le développement de la médecine moderne, comme en témoigne cet extrait de l'ouvrage *De la nature*, de Lucrèce[11]:

> Quelle est la cause des maladies et d'où naît soudain cette force malsaine qui sème ses ravages parmi les hommes et les troupeaux ? Je vais le dire. D'abord il existe des germes multiples, je l'ai déjà enseigné, qui sont créateurs de vie ; mais il en est d'autres en grand nombre dans l'air qui sont porteurs de maladie et de mort. Lorsque le hasard a rassemblé ces derniers et en a infesté le ciel, l'air devient malsain. Et toutes ces maladies, toutes ces épidémies nous arrivent de climats étrangers, comme les nuages et les brouillards à travers le ciel, ou bien elles montent de la terre elle-même, lorsque le sol humide se putréfie par l'alternance de pluies insolites et d'excessives chaleurs[12].

La pensée rationaliste vise donc à remplacer la croyance par le savoir. Elle soutient que la raison, en organisant les informations fournies par les sens, peut produire des *connaissances vraies*, c'est-à-dire *objectives et universelles* (donc compréhensibles par tous). Elle s'emploie donc à déterminer les conditions et les limites à l'intérieur desquelles la raison peut être sûre d'elle-même et de ses résultats.

A. Les conditions de la connaissance rationnelle : Descartes

C'est dans le *Discours de la méthode* que René Descartes s'interroge sur les conditions qui peuvent mener la raison à des connaissances certaines sur le réel. Les premières lignes de ce texte, que nous reproduisons ci-après, affirment la nécessité d'établir une méthode : bien que tous les êtres humains soient également doués de raison, constate Descartes, certains se trompent et d'autres pas.

> Le bon sens est la chose du monde la mieux partagée : car chacun pense en être si bien pourvu, que ceux même qui sont les plus difficiles à contenter en toute autre chose n'ont point coutume d'en désirer plus qu'ils en ont. En quoi il n'est pas vraisemblable que tous se trompent ; mais plutôt cela témoigne que la puissance de bien juger et distinguer le vrai d'avec le faux, qui est proprement ce qu'on nomme le bon sens ou la raison, est naturellement égale en tous les hommes ; et ainsi, que la diversité de nos opinions ne vient pas de ce que les uns sont plus

---

11. Lucrèce (98-55 av. J.-C.). Philosophe et poète romain. Son long poème, intitulé *De la nature*, expose la philosophie de la nature d'Épicure, essentiellement matérialiste. Son intention première est morale : contribuer au bonheur de l'être humain en le délivrant de la crainte des dieux et de la mort.

12. Lucrèce, *De la nature*, livre VI, traduction de Henri Clouard, Paris, GF Flammarion, 1964, p. 227.

raisonnables que les autres, mais seulement de ce que nous conduisons nos pensées par diverses voies, et ne considérons pas les mêmes choses. Car ce n'est pas assez d'avoir l'esprit bon, mais le principal est de l'appliquer bien. Les plus grandes âmes sont capables des plus grands vices aussi bien que des plus grandes vertus, et ceux qui ne marchent que fort lentement peuvent avancer beaucoup davantage, s'ils suivent toujours le droit chemin, que ne font ceux qui courent et qui s'en éloignent[13].

La source des erreurs des êtres humains, de la diversité des opinions n'est pas un manque d'intelligence mais une absence de méthode qui seule peut conduire à une pensée autonome. La raison donnée à tous, et non plus les traditions, les préjugés et les opinions courantes, doit être le fondement et la garantie de cette autonomie de la pensée. La vérité, le savoir ne sont pas donnés : ils sont le fruit de la méthode, principe fondateur de tout savoir. La méthode joue un rôle moteur dans l'acquisition des connaissances.

RENÉ DESCARTES
(1596-1650)

Philosophe, mathématicien et physicien français.

En mathématiques, on lui doit notamment la création de la géométrie analytique. Sur le plan philosophique, il a proposé une méthode nouvelle pour diriger la raison, qui a constitué un tournant de la pensée moderne.

Je pense, donc je suis.
(Discours de la méthode)

Le problème fondamental réside donc dans le bon usage de la raison. À cet effet, Descartes énonce quatre principes ou règles qui garantissent l'acquisition et l'augmentation progressive des connaissances :

Le premier [principe] était de ne recevoir jamais aucune chose pour vraie que je ne la connusse évidemment être telle ; c'est-à-dire d'éviter soigneusement la précipitation et la prévention ; et de ne comprendre rien de plus en mes jugements que ce qui se présenterait si clairement

13. René Descartes, *Discours de la méthode*, dans *Œuvres et Lettres*, Paris, Gallimard, Bibliothèque de la Pléiade, 1953, p. 126.

et si distinctement à mon esprit que je n'eusse aucune occasion de le mettre en doute.

Le second, de diviser chacune des difficultés que j'examinerais en autant de parcelles qu'il se pourrait et qu'il serait requis pour les mieux résoudre.

Le troisième, de conduire par ordre mes pensées, en commençant par les objets les plus simples et les plus aisés à connaître, pour monter peu à peu, comme par degrés, jusques à la connaissance des plus composés ; et supposant même de l'ordre entre ceux qui ne se précèdent point naturellement les uns les autres.

Et le dernier, de faire partout des dénombrements si entiers, et des revues si générales, que je fusse assuré de ne rien omettre[14].

Ces quatre principes constituent, d'après Descartes, les règles fondamentales du *bon usage de la raison*, le point de départ de toute recherche de la vérité étant le doute méthodique.

Sujet de **réflexion**

Descartes pose le doute comme exigence première de l'acquisition de tout savoir. S'agit-il, selon vous, d'une démarche purement abstraite ou virtuelle, ou peut-on véritablement douter de tout, même du fait d'exister ?

Examinons plus attentivement l'importance et la nécessité du doute, premier élément de la méthode cartésienne et élément incontournable de la recherche du savoir. Pour Descartes, la validité de toute recherche du savoir par la raison ne peut être assurée que par une remise en question radicale des savoirs établis, des traditions, des acquis éducatifs et de ses propres convictions. Il faut donc « faire le vide », selon l'expression familière.

Dans une réponse à des objections possibles, Descartes souligne l'importance et la portée du doute par un exemple fort éloquent qui nous est familier. Dès lors, l'auteur des objections ne peut plus prétendre ignorer en quoi consiste la méthode ni feindre qu'il ne la comprend pas.

Si d'aventure il avait une corbeille pleine de pommes, et qu'il appréhendât que quelques-unes ne fussent pourries, et qu'il voulût ôter de peur qu'elles ne corrompissent le reste, comment s'y prendrait-il pour le faire ? Ne commencerait-il pas tout d'abord à vider sa corbeille ; et après cela, regardant toutes ces pommes les unes après les autres, ne choisirait-il

14. *Ibid.*, p. 137-138.

pas celles-là seules qu'il verrait n'être point gâtées, et, laissant là les autres, ne les remettrait-il pas dedans son panier. Tout de même aussi, ceux qui n'ont jamais bien philosophé ont diverses opinions en leur esprit qu'ils ont commencé à y amasser dès leur bas âge, et, appréhendant avec raison que la plupart ne soient pas vraies, ils tâchent de les séparer d'avec les autres, de peur que leur mélange ne les rende toutes incertaines. Et pour ne se point tromper, ils ne sauraient mieux faire que de les rejeter une fois toutes ensemble, ni plus ni moins que si elles étaient toutes fausses et incertaines ; puis les examinant par ordre les unes après les autres, reprendre celles-là seules qu'ils reconnaîtront être vraies et indubitables[15].

Faire le vide dans ses pensées, dans ses idées, permet véritablement d'éliminer les idées « pourries » et d'entreprendre la recherche d'un savoir assuré. La métaphore utilisée par Descartes permet de dégager les caractéristiques fondamentales du doute cartésien, considéré comme un préalable à toute constitution d'un savoir rationnel.

a) Il est *radical*. Il doit éliminer l'incertain, le possible, le vraisemblable, afin de chasser toute source d'erreur. On a même qualifié le doute cartésien d'hyperbolique, c'est-à-dire d'excessif ou d'exagéré, en ce qu'il porte même sur les vérités mathématiques.

b) Il est *méthodique*. C'est-à-dire qu'il est délibéré, et non pas spontané ou naturel. Le doute cartésien est un moyen qu'applique sciemment le penseur en vue d'atteindre la vérité.

c) Il est *provisoire*. Il doit nous mener à la vérité comprise comme certitude, et non pas au scepticisme, qui nie toute possibilité d'accéder à la vérité par la raison.

Comme nous allons le voir dans la section suivante (3.1), le doute cartésien est générateur d'une vérité première et indubitable sur laquelle reposent toutes les autres : celle de l'existence du sujet qui doute. Pour douter, il faut d'abord exister : « Je pense, donc je suis » (*Cogito ergo sum*). Ce principe, appelé *cogito cartésien*, est l'affirmation de l'homme comme être pensant ; Descartes lui attribue une *double fonction* :

a) Il est le modèle même de toute vérité certaine : sera vrai tout ce qu'on perçoit avec la même évidence, c'est-à-dire *clairement et distinctement*. On perçoit clairement les idées qui sont présentes immédiatement à la conscience, et distinctement celles qui sont pleinement définies en elles-mêmes.

b) Il constitue le fondement de toute théorie de la connaissance : ce qui est indubitable, c'est *la pensée* elle-même et non pas les contenus de la pensée ; c'est la sensation ou l'imagination et non pas les choses senties ou imaginées. Connaître, c'est « voir », mais avec les « yeux de l'intelligence », en se méfiant des objets proposés par les sens et par l'imagination.

---

15. René Descartes, « Réponses aux septièmes objections », *Méditations métaphysiques*, Paris, PUF, Les grands textes, 1966, p. 296-297.

Ainsi, ce que nous percevons clairement et distinctement des objets, c'est leur étendue, leur figure et leur mouvement, donc leur aspect quantitatif. Les autres caractéristiques ou propriétés que nous leur attribuons ne sont que des appréciations subjectives dépendant de nos organes sensoriels plutôt que des propriétés des choses en soi :

> La nature de la matière, ou du corps pris en général, ne consiste point en ce qu'il est une chose dure, ou pesante, ou colorée, ou qui touche nos sens de quelque autre façon, mais seulement en ce qu'il est une substance étendue en longueur, largeur et profondeur. [...] Si nous examinons quelque corps que ce soit, nous pouvons penser qu'il n'a en soi aucune de ces qualités, et cependant nous connaissons clairement et distinctement qu'il a tout ce qui le fait corps, pourvu qu'il ait de l'extension en longueur, largeur et profondeur : d'où il suit aussi que pour être, il n'a besoin d'elles en aucune façon et que sa nature consiste en cela seul qu'il est une substance qui a de l'extension[16].

Par ailleurs, nous savons que ces objets existent parce que nous éprouvons des sensations, ou « sentiments », selon le terme de Descartes. Or ces sensations ne proviennent pas de nous ; elles témoignent au contraire d'une réalité qui nous est extérieure :

> Nous expérimentons en nous-mêmes que tout ce que nous sentons vient de quelque autre chose que de notre pensée ; parce qu'il n'est pas en notre pouvoir de faire que nous ayons un sentiment plutôt qu'un autre, et que cela dépend de cette chose, selon qu'elle touche nos sens[17].

Nous pouvons donc connaître la réalité, mais cette connaissance doit s'élaborer à partir d'idées claires et distinctes, notamment celles d'étendue, de figure et de mouvement, plutôt qu'à partir du témoignage des sens. Ces idées nous permettent de saisir la nature des choses sous leur aspect quantitatif. Le cogito cartésien devient donc le point de départ et le moyen de la connaissance objective. La pensée devient organisatrice du savoir scientifique qui s'attache à étudier, au moyen des mathématiques, cet aspect quantitatif de la réalité, qui seul est véritablement connaissable.

C'est là la contribution essentielle de Descartes au courant rationaliste : la pensée est la source de la connaissance, laquelle tient sa légitimité d'une démonstration rationnelle.

B. Les limites de la connaissance rationnelle : Kant et l'empirisme

Telles que formulées par Descartes, les conditions de la connaissance rationnelle paraissent contredire notre expérience personnelle. En effet, il ne nous semble pas qu'il soit nécessaire de penser pour connaître la réalité : il suffit de constater l'existence des phénomènes naturels, de les voir, de les entendre, de les toucher. Nos

16. Id., *Principes*, II, 4, dans *Œuvres et Lettres*, Paris, Gallimard, Bibliothèque de la Pléiade, 1953, p. 612-613.
17. Id., *Principes*, II, I, dans *ibid.*, p. 611.

connaissances semblent formées à partir de l'*expérience sensible*. Ainsi, les principes de la raison seraient acquis passivement ; ils découleraient de l'habitude de constater, au niveau de l'expérience, la répétition ou la régularité des événements naturels. Bref, les idées ne seraient que des copies des impressions ou des perceptions sensorielles, et le travail de la raison se limiterait à organiser les relations entre ces idées.

Selon cette théorie de la connaissance, que les philosophes nomment *empirisme*, les idées et les connaissances ne seraient que le miroir d'une réalité indépendante, dans son existence et dans sa structure, du sujet connaissant. Toute connaissance viendrait de l'expérience.

Les rationalistes se sont opposés à cette théorie empiriste, car ils estimaient qu'elle ne rendait pas suffisamment compte du *caractère universel et nécessaire de nos connaissances*, étant donné la nature singulière et contingente des perceptions issues de l'expérience. Dans l'optique rationaliste, le sujet connaissant recherche l'unité, la cohérence, l'ordre et l'universalité. Il cherche à dépasser les données de l'expérience sensible toujours très subjectives, à rendre ces données intelligibles et à les formuler sous forme de lois universelles et nécessaires. Or ces lois universelles et nécessaires ne sont pas de simples reflets des phénomènes naturels : elles correspondent au contraire aux caractéristiques, aux principes, aux catégories propres de la raison humaine, qui existent indépendamment des perceptions sensibles.

Emmanuel Kant exprime ainsi cette thèse, dans la préface de la seconde édition de la *Critique de la raison pure* :

[Les physiciens, à la suite des travaux de Galilée, de Torricelli et de Stahl] comprirent que la raison ne voit que ce qu'elle produit elle-même d'après ses propres plans et qu'elle doit prendre les devants avec les principes qui déterminent ses jugements, suivant des lois immuables, qu'elle doit obliger la nature à répondre à ses questions et ne pas se laisser conduire pour ainsi dire en laisse par elle ; car autrement, faites au hasard et sans aucun plan tracé d'avance, nos observations ne se rattacheraient point à une loi nécessaire, chose que la raison demande et dont elle a besoin. Il faut donc que la raison se présente à la nature tenant, d'une main, ses principes qui seuls peuvent donner aux phénomènes concordant entre eux l'autorité de lois, et de l'autre, l'expérimentation qu'elle a imaginée d'après ces principes, pour être instruite par elle, il est vrai, mais non pas comme un écolier qui se laisse dire tout ce qu'il plaît au maître, mais, au contraire, comme un juge en fonctions qui force les témoins à répondre aux questions qu'il leur pose[18].

---

18. Emmanuel Kant, *Critique de la raison pure*, traduction de A. Tremesaygues et B. Pacaud, Paris, PUF, 1965, p. 17 (préface de la seconde édition).

RÉSUMÉ DE LA PENSÉE DE L'AUTEUR

À elles seules, les observations ne peuvent constituer un savoir. La connaissance est un produit, une construction de la raison, laquelle détermine les conditions nécessaires de l'expérimentation. Pour constituer un savoir, il faut donc:

1. Déterminer les principes qui permettent d'unifier les données de l'expérience.

2. Procéder à l'expérimentation selon un modèle préétabli, lequel permet au chercheur de trouver dans la nature la confirmation ou la réfutation de ses hypothèses.

EMMANUEL KANT
(1724-1804)

Homme de sciences et philosophe allemand qui a profondément marqué l'histoire de la pensée occidentale. Sa philosophie critique, qui visait à déterminer les conditions *a priori* (avant toute expérience) de la connaissance, du jugement moral et du jugement esthétique, a marqué la fin du rationalisme « classique ». Il a exploré systématiquement le pouvoir, mais aussi les limites, de la raison humaine.

Que toute notre connaissance commence avec l'expérience, cela ne soulève aucun doute. Mais cela ne prouve pas qu'elle dérive toute de l'expérience, car il se pourrait bien que même notre connaissance par expérience fût un composé de ce que nous recevons des impressions sensibles et de ce que notre propre pouvoir de connaître produit de lui-même.
(Critique de la raison pure)

Kant récuse donc le principe fondamental de l'empirisme, à savoir que toute notre connaissance dérive de l'expérience. Il montre que la perception des objets est elle-même déterminée par des formes ou principes *a priori*[19] de la raison, de sorte que notre connaissance est un composé de ce que nous recevons de l'expérience sensible et des structures de la raison elle-même.

On peut résumer la théorie kantienne de la connaissance de la manière suivante.

1. La *forme* de notre connaissance est rationnelle. Notre raison théorique est un ensemble de structures ou de formes:

---

19. Selon Kant, l'expression *a priori* désigne ce qui est indépendant de l'expérience, l'expression *a posteriori* renvoyant à ce qui dépend ou provient de l'expérience.

De la *sensibilité* : l'espace et le temps sont les formes réceptives de l'expérience sensible. Il nous est impossible de percevoir les objets autrement qu'insérés dans des relations spatio-temporelles. L'espace et le temps n'ont pas de réalité extérieure au sujet connaissant.

De l'*entendement* : douze catégories permettent à l'entendement de formuler des jugements en établissant des relations entre les différentes données de l'expérience, par exemple des relations de cause à effet.

De la *raison* : les idées transcendantales de la raison (Dieu, l'âme et le monde), dont les objets dépassent toute expérience sensible et se situent hors du champ de la connaissance proprement dite, permettent d'unifier les connaissances autour de l'idée de totalité.

2. La *matière* de notre connaissance est sensible : seules les données de l'expérience sensible peuvent alimenter nos structures théoriques :

  Sans la sensibilité, nul objet ne nous serait donné et sans l'entendement nul ne serait pensé. Des pensées sans contenu sont vides, des intuitions sans concepts, aveugles[20].

Nous ne voyons pas les choses comme elles sont, nous les voyons comme nous sommes.

Tout se passe donc comme si le sujet humain était naturellement incapable d'accéder à une véritable connaissance de soi et de pénétrer la réalité intime des choses (ce qu'elles sont en elles-mêmes), indépendamment des structures d'accueil de la réalité inhérentes à la raison du sujet.

La théorie kantienne de la connaissance, tout en attribuant à la raison un rôle actif essentiel dans l'élaboration du savoir, trace aussi les limites de l'usage légitime de la raison. Ainsi, les preuves de l'existence de Dieu relèvent, selon Kant, d'un usage illégitime de la raison, comme nous le verrons plus en détail dans la section 3.4.

 La raison humaine a cette destinée singulière [...] d'être accablée de questions qu'elle ne saurait éviter, car elles lui sont imposées par sa nature même, mais auxquelles elle ne peut répondre, parce qu'elles dépassent totalement le pouvoir de la raison humaine.

Ce n'est pas sa faute si elle tombe dans cet embarras. Elle part de principes dont l'usage est inévitable dans le cours de l'expérience et en même temps suffisamment garanti par cette expérience. Aidée par eux, elle monte toujours plus haut (comme du reste le comporte sa nature), vers des conditions plus éloignées. Mais, s'apercevant que, de cette manière, son œuvre doit toujours rester inachevée, puisque les questions n'ont

20. Emmanuel Kant, *op. cit.*, p. 77 (introduction de la « Logique transcendantale »).

jamais de fin, elle se voit dans la nécessité d'avoir recours à des principes qui dépassent tout usage possible dans l'expérience et paraissent néanmoins si dignes de confiance qu'ils sont même d'accord avec le sens commun. De ce fait, elle se précipite dans une telle obscurité et dans de telles contradictions qu'elle peut en conclure qu'elle doit quelque part s'être appuyée sur des erreurs cachées, sans toutefois pouvoir les découvrir, parce que les principes dont elle se sert, dépassant les limites de toute expérience, ne reconnaissent plus aucune pierre de touche de l'expérience[21].

RÉSUMÉ DE LA PENSÉE DE L'AUTEUR

1. La raison humaine est portée naturellement à se poser des problèmes dont la solution dépasse ses possibilités.

2. De fait, la raison se sert de principes qui sont confirmés par l'expérience sensible, et se croit justifiée de les utiliser pour résoudre des problèmes qui dépassent le cadre de l'expérience.

3. Ce faisant, elle se heurte à mille difficultés insolubles (par exemple, l'origine du monde, l'existence de Dieu, l'immortalité de l'âme), parce que ces principes ne sont valables que pour le monde de l'expérience sensible.

Ces questions qui dépassent la capacité de la raison touchent à plusieurs des grands problèmes qui hantent la pensée humaine depuis les origines de la réflexion. L'univers est-il fini ou infini ? A-t-il un commencement dans le temps ou est-il éternel ? La liberté existe-t-elle dans la nature ou tout y est-il déterminé à l'avance ? L'âme existe-t-elle ? Existe-t-il un être suprême ?

Avec un arsenal d'arguments sans précédent, Kant s'efforce de démontrer que la raison humaine ne peut apporter de réponses satisfaisantes ou certaines à ces questions. Le doute de Descartes, aussi radical qu'il soit, n'est qu'un artifice méthodologique visant à préparer la certitude absolue du savoir. Avec Kant, la raison se voit forcée d'abandonner ses prétentions à l'égard des questions qui se situent au delà de l'expérience sensible. En cela, le philosophe allemand ne vise pas à discréditer la raison en tant que telle, mais bien à confirmer son pouvoir et la légitimité de son usage à l'intérieur des limites de l'expérience sensible. Sans celle-ci, en effet, les idées sont vides, n'ont pas de contenu.

---

21. *Ibid.*, p. 5 (préface de la première édition).

2.2.2 La fonction cognitive de la raison

La raison, faculté spécifique de l'être humain, rend possible l'acquisition de connaissances vraies, c'est-à-dire objectives et universelles.

Ces connaissances sont rendues possibles grâce

a) au respect de règles qui assurent le bon usage de la raison :
  - n'accepter que l'évident, l'indubitable ;
  - procéder à une analyse exhaustive des éléments d'un problème et mettre en œuvre le doute méthodique qui seul peut assurer la certitude de nos connaissances (Descartes) ;

b) à l'application, aux données de l'expérience, des formes ou principes :
  - de la sensibilité,
  - de l'entendement,
  - de la raison.

Nos connaissances se limitent au monde de l'expérience sensible (Kant). Elles résultent de l'union :
  - d'une forme : nos structures d'accueil de l'expérience sensible.
  - d'une matière : les données de l'expérience sensible qui alimentent nos structures théoriques.

2.2.3 La fonction pratique de la raison

Nous avons vu que la raison permet à l'être humain d'élaborer un discours cohérent, de dépasser le niveau des opinions, des appréciations subjectives, par le renvoi aux faits et le recours aux principes rationnels (fonction logique de la raison) ; il devient ainsi possible de connaître le monde, de distinguer le vrai du faux (fonction cognitive). La raison remplit enfin une troisième fonction, celle de *bien juger*, c'est-à-dire de former des jugements d'ordre pratique, de différencier le bon et le mauvais, de porter, en un mot, des jugements de valeur. C'est la fonction pratique de la raison, qui concerne l'action humaine.

Selon le rationalisme, il est possible de déterminer d'une façon rationnelle, c'est-à-dire objective et universelle, les principes de l'action humaine. Parmi les représentants du courant rationaliste, les stoïciens, de même qu'Emmanuel Kant, ont donné des formulations théoriquement achevées du rationalisme moral, qui propose d'orienter la vie individuelle et d'organiser la vie collective selon les exigences de la raison.

A. Le stoïcisme

Le stoïcisme est une école de pensée de l'antiquité gréco-romaine. Le fondateur en est Zénon de Citium (336-264 av. J.-C.) et ses représentants les plus illustres sont Sénèque (4 av. J.-C.-65), avocat et précepteur de l'empereur romain Néron, Épictète (50-130) et l'empereur romain Marc Aurèle (121-180), qui a laissé des *Pensées pour soi-même*. Les penseurs stoïciens ont en commun d'avoir développé une philosophie morale marquée par la recherche de l'*égalité d'âme* devant les événements de la vie et par la recherche de l'harmonie avec soi-même et avec l'ordre du monde, auquel il faut se soumettre puisque nous en faisons partie intégrante. La morale stoïcienne s'enracine en effet dans une cosmologie qui postule que l'ordre du monde est rationnel et que l'être humain y est intégré comme la partie est intégrée au tout ; ainsi, grâce à la vision de l'ensemble, il peut parvenir à relativiser ses souffrances et à accepter son destin. Cette idée centrale du stoïcisme s'est beaucoup répandue au cours des siècles en Occident, au point de s'inscrire dans le langage courant : encore aujourd'hui, on dit d'une personne qu'elle est « stoïque » quand elle demeure impassible dans l'adversité.

On peut formuler ainsi le présupposé de toute morale rationaliste : pour être morale, toute conduite doit reposer sur un *critère* permettant à tous les êtres dotés de raison de différencier ce qui est bon de ce qui est mauvais, ce qui doit être recherché de ce qui doit être évité, indépendamment des circonstances ou des intérêts personnels ou subjectifs ; autrement dit, elle doit reposer sur un critère qui échappe à l'arbitraire individuel.

La nécessité d'un tel critère est reconnue explicitement par Épictète[22] dans ses *Entretiens*. Il s'y étonne de la facilité avec laquelle les êtres humains, au moment d'agir, négligent d'avoir recours à une règle rationnelle :

 [...] Quand nous voulons juger d'un poids, nous ne jugeons pas au hasard, et pas davantage pour juger si une ligne est droite ou courbe ; en général, quand il nous importe de connaître les vérités géométriques, nul d'entre nous ne laissera jamais rien au hasard. Mais s'agit-il du principe premier et unique de l'action droite ou de son contraire, du bonheur ou du malheur, de l'échec ou du succès, nous ne jugeons alors qu'au hasard et avec précipitation ; rien ici de semblable à une balance ; rien de semblable à une règle ; une action me paraît bonne et immédiatement je la fais. [...] Et comment appelle-t-on ceux qui obéissent à tout ce qui leur paraît bon ? – Des fous[23].

---

22. Épictète (50-130). Philosophe stoïcien, esclave affranchi. Ses *Entretiens* et son *Manuel* sont consacrés à la philosophie morale. On cite souvent cette anecdote pour illustrer l'attitude stoïcienne devant les adversités de la vie : soumis à la torture, Épictète avait prévenu son tortionnaire qu'il risquait de lui casser la jambe s'il continuait à la tordre. Une fois la jambe cassée, Épictète constata simplement : « Ne te l'avais-je pas dit ? »

23. Épictète, *Entretiens*, I, XXVIII, 28-32, dans *Les stoïciens*, Paris, Gallimard, Bibliothèque de la Pléiade, 1962, p. 872-873.

CICÉRON
(106-43 av. J.-C.)

Orateur et homme politique romain contemporain de Jules César. Ses écrits philosophiques proposent une morale éclectique, élaborée à partir des écoles de pensée épicurienne et stoïcienne notamment, qui tente de satisfaire les exigences de la politique et de la morale individuelle.

La qualité propre de l'homme, c'est surtout la recherche soigneuse de la vérité : dès que nous sommes délivrés des affaires indispensables et des soucis, nous désirons voir, entendre, apprendre.
(Traité des devoirs)

Pour les stoïciens, le critère de l'action juste s'énonce ainsi : *vivre en accord avec la nature*. Ce principe signifie que l'être humain doit agir conformément à sa nature d'être rationnel et en harmonie avec les lois de la nature, qui sont l'expression de la Raison universelle. L'être humain agit correctement dans la mesure où il recherche l'harmonie entre ses actes et l'ordre du monde. Le sujet vertueux est celui qui, agissant selon la droite raison, atteint un état d'harmonie, selon la formulation que donne Cicéron de la morale stoïcienne :

 [...] la vertu est l'état d'une âme, où tout concorde et s'accorde, qui rend dignes d'éloges ceux en qui elle est et qui est en elle-même, digne d'éloges, abstraction faite de son utilité, elle est le point de départ de toutes les volontés, pensées ou actions honnêtes, et de toute droite raison ; pourtant c'est la vertu même qui peut être appelée très brièvement droite raison[24].

Une précision s'impose à propos du principe d'accord avec la nature. Il ne signifie pas que les *tendances naturelles* conduisent nécessairement l'être humain à agir rationnellement en toutes circonstances. Les tendances naturelles, comme l'inclination à l'autoconservation, à la procréation ou à la vie en société, peuvent se dérégler et troubler l'être humain dans sa recherche d'harmonie et d'équilibre. La vertu ne vient pas spontanément, selon les stoïciens ; elle est l'effet de l'éducation.

Il faut donc éduquer la raison, travailler à *bien penser*, à *bien juger*, afin de *bien agir*. Acquérir un savoir sur nous-mêmes et sur la nature devient l'élément essentiel d'une conduite régie par la raison. C'est la connaissance qui doit déterminer les choix

---

24. Cicéron, *Tusculanes*, IV, XV, 34, dans *Les stoïciens*, *op. cit.*, p. 341.

pratiques et en assurer la valeur. Il faut donc mettre sa conduite en accord avec sa pensée.

Dans cette optique, vivre selon la nature signifie agir selon sa nature propre d'être rationnel, ce qui implique *la maîtrise*, et même l'élimination, *des passions*. (Cette question est développée plus loin à la section 3.1.2.) Cela signifie aussi qu'il faut connaître les lois de l'univers (du cosmos) et les accepter. Ainsi, chaque être humain doit reconnaître qu'il est une partie du tout et que les événements qui ont lieu sont inévitables. Par exemple, la mort fait partie intégrante du cycle de la nature et doit être acceptée avec sérénité ; il ne faut pas se laisser troubler par elle, ni par aucune chose inévitable :

Ce qui trouble les hommes, ce ne sont pas les choses, mais les opinions qu'ils en ont. Par exemple, la mort n'est point un mal, car, si elle en était un, elle aurait paru telle à Socrate ; mais l'opinion qu'on a que *la mort est un mal*, voilà le mal. Lors donc que nous sommes contrariés, troublés ou tristes, n'en accusons point d'autres que nous-mêmes, c'est-à-dire nos opinions[25].

En résumé, la maîtrise des passions, toujours excessives, tyranniques, donc déraisonnables, de même que la soumission au destin, constituent les deux règles fondamentales de la morale stoïcienne.

B. Emmanuel Kant

Le modèle le plus rigoureux d'une morale rationaliste demeure toutefois celui qu'a proposé Emmanuel Kant. En cherchant un principe universalisable de la moralité des actions humaines, Kant acquit la conviction qu'on ne pouvait le trouver dans les actions en elles-mêmes, mais bien seulement dans la volonté ou l'intention des personnes. En effet, deux personnes peuvent accomplir la même bonne action, mais avec des intentions très différentes. Par exemple, un homme peut donner un jour une somme d'argent à une personne dans le besoin, sachant que celle-ci sera plus tard en position de lui procurer un avantage par ses relations ; un autre homme donnera la même somme à la même personne, considérant qu'il est de son devoir d'aider ceux qui sont dans le besoin. Le premier a agi par intérêt personnel, et on voit bien que son action n'est pas véritablement morale, même si elle est extérieurement bonne, en songeant qu'il ne la répéterait pas dans les situations où elle ne lui procurerait aucun avantage. Le second, en revanche, a agi simplement par devoir, et on peut affirmer que, pour cette raison, il agirait de la même façon à l'égard de toute personne en détresse.

---

25. Épictète, *Manuel*, V, dans *Les stoïciens*, textes choisis par Jean Brun, Paris, PUF, collection SUP, 1973, p. 121. (Nous soulignons.)

L'originalité de Kant a été de dépouiller le principe de la moralité de tout élément concret et personnel (les tendances, les désirs ou les intérêts, et même les motivations subjectives les plus nobles comme la maîtrise de soi), pour lui donner une forme strictement universelle et contraignante. L'intention à la source des actions n'est véritablement morale que lorsqu'elle est exclusivement déterminée par la volonté de réaliser un devoir. *L'action morale est donc l'action faite par devoir*; elle tire sa valeur morale non pas du but qu'elle vise ni du résultat ou des conséquences, mais du principe en vertu duquel la personne l'accomplit. Dans le texte suivant, Kant donne des exemples qui illustrent ce point :

Il est sans doute conforme au devoir que le débitant [marchand] n'aille pas surfaire le client inexpérimenté, et même c'est ce que ne fait jamais dans tout grand commerce le marchand avisé ; il établit au contraire un prix fixe, le même pour tout le monde, si bien qu'un enfant achète chez lui à tout aussi bon compte que n'importe qui. On est donc *loyalement* servi ; mais ce n'est pas à beaucoup près suffisant pour qu'on en retire cette conviction que le marchand s'est ainsi conduit par devoir et par des principes de probité ; son intérêt l'exigeait, et l'on ne peut pas supposer ici qu'il dût avoir encore par surcroît pour ses clients une inclination immédiate de façon à ne faire, par affection pour eux en quelque sorte, de prix plus avantageux à l'un qu'à l'autre. Voilà donc une action qui était accomplie, non par devoir, ni par inclination immédiate, mais seulement dans une intention intéressée.

Au contraire, conserver sa vie est un devoir, et c'est en outre une chose pour laquelle chacun a encore une inclination immédiate. Or c'est pour cela que la sollicitude souvent inquiète que la plupart des hommes y apportent n'en est pas moins dépourvue de toute valeur intrinsèque et que leur maxime n'a aucun prix moral. Ils conservent la vie *conformément au devoir* sans doute, mais non *par devoir*. En revanche, que des contrariétés et un chagrin sans espoir aient enlevé à un homme tout goût de vivre, si le malheureux, à l'âme forte, est plus indigné de son sort qu'il n'est découragé ou abattu, s'il désire la mort et cependant conserve la vie sans l'aimer, non par inclination ni par crainte, mais par devoir, alors sa maxime a une valeur morale.

Être bienfaisant, quand on le peut, est un devoir, et de plus il y a de certaines âmes si portées à la sympathie, que même sans aucun autre motif de vanité ou d'intérêt elles éprouvent une satisfaction intime à répandre la joie autour d'elles et qu'elles peuvent jouir du contentement d'autrui, en tant qu'il est leur œuvre. Mais je prétends que dans ce cas une telle action, si conforme au devoir, si aimable qu'elle soit, n'a pas cependant de valeur morale véritable, qu'elle va de pair avec d'autres inclinations, avec l'ambition par exemple qui, lorsqu'elle tombe heureusement sur ce qui est réellement en accord avec l'intérêt public et le devoir, sur ce qui par conséquent est honorable, mérite louange et encouragement, mais non respect ; car il manque à la maxime la valeur morale, c'est-à-dire que ces actions soient faites, non par inclination, mais *par devoir*. Supposez donc que l'âme de ce philanthrope soit assombrie par un de ces chagrins personnels qui étouffent toute sympathie pour le sort d'autrui, qu'il ait toujours encore le pouvoir de faire du bien à d'autres malheureux, mais qu'il ne soit pas touché de l'infortune des autres, étant trop absorbé par la sienne propre, et que, dans ces conditions, tandis qu'aucune inclination ne l'y pousse plus, il s'arrache néanmoins à cette insensibilité mortelle, et qu'il agisse, sans que ce soit sous l'influence d'une inclination, uniquement par devoir, alors seulement son action a une véritable valeur morale[26].

RÉSUMÉ DE LA PENSÉE DE L'AUTEUR

1. Il est du devoir de tout marchand de ne pas vendre sa marchandise à un prix exagéré aux acheteurs inexpérimentés. Mais si le marchand doit être loyal, ce n'est pas par devoir ou par inclination naturelle, mais bien par intérêt personnel bien compris.

2. C'est un devoir pour chacun de conserver sa vie. Mais, généralement, nous prenons soin de notre vie par inclination naturelle, et non par devoir. Par contre, certaines personnes qui continuent à vivre alors qu'elles souhaitent mourir peuvent agir par devoir.

3. Aider autrui est également un devoir. Certaines personnes désintéressées s'emploient ainsi à être généreuses ; elles n'agissent cependant pas par devoir, mais par compassion ou par inclination, en vue d'une satisfaction personnelle.

4. Il y a donc une différence entre agir conformément au devoir et agir par devoir : seule la conduite motivée par le devoir a un véritable caractère moral.

---

26. Emmanuel Kant, *Fondements de la métaphysique des mœurs,* traduction de Victor Delbos, Paris, Delagrave, 1967, p. 95-96.

Le devoir moral prend ainsi chez Kant une forme particulière, celle de l'*impératif catégorique*, c'est-à-dire d'une obligation radicale : il faut agir par devoir, et seulement par devoir. Et pourquoi le faut-il, pourquoi cet impératif est-il catégorique ? Parce qu'il s'agit, selon Kant, du seul comportement vraiment rationnel ou universalisable. Pour concrétiser ce point, Kant a donné à l'impératif catégorique la formulation suivante : « Agis uniquement d'après la maxime qui fait que tu peux vouloir en même temps qu'elle devienne une loi universelle. » Appliquons cela au cas du meurtre. Un homme se donne pour maxime : « J'ai le droit de tuer ceux qui nuisent à mes intérêts. » Il est clair que cet homme ne peut considérer sa maxime comme une loi universelle, car il admettrait alors qu'un ennemi puisse s'en prendre à sa vie : une fois universalisée, sa maxime devient contradictoire, elle se détruit d'elle-même en détruisant son auteur. Un autre homme se donne pour maxime : « Je ne dois pas tuer ceux qui me nuisent, pour éviter de subir le châtiment de la justice. » Bien qu'elle soit *conforme* au devoir, cette maxime ne peut pas non plus servir de loi universelle, car il se trouvera toujours des situations dans lesquelles des hommes pourront en assassiner d'autres impunément. Seul celui qui se donne pour maxime « Je ne dois pas tuer quiconque, car j'ai le devoir de respecter la vie d'autrui » peut faire de celle-ci une loi universelle et prétendre agir moralement.

Il faut donc juger ses propres actions d'après le seul critère de l'universalité. Le devoir ne peut émaner d'un désir purement subjectif et individuel, autrement chacun penserait uniquement à soi-même au détriment des autres. Le devoir doit posséder les caractères de l'universalité comprenant par définition les autres. Voici ce que dit Kant dans ses *Réflexions sur l'éducation* :

 L'homme [...] doit acquérir une disposition à ne choisir que des fins bonnes. Des fins bonnes sont celles qui sont nécessairement approuvées par chacun et qui au même moment pourraient être les fins de chacun[27].

Dans ses *Fondements de la métaphysique des mœurs*, il formule l'impératif catégorique d'une façon qui indique avec évidence en quoi consiste concrètement le devoir de chacun :

 Agis de telle sorte que tu traites l'humanité, aussi bien dans ta personne que dans la personne d'autrui, toujours en même temps comme fin, jamais simplement comme moyen[28].

27. Id., *Réflexions sur l'éducation*, Paris, Vrin, 1966, p. 83.
28. Id., *Fondements de la métaphysique des mœurs*, Paris, Bordas, 1988, p. 62.

C'est la personne, possédant une raison et une autonomie, qui est le fondement de l'impératif catégorique, pour la raison suivante :

L'homme, et en général tout être raisonnable, existe comme fin en soi, et non pas simplement comme moyen pour l'usage arbitraire de telle ou telle volonté, et […] dans toutes ses actions, soit qu'elles ne regardent que lui-même, soit qu'elles regardent aussi d'autres êtres raisonnables, il doit toujours être considéré en même temps comme fin. […] on donne le nom de personnes aux êtres raisonnables, parce que leur nature même en fait des fins en soi, c'est-à-dire quelque chose qui ne doit pas être employé simplement comme moyen, et qui, par conséquent, restreint d'autant l'arbitre de chacun (et lui est un objet de respect)[29].

Tout être humain a en lui-même une valeur, et le respect qu'on lui doit limite d'autant toute faculté d'agir uniquement comme bon nous semble.

Ainsi, dans les relations amoureuses, on traite l'autre comme un moyen pour atteindre notre propre plaisir, comme un objet et non comme une personne, s'il n'a pas l'intention de participer à une relation de ce genre. Dans cette optique, certaines actions ne seront jamais moralement acceptables. La torture, les actes terroristes, le viol et l'esclavage sont autant d'atteintes à la dignité de la personne humaine. Comme telles, ils sont condamnables moralement.

Sujet de réflexion

Le principe du respect de l'être humain issu de la philosophie rationaliste constitue aujourd'hui une référence obligée pour juger de la moralité des rapports humains. Y a-t-il selon vous des situations actuelles dans lesquelles l'être humain est réduit à l'état d'objet, en contradiction avec ce principe fondamental ?

Ainsi, dans l'expression « impératif catégorique », le terme « impératif » signifie que la personne a le devoir de se soumettre à la règle universelle, en maîtrisant ses penchants, ses désirs, ses passions, ses intérêts ; ce devoir est dit « catégorique »

---

29. *Ibid.*, p. 61.

dans le sens où la personne qui se soumet à la règle n'a d'autre but que de faire son devoir, d'être raisonnable, de mettre sa volonté en harmonie avec celle de tous les êtres raisonnables. L'impératif catégorique est donc un impératif sans conditions (obéis parce que c'est ton devoir) ; il se distingue de l'impératif hypothétique (obéis si tu veux éviter la punition, si tu veux obtenir un avantage, etc.).

La morale kantienne offre une illustration éloquente de la fonction pratique de la raison, car elle place véritablement la raison au centre de l'action humaine. De la même façon que les lois de la nature trouvent leur fondement dans les structures de la raison humaine, les lois morales trouvent leur justification dans le caractère universel que la raison leur reconnaît. La philosophie de Kant représente ainsi une formulation « radicale » du rationalisme moral : le devoir moral est défini en fonction de l'universalité qu'exige la *raison pratique*, indépendamment des conditions qui entourent un acte et des particularités de la personne qui le pose. Dans le texte suivant, Kant illustre cette idée par un exemple :

[...] Prenons un acte volontaire, par exemple un mensonge pernicieux [nuisible], par lequel un homme a introduit un certain désordre dans la société, dont on recherche d'abord les raisons déterminantes, qui lui ont donné naissance, pour juger ensuite comment il peut lui être imputé avec toutes ses conséquences. Sous le premier point de vue, on pénètre le caractère empirique de cet homme jusque dans ses sources que l'on recherche dans la mauvaise éducation, dans les mauvaises fréquentations, en partie aussi dans la méchanceté d'un naturel insensible à la honte, qu'on attribue en partie à la légèreté et à l'inconsidération, sans négliger les circonstances tout à fait occasionnelles qui ont pu influer. [...] Or, bien que l'on croie que l'action soit déterminée par là, on n'en blâme pas moins l'auteur [...]. Ce blâme se fonde sur une loi de la raison où l'on regarde celle-ci comme une cause qui a pu et a dû déterminer autrement la conduite de l'homme, indépendamment de toutes les conditions empiriques nommées. [...] L'action est attribuée au caractère intelligible de l'auteur : il est entièrement coupable à l'instant où il ment ; par conséquent, malgré toutes les conditions empiriques de l'action, la raison était pleinement libre, et cet acte doit être attribué entièrement à sa négligence[30].

30. Emmanuel Kant, *Critique de la raison pure*, « Dialectique transcendantale » (livre II, chap. II, 9e section), *op. cit.*, p. 405-406.

RÉSUMÉ DE LA PENSÉE DE L'AUTEUR

1. Si un homme a commis volontairement un mensonge aux conséquences graves, peut-on lui en imputer toute la responsabilité ? Quelles sont les raisons déterminantes de son geste ?

2. On peut chercher à expliquer son comportement par des causes apparentes, comme on le ferait pour un phénomène naturel : on fait appel alors aux influences de l'éducation, aux mauvaises fréquentations ou aux circonstances.

3. Or, même si l'on admet que ces causes ont effectivement conduit l'homme à mentir, on blâme quand même celui-ci pour son geste.

4. Ce blâme tient à l'argument suivant : par sa raison, le sujet aurait pu agir autrement, quelles que soient les circonstances ou les influences subies.

5. La raison humaine étant pleinement libre et l'action étant attribuable à la raison de son auteur, celui-ci est entièrement responsable de son geste.

Rappel des IDÉES PRINCIPALES

2.2.3 La fonction pratique de la raison

La raison, faculté spécifique de l'être humain, rend possible la formation de jugements d'ordre pratique qui permettent de déterminer le bon et le mauvais, d'élaborer des règles de conduite fondées sur des critères rationnels.

a) Pour les stoïciens, le critère de moralité est de *vivre en accord avec la nature*. Cela signifie que l'être humain agit bien si :
   • il suit les consignes de la droite raison ;
   • il recherche l'harmonie entre ses actes et l'ordre du monde.

b) Pour *Kant*, le critère de moralité est d'*agir par devoir*. Agir seulement conformément au devoir ne suffit pas. Le devoir prend la forme d'un *impératif* (commandement) *catégorique* (sans conditions).

Ainsi, par sa raison, l'être humain est autonome et donc responsable de ses actes.

LES TROIS FONCTIONS DE LA RAISON

La RAISON
est source de

DISCOURS ARGUMENTÉ
(fonction logique)

- Permet de convaincre, d'adopter une position par l'examen et la comparaison de thèses différentes.

- Permet de justifier des prises de position, *de défendre ou de combattre un point de vue* par des arguments d'ordre rationnel qui renvoient à des *faits*, à des *données vérifiables* par tous.

- Permet ainsi d'écarter les arguments qui relèvent de *l'autorité*, des *croyances religieuses*, de la *tradition* et des *intérêts personnels*.

- Nous permet de nous *libérer de l'emprise de notre subjectivité*.

CONNAISSANCES VRAIES
(fonction cognitive)

- Permettent de trouver une explication *rationnelle* aux événements et aux phénomènes naturels, à condition :
  - d'élaborer une méthode qui assure le *bon usage* de la raison (voir le texte de Descartes sur le « bon sens », section 2.2.2 A) ;
  - de se limiter à l'explication des phénomènes naturels, car seul ce qui peut être perçu par nos sens peut être objet de savoir.

- Permettent ainsi d'éliminer les *préjugés*, les *explications mythiques ou magiques*, les *opinions non fondées*, les *pratiques superstitieuses*.

- Augmentent notre degré de liberté et d'autonomie en nous libérant de l'*esclavage de l'ignorance*.

ACTIONS JUSTES
(fonction pratique)

- En proposant des *critères d'action rationnels* valables pour tous, c'est-à-dire qui respectent l'être humain, la raison nous permet :
  - de *vivre en accord avec la nature* en nous reconnaissant comme partie intégrante de l'ordre naturel et la prenant comme guide ;
  - d'*agir par devoir* (et pas seulement *selon* le devoir), c'est-à-dire choisir de bonnes fins, celles qui sont nécessairement approuvées par les autres.

- La raison nous aide à devenir majeurs, autonomes, à nous libérer de l'*emprise des autres*.

3 L'ANTHROPOLOGIE RATIONALISTE

En plaçant le discours, la connaissance et l'action sous la gouverne de la raison, les philosophes rationalistes ont déjà, pour l'essentiel, défini l'être humain. La raison différencie l'être humain de l'animal, elle détermine son attitude à l'égard de l'affectivité et établit les conditions de la vie sociale. Le sens de la liberté et de la destinée humaines repose également sur l'exercice de la raison. Les sections qui suivent développent ces différents thèmes.

3.1 LA SPÉCIFICITÉ HUMAINE

Quelle est l'originalité de l'être humain ? Quel est son trait distinctif ? Pour un rationaliste, c'est la *raison* qui fait l'originalité de l'être humain. Au début du *Discours de la méthode*, à la suite du passage sur le « bon sens » (voir la section 2.2.2 A), Descartes affirme en effet que tous les hommes possèdent la raison : elle est la seule chose qui nous rend homme ; tout être humain peut se définir par elle, car « elle est tout entière en un chacun ».

L'affirmation de l'être humain comme être pensant apparaît aux yeux de Descartes comme une première vérité évidente qui résiste à l'épreuve du doute, aussi radical soit-il. Dans un passage souvent cité du *Discours de la méthode*, Descartes indique que pour éliminer tous les risques d'erreur, la recherche de la vérité oblige à considérer comme fausses toutes les choses à propos desquelles un doute peut exister. Voici comment Descartes explique sa démarche :

J'avais dès longtemps remarqué que pour les mœurs, il est besoin quelquefois de suivre des opinions qu'on sait être fort incertaines tout de même que si elles étaient indubitables, ainsi qu'il a été dit ci-dessus ; mais, pour ce qu'alors je désirais vaquer seulement à la recherche de la vérité, je pensai qu'il fallait que je fisse tout le contraire, et que je rejetasse comme absolument faux tout ce en quoi je pourrais imaginer le moindre doute, afin de voir s'il ne resterait point après cela quelque chose en ma créance qui fût entièrement indubitable. Ainsi, à cause que nos sens nous trompent quelquefois, je voulus supposer qu'il n'y avait aucune chose qui fût telle qu'ils nous la font imaginer ; et, pour ce qu'il y a des hommes qui se méprennent en raisonnant, même touchant les plus simples matières de géométrie, et y font des paralogismes[31], jugeant que j'étais

---

31. Paralogisme : raisonnement erroné fait de bonne foi.

sujet à faillir, autant qu'aucun autre, je rejetai comme fausses toutes les raisons que j'avais prises auparavant pour démonstrations ; et enfin, considérant que toutes les mêmes pensées que nous avons étant éveillés nous peuvent aussi venir quand nous dormons, sans qu'il y en ait aucune pour lors qui soit vraie, je me résolus de feindre que toutes les choses qui m'étaient jamais entrées en l'esprit n'étaient non plus vraies que les illusions de mes songes.

Mais, aussitôt après, je pris garde que, pendant que je voulais ainsi penser que tout était faux, il fallait nécessairement que moi, qui le pensais, fusse quelque chose ; et, remarquant que cette vérité : *je pense, donc je suis*, était si ferme et si assurée que toutes les plus extravagantes suppositions des sceptiques n'étaient pas capables de l'ébranler, je jugeai que je pouvais la recevoir sans scrupule pour le premier principe de la philosophie que je cherchais[32].

RÉSUMÉ DE LA PENSÉE DE L'AUTEUR

1. La recherche de la vérité m'oblige à considérer comme fausses toutes les choses dont je peux douter, pour éliminer tous les risques d'erreur. Ainsi, je peux raisonnablement douter :
   a) des sens, qui me trompent quelquefois ;
   b) des savoirs établis, parce qu'ils peuvent reposer sur des raisonnements qui ne sont pas véritablement assurés ;
   c) de la réalité du monde extérieur, qui peut quelquefois être confondue avec le rêve.

2. Mais pour douter, donc pour penser, il faut exister : *je pense, donc je suis*. Cette vérité indubitable devient le premier principe de ma philosophie ; je suis une chose qui pense.

Tout homme est donc une chose qui pense, puisqu'il peut faire abstraction de sa réalité corporelle sans éliminer la certitude d'exister. Mais, s'il cesse de penser, la certitude d'exister disparaît. Ainsi, la réalité première est la pensée : tout homme est une substance spirituelle, entièrement distincte du corps, de la matière.

---

32. René Descartes, *Discours de la méthode*, dans *Œuvres et Lettres, op. cit.*, p. 147-148. (Nous soulignons.)

Le doute radical révèle cette vérité première :

> Je trouve que la pensée est un attribut qui m'appartient : elle seule ne peut être détachée de moi. Je suis, j'existe : cela est certain ; mais combien de temps ? À savoir, autant de temps que je pense ; car peut-être se pourrait-il faire, si je cessais de penser, que je cesserais en même temps d'être ou d'exister. Je n'admets maintenant rien qui ne soit nécessairement vrai : je ne suis donc, précisément parlant, qu'une chose qui pense, c'est-à-dire un esprit, un entendement ou une raison[33].

L'homme est l'être « dont toute l'essence ou la nature n'est que de penser ». L'affirmation de la primauté de la raison chez l'être humain entraîne trois conséquences majeures que nous allons maintenant examiner.

3.1.1 La supériorité de l'homme sur l'animal

D'après le rationalisme, la raison place d'emblée les humains dans une classe à part de l'ordre naturel ; elle en fait *une espèce supérieure aux autres êtres vivants*. L'être humain est le seul être naturel qui ne se contente pas d'appréhender et de subir la réalité : il peut en acquérir une connaissance qui lui permet de la transformer par la technique. Il peut ainsi imaginer et mettre en œuvre de nouvelles formes d'adaptation à son environnement et de nouvelles formes de vie sociale ; il peut *assumer son propre développement historique*.

Deux données témoignent de la supériorité de l'être humain.

a) La capacité qu'a l'être humain de se perfectionner, qui est due à une régression des instincts chez lui. Les espèces animales sont, à divers degrés, prisonnières :

– De leurs *instincts*, comportements presque totalement programmés génétiquement, infaillibles (efficaces), immuables (variant peu d'un individu à l'autre) et contraignants (échappant au contrôle de l'animal) ;

– Et de leur *milieu immédiat*, auquel elles sont liées par leurs besoins immédiats.

Les êtres humains, eux, peuvent, grâce à la raison, se libérer de cette dépendance. Ils sont ainsi capables d'innover et de créer un monde humain, celui de la *culture* (les sciences, les arts, les techniques, les institutions) que l'éducation se charge de transmettre.

Dans le texte qui suit, le philosophe Blaise Pascal met en parallèle l'instinct animal et la raison humaine de manière à dégager la spécificité de celle-ci.

33. Id., *Méditations métaphysiques*, dans *Œuvres et Lettres*, Paris, Gallimard, 1953, p. 277.

BLAISE PASCAL
(1623-1662)

Mathématicien, physicien et philosophe français. Sur le plan scientifique, on lui doit notamment les lois de la pression atmosphérique, le calcul des probabilités et la machine à calculer. En tant que penseur chrétien, il a laissé des éléments d'apologie de la religion chrétienne, qui ont été réunis sous le titre de *Pensées*.

Instinct et raison, marques de deux natures.
(Pensées)

Les animaux s'adapte

Les êtres humains Transforme par leur tech.

N'est-ce pas indignement traiter la raison de l'homme que de la mettre en parallèle avec l'instinct des animaux, puisqu'on en ôte la principale différence, qui consiste en ce que les effets du raisonnement augmentent sans cesse, au lieu que l'instinct demeure toujours dans un état égal? Les ruches des abeilles étaient aussi bien mesurées il y a mille ans qu'aujourd'hui, et chacune d'elles forme cet hexagone aussi exactement la première fois que la dernière. Ils en est de même de tout ce que les animaux produisent par ce mouvement occulte [caché]. La nature les instruit à mesure que la nécessité les presse ; mais cette science fragile se perd avec les besoins qu'ils en ont : comme ils la reçoivent sans étude, ils n'ont pas le bonheur de la conserver ; et toutes les fois qu'elle leur est donnée, elle leur est nouvelle, puisque, la nature n'ayant pour objet que de maintenir les animaux dans un ordre de perfection bornée, elle leur inspire cette science nécessaire, toujours égale, de peur qu'ils ne tombent dans le dépérissement, et ne permet pas qu'ils y ajoutent, de peur qu'ils ne passent les limites qu'elle leur a prescrites. Il n'en est pas de même de l'homme, qui n'est produit que pour l'infinité. Il est dans l'ignorance au premier âge de sa vie ; mais il s'instruit sans cesse dans son progrès : car il tire avantage non seulement de sa propre expérience, mais encore de celle de ses prédécesseurs, parce qu'il garde toujours dans sa mémoire les connaissances qu'il s'est une fois acquises, et que celles des anciens lui sont toujours présentes dans les livres qu'ils en ont laissés. Et comme il conserve ces connaissances, il peut aussi les augmenter facilement[34].

---

34. Blaise Pascal, *Préface sur le traité du vide*, dans *Œuvres complètes*, Paris, Seuil, 1963, p. 231-232.

b) La capacité qu'a l'être humain de produire un discours pour communiquer sa pensée à ses semblables. Le *langage humain*, en effet, manifeste la capacité qu'a l'être humain de former de nouveaux énoncés exprimant des pensées nouvelles adaptées à des situations nouvelles. Seule la raison, instrument universel, permet cette créativité indispensable à l'utilisation du langage. L'animal, lui, ne peut que proférer des paroles, car il est incapable d'inventer des réponses, de s'adapter aux exigences du contexte : il ne peut qu'*imiter* et répéter (comme le perroquet) la parole humaine. Les animaux ne peuvent qu'exprimer leurs impulsions naturelles (colère, crainte, faim et états semblables).

Le texte suivant souligne la particularité du langage humain, expression pour Descartes d'une différence de nature entre l'homme et l'animal, puisque même l'homme le plus stupide possède cette qualité tandis que l'animal « tout parfait et tout heureusement né qu'il puisse être » en est privé. Le langage humain est pour Descartes l'expression même de la pensée et « ne convient qu'à l'homme seul ».

> C'est une chose bien remarquable qu'il n'y a point d'hommes si hébétés et si stupides, sans en excepter même les insensés, qu'ils ne soient capables d'arranger ensemble diverses paroles, et d'en composer un discours par lequel ils fassent entendre leurs pensées ; et qu'au contraire il n'y a point d'autre animal, tant parfait et tant heureusement né qu'il puisse être, qui fasse le semblable. Ce qui n'arrive pas de ce qu'ils ont faute d'organes, car on voit que les pies et les perroquets peuvent proférer des paroles ainsi que nous, et toutefois ne peuvent parler ainsi que nous, c'est-à-dire en témoignant qu'ils pensent ce qu'ils disent ; au lieu que les hommes qui, étant nés sourds et muets, sont privés des organes qui servent aux autres pour parler, autant ou plus que les bêtes, ont coutume d'inventer d'eux-mêmes quelques signes par lesquels ils se font entendre à ceux qui étant ordinairement avec eux ont loisir d'apprendre leur langue. Et ceci ne témoigne pas seulement que les bêtes ont moins de raison que les hommes, mais qu'elles n'en ont point du tout. Car on voit qu'il n'en faut que fort peu pour savoir parler ; et d'autant qu'on remarque de l'inégalité entre les animaux d'une même espèce aussi bien qu'entre les hommes, et que les uns sont plus aisés à dresser que les autres, il n'est pas croyable qu'un singe ou un perroquet qui serait des plus parfaits de son espèce n'égalât en cela un enfant des plus stupides, ou du moins un enfant qui aurait le cerveau troublé, si leur âme n'était d'une nature du tout différente de la nôtre[35].

capacité du langage

être humain supérieur

35. René Descartes, *Discours de la méthode*, dans *Œuvres et Lettres, op. cit.*, p. 165-166. Les travaux de Noam Chomsky sur le langage, notamment *La linguistique cartésienne*, s'inscrivent dans cette tradition.

RÉSUMÉ DE LA PENSÉE DE L'AUTEUR

1. Tout être humain peut produire un discours qui exprime sa pensée.

2. Chez les animaux, il n'y a pas de langage authentique qui manifeste une pensée, même si certains peuvent imiter la parole humaine.

3. En comparaison, certains humains privés de l'usage de la parole peuvent néanmoins exprimer leurs pensées par des signes.

4. Ces observations n'indiquent pas que l'animal a moins de raison que l'être humain, mais qu'il n'en possède pas du tout.

5. De fait, même les animaux les plus habiles comme le singe ou le perroquet ne peuvent se comparer à l'enfant le moins doué.

6. Ce qui témoigne d'une différence de nature entre l'homme et l'animal.

3.1.2 La suprématie de la raison sur l'affectivité

Si la spécificité de l'être humain réside dans sa rationalité, il s'ensuit un rapport bien particulier du sujet rationnel à son affectivité : les sentiments doivent céder le pas aux exigences de la raison.

L'intérêt des sentiments n'est pas mis en doute par la pensée rationaliste, car les sentiments permettent à l'homme d'adapter son action à ses désirs ou penchants. Ainsi, le sentiment d'amour ou de crainte qu'un individu peut éprouver pour un autre le pousse à aller vers l'autre ou à l'éviter. Les sentiments donnent finalement une « couleur » personnelle à la relation qu'entretient chacun avec le monde : « ils nous aident à prendre part au sort des autres », selon l'expression de Kant. Ils donnent ainsi une valeur positive ou négative aux êtres et aux objets. Par contre, ils deviennent suspects et objets de réprobation pour les rationalistes lorsqu'ils échappent au contrôle de la raison. Ainsi, les émotions ou affects (colère, tristesse, crainte, angoisse) et les passions (passion du jeu, des honneurs, du pouvoir ; amour-passion, etc.) constituent pour les rationalistes des perturbations importantes des sentiments et de l'affectivité.

L'individu en proie à la passion perd la maîtrise de soi ; il agit désormais, comme l'animal, sous l'impulsion de forces instinctives, irrationnelles. La *maîtrise des passions par la raison* est une constante de l'anthropologie rationaliste. Les stoïciens soutiennent qu'on juge favorablement les passions et qu'on pense qu'il suffit de les modérer parce qu'elles ont été renforcées par l'éducation et les habitudes de vie. En fait, selon eux, il faut redouter les passions en elles-mêmes et chercher à les éliminer. En effet, voici ce qu'enseigne Cicéron :

> Que peut-il y avoir de raisonnable à prôner une mesure dans les maux ? Si la passion ou le désir sont en vous, comment pourriez-vous ne pas être passionnés ou avides, ne pas être inquiets si l'inquiétude est en vous, être irrités si vous êtes émus de colère, ou ne pas avoir peur, si la crainte vous possède ? [...] On prétend qu'il faut retrancher des passions ce qu'elles ont d'excessif, en leur laissant ce qu'elles ont de naturel ; mais que peuvent-elles avoir de naturel qui ne soit en même temps excessif ? Tout en elles a pour racines des erreurs qu'il faut arracher et extirper à fond et non point tailler ni émonder[36].

Dans son *Anthropologie du point de vue pragmatique*, Emmanuel Kant, rationaliste moderne, met en relief le caractère maladif que peuvent revêtir les émotions en général et les passions en particulier.

> Être soumis à des affects [émotions] et à des passions est sans nul doute toujours une maladie de l'âme, parce que, dans les deux cas, la maîtrise de la raison est exclue. Les affects et les passions ont en outre le même degré de violence ; mais c'est du point de vue qualitatif qu'ils sont essentiellement différents. [...] [Ainsi,] celui qui aime peut du moins, sans doute, rester clairvoyant ; mais celui qui est passionnément amoureux devient inévitablement aveugle aux défauts de l'objet animé, bien qu'en général il recouvre la vue huit jours après le mariage[37].

Des passions comme l'amour-passion, la passion du jeu et l'avarice sont des formes d'émotions qui monopolisent la totalité de la personne et résistent avec force et détermination aux obstacles qui s'opposent à leur satisfaction. La personne passionnée est ainsi prisonnière et esclave d'un état affectif exclusif qui, à juste titre, est appelé « passion dominante ».

Cette exclusivité des passions apparaît clairement dans le texte suivant. Kant y compare celui qui est passionnément ambitieux, et qui, de ce fait, « par complaisance pour cette inclination unique », rejette toutes les autres inclinations ou sentiments dans l'ombre et les tient à l'écart, et celui qui a de l'ambition, et qui, au contraire, veille à ce que celle-ci puisse coexister avec les autres inclinations ou tendances.

---

36. Cicéron, *Tusculanes*, livre IV, XXVI, 57, dans *Les stoïciens*, *op. cit.*, p. 350-351.

37. Emmanuel Kant, *Anthropologie du point de vue pragmatique*, Paris, Garnier-Flammarion, 1993, p. 217-219.

L'*ambition* d'un homme peut certes toujours être une orientation, approuvée par la raison, de son inclination ; mais l'ambitieux veut néanmoins aussi être aimé des autres, il a besoin d'un commerce agréable avec autrui, de maintenir l'état de sa fortune, etc. Mais s'il est *passionnément* ambitieux, il est aveugle à l'égard de ces fins que ses inclinations l'invitent pourtant à prendre aussi en compte, et la haine que les autres pourraient lui porter, la manière dont ses relations pourraient le fuir ou la façon dont ses dépenses pourraient l'exposer à la ruine, – tout cela, il le néglige. C'est là une folie (prendre ce qui n'est qu'une partie de ce qu'il vise pour la totalité de ses fins) qui contredit directement la raison elle-même dans son principe formel.

De là vient que les passions ne sont pas seulement, comme les affects, des états d'âme malheureux porteurs de beaucoup de maux, mais des dispositions mauvaises sans exception, – et le désir qui procède du meilleur naturel, quand bien même ce qu'il vise relève (dans sa matière) de la vertu, par exemple la bienfaisance, est cependant (dans sa forme), dès lors qu'il tourne en passion, non seulement pernicieux du point de vue pragmatique, mais même moralement condamnable.

L'affect porte un préjudice momentané à la liberté et à la maîtrise de soi-même. La passion ne s'en préoccupe pas et trouve son plaisir et sa satisfaction dans l'esclavage. Puisque la raison, cependant, ne faiblit pas dans l'appel qu'elle lance à la liberté intérieure, le malheureux soupire sous ses chaînes, auxquelles il ne peut pourtant s'arracher : car elles ne font désormais, pour ainsi dire, plus qu'un avec ses membres[38].

Sujet de réflexion

Dans les *Tusculanes*, Cicéron affirme : « On prétend qu'il faut retrancher des passions ce qu'elles ont d'excessif, en leur laissant ce qu'elles ont de naturel ; mais que peuvent-elles avoir de naturel qui ne soit en même temps excessif ? Tout en elles a pour racines des erreurs qu'il faut arracher et extirper à fond et non point tailler ni émonder ». Commentez cette citation d'après votre expérience.

Ne faisant plus qu'un avec l'individu, les passions sont, selon le mot même de Kant, des « gangrènes de l'âme », même celles qui pourraient être considérées comme louables (la bienfaisance, la passion politique ou religieuse). Elles font le plus grand tort à la liberté humaine.

---

38. *Ibid.*, p. 238. (Nous soulignons.)

3.1.3 Le dualisme

La conception rationaliste de l'être humain se présente, dans sa formulation la plus radicale, comme un *dualisme*, c'est-à-dire une vision où coexistent deux réalités, deux dynamismes différents : la raison et l'affectivité. Ces dynamismes sont donnés pour irréconciliables, à tel point que l'un, la raison, doit dominer l'autre, l'affectivité.

Certains penseurs rationalistes, dans leur défense de la raison, vont jusqu'à considérer le corps comme un obstacle, comme si la raison n'avait besoin, pour s'exercer, d'aucun support matériel. C'est le sens de l'extrait suivant du *Phédon*, de Platon :

[...] *Le corps* nous cause mille difficultés par la nécessité où nous sommes de le nourrir ; qu'avec cela des maladies surviennent, nous voilà entravés dans notre chasse au réel. Il nous remplit d'amours, de désirs, de craintes, de chimères de toute sorte, d'innombrables sottises, si bien que, comme on dit, il *nous ôte vraiment et réellement toute possibilité de penser.* Guerres, dissensions, batailles, c'est le corps seul et ses appétits qui en sont cause ; car on ne fait la guerre que pour amasser des richesses et nous sommes forcés d'en amasser à cause du corps, dont le service nous tient en esclavage. La conséquence de tout cela, c'est que nous n'avons pas de loisir à consacrer à la philosophie. Mais le pire de tout, c'est que, même s'il nous laisse quelque loisir et que nous nous mettions à examiner quelque chose, il intervient sans cesse dans nos recherches, y jette le trouble et la confusion et nous paralyse au point qu'il nous rend incapables de discerner la vérité. Il nous est donc effectivement démontré que, si nous voulons jamais avoir une pure connaissance de quelque chose, il nous faut nous séparer de lui et regarder avec l'âme seule les choses en elles-mêmes. [...] Si en effet il est impossible, pendant que nous sommes avec le corps, de rien connaître purement, de deux choses l'une : ou bien cette connaissance nous est absolument interdite, ou nous l'obtiendrons après la mort ; car alors l'âme sera seule elle-même, sans le corps, mais auparavant, non pas. Tant que nous serons en vie, le meilleur moyen, semble-t-il, d'approcher de la connaissance, c'est de n'avoir, autant que possible, aucun commerce ni communion avec le corps, sauf en cas d'absolue nécessité, de ne point nous laisser contaminer de sa nature, et de rester purs de ses souillures, jusqu'à ce que Dieu nous en délivre[39].

---

39. Platon, *Phédon*, dans *Œuvres complètes*, tome II, *op. cit.*, p. 115-116 (66b-67b). (Nous soulignons.)

RÉSUMÉ DE LA PENSÉE DE L'AUTEUR

1. Le corps étant la source des désirs et des passions, il nous enlève toute possibilité de penser.

2. La satisfaction des besoins corporels est un véritable esclavage qui nous prive du loisir de philosopher, qui nous empêche de discerner la vérité.

3. Pour obtenir une connaissance véritable, il faut donc se séparer du corps.

4. Il y a donc deux façons de se rapprocher de la connaissance pure:
   - attendre la mort, quand l'âme sera séparée du corps;
   - mener une vie quasi mystique, qui fait le moins de place possible au corps, «jusqu'à ce que Dieu nous en délivre».

PLATON
(429-347 av. J.-C.)

Philosophe grec, disciple de Socrate et maître d'Aristote. Il a laissé des *Dialogues*, qui mettent en scène Socrate, dont la célèbre *République*. Il propose principalement une méthode, la dialectique, et une théorie de la connaissance, la théorie des idées, selon laquelle l'objet de la connaissance ne réside pas dans les phénomènes particuliers, mais bien dans les idées pures, ordonnées à l'idée du Bien.

Si nous voulons jamais avoir une pure connaissance de quelque chose, il nous faut nous séparer du corps et regarder avec l'âme seule les choses en elles-mêmes. (Phédon)

L'être humain est présenté comme un être déchiré par le *conflit fondamental* entre la raison, qui seule peut lui permettre de réaliser sa nature véritable, et l'affectivité, qui tend à le maintenir au niveau de l'animalité. Le rationalisme définit ainsi l'être humain comme un animal capable d'atteindre un degré élevé de savoir et d'autonomie d'action, mais à une condition: celle d'échapper à l'emprise de l'animalité. Cette thèse dualiste marque également la conception rationaliste de la sociabilité humaine, comme nous le verrons dans les pages suivantes.

Rappel des IDÉES PRINCIPALES

3.1 LA SPÉCIFICITÉ HUMAINE

3.1.1 La supériorité de l'homme sur l'animal

La raison place d'emblée l'être humain dans une *classe supérieure* aux autres êtres vivants pour les raisons suivantes :
- elle lui permet de se perfectionner en le libérant des instincts ; dépendance immédiate à l'égard du milieu.
- elle lui permet de produire un discours qui exprime sa pensée.

3.1.2 La suprématie de la raison sur l'affectivité

Les sentiments, les émotions et surtout les passions doivent être *soumis aux exigences de la raison*, car :
- ils nous dominent (perte de la maîtrise de soi) ;
- ils monopolisent la personnalité.

3.1.3 Le dualisme

L'être humain est déchiré par un conflit fondamental entre la raison et l'affectivité.

3.2 LA SOCIABILITÉ HUMAINE

3.2.1 Le fait de la sociabilité

Les philosophes rationalistes reconnaissent le fait de la sociabilité humaine, c'est-à-dire la disposition de l'être humain à vivre en société. Pour eux, l'être humain est un *animal social*, et c'est l'apparition du langage qui a rendu possible la vie en communauté. Nous avons déjà cité un texte d'Isocrate (section 2.1), où celui-ci affirme que, grâce à la parole, les humains se sont unis pour construire des villes, élaborer des lois, déterminer ce qui est juste.

Dans son traité intitulé *Politique*, Aristote reprend l'idée le langage est constitutif de la sociabilité humaine, pour développer ensuite la thèse que l'être humain est par nature un *animal politique* :

> [...] L'homme est [...] un animal civique, plus social que les abeilles et autres animaux qui vivent ensemble. La nature, qui ne fait rien en vain, n'a départi qu'à lui seul le don de la parole qu'il ne faut pas confondre avec les sons de la voix. Ceux-ci ne sont que l'expression de sensations

ARISTOTE
(384-322 av. J.-C.)

Figure majeure de la philosophie grecque, il a donné de nombreux traités de logique, de politique, de morale, de métaphysique, d'histoire naturelle et de physique. Il a exercé une profonde influence sur la pensée occidentale.

L'homme est un animal civique, plus social que les abeilles et autres animaux qui vivent ensemble. (Politique)

agréables ou désagréables dont les autres animaux sont, comme nous, susceptibles. La nature leur a donné un organe borné à ce seul effet; mais nous avons de plus, sinon la connaissance développée, au moins tout le sentiment obscur du bien et du mal, de l'utile et du nuisible, du juste et de l'injuste, objets pour la manifestation desquels nous a été principalement accordé l'organe de la parole. C'est ce commerce de la parole qui est le lien de toute société domestique[40] et civile.

L'État, ou société politique, est même le premier objet que s'est proposé la nature. Le tout est nécessairement avant la partie. Les sociétés domestiques et les individus ne sont que les parties intégrantes de la Cité[41], toutes subordonnées au corps entier, toutes distinctes par leurs puissances et leurs fonctions, et toutes inutiles si on les désassemble, pareilles aux mains et aux pieds qui, une fois séparés du corps, n'en ont plus que le nom et l'apparence sans la réalité, ainsi qu'une main de pierre. Il en va de même des membres de la Cité; aucun ne peut se suffire à lui-même. Quiconque n'a pas besoin des autres hommes, ou ne peut se résoudre à rester avec eux, est un dieu ou une brute. Aussi l'inclination naturelle porte-t-elle tous les hommes à ce genre de société[42].

40. L'expression «société domestique» peut ici être entendue au sens de famille.
41. Le terme «Cité» ne doit pas être compris au sens de «ville», mais comme exprimant l'idée moderne de l'État.
42. Aristote, *Politique*, traduction de Marcel Prélot, Paris, Gonthier, 1971, p. 16-17.

RÉSUMÉ DE LA PENSÉE DE L'AUTEUR

1. L'être humain est le plus sociable des animaux.

2. Les animaux peuvent communiquer leurs sensations par les sons de la voix, mais seul l'être humain possède le langage, qui lui sert à exprimer ses connaissances et sa perception du bien et du mal, de l'utile et de l'inutile.

3. Le langage est donc le fondement de toute vie familiale et sociale.

4. La société est à la famille et à l'individu ce que le tout est à la partie.

5. Les individus se caractérisent par leur fonction dans la société.

6. Aucun individu ne peut se suffire à lui-même.

7. Les êtres humains sont donc naturellement portés à vivre en société.

La même thèse se retrouve chez les stoïciens, notamment chez Marc Aurèle[43]:

L'Empereur se soumet au peuple et non le contraire

Chaque être doit accomplir [...] ce qui est en accord avec sa constitution. Tous les autres êtres ont été constitués en vue des êtres raisonnables, comme, dans n'importe quel ordre, les choses inférieures en vue des supérieures, mais les êtres raisonnables l'ont été les uns pour les autres. Dans la constitution de l'homme, le caractère essentiel est donc la sociabilité[44].

Si l'entraide sociale est nécessaire pour assurer la satisfaction des besoins humains, elle ne s'établit toutefois pas spontanément, comme par instinct. Les passions et les intérêts divergents opposent les humains et suscitent des conflits qui peuvent, à l'extrême, mettre en péril la communauté (voir la section 3.2.2 B). Pour le rationalisme, *le dépassement des conflits est possible grâce au pouvoir qu'a la raison* de dominer les passions, mais surtout grâce au discours rationnel, qui permet aux humains de s'entendre sur les conditions d'une vie commune.

C'est la position que défend Baruch Spinoza dans son *Éthique*: ceux qui agissent de manière rationnelle vivent nécessairement en *harmonie* avec les autres. Il n'y a en effet qu'une seule vérité, dans l'ordre de la connaissance et dans l'ordre de la

43. Marc Aurèle (121-180). Philosophe et empereur romain. Ses *Pensées pour moi-même* représentent la dernière formulation accomplie du stoïcisme antique.

44. Marc Aurèle, *Pensées pour moi-même*, livre VII, LV, traduction de Mario Meunier, Paris, Garnier-Flammarion, 1964, p. 122.

conduite humaine. À partir du moment où les humains connaissent leurs besoins véritables, ils sont nécessairement d'accord pour fonder une société sur la base de cette vérité :

Proposition XXXV

Dans la mesure seulement où les hommes vivent sous la conduite de la Raison, ils s'accordent toujours nécessairement en nature.

Démonstration

[...] puisque chacun par les lois de sa nature appète [désire] ce qu'il juge être bon et s'efforce d'écarter ce qu'il juge être mauvais ; puisque, en outre, ce que nous jugeons être bon ou mauvais par le commandement de la Raison, est bon ou mauvais nécessairement, les hommes, dans la mesure seulement où ils vivent sous la conduite de la Raison, font nécessairement ce qui est nécessairement bon pour la nature humaine, et par suite pour tout homme, c'est-à-dire ce qui s'accorde avec la nature de tout homme ; donc les hommes aussi s'accordent nécessairement toujours entre eux, en tant qu'ils vivent sous la conduite de la Raison.

Scolie

Ce que nous venons de montrer, l'expérience même l'atteste chaque jour par des témoignages si clairs que presque tous répètent : l'homme est un Dieu pour l'homme. Il est rare cependant que les hommes vivent sous la conduite de la Raison ; telle est leur disposition que la plupart sont envieux et cause de peine les uns pour les autres. Ils ne peuvent cependant guère passer la vie dans la solitude et à la plupart agrée fort cette définition que l'homme est un animal sociable ; et en effet les choses sont arrangées de telle sorte que de la société commune des hommes naissent beaucoup plus d'avantages que de dommages. Que les Satiriques donc tournent en dérision les choses humaines, que les Théologiens les détestent, que les Mélancoliques louent, tant qu'ils peuvent, une vie inculte et agreste, qu'ils méprisent les hommes et admirent les bêtes ; les hommes n'en éprouveront pas moins qu'ils peuvent beaucoup plus aisément se procurer par un mutuel secours ce dont ils ont besoin, et qu'ils ne peuvent éviter les périls les menaçant de partout que par leurs forces jointes[45].

---

45. Baruch Spinoza, *Éthique*, partie IV, XXXV, traduction de Ch. Appuhn, Paris, Garnier-Flammarion, 1965, p. 249-251.

RÉSUMÉ DE LA PENSÉE DE L'AUTEUR

1. L'être humain peut, par la raison, connaître sa véritable nature.

2. Il peut donc déterminer rationnellement ce qui est bien et ce qui est mal pour tout être humain.

3. En agissant selon la raison, les êtres humains s'accordent nécessairement entre eux et vivent en harmonie avec leur nature.

4. Cependant, les êtres humains agissent rarement d'une façon purement rationnelle et entrent en conflit les uns avec les autres.

5. Et pourtant, les humains sont des êtres sociaux : l'accord entre les humains peut seul procurer la satisfaction de leurs besoins et la protection mutuelle.

BARUCH SPINOZA
(1632-1677)

Philosophe hollandais qui a donné à la philosophie des œuvres majeures, notamment le *Tractatus theologico-philosophicus* et l'*Éthique démontrée suivant l'ordre géométrique*. Il a poussé à l'extrême la pensée rationaliste en lui donnant une forme rigoureusement géométrique.

L'homme qui est dirigé par la Raison, est plus libre dans la Cité où il vit selon le décret commun, que dans la solitude où il n'obéit qu'à lui-même.
(Éthique)

Les humains sont des êtres sociaux : seul l'accord qu'ils établissent entre eux peut leur procurer la satisfaction de leurs besoins et une protection mutuelle. Selon les mots de Kant :

 C'est la détresse qui force l'homme d'ordinaire si épris d'une liberté sans bornes, à entrer dans un tel état de contrainte, et, à vrai dire, c'est la pire des détresses : à savoir, celle que les hommes s'infligent les uns aux autres, leurs inclinations ne leur permettant pas de subsister longtemps les uns à côté des autres dans l'état de liberté sans frein[46].

46. Emmanuel Kant, *Idée d'une histoire universelle au point de vue cosmopolitique*, dans *Œuvres philosophiques*, vol. II, Paris, Gallimard, Bibliothèque de la Pléiade, p. 194.

L'être humain est un animal sociable, car il ne peut s'épanouir qu'au milieu de ses semblables. Mais, en même temps, il tend à s'imposer, à vouloir réaliser ses prétentions égoïstes. C'est ainsi que, dans le même texte, Kant parle d'une « insociable sociabilité » qui caractérise l'être humain :

> L'*insociable sociabilité* des hommes, c'est-à-dire leur inclination à entrer en société, inclination qui est cependant doublée d'une répulsion générale à le faire, menaçant constamment de désagréger cette société. L'homme a un penchant à s'associer, car dans un tel état, il se sent plus qu'homme par le développement de ses dispositions naturelles. Mais il manifeste aussi une grande propension à se détacher (s'isoler), car il trouve en même temps en lui le caractère d'insociabilité qui le pousse à vouloir tout diriger dans son sens ; et, de ce fait, il s'attend à rencontrer des résistances de tous côtés, de même qu'il se sait par lui-même enclin à résister aux autres[47].

3.2.2 Les conditions de la sociabilité

Deux conditions permettent aux communautés humaines de se maintenir et de se développer, selon l'idéal rationaliste :

a) La reconnaissance de la nature rationnelle de tout être humain, donc de l'*égalité entre tous les membres de la communauté*. Tous les individus ont leur place au sein de la communauté ; il doivent être traités équitablement. La cohésion sociale tient à la volonté d'atteindre un idéal de justice.

b) Le consensus politique et la *création d'institutions politiques et juridiques*, dont le rôle est de garantir le respect de cette égalité, de traduire en gestes concrets l'idéal de justice. Ces institutions permettent de contrer la violence qui risque de détruire la communauté. Explicitons ces deux points.

A. La reconnaissance de l'égalité

Les rationalistes ne soutiennent pas que tous les êtres humains sont égaux *dans les faits*. À côté des inégalités d'origine sociale, causées par les différents degrés d'instruction ou de fortune, il y a des inégalités d'origine naturelle, qui tiennent aux différences de force, de santé et de talent entre les individus.

Ils affirment cependant que, au-delà des différences individuelles, on doit reconnaître à tous une *égalité en droit*, afin que les inégalités naturelles ne soient pas source d'injustice. Voici ce que dit Jean-Jacques Rousseau :

---

47. *Ibid.*, p. 192.

[...] c'est qu'au lieu de détruire l'égalité naturelle, le pacte fondamental substitue au contraire une égalité morale et légitime à ce que la nature avait pu mettre d'inégalité physique entre les hommes, et que, pouvant être inégaux en force ou en génie, ils deviennent tous égaux par convention et de droit[48].

Ainsi,

[...] le pacte social établit entre les citoyens une telle égalité qu'ils s'engagent tous sous les mêmes conditions, et doivent jouir tous des mêmes droits[49].

Tous les individus doivent être respectés comme sujets raisonnables, comme des êtres humains à part entière. Les plus faibles ont le droit d'exister et de se développer, sans être à la merci des plus forts, de ceux qui sont naturellement plus doués. Pour Kant, le respect qu'on doit à chaque personne témoigne de la reconnaissance que chaque être raisonnable est une fin en soi, qu'il est pour lui-même sa propre fin, qu'il existe pour lui-même et non pas pour les autres ou en fonction des autres. Ainsi, chaque être humain a

[...] le droit d'être estimé par tous les autres comme tel, et de n'être utilisé par aucun comme simple moyen pour atteindre d'autres fins. C'est là-dessus [...] que repose le fondement de l'égalité tellement illimitée de l'homme: même à l'égard d'êtres supérieurs qui par ailleurs pourraient le surpasser au-delà de toute comparaison quant aux dons reçus de la nature, mais dont aucun n'acquiert de ce fait le droit de disposer de lui et d'en user arbitrairement à son égard[50].

La reconnaissance de l'égalité constitue donc le fondement de la *justice*, que l'on peut définir comme l'action de reconnaître et d'attribuer à chacun son dû. Ainsi, de l'égoïste qui réclame tout pour lui, la justice exigera qu'il tienne compte des besoins des autres. Par contre, le membre de la communauté qui accepte une règle limitant ses désirs en fonction des besoins des autres exigera en retour que cette règle soit juste, c'est-à-dire qu'elle s'applique à tous comme à lui-même.

B. Le pacte social et la création d'institutions politiques et juridiques

Comme on l'a vu précédemment, les rationalistes reconnaissent, avec Kant, l'existence d'oppositions entre les individus et de divergences entre leurs désirs et leurs intérêts ; dans les situations conflictuelles, le plus fort l'emporte toujours. Un *consensus politique* devient nécessaire, c'est-à-dire un *accord aussi large que possible*

---

48. Jean-Jacques Rousseau, *Du contrat social*, Paris, Garnier Frères, 1962, p. 249.

49. *Ibid.*, p. 255.

50. Emmanuel Kant, « Conjonctures sur les débuts de l'histoire », dans *La philosophie de l'histoire*, Paris, Éditions Gonthier, 1965, p. 117.

entre individus sur les conditions de la vie en communauté. Cela présuppose qu'il y a eu confrontation d'idées entre les membres de la communauté, que le dialogue a permis d'établir des solutions. Cela suppose aussi, dans la perspective de l'égalité entre individus, que chacun a pu s'exprimer, que le débat s'est déroulé dans un cadre démocratique.

Dans un contexte démocratique, seul le *dialogue* permet d'éviter le recours à la *violence* pour résoudre les conflits entre les membres de la communauté. La violence, qui instaure la loi du plus fort, conduit à la négation même des liens sociaux ; sa conséquence principale est l'élimination de l'autre et donc, à terme, la destruction de la communauté. La vision rationaliste de la société prône donc la solution rationnelle des conflits entre les intérêts particuliers et les intérêts de l'ensemble des membres. Le texte suivant constitue un exposé éloquent de cette thèse. Éric Weil y répond à la question : Pourquoi l'être humain accepte-t-il le cadre démocratique de résolution des problèmes par le dialogue ?

Sujet de **réflexion**

Selon le rationalisme, la résolution non violente des conflits entre les membres de la communauté, aussi bien qu'entre les communautés et les nations, doit passer par le dialogue et la conciliation, sous l'égide d'institutions démocratiques nationales ou internationales. Selon votre compréhension des faits sociaux, comment expliquer l'absence de telles institutions dans plusieurs pays du monde, de même que l'inefficacité d'institutions mondiales telles que l'ONU ?

[L'homme accepte le dialogue] parce que la seule autre issue est la violence, si l'on exclut [...] le silence et l'abstention de toute communication avec les autres hommes : quand on n'est pas du même avis, il faut se mettre d'accord ou se battre jusqu'à ce que l'une des deux thèses disparaisse avec celui qui l'a défendue. Si l'on ne veut pas de cette seconde solution, il faut choisir la première, chaque fois que le dialogue porte sur des problèmes sérieux et qui ont de l'importance, ceux qui doivent mener à une modification de la vie ou en confirmer la forme traditionnelle contre les attaques des novateurs. Concrètement parlant, quand il n'est pas un jeu [...], le dialogue porte, en dernier ressort, toujours sur la façon selon laquelle on doit vivre.

On ? C'est-à-dire les hommes qui vivent déjà en communauté, qui possèdent déjà ces données qui sont nécessaires pour qu'il puisse y avoir dialogue – les hommes qui sont déjà d'accord sur l'*essentiel* et auxquels il suffit d'élaborer en commun les conséquences des thèses qu'ils ont déjà acceptées, tous ensemble. Ils sont en désaccord sur la façon de vivre, parce qu'ils sont en accord sur la nécessité d'une façon : il ne s'agit que de compléter et de préciser. Ils acceptent le dialogue, parce qu'ils ont déjà exclu la violence.

[...] Certes, [la violence] n'est pas exclue de fait, elle n'est pas impossible, mais celui qui l'emploie se sépare par là même des hommes et se met en dehors de ce qui les unit, en dehors de la loi. Il n'a plus part à l'héritage commun, car la violence est ce qui détruirait la communauté concrète des hommes, cette communauté dont le sens est de défendre tous ses membres contre la violence extérieure, celle de la nature, qu'elle se présente sous l'aspect du besoin ou qu'elle vienne des animaux à face humaine, des barbares. La communauté sait comment il faut se défendre contre le besoin : elle possède une science et une organisation du travail ; elle sait aussi comment résister aux barbares : elle s'est donné une constitution politique et militaire. Or, celui qui, employant la violence à l'intérieur de la communauté, contre ses frères, détruit l'organisation et rend futile cette science qui ne sert qu'à condition que le travailleur puisse travailler en paix, celui-là est l'ennemi le plus dangereux de tous et de chacun. Si donc il surgit une divergence d'opinion entre les membres de la communauté, qu'on ne soit pas d'accord sur l'interprétation d'une règle de droit, sur l'application d'un procédé technique, sur le choix d'une ligne de conduite politique, la communauté tout entière a un intérêt vital à ce qu'on n'en vienne pas aux mains, mais qu'on *s'entende*, qu'on se limite à l'échange d'arguments. La communauté ne subsiste qu'aussi longtemps que le dialogue suffit à tout régler de ce qui peut diviser les membres.

[...] Ce dialogue se développe partout où une certaine mesure d'égalité entre les citoyens a été atteinte, où une communauté de maîtres s'est formée dont chaque membre se sait à l'abri du besoin et, par conséquent, de la lutte avec la nature, et qui ne connaît plus (ou pas encore) de maître, humain ou surhumain, auquel tous doivent obéir : le dialogue se développe dans une communauté d'hommes qui se savent, tous ensemble, libres du besoin immédiat, c'est-à-dire en possession d'une technique suffisante pour pourvoir à leurs besoins [...], de telle façon que les *égaux* [...] puissent délibérer et réfléchir en paix sur ce qu'il leur semble bon à entreprendre.

C'est l'œuvre de l'historien de montrer comment un tel état des choses s'est produit ici ou là : ce qui nous concerne, c'est la manière de laquelle les hommes vivant sous ces conditions prennent conscience de ces faits fondamentaux. Et la première constatation à laquelle ils procèdent est celle de l'inadmissibilité de la violence entre eux. Pour eux-mêmes, ils sont des êtres qui possèdent – et c'est là leur essence – un discours raisonnable [...][51].

51. Éric Weil, *Logique de la philosophie*, Paris, Vrin, 1967, p. 24-26. (Nous soulignons.)

RÉSUMÉ DE LA PENSÉE DE L'AUTEUR

1. L'être humain accepte de résoudre ses conflits par le dialogue parce que la seule autre issue est la violence : on a en effet le choix entre combattre une thèse ou combattre celui qui la défend.

2. En dernière analyse, les conflits et le dialogue qui vise à les résoudre portent toujours sur la façon d'organiser la vie en communauté.

3. Les humains vivant déjà en communauté, ils s'entendent sur l'essentiel : la nécessité d'arriver à un accord quant à la manière de vivre ensemble. L'objet du dialogue est de préciser les conditions de cet accord.

4. Celui qui utilise la violence se met en dehors de la communauté humaine, car la violence détruit la communauté et les avantages qu'elle apporte.

5. La communauté a pour but de défendre ses membres contre la violence extérieure et contre les éléments naturels, de répondre aux besoins individuels par l'organisation du travail et d'assurer le bien commun par les institutions politiques.

6. Quand survient un désaccord entre ses membres, la communauté a donc un intérêt vital à le régler par le dialogue : il y va de la survie de tous.

7. Le dialogue n'est possible qu'à certaines conditions : les citoyens doivent être égaux et à l'abri du besoin grâce à l'organisation du travail.

8. Bref, les humains peuvent vivre en communauté et repousser la violence parce qu'ils maîtrisent le discours raisonnable.

Comme le souligne Éric Weil dans un autre texte, la volonté d'éliminer la violence et de garantir la viabilité des liens sociaux a mené à la création d'institutions politiques et juridiques dès l'antiquité grecque, à Athènes, berceau de la démocratie occidentale :

[Ces formes juridiques devaient] permettre de trancher les différends de telle façon que tous soient convaincus de leur justesse (et justice), ce qui ne peut être réalisé qu'à la condition que les partis opposés développent des arguments raisonnables, c'est-à-dire convaincants pour les juges, représentants de la communauté, sans qu'interviennent des facteurs qui ne seraient pas soumis à un contrôle de la rationalité, comme le seraient des décisions appuyées sur un savoir réservé traditionnellement à telle famille, à une inspiration divine, etc.[52].

Depuis les Grecs, les institutions démocratiques ont essaimé en de nombreux États à travers le monde. Et même, selon le vœu de Kant en train de s'accomplir dans l'actuelle Organisation des Nations Unies, elles ont donné naissance à des structures et des législations véritablement internationales. De telles structures politiques mondiales devraient éventuellement rapprocher les humains de l'idéal d'une communauté humaine sans frontières. Cet idéal est celui de la *coexistence pacifique*, de l'élimination de toutes les formes de violence entre les États. Cela concerne au premier chef la *guerre* qui, aux yeux de Kant, constitue un véritable non-sens:

Sous la notion de droit des gens, en tant que droit *à la guerre*, on ne peut en réalité rien concevoir [...], à moins de la comprendre en ce sens qu'il est parfaitement juste que des hommes dans de telles dispositions se détruisent les uns les autres, trouvant ainsi la paix perpétuelle dans la vaste tombe qui recouvrira toutes les horreurs de la violence ainsi que leurs auteurs. Des États en relations réciproques ne peuvent sortir de l'état anarchique, qui n'est autre chose que la guerre, d'aucune autre manière rationnelle qu'en renonçant, comme des particuliers, à leur liberté barbare (anarchique), en se soumettant à des lois publiques de contrainte, formant ainsi un *État des nations (civitas gentium)* qui (s'accroissant, il est vrai, constamment) engloberait finalement tous les peuples de la terre[53].

Ce besoin de structures politiques mondiales devient plus évident dans le monde actuel où la mondialisation économique et les marchés s'accompagnent d'une internationalisation des conflits sans véritable espoir de solution. Les propos suivants de Kant, tirés de *Conjectures sur le début de l'histoire humaine*, gardent toute leur actualité.

Il faut l'avouer: les plus grands maux qui accablent les peuples civilisés nous sont amenés par la guerre et, à vrai dire, non pas tant par celle qui réellement a ou a eu lieu, que par les *préparatifs* incessants et même régulièrement accrus en vue d'une guerre à venir.

C'est à cela que l'État gaspille toutes ses forces, tous les fruits de la culture qui pourraient être utilisés à augmenter encore celle-ci: on porte

52. Id., «Raison», dans *Encyclopædia Universalis*, Corpus 19, Paris, 1989, p. 502.
53. Emmanuel Kant, *Projet de paix perpétuelle*, traduction de J. Gibelin, Paris, Vrin, 1975, p. 27-28.

en bien des endroits un grave préjudice à la liberté, et les attentions mater-
nelles de l'État pour des membres pris individuellement se changent en
exigences d'une dureté impitoyable, légitimées toutefois par la crainte
d'un danger extérieur[54].

La création d'un véritable État des nations ne pourrait-elle pas mettre un terme à
cette crainte d'une agression et ainsi permettre de canaliser les ressources en vue du
bien-être des citoyens ?

Rappel des IDÉES PRINCIPALES

3.2 LA SOCIABILITÉ HUMAINE

3.2.1 Le fait de la sociabilité

L'être humain est par nature un *animal sociable*. Cette sociabilité peut être
démontrée par les arguments suivants :
- L'être humain est le plus sociable des animaux, le seul à maîtriser la
  communication par le langage.
- Aucun individu ne peut se suffire à lui-même quant à la satisfaction de ses
  besoins.
- Dans la mesure où ils connaissent, par l'exercice de la raison, leurs besoins
  véritables, les humains sont nécessairement d'accord pour fonder une
  société sur la base de ce savoir.

3.2.2 Les conditions de la sociabilité

Deux conditions permettent aux communautés humaines de se maintenir et de
se développer :
a) *La reconnaissance de l'égalité en droit* des membres de la communauté,
   malgré les inégalités d'origine naturelle ou sociale.
b) L'établissement d'un *pacte social* qui assure à tous
   - *la sécurité,* par l'élimination de la violence comme moyen de régler les
     conflits ;
   - *le respect des droits* de même que la permanence et la solidité des liens
     sociaux, par la création d'institutions juridiques et politiques sur le
     plan national et sur le plan international.

54. Id., «Conjectures sur les débuts de l'histoire humaine», dans *La philosophie de l'histoire*, Paris, Gonthier,
    1965, p. 124. (Nous soulignons.)

3.3 LA LIBERTÉ HUMAINE

On peut résumer la conception rationaliste exposée jusqu'ici en disant que la raison confère à l'être humain un pouvoir de communiquer, de connaître, d'orienter son agir individuel et d'organiser sa vie collective. Ce pouvoir de la raison va jusqu'à la détermination de ses propres règles de validité et de vérité. On pourrait donc s'attendre à ce que les penseurs rationalistes voient dans ce pouvoir de la raison un argument suffisant pour proclamer la liberté humaine. La liberté serait ainsi le point culminant de l'anthropologie rationaliste.

En fait, on doit distinguer chez les rationalistes *deux grandes orientations de pensée* à propos du thème de la liberté. L'une met l'accent sur le déterminisme universel, l'autre insiste sur l'autonomie humaine. Nous allons les examiner à tour de rôle, en nous attardant surtout à la seconde.

3.3.1 Le déterminisme universel

L'affirmation du déterminisme[55] universel procède de l'analyse suivante. La raison enseigne à l'être humain qu'il est une partie intégrante du cosmos et qu'il est, à ce titre, soumis aux lois universelles. En tant qu'être doué de raison, il occupe une place déterminée dans l'ensemble de l'univers, et il doit tendre à agir selon sa nature pour atteindre à son plein développement. Si l'on poursuit ce raisonnement jusqu'au bout, on peut encore parler de liberté, mais dans un sens limité : l'être humain possède le libre exercice de sa raison, qui l'amène à connaître les lois universelles, à reconnaître sa nature proprement rationnelle et à agir en conséquence. Le libre exercice de la raison permet donc à l'humain de *découvrir la nécessité*, l'ordre naturel des choses et de *l'accepter volontairement*. Dès lors, l'attitude rationnelle consiste en une résignation « stoïque » aux événements de la vie qui sont inéluctables, sur lesquels nous n'avons que très peu d'emprise. La philosophie stoïcienne et, dans une large mesure, celle de Spinoza, proposent une vision de l'être humain que l'on peut qualifier de déterministe.

Le texte suivant de Spinoza expose cette première orientation du rationalisme :

> Telle est cette liberté humaine que tous les hommes se vantent d'avoir et qui consiste en cela seul que les hommes sont conscients de leurs désirs et ignorants des causes qui les déterminent. C'est ainsi qu'un enfant croit désirer librement le lait, et un jeune garçon irrité vouloir se venger s'il est irrité mais fuir s'il est craintif. Un ivrogne croit dire par une décision libre ce qu'ensuite il aurait voulu taire. De même un dément, un bavard et de nombreux cas de ce genre croient agir par une libre décision de leur esprit, et non pas [être] portés par une impulsion.

---

55. Déterminisme : doctrine selon laquelle l'ensemble du réel est un système de causes et d'effets nécessaires, y compris les faits qui paraissent de façon illusoire relever de la liberté ou de la volonté. Ce concept sera étudié de façon plus approfondie dans le contexte de la conception naturaliste, au chapitre 2.

> Et comme ce préjugé est inné en tous les hommes, ils ne s'en libèrent pas facilement. L'expérience nous apprend assez qu'il n'est rien dont les hommes soient moins capables que de modérer leurs passions, et que, souvent, aux prises avec des passions contraires, ils voient le meilleur et font le pire : ils se croient libres cependant, et cela parce qu'ils n'ont pour un objet qu'une faible passion, à laquelle ils peuvent facilement s'opposer par le fréquent rappel du souvenir d'un autre objet[56].

Les hommes se croient libres alors qu'en fait ils ignorent les causes ou les motifs de leurs actions. Un homme ivre ne croit-il pas parler « librement » ?

3.3.2 L'autonomie humaine

Pour les rationalistes de la seconde tendance, l'être humain a la possibilité de façonner lui-même sa propre existence, de déterminer, grâce à la raison, la voie à suivre pour favoriser sa réalisation. En bref, l'être humain est capable d'*autodétermination*.

Dans les pages qui suivent, nous mettrons entre parenthèses la tendance déterministe, pour mettre en évidence la thèse de l'autonomie. L'affirmation de la liberté humaine fondée sur la raison, formulée par des philosophes comme Emmanuel Kant, a en effet exercé une influence profonde sur la culture occidentale de l'époque moderne et joué un rôle important dans l'évolution des idées et des pratiques sur le plan scientifique et technique, de même que dans le domaine social et politique.

Selon les représentants de ce courant, *l'être humain est*, grâce à la raison, *fondamentalement libre*, et cela, *dans un triple sens* :

a) Tout d'abord, en acquérant une connaissance de plus en plus approfondie de l'univers et de ses propres besoins, l'être humain augmente sa capacité d'agir, de transformer le milieu naturel, d'adapter l'environnement physique dans lequel il vit à ses propres besoins. Il peut ainsi humaniser la nature au moyen de la technique et devenir « maître et possesseur de la nature », selon l'expression célèbre de Descartes.

[note manuscrite : La connaissance de ce qui nous contraint nous libère]

On pourrait objecter que l'action humaine sur le milieu naturel demeure limitée, que les lois naturelles échappent en tant que telles à la maîtrise de l'être humain, qu'elles empêchent celui-ci de réaliser sa liberté, de donner libre cours à son action.

À la réflexion, s'il est indéniable que les lois régissant l'univers physique sont indépendantes de la volonté humaine, elles ne constituent pas par le fait même une négation de la liberté. Car c'est précisément la connaissance de ces lois qui permet à l'être humain de transformer ce qui semble un obstacle en un moyen d'élargir son champ d'action, c'est-à-dire le domaine même de sa liberté. Si l'être humain peut aujourd'hui explorer l'espace, c'est précisément à cause des lois formulées par

---

56. Baruch Spinoza, *Lettre à Schuller*, dans *Œuvres complètes*, Paris, Gallimard, 1954, p. 1252.

l'astronomie et l'astrophysique ; si l'on peut aujourd'hui guérir des maladies devant lesquelles il fallait encore hier s'avouer impuissant, c'est que les sciences biomédicales ont révélé les lois qui régissent les organismes vivants.

On peut donc résumer ainsi la position rationaliste sur le rapport entre la liberté humaine et les déterminismes naturels : *la condition première de la liberté humaine réside dans le progrès du savoir, dans la connaissance et la maîtrise technique des déterminismes naturels.*

b) L'usage de la raison permet aussi de *façonner le milieu humain,* c'est-à-dire de définir le type de société correspondant le mieux aux besoins humains, et de mettre en œuvre les moyens de le réaliser. La raison formule des règles de vie commune et des lois propres à assurer la survie du groupe, puis son épanouissement. Les lois que se donnent les humains ne constituent pas un frein à leur liberté ; au contraire, la raison propose des normes dont la finalité sera justement de garantir la liberté de chacun. Spinoza va jusqu'à affirmer que la vie en société accroît la liberté de l'individu raisonnable :

Proposition LXXIII

L'homme qui est dirigé par la Raison, est plus libre dans la Cité où il vit selon le décret commun, que dans la solitude où il n'obéit qu'à lui-même.

Démonstration

L'homme qui est dirigé par la Raison, n'est pas conduit par la crainte à obéir ; mais, en tant qu'il s'efforce de conserver son être suivant le commandement de la Raison, c'est-à-dire en tant qu'il s'efforce de vivre librement, il désire observer la règle de la vie et de l'utilité communes et, en conséquence, vivre selon le décret commun de la Cité. L'homme qui est dirigé par la Raison, désire donc, pour vivre plus librement, observer le droit commun de la Cité[57].

Sujet de réflexion

Selon la philosophie rationaliste, tout être humain a la capacité d'accéder à la majorité intellectuelle, de réfléchir de manière autonome, de développer sa pensée critique. Sans nier cette possibilité, on reconnaît aujourd'hui que l'expression de l'autonomie individuelle repose sur des facteurs socio-culturels, notamment l'éducation, qui la stimulent ou la briment. À cet égard, comment interprétez-vous le débat actuel portant sur le port du foulard islamique à l'école ? Les jeunes femmes en cause affirment qu'il s'agit d'un libre choix de leur part : qu'en pensez-vous ?

---

57. Id., *Éthique,* partie IV, LXXIII, *op. cit.,* p. 290.

c) Finalement, *l'être humain peut devenir son propre maître*, décider de l'orientation de son action individuelle, donc s'autodéterminer. En effet, il peut, dans une situation donnée, agir selon son propre jugement, conformément à ses valeurs et à ses finalités, conformément à ce qu'il considère préférable de faire dans cette situation. En s'appuyant sur sa faculté de jugement critique, il peut non seulement échapper à l'emprise des valeurs sociales, mais aussi les remettre en question. L'usage de la faculté de juger lui confère le pouvoir de s'orienter dans la vie par ses propres moyens. La raison le rend autonome.

Ce passage célèbre de Kant, où il s'interroge sur le sens de l'expression figurée « les Lumières[58] », constitue un véritable plaidoyer en faveur de la prise en charge de l'être humain par lui-même, depuis sa minorité jusqu'à sa majorité, puisqu'il peut se servir de son intelligence pour résoudre les problèmes que la vie lui soumet chaque jour :

> Qu'est-ce que les Lumières ? *La sortie de l'homme de sa Minorité, dont il est lui-même responsable. Minorité*, c'est-à-dire incapacité de se servir de son entendement sans la direction d'autrui, minorité *dont il est lui-même responsable,* puisque la cause en réside non dans un défaut de l'entendement, mais dans un manque de décision et de courage de s'en servir sans la direction d'autrui [...]. Aie le courage de te servir de ton propre entendement. Voilà la devise des lumières.
>
> La paresse et la lâcheté sont les causes qui expliquent qu'un si grand nombre d'hommes [...] restent volontiers, leur vie durant, mineurs, et qu'il soit si facile à d'autres de se poser en tuteurs des premiers. Il est si aisé d'être mineur ! Si j'ai un livre, qui me tient lieu d'entendement, (Bible) un directeur, qui me tient lieu de conscience, un médecin, qui décide pour moi de mon régime, etc., je n'ai vraiment pas besoin de me donner de peine moi-même. Je n'ai pas besoin de penser, pourvu que je puisse payer ; d'autres se chargeront bien de ce travail ennuyeux[59].

Pour le rationaliste, l'être humain n'est donc jamais simplement le produit ou le résultat des conditions qui l'ont engendré. Grâce à l'effort de la raison, il y a émergence dans le monde naturel de projets, d'innovations qui sont irréductibles aux déterminismes du passé.

L'humanité est capable d'un projet qui n'est pas seulement le reflet d'un monde déjà existant, mais qui est dépassement de l'ordre présent. L'homme n'est pas l'esclave de ses conditions d'existence, mais le maître de son destin.

---

58. Les Lumières, c'est-à-dire l'intelligence naturelle ou encore les connaissances acquises, le savoir. Plus tard, on appellera « siècle des Lumières » le siècle de Kant, c'est-à-dire le XVIIIe, à cause du grand nombre de penseurs favorables aux « Lumières » qui y virent le jour.

59. Emmanuel Kant, « Qu'est-ce que les Lumières ? », dans *La philosophie de l'histoire (opuscules)*, Paris, Denoël-Gonthier, Bibliothèque Médiations, 1983, p. 46.

3.3 LA LIBERTÉ HUMAINE

La raison rend l'être humain *autonome*. En effet :

a) L'acquisition des connaissances permet à l'être humain de devenir « maître et possesseur de la nature », par l'accroissement de sa capacité d'agir. La connaissance des lois naturelles, des déterminismes universels lui permet de les transformer en avantages, en moyens d'élargir le champ de sa liberté.

b) L'usage de la raison permet à l'être humain de se doter d'un type de société qui, tout en assurant la survie et le bien-être de la communauté, protège et augmente la liberté individuelle.

c) L'être humain peut devenir son propre maître ; la faculté de juger lui permet de s'orienter dans la vie par ses propres moyens, selon ses propres aspirations. La raison le rend donc autonome, maître de son destin.

3.4. LA RAISON ET LA FOI

Au début de cet ouvrage, nous avons présenté la laïcité comme l'une des grandes ruptures introduites dans l'histoire occidentale par l'anthropologie rationaliste. Ce faisant, nous reprenions une interprétation largement partagée en histoire de la pensée moderne : les philosophes rationalistes ont abordé la question de la foi en Dieu, de la spiritualité de l'âme, bref du rapport de l'être humain à l'Absolu, comme un défi pour la raison humaine. Les philosophes de la Renaissance et du Siècle des lumières vivaient dans un contexte socioculturel et politique marqué par une foi chrétienne profonde qui imprégnait les consciences, malgré les schismes et les réformes (comme celle du protestantisme avec Martin Luther).

Dans les pages qui suivent, nous allons décrire la laïcité comme l'établissement progressif d'un nouveau rapport entre foi et raison, qui a conduit à une nette distinction entre la démarche rationnelle et la démarche religieuse. Nous exposerons d'abord cette distinction. Puis, nous verrons quel examen ont fait les philosophes modernes de la problématique de l'existence de Dieu.

3.4.1 Rationalisme et foi chrétienne

On peut différencier la démarche rationaliste et la démarche religieuse, en particulier celle du christianisme, selon différents points de vue, notamment la méthode d'acquisition du savoir, le contenu et la finalité.

A. La méthode d'acquisition du savoir

Le christianisme s'appuie sur la reconnaissance et l'interprétation de la révélation divine, et utilise un argument fondamental d'autorité pour défendre la justesse de ses affirmations. Cet argument se résume en une proposition : la vérité est révélée par Dieu. Bien sûr, les penseurs chrétiens ou les théologiens ont recours à certains concepts philosophiques pour expliciter, défendre ou approfondir la doctrine. Une règle méthodologique fondamentale demeure cependant : le critère ultime de validité du discours religieux doit être cherché dans la concordance avec les textes sacrés. Bref, la méthode d'acquisition du savoir religieux n'inclut pas les éléments qui permettraient la remise en question des fondements mêmes de la foi.

Quant à la démarche philosophique rationaliste, elle vise à constituer un savoir valide sur l'être humain au moyen de la raison. On peut la définir comme l'effort de la raison humaine visant à déterminer les règles de son propre langage : les règles de définition des concepts servant à élaborer des propositions et les règles de liaison des propositions constituant une argumentation. De façon générale, cette méthode philosophique se caractérise par trois exigences critiques :

a) La recherche de la validité formelle ou logique des propositions.

b) La mise au jour du rapport entre les propositions et la réalité telle que la décrivent l'expérience sensible et les modèles proposés par les autres savoirs constitués.

c) L'examen critique des thèses adverses, qui peuvent tout remettre en question, y compris les concepts les plus fondamentaux : raison, vérité, validité, savoir, méthode, science, philosophie, etc.

B. Le contenu

Toute doctrine religieuse renferme plusieurs propositions ou affirmations qui se situent hors du champ de la raison mais sont tenues pour vraies. Elles posent en effet certains dogmes, c'est-à-dire qu'elles établissent certaines propositions comportant une part avouée de « mystère » et inaccessibles à la raison comme incontestables et fondamentales.

Pour ce qui est du rationalisme, nous avons déjà dit qu'il ne tient pour valables que les affirmations et les propositions qui peuvent être rationnellement validées, et les concepts qui peuvent être définis selon des règles précises. En ce sens, le travail de la philosophie est un effort de construction, à une époque donnée, d'un savoir dont chaque élément peut en tout temps être remis en question par un interlocuteur qui accepte et utilise les règles du discours rationnel. Le savoir que cherche à constituer le philosophe sur l'être humain n'est pas établi une fois pour toutes, il est toujours perfectible et susceptible d'être réinterprété. Il n'en perd pas pour autant sa valeur de connaissance ni son pouvoir d'inspiration pour l'action humaine : il demeure un savoir à dimension humaine, produit par la raison humaine.

C. La finalité

Toute religion a pour but premier le salut de l'être humain. La finalité ou destinée de l'être humain, qui est inscrite dans sa nature d'être animé créé par Dieu, consiste dans l'accession à la vie spirituelle après la mort grâce au respect d'une morale définie par la doctrine. On peut affirmer que le sens de l'existence humaine est déjà « donné » et que le travail d'interprétation de la doctrine consiste à le révéler, à l'expliciter, à en donner une interprétation significative selon les époques et les cultures.

La philosophie, quant à elle, vise à constituer une connaissance de la réalité humaine accessible à la raison. Les modèles de pensée qu'elle propose ne sont pas préétablis en fonction d'un autre ordre de réalité ; ils sont issus des règles mêmes du langage et du discours rationnel. De la même manière, elle nous enseigne que l'action humaine est porteuse du sens que lui donnent les acteurs concrets : ce sens doit être mis au jour, explicité et justifié en relation avec les finalités morales ou politiques. Elle pose ainsi la question du sens de l'existence comme point d'arrivée d'une démarche rationnelle au cours de laquelle l'être humain s'efforce de définir sa nature et de fixer ses finalités propres.

SAINT THOMAS D'AQUIN
(1224-1274)

Théologien dominicain et philosophe italien, canonisé en 1323. Son œuvre a été reconnue comme la philosophie officielle de l'Église catholique par le pape Léon XIII, en 1879. La *Somme théologique* représente la tentative la plus complète de synthèse de la pensée chrétienne et de la philosophie aristotélicienne.

Nul ne croit sans la volonté de croire.
(Somme théologique)

3.4.2 La rationalisation du concept de Dieu

Les différences essentielles que nous venons d'évoquer entre le discours rationaliste et le discours religieux ont donné lieu, il va sans dire, à de nombreux débats entre philosophes et penseurs chrétiens. Nous allons présenter le débat concernant l'existence de Dieu en examinant les attitudes rationnelles possibles face à la question, ainsi que les principaux arguments qui les soutiennent. L'histoire de la philosophie nous présente quelques modèles importants. Les diverses positions sur la question de Dieu qui ont été défendues par les philosophes au cours de l'histoire peuvent se ramener à cinq courants : le théisme, le déisme, le panthéisme, l'athéisme et l'agnosticisme.

Voici les différentes attitudes rationnelles possibles face à la question de l'existence de Dieu.

A. Le *théisme* consiste en l'affirmation de l'existence d'un Dieu unique, personne, créateur, affirmation qui se fonde sur les arguments suivants.

a) Les preuves physiques. L'existence de l'univers physique n'est pas nécessaire. Pour l'expliquer, il faut affirmer l'existence d'un être nécessaire qui existe par lui-même.

b) La preuve ontologique. En définissant Dieu comme un être parfait, on implique qu'il doit exister, puisque l'idée même de perfection inclut, comme une de ses propriétés, celle de l'existence.

B. Le *déisme* consiste en la proposition d'une religion naturelle se situant au niveau de la raison humaine. Il rejette tout élément surnaturel (synthèse, dogme, miracles). Il admet l'existence de Dieu en s'appuyant sur la reconnaissance de la finalité et de l'harmonie de l'univers, qui ne s'expliqueraient que par l'existence d'un être supérieur capable d'ordonner cet ensemble.

C. Le *panthéisme* consiste en l'affirmation de l'absence de différence entre Dieu et la Nature. Dieu et la Nature ne sont que deux aspects d'une même réalité.

D. L'*athéisme* consiste en l'affirmation qu'on peut comprendre l'univers sans avoir recours à l'hypothèse de Dieu. L'existence du mal et de la souffrance humaine contredisent même l'idée que Dieu existe.

E. L'*agnosticisme* consiste en l'affirmation que la raison humaine est limitée au monde sensible, au monde de l'expérience, et ne peut ni démontrer que Dieu existe ni démontrer qu'Il n'existe pas.

3.4.3. La problématique de l'existence de Dieu

Comme nous l'avons vu précédemment, l'agnosticisme se situe à mi-chemin entre les positions qui affirment l'existence de Dieu et celles qui la nient. Les agnostiques soutiennent simplement que la raison humaine ne peut rien affirmer sur Dieu, pas même s'il existe ou non, parce que la portée de la raison humaine est limitée au monde sensible. Utiliser la raison pour s'interroger sur Dieu, c'est lui attribuer des capacités qu'elle ne possède pas. Le philosophe Emmanuel Kant est le représentant le plus illustre de cette tendance. La critique qu'il fait des preuves de l'existence de Dieu s'enracine dans la position agnostique.

La critique de Kant commence par une analyse logique de la preuve ontologique de l'existence de Dieu. Comme nous l'avons vu précédemment dans la présentation du théisme, cette dernière prend appui sur l'idée même de Dieu (le concept d'un être absolument parfait) pour conclure à son existence effective (l'existence étant considérée comme faisant partie de la perfection). Or l'existence, rectifie Kant, n'est pas un attribut ou une propriété pouvant être donnée à un objet au même titre que les autres attributs ou propriétés. En fait, elle n'ajoute rien à l'idée ou au concept d'une chose : « Être n'est évidemment pas un prédicat réel, c'est-à-dire un concept de quelque chose qui puisse s'ajouter au concept d'une chose[60]. »

Kant affirme ainsi que l'existence n'est pas une propriété qui se définit, qui se déduit, mais quelque chose qui se constate. Si j'affirme que ce livre que je suis en train de lire existe, ce n'est pas parce qu'il correspond à la définition générale du livre, mais parce que je l'ai en main. Il ne faut donc pas confondre les choses avec leur définition : je ne peux pas déduire l'existence des livres du concept de livre que je peux formuler, ni de la définition que je peux donner de ce concept. On peut conclure, dans les mots de Kant : « Si je conçois un être à titre de réalité suprême (sans défaut), il reste toujours à savoir, pourtant, si cet être existe ou non[61]. » Kant ajoute : « Quelles que soient donc la nature et l'étendue de notre concept d'un objet, il nous faut cependant sortir de ce concept pour attribuer à l'objet son existence[62]. » Or, si cela est possible pour les objets du monde sensible, un livre par exemple, la chose est impossible pour les objets de la pensée pure, telle l'idée de Dieu : « [...] nul homme ne saurait, par de simples idées, devenir plus riche de connaissances, pas plus qu'un marchand ne le deviendrait en argent, si, pour augmenter sa fortune, il ajoutait quelques zéros à l'état de sa caisse[63]. »

Après avoir réfuté l'argument ontologique, Kant procède à la critique des deux autres preuves classiques de l'existence de Dieu : la preuve par la contingence (voir la présentation du théisme, section 3.4.2 A) et la preuve par la finalité (voir la présentation du déisme, section 3.4.2 B). Kant admet que ces deux preuves partent d'expériences sensibles – celles de la contingence et de l'ordre qui existent dans le monde – qui peuvent donner lieu à une connaissance rationnelle. Cependant, on quitte le domaine de la connaissance rationnelle quand on conclut, à partir de cette expérience, à l'existence d'un être nécessaire ou d'une cause finale de l'univers.

Ainsi, Kant n'admet tout au plus qu'une preuve morale de l'existence de Dieu. Il professe en fait un théisme moral critiquant les preuves spéculatives de l'existence de Dieu, jugées insuffisantes. Il est convaincu de l'existence de Dieu pour des raisons pratiques, à cause de la nécessité de donner un fondement solide à l'ordre moral. En effet, l'existence et la destinée humaines seraient dépourvues de sens si les actions bonnes et mauvaises des humains n'étaient pas sanctionnées dans une vie future par l'action de la justice divine.

---

60. Emmanuel Kant, *Critique de la raison pure*, 4e section de « L'idéal de la raison pure », traduction de A. Tremesaygues et B. Pacaud, Paris, PUF, 1980, p. 429.

61. *Ibid.*, p. 430.

62. *Ibid.*

63. *Ibid.*, p. 431.

Selon cet argument moral, la vie humaine serait absurde si Dieu n'existait pas et s'il n'était pas immatériel, éternel, tout-puissant et juste ; bref, cet être suprême *doit* exister pour permettre aux humains qui ont vécu en fonction du Bien d'échapper à l'emprise du Mal et de la souffrance, et d'accéder ainsi au bonheur. Au fondement de cet argument, on trouve la constatation selon laquelle le mal et la souffrance sont inhérents au monde humain et la conviction voulant que la justice intégrale soit inatteignable dans le monde humain.

Voici ce qu'écrit Kant :

 L'homme a, ainsi, un fondement solide sur lequel il peut construire sa croyance en Dieu ; car, bien que sa vertu doive être dépourvue de tout intérêt personnel, malgré les multiples appels de tentations séduisantes, il ressent une pulsion d'espoir d'un bonheur durable[64].

Il ne faut pas se méprendre, cependant, sur le sens de la preuve morale. La croyance en un Dieu ou en l'immortalité de l'âme n'est pas issue d'un savoir objectif, c'est-à-dire d'un savoir qui peut être communiqué et partagé au même titre, par exemple, que les connaissances scientifiques, puisque aucune expérience sensible n'y correspond. Dans les derniers paragraphes de sa *Critique de la raison pure*, Kant est ainsi amené à préciser la portée de cette conviction qui prend appui sur des fondements subjectifs et personnels :

 Assurément personne ne peut se vanter de savoir qu'il y a un Dieu et une vie future ; car, s'il le sait, il est précisément l'homme que je cherche depuis longtemps. Tout savoir (quand il concerne un objet de la simple raison) peut se communiquer et je pourrais, par conséquent, instruit par lui, espérer voir étendre merveilleusement ma science. Non, la conviction n'est pas une certitude logique, mais une certitude morale ; et puisqu'elle repose sur des principes subjectifs (sur la disposition morale), je ne dois pas dire : il est moralement certain qu'il y a un Dieu, etc., mais : je suis moralement certain, etc.[65].

Nous ne développerons pas davantage cette question. Comme le montrent les tentatives des philosophes rationalistes interpellés par leur foi chrétienne, la rationalisation des concepts les plus fondamentaux de la foi connaît des limites, qui tiennent à la nature même de la religion. À un certain point de l'argumentation, en effet, le discours religieux se sépare du discours philosophique, prenant une nature différente et ne pouvant plus être démontré de manière rationnelle. En d'autres termes, le croyant doit reconnaître qu'à un certain point de sa réflexion sur l'existence de Dieu, sur la signification du mal ou sur la survie de l'âme après la mort, il quitte le domaine de la démonstration rationnelle pour aborder celui de la foi ; un acte de foi devient nécessaire pour fonder sa conviction.

---

64. Emmanuel Kant, *Leçons sur la théorie philosophique de la religion*, Paris, Le livre de poche, 1993, p. 73.

65. Emmanuel Kant, *Critique de la raison pure, op. cit.*, p. 556.

Rappel des IDÉES PRINCIPALES

3.4. RAISON ET FOI

3.4.1. Rationalisme et foi chrétienne

On peut différencier la démarche rationaliste et la démarche religieuse selon trois points de vue.

A. La méthode d'acquisition du savoir. La vérité révélée de la démarche religieuse remplace la recherche de la vérité de la démarche rationaliste.

B. Le contenu. Plusieurs affirmations du domaine religieux se situent hors du champ de la raison.

C. La finalité. La religion a pour but le salut de l'être humain, alors que la philosophie rationaliste vise à constituer un savoir rationnel sur la réalité humaine.

3.4.2. La rationalisation du concept de Dieu

Il y a cinq attitudes rationnelles possibles face à la question de l'existence de Dieu :

A. Théisme : affirmation de l'existence d'un Dieu personnel.

B. Déisme : l'existence de Dieu est admise seulement pour rendre compte de l'harmonie de l'univers.

C. Panthéisme : identification de Dieu à la nature.

D. Athéisme : négation de l'existence d'un être suprême.

E. Agnosticisme : impossibilité théorique de se prononcer sur l'existence de Dieu.

3.4.3. La problématique de l'existence de Dieu

Il n'y a pas de preuves théoriques démontrant l'existence de Dieu : l'existence d'un être, si parfait soit-il, doit être constatée ; elle ne peut pas être la conclusion d'un raisonnement.

Certains philosophes, tel Kant, admettent l'existence de Dieu pour des raisons pratiques tout au plus, pour donner un fondement à l'ordre moral. En effet, ne connaissant pas une justice parfaite, le monde humain ne peut fonder l'ordre moral. Ce dernier ne peut donc se fonder que sur l'existence d'une justice divine rendue dans l'au-delà.

3.5 LE DESTIN DE L'HUMANITÉ

D'après les thèses rationalistes étudiées jusqu'ici, on peut définir le destin de l'humanité, ou le sens de l'histoire, comme le *progrès de la rationalité dans le monde*. Ce destin demeure toutefois une tâche à accomplir, puisque la réalité concrète vécue par les humains montre que les progrès les plus significatifs de la raison restent à venir. L'égalité entre les êtres humains est encore à l'état de projet. La satisfaction des besoins primaires de tous les humains, condition première, comme le mentionne Éric Weil (voir le texte cité à la section 3.2.2 B), de toute forme d'autonomie et de liberté, paraît encore aujourd'hui difficile à réaliser à l'échelle planétaire. Les rapports de force, la violence, les guerres, demeurent encore les moyens usuels par lesquels on règle les conflits entre les individus et entre les peuples. Enfin, le respect des droits de la personne doit encore gagner du terrain.

Quelles que soient les difficultés rencontrées, le destin de l'humanité demeure le même, car il coïncide avec la nature de l'être humain : *celui-ci doit devenir ce qu'il est, un être rationnel*. Le progrès de la rationalité coïncide ainsi, dans l'optique rationaliste, avec l'humanisation de l'être humain. Et cette humanisation est loin d'être acquise, comme le souligne Pierre Thévénaz dans le texte suivant :

Entre l'homme et sa raison ne règne pas un accord naturel. Les moralistes nous l'ont-ils assez répété ? À travers le bruit des passions et de l'imagination l'homme a peine à entendre la voix de la raison et, lorsqu'il l'entend même nettement, à lui obéir. Les philosophes ne viennent-ils pas nous le dire l'un après l'autre puisque leur souci permanent est de redresser la raison par des *Discours de la méthode, des Traité de la réforme de l'entendement*, des *Critique de la raison pure* ? Et pourtant, l'homme est fier de sa raison. N'est-elle pas, pense-t-il, ce qui fait de l'homme le plus beau fleuron de la création ? Ce qui l'élève au-dessus de l'animal et lui confère sa supériorité d'homme ? L'homme n'est-il pas en un mot *l'animal raisonnable* ? Oui, l'homme se le répète volontiers, mais le croit-il vraiment ? Ou comment le croit-il ? Quelle liaison vraiment organique voit-il entre lui et sa raison humaine ? Si l'homme est vraiment animal raisonnable, si la raison c'est vraiment l'homme, ce qui fait son essence et sa nature la plus authentique, pourquoi coûte-t-il tant d'efforts de devenir homme et raisonnable ? « Nous n'avons pas assez de force pour suivre toute notre raison », dit La Rochefoucauld. Pourquoi nous faut-il tant peiner pour rejoindre ce qui est, nous dit-on, notre propre essence ? pour rendre les hommes raisonnables, donc humains, pour les ramener à leur propre essence ? Pourquoi cet écart, on peut même dire cet abîme sans cesse renaissant qui sépare l'homme de son vrai lui-même, si tant est que son essence est justement raison ? Certes, nous voulons bien admettre que l'homme est un animal doué de raison ; mais ne nous faut-il pas, par souci d'exactitude, ajouter immédiatement : malheureusement l'homme n'est pas homme, il n'est pas d'emblée homme, il n'est pas d'emblée accordé à son essence, à sa raison. Et nous voilà bien avancés !

Avec la définition la plus généralement admise, la plus sereine de l'homme (animal raisonnable), avec cette définition qui semble consacrer sans ambiguïté notre dignité essentielle et assurer notre assise inébranlable dans l'univers, voilà que se glisse déjà un germe d'inquiétude et de mystère : cette essence de nous-mêmes, la raison, nous ne la sommes pas ; il nous faut peiner pour l'atteindre, car elle n'est que virtualité en nous, simple possibilité offerte. Pascal notait déjà : « L'homme n'agit point par la raison, qui fait son être. »

Étrange essence qui est la nôtre, sans l'être ! étrange animal que l'homme ! étrange raison dans laquelle nous ne nous reconnaissons que partiellement ! Pascal n'avait sans doute pas tellement tort de s'écrier : « Quelle chimère est-ce donc que l'homme ! » Nous voilà cette fois-ci rejetés pour de bon en plein mystère. Ou plutôt le problème s'est sensiblement déplacé ; il n'est plus tout simplement : qu'est-ce que l'homme ? Même si l'homme s'est défini animal raisonnable, il ne s'identifie pas à cette raison qui est son essence. Il nous faut donc nous demander : quel est le rapport de l'homme à ce qu'il est ? Quel est le rapport de l'homme à sa raison, lorsque cette raison est censée constituer son être, son essence ? Si *être* homme ce n'est pas encore posséder une nature, une essence, mais une invite à *devenir* homme dans le sens où Pindare ou Nietzsche disaient : deviens qui tu es, alors c'est reconnaître en somme ce paradoxe déconcertant que l'*essentiel* n'est pas encore dit quand on a défini l'essence de l'homme. Resterait toujours encore à conquérir cette essence (Lavelle), à la réaliser, à l'assumer, à s'engager pour elle. L'homme n'est pas juste ou charitable tant qu'il n'a pas prouvé sa justice et sa charité dans des actes. L'homme est-il vraiment raisonnable de naissance et par essence, avant d'avoir raisonné ? L'homme pourrait-il être romancier avant d'avoir écrit un roman[66] ?

Il est toujours hasardeux de se prononcer sur l'avenir de l'humanité, surtout si l'on considère, en accord avec le rationalisme, que l'être humain est libre et que son histoire n'est pas écrite à l'avance. Saurions-nous dire, aujourd'hui, si les diverses chartes de droits promulguées au cours de ce siècle finiront par être réellement appliquées par tous les États, et non pas seulement approuvées par eux ? Pourrions-nous affirmer que le désarmement nucléaire amorcé entre les grandes puissances militaires conduira un jour à la « paix perpétuelle » entre les États ? Et l'Organisation des Nations Unies verra-t-elle son autorité morale et sa capacité d'intervention s'étendre davantage pour assurer la résolution des conflits entre les peuples ?

---

66. Pierre Thévenaz, *L'homme et sa raison*, vol. II, Neuchâtel, Éditions de la Baconnière, 1956, p. 139-141. (Nous soulignons.)

Ces questions sont hautement problématiques, mais la possibilité même de les poser témoigne des changements survenus. On ne peut y répondre avec certitude, mais le rationaliste y voit des signes qui ne trompent pas, des événements qui permettent de penser que l'humanité s'est engagée sur la voie de l'égalité, du respect du droit et de la résolution des conflits par le dialogue. C'est à un exercice de prospective de ce genre que s'était livré Kant, dans les dernières années du XVIIIe siècle, lorsqu'il prit acte de la Révolution française comme d'un signe annonciateur de l'évolution morale irréversible du genre humain :

 Peu importe si la révolution d'un peuple plein d'esprit, que nous avons vu s'effectuer de nos jours, réussit ou échoue, peu importe si elle accumule misère et atrocités au point qu'un homme sensé qui la referait avec l'espoir de la mener à bien, ne se résoudrait jamais néanmoins à tenter l'expérience à ce prix, – cette révolution, dis-je, trouve quand même dans les esprits de tous les spectateurs (qui ne sont pas eux-mêmes engagés dans ce jeu) une *sympathie* d'aspiration qui frise l'enthousiasme et dont la manifestation même comportait un danger ; cette sympathie par conséquent ne peut avoir d'autre cause qu'une disposition morale du genre humain. [...]

Je soutiens que je peux prédire au genre humain [...] d'après les apparences et les signes précurseurs de notre époque, qu'il atteindra cette fin, et que, en même temps, dès lors ses progrès ne seront plus entièrement remis en question. En effet, un tel phénomène dans l'histoire de l'humanité *ne s'oublie plus*, parce qu'il a révélé dans la nature humaine une disposition, une faculté de progresser telle qu'aucune politique n'aurait pu, à force de subtilité, la dégager du cours antérieur des événements : seules la nature et la liberté, réunies dans l'espèce humaine suivant les principes internes du droit étaient en mesure de l'annoncer [...][67].

RÉSUMÉ DE LA PENSÉE DE L'AUTEUR

1. Par la sympathie qu'elle suscite dans le monde, la Révolution française révèle, en dépit des atrocités commises et bien que l'on ne sache pas encore si elle sera un succès, l'existence d'une disposition morale du genre humain.

2. L'expression de cet enthousiasme est un signe précurseur qui autorise à prédire que le genre humain, déjà engagé dans une évolution irréversible, réalisera un jour l'idéal d'États régis par les principes universels du droit.

67. Emmanuel Kant, « Le conflit des facultés », dans *La philosophie de l'histoire* (opuscules), *op. cit.*, p. 170-171, 173. (Nous soulignons.)

Kant voyait donc, dans la Révolution française, le signe annonciateur d'un progrès irréversible pour l'humanité. Hegel, quant à lui, la considérait, avec le mouvement des Lumières qui l'avait préparée, comme l'aboutissement même de l'histoire humaine. D'après son interprétation, le vieil édifice sociopolitique n'avait pas pu résister à la revendication d'un changement radical, il avait été remplacé par de nouvelles institutions centrées sur la notion de droit et de constitution, qui seules pouvaient garantir la reconnaissance de la liberté de tous les citoyens. Dans les *Leçons sur la philosophie de l'histoire*, Hegel explique ainsi ce couronnement de l'histoire :

La pensée, le concept du droit se fit tout d'un coup valoir et le vieil édifice d'iniquité ne put lui résister. Dans la pensée du droit, on construisit donc alors une constitution, tout devant désormais reposer sur cette base. Depuis que le soleil se trouve au firmament et que les planètes tournent autour de lui, on n'avait pas vu l'homme se placer la tête en bas, c'est-à-dire, se fonder sur l'idée et construire d'après elle la réalité. Anaxagore avait dit le premier que le νοῦς [intelligence] gouverne le monde ; mais c'est maintenant seulement que l'homme est parvenu à reconnaître que la pensée doit régir la réalité spirituelle. C'était donc là un superbe lever de soleil. Tous les êtres pensants ont célébré cette époque. Une émotion sublime a régné en ce temps-là, l'enthousiasme de l'esprit a fait frissonner le monde, comme si à ce moment seulement on en était arrivé à la véritable réconciliation du divin avec le monde[68].

Pour Hegel – c'est là sa thèse fondamentale – la raison domine, gouverne le monde. L'histoire est donc rationnelle, elle a un sens : elle n'est pas une suite chaotique d'événements livrés au hasard et aux caprices des individus ; elle est au contraire la réalisation d'un plan.

Bien sûr, regardée d'un œil superficiel, l'histoire peut paraître le théâtre de guerres toujours plus meurtrières, d'événements toujours plus cruels. Hegel écrit à ce propos :

Lorsque nous considérons ce spectacle des passions et les conséquences de leur déchaînement, lorsque nous voyons la déraison s'associer non seulement aux passions, mais aussi et surtout aux bonnes intentions et aux fins légitimes, lorsque l'histoire nous met devant les yeux le mal, l'iniquité, la ruine des empires les plus florissants qu'ait produits le génie humain, lorsque nous entendons avec pitié les lamentations sans nom des individus, nous ne pouvons qu'être remplis de tristesse à la pensée de la caducité en général. Et étant donné que ces ruines ne sont pas seulement l'œuvre de la nature, mais encore de la volonté humaine, le spectacle de l'histoire risque à la fin de provoquer une affliction morale

68. G. W. F. Hegel, *Leçons sur la philosophie de l'histoire*, Paris, Vrin, 1963, p. 340.

et une révolte de l'esprit du bien, si tant est qu'un tel esprit existe en nous. On peut transformer ce bilan en un tableau des plus terrifiants, sans aucune exagération oratoire, rien qu'en relatant avec exactitude les malheurs infligés à la vertu, l'innocence, aux peuples et aux États et à leurs plus beaux échantillons. On en arrive à une douleur profonde, inconsolable que rien ne saurait apaiser. Pour la rendre supportable ou pour nous arracher à son emprise, nous nous disons : *Il en a été ainsi ; c'est le destin ; on n'y peut rien changer ;* et fuyant la tristesse de cette douloureuse réflexion, nous nous retirons dans nos affaires, nos buts et nos intérêts présents, bref, dans l'égoïsme qui, sur la rive tranquille, jouit en sûreté du spectacle lointain de la masse confuse des ruines. Cependant, dans la mesure où l'histoire nous apparaît comme l'autel où ont été sacrifiés le bonheur des peuples, la sagesse des États et la vertu des individus, la question se pose nécessairement de savoir *pour qui, à quelle fin* ces immenses sacrifices ont été accomplis[69].

GEORG WILHELM FRIEDRICH HEGEL
(1770-1831)

Philosophe allemand dont les œuvres ont profondément marqué l'évolution de la pensée européenne. Le fil conducteur de sa pensée tient dans le rapport entre la raison et la réalité. Il a ainsi proposé une approche dialectique des lois de la pensée qui vise à tenir compte des contradictions du réel. Attentif aux bouleversements politiques de son époque, il a interprété l'histoire de l'humanité comme le travail d'une raison universelle. Ces thèses ont été déterminantes dans l'élaboration de la pensée marxiste.

La Raison gouverne le monde.
(La Raison dans l'histoire)

La réponse de Hegel est claire : c'est l'idée de liberté et sa réalisation qui constitue le sens caché de l'histoire universelle. En effet, s'il y a une histoire, c'est parce qu'il y a des êtres qui, en prenant graduellement leurs distances vis-à-vis de la nature, cherchent à s'affirmer en se libérant de toute forme d'esclavage. Ces êtres, ce sont les êtres humains qui ont créé un monde culturel, un monde humain, pour y vivre selon les lois qu'ils ont eux-mêmes définies. L'histoire du monde apparaît dès lors

---

69. Id., *La raison dans l'histoire*, Paris, 10/18, 1965, p. 102-103. (Nous soulignons.)

comme l'histoire de l'appropriation par l'être humain de sa nature propre, qui est la liberté. L'analyse de l'histoire du monde oriental, du monde gréco-romain et du monde moderne trace le parcours de cette conquête de la liberté :

> On peut dire de l'histoire universelle qu'elle est la représentation de l'esprit dans son effort pour acquérir le savoir de ce qu'il est ; et comme le germe porte en soi la nature entière de l'arbre, le goût, la forme des fruits, de même les premières traces de l'esprit contiennent déjà aussi virtuellement toute l'histoire. Les Orientaux ne savent pas encore que l'esprit ou l'homme en tant que tel est en soi libre ; parce qu'ils ne le savent pas, ils ne le sont pas ; ils savent uniquement qu'*un seul* est libre ; c'est pourquoi une telle liberté n'est que caprice, barbarie, abrutissement de la passion ou encore douceur, docilité de la passion qui n'est elle-même qu'une contingence de la nature ou un caprice. – Cet Unique n'est donc qu'un despote et non un homme libre. Chez les Grecs s'est d'abord levée la conscience de la liberté, c'est pourquoi ils furent libres, mais eux, aussi bien que les Romains savaient seulement que quelques-uns sont libres, non l'homme, en tant que tel. Cela, Platon même et Aristote ne le savaient pas ; c'est pourquoi non seulement les Grecs ont eu des esclaves desquels dépendait leur vie et aussi l'existence de leur belle liberté ; mais encore leur liberté même fut d'une part seulement une fleur, due au hasard, caduque, renfermée en d'étroites bornes et d'autre part aussi une dure servitude de ce qui caractérise l'homme, de l'humain. – Seules les nations germaniques[70] sont d'abord arrivées dans le Christianisme, à la conscience que l'homme en tant qu'homme est libre, que la liberté spirituelle constitue vraiment sa nature propre ; cette conscience est apparue d'abord dans la religion, dans la plus intime région de l'esprit ; mais faire pénétrer ce principe dans le monde, était une tâche nouvelle dont la solution et l'exécution exigent un long et pénible effort d'éducation. Ainsi, par exemple, l'esclavage n'a pas cessé immédiatement avec l'adoption du christianisme ; encore moins la liberté a-t-elle aussitôt régné dans les États et les gouvernements et constitutions ont-ils été rationnellement organisés ou même fondés sur le principe de liberté. Cette application du principe aux affaires du monde, la transformation et la pénétration par lui de la condition du monde, voilà le long processus qui constitue l'histoire elle-même[71].

70. Selon Hegel, les peuples germaniques, grâce à la réforme protestante de Luther, ont été les premiers à assimiler l'enseignement du christianisme à propos de la liberté. Ils l'ont ensuite répandu dans l'ensemble des nations européennes, en France et en Angleterre notamment.

71. G. W. F. Hegel, *Leçons sur la philosophie de l'histoire, op. cit.*, p. 27-28. (Nous soulignons.)

RÉSUMÉ DE LA PENSÉE DE L'AUTEUR

1. On peut se représenter l'histoire universelle comme la concrétisation de la conscience de soi que l'esprit acquiert à travers l'être humain. Les premières réalisations de celui-ci permettent de concevoir le sens de l'histoire, car elles contiennent en germe les étapes ultérieures de son développement.

2. Les Orientaux ignoraient que l'homme est liberté ; et parce qu'ils l'ignoraient, ils n'étaient pas libres. En fait, le seul homme qu'ils estimaient libre était l'Empereur, qui détenait le pouvoir absolu ; mais comme il était le seul à être libre, cette liberté prenait la forme du despotisme.

3. Chez les Grecs et les Romains, la conscience de la liberté s'est élargie à un plus grand nombre, mais elle n'appartenait qu'à une minorité de citoyens, à l'exclusion des esclaves, par exemple. La liberté n'était pas encore reconnue à l'homme en tant que tel.

4. Le christianisme affirme le principe de la liberté universelle de tous les hommes, fondée sur la nature spirituelle de l'homme. Mais son application aux conditions concrètes de l'existence, dans l'abolition de l'esclavage par exemple, dépend d'un long processus d'éducation, qui se poursuit toujours.

5. La reconnaissance effective de la liberté comme principe d'organisation de la vie sociale et politique est un processus désormais enclenché : elle trouve son assise historique au Siècle des lumières et dans la dynamique de la Révolution française.

Sujet de réflexion

Les historiens de la philosophie s'entendent pour décrire l'avènement du rationalisme comme une véritable révolution : celle de la laïcisation de la culture et de la vie sociale, par l'inversion du rapport de l'homme à Dieu, de la finitude humaine à l'Absolu. Les concepts de Dieu et de religion ont été soumis à l'examen de la raison et s'en sont trouvés relativisés. Sur le plan de l'organisation sociale et politique, se sont développées les idées de tolérance religieuse et de séparation de l'Église et de l'État. En vous situant dans cette perspective historique, pensez-vous que la laïcité devrait constituer un fondement de nos institutions démocratiques ?

L'histoire universelle témoigne ainsi d'un progrès dans la prise de conscience progressive de la liberté, sous le tumulte qui règne à la surface. En fait, ce tumulte formé des passions humaines et des intérêts particuliers, souvent opposés, que les individus poursuivent, ne sont que les matériaux que la raison utilise pour atteindre ses fins. De fait, passions humaines et buts individuels sont une ruse de la raison pour assurer la progression de l'idée de liberté. Cette ruse de la raison permet à l'être humain de se réconcilier avec lui-même, avec sa liberté, et d'établir les conditions de la fin de la domination de l'homme par l'homme.

Rappel des IDÉES PRINCIPALES

3.5 LE DESTIN DE L'HUMANITÉ

- L'être humain doit devenir ce qu'il est, un être rationnel. Le *progrès de la rationalité dans le monde*, voilà la tâche à accomplir pour l'humanité.

- L'espoir dans un tel progrès a un fondement, selon Kant : il y a chez l'être humain une disposition morale naturelle lui permettant d'espérer un *progrès irréversible de l'humanité*.

- Ce progrès est, selon Hegel, la réalisation même de l'idée de liberté.

4   REMARQUES CRITIQUES

Nous proposons dans cette section quelques remarques critiques d'ordre général. Elles portent sur les aspects dualistes de l'anthropologie rationaliste. En introduisant dans sa représentation de l'être humain une coupure entre l'homme et l'animal, entre la raison et l'affectivité, de même qu'entre le domaine de la raison et celui de l'existence concrète, le rationalisme présente en effet la vision dualiste d'un être humain écartelé entre deux ordres de réalité.

Nous soumettons trois questions à la discussion. Tout d'abord, la raison est-elle synonyme de progrès humain ? Ensuite, l'affirmation de la supériorité de l'homme sur l'animal correspond-elle à la perception que nous nous faisons du monde animal et de l'animalité humaine ? Enfin, la position d'une différence de nature entre la raison et l'affectivité correspond-elle à notre expérience vécue ? Nous allons nous pencher rapidement sur chacune de ces interrogations.

4.1 RAISON ET PROGRÈS

L'une des convictions profondes des rationalistes de l'époque des Lumières est que la raison joue un rôle central dans la conduite humaine et dans l'explication du sens de celle-ci. Pour les rationalistes, la raison, élément caractéristique de l'être humain, est source de connaissances et donc de perfectionnement. Le texte de Pascal que nous avons cité à la section 3.1.1 montre bien que, à la différence des animaux, l'être humain « s'instruit sans cesse dans son progrès » ; il tire avantage non seulement de sa propre expérience, mais encore de celle de ses prédécesseurs, la conservation des connaissances permettant leur augmentation de façon infinie. Ainsi, le courant rationaliste témoigne d'un optimisme certain pour l'avenir de l'être humain.

De fait, à l'époque des Lumières, les gens se sentaient de plus en plus libres et les régimes politiques étaient plus respectueux des citoyens. De plus, l'augmentation de la richesse collective et le développement du commerce permettaient à un plus grand nombre de personnes de satisfaire leurs besoins. Les avancées scientifiques et les progrès techniques en général, dont témoignent les auteurs de l'*Encyclopédie*, annoncent un futur meilleur pour les humains. L'activité même de la raison semble expliquer cette marche en avant, justifier cette espérance en des temps meilleurs. Est-ce à dire que le véritable âge d'or de l'humanité est devant nous et non pas derrière ? Pour répondre à cette question, il faudrait déterminer si l'accroissement des connaissances, la domination de l'homme sur le milieu naturel et humain, et l'augmentation de la richesse collective ont rendu l'homme plus heureux et meilleur qu'il n'était. À quoi bon le progrès s'il ne contribue pas au bonheur de l'homme en le rendant meilleur ?

Jean-Jacques Rousseau a été l'un des premiers à considérer comme problématique cette conviction des penseurs des Lumières concernant le rôle central de la raison. En effet, la raison n'amène pas nécessairement un perfectionnement moral des hommes. En fait, dirions-nous aujourd'hui, le progrès quantitatif d'augmentation des richesses n'a pas été accompagné d'un progrès qualitatif, notamment en ce qui a trait aux droits humains. Bien plus, la raison, au lieu de rendre l'homme meilleur, a été responsable de ses malheurs, de sa déchéance. La thèse de Rousseau semble claire : les arts (ou techniques) et les sciences n'ont pas aidé à épurer les mœurs, mais ont dénaturé l'être humain en l'éloignant de plus en plus de sa véritable nature et de la nature en général.

Aujourd'hui, pouvons-nous considérer comme des signes de progrès et de perfectionnement de l'homme les exterminations massives, les différentes formes de génocides, les règnes des dictateurs sanguinaires et l'asservissement de l'humain aux impératifs économiques, sans oublier les multiples catastrophes écologiques et même la possibilité de la destruction de toute vie sur la planète ?

JEAN-JACQUES ROUSSEAU
(1712-1778)

Penseur marquant de la philosophie politique (*Le contrat social*, 1762), il a laissé de nombreux écrits littéraires et philosophiques touchant notamment à l'éducation et à l'idée de religion naturelle. Il fut l'un des auteurs les plus critiques de son époque, remettant en question les inégalités sociales et l'optimisme des intellectuels épris du progrès des sciences et des arts.

Il n'y a point de perversité originelle dans le cœur de l'homme.
(*Lettre à Christophe de Beaumont*, novembre 1762)

Rousseau expose sa thèse, qui l'oppose à ses contemporains, dans deux œuvres : *Discours sur les sciences et les arts* et *Discours sur l'origine et les fondements de l'inégalité parmi les hommes*, publiés respectivement en 1750 et en 1755. Son intention est de montrer que la civilisation, la vie sociale, la culture et l'éducation ont corrompu l'être humain en le rendant méchant. Il écrit : « Tout est bien sortant des mains de l'Auteur des choses, tout dégénère entre les mains de l'homme[72]. »

Il appuie ses propos de considérations d'ordre historique et d'ordre rationnel. Ainsi, il écrit que, dans la Grèce et la Rome antique, les arts et les lettres ont conduit à la dissolution des mœurs et à l'effondrement de ces civilisations. Il évoque le fait que Socrate lui-même avait fait devant ses juges l'éloge de l'ignorance en se flattant de ne rien savoir.

Voici quelques passages du *Discours sur les sciences et les arts* qui illustrent bien ses propos.

 Depuis que les savants ont commencé à paraître parmi nous [...], les gens de bien se sont éclipsés. Jusqu'alors les Romains s'étaient contentés de pratiquer la vertu ; tout fut perdu quand ils commencèrent à l'étudier[73].

Le luxe, la dissolution et l'esclavage ont été de tout temps le châtiment des efforts orgueilleux que nous avons faits pour sortir de l'heureuse ignorance où la sagesse éternelle nous avait placés. Le voile épais dont elle a couvert toutes ses opérations semblait nous avertir assez qu'elle ne

---

72. Jean-Jacques Rousseau, *Émile*, dans *Œuvres complètes*, tome IV, Paris, Gallimard, Bibliothèque de la Pléiade, 1969, p. 245.
73. Id., *Discours sur les sciences et les arts*, Paris, Garnier-Flammarion, 1971, p. 45.

nous a point destinés à de vaines recherches. Mais est-il quelqu'une de ses leçons dont nous ayons su profiter, ou que nous ayons négligée impunément ? Peuples, sachez donc une fois que la nature a voulu vous préserver de la science, comme une mère arrache une arme dangereuse des mains de son enfant ; que tous les secrets qu'elle vous cache sont autant de maux dont elle vous garantit, et que la peine que vous trouvez à vous instruire n'est pas le moindre de ses bienfaits. Les hommes sont pervers ; ils seraient pires encore, s'ils avaient eu le malheur de naître savants[74].

Vertu et savoir n'ont donc pas fait bon ménage. De plus, l'existence même des différentes disciplines scientifiques témoignent de leurs tristes et basses origines :

L'astronomie est née de la superstition ; l'éloquence, de l'ambition, de la haine, de la flatterie, du mensonge ; la géométrie, de l'avarice ; la physique, d'une vaine curiosité ; toutes, et la morale même, de l'orgueil humain. Les sciences et les arts doivent donc leur naissance à nos vices : nous serions moins en doute sur leurs avantages, s'ils la devaient à nos vertus.

Le défaut de leur origine ne nous est que trop retracé dans leurs objets. Que ferions-nous des arts, sans le luxe qui les nourrit ? Sans les injustices des hommes, à quoi servirait la jurisprudence ? Que deviendrait l'histoire, s'il n'y avait ni tyrans, ni guerres, ni conspirateurs[75] ?

Ainsi, ce sont l'orgueil, la vaine curiosité et les faiblesses humaines qui expliquent la naissance des diverses disciplines scientifiques. Le *Discours sur les sciences et les arts* se termine par une prière exprimant le souhait d'un retour à l'état d'ignorance et d'innocence, mais correspondant aussi à un constat d'échec concernant les arts et les sciences :

Dieu tout-puissant, toi qui tiens dans tes mains les esprits, délivre-nous des lumières et des funestes arts de nos pères, et rends-nous l'ignorance, l'innocence et la pauvreté, les seuls biens qui puissent faire notre bonheur et qui soient précieux devant toi[76].

Nos âmes se sont corrompues au fur et à mesure que nos savoirs, nos sciences et nos arts ont progressé. Mais comment en sommes-nous arrivés là ? Est-ce que nous aurions pu évoluer différemment ? C'est le *Discours sur l'origine et les fondements de l'inégalité parmi les hommes* qui répond à ces questions, en essayant de déterminer ce qui a fait basculer la civilisation et est à l'origine de nos misères actuelles. Ce discours esquisse les grandes étapes théoriques qui ont pu marquer le passage de l'état de nature, antérieur à la civilisation, à l'état civil, afin de déterminer la source du

74. *Ibid.*, p. 46.
75. *Ibid.*, p. 47-48.
76. *Ibid.*, p. 57.

mal : les inégalités. Rousseau se propose d'examiner l'homme tel qu'il est sorti des « mains de l'Auteur des choses », c'est-à-dire tel qu'il était avant que tous les changements apportés par les diverses connaissances et le développement des passions ne le défigurent et ne le rendent méconnaissable. À cette fin, il émet l'hypothèse d'un état de nature qu'aurait connu l'homme, c'est-à-dire :

> [...] un état qui n'existe plus, qui n'a peut-être point existé, qui probablement n'existera jamais, et dont il est pourtant nécessaire d'avoir des notions justes pour bien juger de notre état présent[77].

Cette hypothèse d'un état de nature, qui peut être considéré comme le degré zéro de la culture, sert à Rousseau de référence imaginaire pour mieux comprendre et évaluer l'état présent de l'homme, et ainsi déterminer la source véritable des misères qu'il connaît. Rousseau décrit en ces termes cet être humain non encore civilisé et sans liens sociaux :

> En dépouillant cet Être, ainsi constitué, de tous les dons surnaturels qu'il a pu recevoir, et de toutes les facultés artificielles, qu'il n'a pu acquérir que par de longs progrès, en le considérant, en un mot, tel qu'il a dû sortir des mains de la nature, je vois un animal moins fort que les uns, moins agile que les autres, mais à tout prendre, organisé le plus avantageusement de tous : je le vois se rassasiant sous un chêne, se désaltérant au premier ruisseau, trouvant son lit au pied du même arbre qui lui a fourni son repas, et voilà ses besoins satisfaits[78].

Et plus loin :

> Errant dans les forêts sans industrie, sans parole, sans domicile, sans guerre, et sans liaisons, sans nul besoin de ses semblables, comme sans nul désir de leur nuire, peut-être même sans jamais en reconnaître aucun individuellement, l'homme sauvage sujet à peu de passions, et se suffisant à lui-même, n'avait que les sentiments et les lumières propres à cet état, qu'il ne sentait que ses vrais besoins, ne regardait que ce qu'il croyait avoir intérêt de voir, et que son intelligence ne faisait pas plus de progrès que sa vanité. Si par hasard il faisait quelque découverte, il pouvait d'autant moins la communiquer qu'il ne reconnaissait pas même ses enfants. L'art périssait avec l'inventeur ; il n'y avait ni éducation ni progrès, les générations se multipliaient inutilement ; et chacune partant toujours du même point, les siècles s'écoulaient dans toute la grossièreté des premiers âges, l'espèce était déjà vieille, et l'homme restait toujours enfant[79].

77. Jean-Jacques Rousseau, *Discours sur l'origine et les fondements de l'inégalité parmi les hommes*, Paris, Garnier-Flammarion, 1971, p. 151.
78. *Ibid.*, p. 162.
79. *Ibid.*, p. 201-202.

Cet état de nature, équivalent de l'enfance de l'homme, est imaginé comme un état d'équilibre pour l'homme comme pour tout être vivant. L'homme non encore civilisé aurait eu peu de besoins, lesquels étaient tous d'ordre naturel – se nourrir, s'accoupler – et pouvaient être satisfaits naturellement – par la récolte pour la nourriture et par des rencontres fortuites entre individus de sexes différents pour l'accouplement. L'homme était alors autosuffisant ; il ne dépendait pas des autres pour la satisfaction de ses besoins. Ainsi, il vivait dans une sorte d'*égalité naturelle*.

Qu'est-ce qui a fait sortir l'humanité de cette enfance heureuse ? Pour Rousseau, cela ne peut être que des facteurs externes à l'être humain, des facteurs qui ont poussé l'être humain à sortir progressivement de son état d'oisiveté et de solitude. Il s'agit selon lui de circonstances exceptionnelles, telles que des déluges, des éruptions volcaniques meurtrières, des tremblements de terre terribles et des incendies dévastateurs allumés par la foudre, qui ont effrayé les humains et les ont poussés à se rassembler pour mieux se protéger. Ces calamités naturelles auraient rendu inévitable et incontournable la vie sociale, l'état de société. Ce passage de l'état de nature à l'état de société aurait été favorisé par la naturelle perfectibilité de l'être humain, lequel aurait la capacité, dans certaines circonstances, de développer des facultés qui existaient en lui en puissance, à l'état virtuel. L'entrée dans l'état de société a conduit à l'actualisation des dispositions naturelles de l'homme, des bonnes mais surtout des mauvaises, comme l'amour-propre, l'orgueil et l'ambition. Ces dispositions qui existaient à l'état virtuel chez l'homme non civilisé ont trouvé dans la vie sociale un terrain propice à leur développement. Les « différents hasards » qui ont rendu l'homme sociable l'ont en même temps rendu méchant. Voici ce qu'écrit Rousseau, en parlant des hommes :

> Tant qu'ils ne s'appliquèrent qu'à des ouvrages qu'un seul pouvait faire, et qu'à des arts qui n'avaient pas besoin du concours de plusieurs mains, ils vécurent libres, sains, bons, et heureux autant qu'ils pouvaient l'être par leur nature, et continuèrent à jouir entre eux des douceurs d'un commerce indépendant : mais dès l'instant qu'un homme eut besoin du secours d'un autre ; dès qu'on s'aperçut qu'il était utile à un seul d'avoir des provisions pour deux, l'égalité disparut, la propriété s'introduisit, le travail devint nécessaire, et les vastes forêts se changèrent en des campagnes riantes qu'il fallut arroser de la sueur des hommes, et dans lesquelles on vit bientôt l'esclavage et la misère germer et croître avec les moissons[80].

Le passage d'une vie solitaire à une vie sociale s'accompagne de la perte de l'égalité initiale et de l'apparition de formes d'inégalités liées à l'entrée dans la société, donc non naturelles. Plus précisément, c'est la naissance de la propriété privée qui a

80. *Ibid.*, p. 213.

orienté l'histoire humaine dans la mauvaise direction. C'est ce « funeste hasard » qui est à l'origine du mal qui caractérise l'existence sociale moderne. Les termes qu'utilise Rousseau sont restés célèbres :

> Le premier qui, ayant enclos un terrain, s'avisa de dire : Ceci est à moi, et trouva des gens assez simples pour le croire, fut le vrai fondateur de la société civile. Que de crimes, de guerres, de meurtres, que de misères et d'horreurs n'eût point épargnés au genre humain celui qui, arrachant les pieux ou comblant le fossé, eût crié à ses semblables : Gardez-vous d'écouter cet imposteur ; vous êtes perdus, si vous oubliez que les fruits sont à tous, et que la terre n'est à personne[81].

Avec la propriété, dont s'accaparent par la force les uns en profitant de la faiblesse des autres, l'égalité naturelle disparaît, et la misère et l'esclavage de l'homme par l'homme font leur apparition. Avec le développement des sciences et des arts, les besoins se multiplient et leur satisfaction fait augmenter les interdépendances, qui, à cause des inégalités physiques individuelles (celles des talents et des forces), produisent de nouvelles formes d'inégalités :

> Les choses en cet état eussent pu demeurer égales, si les talents eussent été égaux, et que, par exemple, l'emploi du fer et la consommation des denrées eussent toujours fait une balance exacte ; mais la proportion que rien ne maintenait fut bientôt rompue ; le plus fort faisait plus d'ouvrage ; le plus adroit tirait meilleur parti du sien ; le plus ingénieux trouvait des moyens d'abréger le travail ; le laboureur avait plus besoin de fer, ou le forgeron plus besoin de blé, et en travaillant également, l'un gagnait beaucoup tandis que l'autre avait peine à vivre. C'est ainsi que l'inégalité naturelle se déploie insensiblement avec celle de combinaison et que les différences des hommes, développées par celles des circonstances, se rendent plus sensibles, plus permanentes dans leurs effets, et commencent à influer dans la même proportion sur le sort des particuliers[82].

À l'état de nature initial se substitue peu à peu un état social régi par la loi de la jungle, c'est-à-dire par la loi du plus fort :

> L'ambition dévorante, l'ardeur d'élever sa fortune relative, moins par un véritable besoin que pour se mettre au-dessus des autres, inspire à tous les hommes un noir penchant à se nuire mutuellement, une jalousie secrète d'autant plus dangereuse que, pour faire son coup plus en sûreté, elle prend souvent le masque de la bienveillance ; en un mot, concurrence

81. *Ibid.*, p. 205.
82. *Ibid.*, p. 215-216.

et rivalité d'une part, de l'autre opposition d'intérêts, et toujours le désir caché de faire son profit aux dépens d'autrui, tous ces maux sont le premier effet de la propriété et le cortège inséparable de l'inégalité naissante[83].

Les inégalités physiques donnent naissance aux inégalités dues aux talents, à la fourberie, au pouvoir. Au lieu de permettre une amélioration de la condition humaine, les progrès techniques servent à asservir l'homme et à l'exploiter. La raison et les connaissances deviennent ainsi des armes dans les mains des plus forts. Rien n'y résiste.

Les inégalités économiques, dues à la propriété, engendrent ensuite des inégalités sociopolitiques : celui qui est riche a aussi le pouvoir. L'élite des propriétaires met sur pied un système juridique et politique qui se consacre à la conservation de la force et au maintien des inégalités.

Ainsi, Rousseau met en doute l'efficacité de la raison et des connaissances comme moyen d'atteindre le bonheur individuel, à cause d'un détournement de la raison au profit d'une minorité.

Le progrès du savoir n'engendre pas nécessairement le progrès moral, le perfectionnement de l'humanité, car la perfectibilité est une caractéristique neutre : elle signifie non seulement possibilité de perfectionnement, mais aussi possibilité de déchéance, d'erreur (c'est dans ce sens qu'on dit familièrement que l'erreur est humaine). Au nom de la justice sociale, Rousseau est amené à remettre en cause les convictions les plus profondes de l'époque des Lumières. Le *Discours sur l'origine et les fondements de l'inégalité parmi les hommes* se termine par le constat suivant :

 Il suit de cet exposé que l'inégalité, étant presque nulle dans l'état de nature, tire sa force et son accroissement du développement de nos facultés et des progrès de l'esprit humain et devient enfin stable et légitime par l'établissement de la propriété et des lois. Il suit encore que l'inégalité morale, autorisée par le seul droit positif, est contraire au droit naturel, toutes les fois qu'elle ne concourt pas en même proportion avec l'inégalité physique ; distinction qui détermine suffisamment ce qu'on doit penser à cet égard de la sorte d'inégalité qui règne parmi tous les peuples policés ; puisqu'il est manifestement contre la loi de nature, de quelque manière qu'on la définisse, qu'un enfant commande à un vieillard, qu'un imbécile conduise un homme sage et qu'une poignée de gens regorge de superfluités, tandis que la multitude affamée manque du nécessaire[84].

L'élaboration d'un contrat social respectant la liberté de tous et assurant l'égalité est une tâche incontournable :

---

83. *Ibid.*, p. 217.
84. *Ibid.*, p. 235.

Si l'on recherche en quoi consiste précisément le plus grand bien de tous, qui doit être la fin de tout système de législation, on trouvera qu'il se réduit à ces deux objets principaux, la liberté et l'égalité. La liberté, parce que toute dépendance particulière est autant de force ôtée au corps de l'État ; l'égalité, parce que la liberté ne peut subsister sans elle[85].

Seul un état civil régi par un contrat social de ce type constitue un véritable progrès par rapport à l'état de nature, car il implique une justice sociale qui réduit les effets des inégalités. Dans le chapitre 8 du *Contrat social*, Rousseau dresse un tableau des avantages de cet état civil et des inconvénients de l'état de nature :

Ce passage de l'état de nature à l'état civil produit dans l'homme un changement très remarquable, en substituant dans sa conduite la justice à l'instinct, et donnant à ses actions la moralité qui leur manquait auparavant. C'est alors seulement que la voix du devoir succédant à l'impulsion physique et le droit [succédant] à l'appétit, l'homme, qui jusque-là n'avait regardé que lui-même, se voit forcé d'agir sur d'autres principes, et de consulter sa raison avant d'écouter ses penchants. Quoiqu'il se prive dans cet état de plusieurs avantages qu'il tient de la nature, il en regagne de si grands, ses facultés s'exercent et se développent, ses idées s'étendent, ses sentiments s'ennoblissent, son âme tout entière s'élève à tel point que si les abus de cette nouvelle condition ne le dégradaient souvent au-dessous de celle dont il est sorti, il devrait bénir sans cesse l'instant heureux qui l'en arracha pour jamais, et qui, d'un animal stupide et borné, fit un être intelligent et un homme.

Réduisons toute cette balance à des termes faciles à comparer. Ce que l'homme perd par le contrat social, c'est sa liberté naturelle et un droit illimité à tout ce qui le tente et qu'il peut atteindre ; ce qu'il gagne, c'est la liberté civile et la propriété de tout ce qu'il possède. Pour ne pas se tromper dans ces compensations, il faut bien distinguer la liberté naturelle qui n'a pour bornes que les forces de l'individu, de la liberté civile qui est limitée par la volonté générale, et la possession qui n'est que l'effet de la force ou le droit du premier occupant, de la propriété qui ne peut être fondée que sur un titre positif.

On pourrait sur ce qui précède ajouter à l'acquis de l'état civil la liberté morale, qui seule rend l'homme vraiment maître de lui ; car l'impulsion du seul appétit est esclavage, et l'obéissance à la loi qu'on s'est prescrite est liberté[86].

---

85. Jean-Jacques Rousseau, *Du contrat social*, Paris, Garnier Frères, 1962, p. 269.
86. *Ibid*., p. 246-247.

Pour sortir du labyrinthe des maux dans lequel elle s'est enfermée par sa propre faute, l'espèce humaine a besoin d'une éducation « naturelle ». C'est à cela qu'est consacré l'ouvrage *Émile*, qui, en plaçant l'enfant, en tant qu'enfant, au centre de l'activité éducative, constitue une véritable révolution copernicienne dans le domaine de l'éducation. Ainsi :

> [...] voulant former l'homme de la nature, il ne s'agit pas pour cela d'en faire un sauvage et de le reléguer au fond des bois ; mais qu'enfermé dans le tourbillon social, il suffit qu'il ne s'y laisse entraîner ni par les passions ni par les opinions des hommes ; qu'il voie par ses yeux, qu'il sente par son cœur ; qu'aucune autorité ne le gouverne, hors celle de sa propre raison[87].

Les progrès des sciences et des arts ne font pas nécessairement le bonheur de l'homme, s'ils ne s'accompagnent pas d'une éducation qui puisse développer librement les potentialités de chacun et d'institutions juridiques et politiques qui respectent la liberté et l'autonomie humaine et assurent l'égalité. Toute finalité des connaissances qui n'est ni la liberté ni l'égalité entraîne l'échec et la déchéance de l'homme puisqu'elle renforce les inégalités naturelles. Rousseau a eu le mérite de nous rappeler que le savoir n'est pas nécessairement positif et que la raison humaine n'est pas un guide assuré vers le bonheur. Raison et savoir doivent contribuer à l'amélioration de la condition humaine, mais cela ne se fait pas de manière automatique.

4.2 HUMANITÉ ET ANIMALITÉ

Nous avons vu précédemment (section 3.1.1) que le rationalisme établissait une différence de nature entre l'homme et l'animal : la raison fait de l'être humain un être supérieur, qui peut dominer l'animal et s'en servir comme d'un instrument. Elle lui permet surtout d'échapper à sa propre animalité, de prendre de la distance par rapport à l'instinct et aux passions et d'accéder ainsi à une dignité que l'on refuse aux animaux.

La conception rationaliste du rapport entre l'homme et l'animal peut être remise en question sur le plan culturel et sur le plan des savoirs scientifiques. En ce qui concerne l'aspect culturel, il faut souligner le fait que l'utilisation instrumentale de l'animal par l'homme découle d'une vision proprement occidentale du monde animal, héritée des siècles passés. Il en va de même pour la perception de l'infériorité ou de l'indignité du comportement animal en regard de l'agir humain. Cependant, au contact des autres cultures qui vouent un respect particulier aux animaux (notamment celles dont les religions enseignent la réincarnation), et à la suite de

---

87. Jean-Jacques Rousseau, *Émile*, dans *Œuvres complètes*, tome IV, *op. cit.*, 1969, p. 550-551.

l'évolution des mentalités (la popularité croissante de la zoothérapie, la reconnaissance des droits des animaux, la défense des espèces en voie de disparition), nos attitudes ont changé.

L'animal est de plus en plus perçu, souvent de façon anthropomorphique, comme un être digne de respect et doué de qualités psychiques. La perception des rapports entre l'homme et l'animal s'en trouve transformée : le comportement animal cesse d'apparaître comme un exemple d'immoralité ou d'amoralité pour devenir à certains égards un modèle, une source d'enseignements pour l'être humain, notamment en matière de respect de l'environnement. On peut affirmer que les dictons « Qui veut faire l'ange fait la bête » ou « L'alcool rend l'homme semblable à la bête » ont aujourd'hui perdu beaucoup de leur signification.

La modification de notre perception de l'animalité est également due à l'évolution des connaissances sur le règne animal. Au chapitre 2, nous verrons comment les savoirs constitués par les sciences du vivant, loin de maintenir la distance entre l'homme et l'animal, mettent au contraire en lumière l'animalité humaine. En effet, le naturalisme montre que l'être humain, avant d'être différent par la capacité de raisonner, est d'abord semblable aux animaux, et qu'il est intégré au monde vivant et à l'univers physique, avant de le dominer et de le transformer.

4.3 RAISON ET AFFECTIVITÉ

On peut également questionner une deuxième thèse de l'anthropologie rationaliste selon laquelle la raison, qui constitue le trait distinctif de l'être humain, doit constamment tenir à distance les sentiments, les désirs, les émotions. Nous avons vu comment le rationalisme attribuait à la raison un rôle déterminant dans la connaissance et l'action humaine, et comment il soutenait que la raison doit imposer son autorité aux forces affectives. L'être humain ne peut espérer connaître les choses avec certitude et prendre des décisions conscientes et volontaires qu'à la condition de maîtriser le corps et de dominer les affections.

En considérant l'affectivité comme un « corps étranger » à la raison, le rationalisme engage résolument la réflexion dans la voie de la dichotomie entre les différents dynamismes psychiques humains ; ainsi, les facultés rationnelles seraient en quelque sorte incompatibles avec les mouvements affectifs. Cette vision est contestable tant sur le plan culturel que sur le plan du savoir.

En effet, nous savons tous, par expérience, la place importante que tiennent les sentiments, les désirs et les émotions dans nos actes quotidiens. Nous savons aussi que les justifications rationnelles des décisions que nous prenons sont souvent élaborées après coup, une fois que la décision a été prise sous l'influence d'une affection. Nous connaissons également l'importance de l'équilibre affectif dans le développement des habiletés cognitives et de la capacité de jugement.

Ces observations sont reprises et amplifiées dans le contexte socioculturel actuel. Nous assistons au développement d'une véritable culture de l'affectivité, qui se manifeste notamment dans le recours aux psychothérapies et aux médecines douces, dans la recherche d'un bien-être centré sur les états d'âme et l'intimité du petit groupe. Conséquemment, on observe une désaffection à l'égard des discours rationnels, en particulier des savoirs scientifiques, dont l'influence sur les représentations du monde et de l'être humain semble en perte de vitesse, devant la montée des discours ésotériques. Ces nouvelles attitudes et perceptions, qui doivent elles-mêmes faire l'objet d'une critique sérieuse, posent clairement la nécessité de repenser le rôle de la raison par rapport à celui de l'affectivité, dans une vision unifiée de tous les dynamismes psychiques.

La raison définie comme faculté supérieure et autorégulatrice, que les rationalistes donnent comme fondement de la liberté et de l'autonomie humaines, apparaît dans le contexte actuel davantage comme un facteur de contrainte et de contrôle que comme une source de liberté; à l'extrême, la tâche de la raison ne consiste plus à diriger les dynamismes corporels et psychiques, mais à les réprimer. Cette critique sera reprise et développée à l'occasion de l'étude du freudisme, au chapitre 4.

4.4. L'HÉRITAGE RATIONALISTE

Les critiques qui précèdent ne doivent pas nous faire perdre de vue l'importance du rationalisme dans l'évolution de la pensée occidentale, et la valeur de son héritage.

On doit aux penseurs rationalistes la *première affirmation théoriquement élaborée de l'autonomie de l'être humain*. En effet, les rationalistes ont émis l'idée que l'être humain pouvait, grâce à la raison, échapper à l'emprise d'une vision du monde faisant appel à des principes obscurs et occultes, vision souvent exploitée à des fins de domination sociale et économique. Ils ont soutenu que s'il avait le courage d'utiliser sa raison, l'être humain pouvait reconnaître ces principes obscurs, en démontrer la fausseté puis les remplacer par des principes justes. Au lieu d'être à la merci des événements, l'être humain peut devenir l'auteur et l'acteur principal de son propre destin individuel et collectif: il en a le pouvoir grâce à sa raison, disent les rationalistes. Kant formule ainsi cette idée:

 La plus importante révolution qui se puisse accomplir dans l'intériorité de l'être humain consiste en « la capacité de sortir de l'état de minorité dont il est lui-même responsable ». Tandis que jusqu'ici d'autres pensaient pour lui et qu'il se bornait à les imiter ou se laissait tenir en lisière, il a maintenant l'audace de progresser de son propre pas, bien que de manière encore peu assurée, sur le sol de l'expérience[88].

88. Emmanuel Kant, *Anthropologie du point de vue pragmatique*, Paris, Garnier-Flammarion, 1993, p. 186.

C'est également aux rationalistes que l'on doit, pour une large part, l'avènement d'un courant de pensée témoignant d'une *confiance inébranlable dans le devenir de l'humanité*. Ce mouvement d'idées annonçait, en même temps qu'il en traduisait les premières manifestations, les progrès sociaux, politiques, économiques, scientifiques et techniques qui ont marqué l'époque moderne du XVIIIe siècle à nos jours. Qui plus est, les rationalistes ont donné un fondement théorique et méthodologique aux progrès qui étaient en train de se réaliser et s'annonçaient. Ils ont ainsi permis de concevoir *la raison comme un facteur potentiel de progrès*, comme un moyen pouvant permettre à l'être humain d'améliorer son sort de manière progressive et continue. Non seulement ils ont contribué à l'essor des connaissances, mais ils ont inauguré une ère de liberté de pensée dont sont tributaires les courants et les œuvres philosophiques qui, depuis la fin du XIXe siècle, ont pris pour objet de leurs critiques les thèses rationalistes.

Il faut aussi reconnaître aux penseurs rationalistes le mérite d'avoir proposé et revendiqué la *création d'institutions juridiques et politiques* permettant d'assurer la protection et la promotion des droits de la personne de même que la poursuite des progrès dans l'organisation de la vie commune. Ces institutions, légitimées par la raison, visent à mettre l'être humain à l'abri de l'injustice, de la violence et de toute forme de pouvoir qui, lui étant étrangère, réduirait le champ de son autonomie. Certes, le projet politique de liberté, d'égalité et de fraternité ne s'est jamais concrétisé complètement dans les institutions socioéconomiques et politiques. Au contraire, au XXe siècle, les sociétés occidentales ont engendré les négations les plus sombres de l'idéal démocratique, avec les camps de concentration de tous ordres. C'est précisément à propos de ces manifestations extrêmes de la raison instrumentale que la question de l'héritage rationaliste se pose avec acuité : Au nom de quoi critiquons-nous ces excès, si ce n'est au nom de la reconnaissance universelle de la valeur inestimable de chaque personne ?

En conclusion, c'est peut-être le plus grand mérite de la pensée rationaliste d'avoir accordé une place privilégiée au *droit* et aux *constitutions*, donc aux déclarations de principes rationnellement justifiées dans la confrontation des idées et le choc des arguments. Une vision rationnelle de l'organisation sociale accorde une importance capitale aux textes fondamentaux qui établissent la forme de gouvernement d'un pays et qui régissent les relations entre les diverses parties du corps social. En effet, ces textes fondamentaux et les procédures qui leur confèrent leur légitimité définissent les conditions minimales de la coexistence entre les citoyens : sans la protection du droit, les individus seraient vulnérables et soumis à l'arbitraire des pouvoirs fondés sur la force. Sans constitution librement élaborée par les citoyens, la communauté ne pourrait parvenir à la solidarité sociale nécessaire à l'assouvissement des besoins humains et à l'atteinte des objectifs communs. Telle est, en bref, la conception de l'organisation sociale et politique dont nous sommes aujourd'hui redevables au rationalisme, en particulier dans le contexte actuel de mondialisation des institutions économiques, juridiques et politiques.

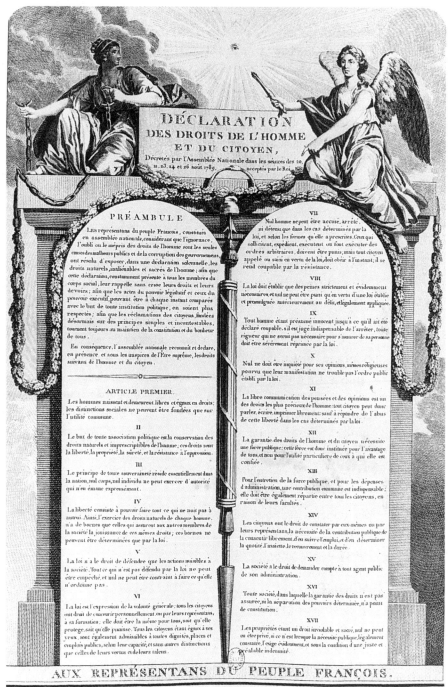

Cette allégorie exprime bien l'inspiration rationaliste qui est à la source de la *Déclaration des droits de l'homme et du citoyen* de 1789. Les droits, gravés sur des tables, sont surplombés de «l'œil suprême de la raison qui vient dissiper les nuages de l'erreur qui l'obscurcissaient».

En réponse aux critiques imputant tous les maux contemporains à la conception moderne ou rationaliste du progrès des connaissances et des institutions humaines, il est intéressant de rappeler cette citation de Kant traitant d'espérance en des temps meilleurs, espérance qui s'enracine dans l'adhésion à un idéal sans doute inaccessible en soi mais dont on s'approche sans cesse, par essais et erreurs :

Devant le triste spectacle moins des maux infligés par des causes naturelles au genre humain que de ceux que les hommes se font eux-mêmes les uns aux autres, l'âme est rassérénée par la perspective d'un avenir meilleur : et cela avec une bienveillance désintéressée puisque nous serons depuis longtemps dans la tombe et ne récolterons pas les fruits que nous avons en partie semés nous-mêmes. Au surplus, on peut trouver de nombreuses preuves de ce que le genre humain dans son ensemble a réellement fait dans notre siècle, comparé à tous les précédents, de notables progrès dans la voie de son amélioration morale (de courts moments d'arrêt ne prouvent rien là contre) : et de ce que le bruit qu'on fait sur son abâtardissement irrésistible et croissant vient justement de ce qu'élevé à un degré supérieur de moralité il voit encore plus loin devant lui ; et son jugement sur ce qu'on est, comparé à ce qu'on devrait être, par conséquent les reproches que nous nous adressons à nous-mêmes deviennent d'autant plus sévères que nous avons déjà gravi, dans l'ensemble du cours du monde tel que nous le connaissons, plus de degrés de moralité[89].

En guise d'invitation au débat, rappelons la question posée en introduction, qui prend un sens particulier à la lumière de la présentation qui a été faite de l'anthropologie rationaliste : Avons-nous jamais été véritablement modernes ?

5 PROBLÉMATIQUE
LE RACISME

Dans la mise en situation qui ouvre ce chapitre, nous avons opposé l'attitude raciste de Gilles, qui relève de l'opinion, à l'attitude rationnelle. Nous avons souligné le fait que Gilles fondait son discours sur des préjugés : il accepte les idées racistes sans les remettre en question, sans les examiner de manière critique et sans tenter de les justifier. Après avoir étudié le rationalisme, nous sommes en mesure d'examiner

---

89. Id., *Théorie et pratique*, Paris, Hatier, 1990, p. 72-73.

de près *le racisme à la lumière des idées rationalistes*. Nous allons notamment tenter de répondre sommairement à la question suivante : Le racisme en tant que tel repose-t-il sur des préjugés ou peut-il être justifié rationnellement ?

Le terme *racisme* désigne une conception selon laquelle l'espèce humaine se divise en races distinctes dont l'une est considérée comme une race pure, supérieure aux autres et devant être préservée de tout croisement. Cette supériorité naturelle ou biologique confère à la race pure le droit de dominer, par la force si nécessaire, les autres races sur les plans politique et économique.

On pourra dire de la théorie raciste qu'elle est rationnellement justifiée si on peut démontrer le bien-fondé de *chacun* des trois éléments de la définition :

a) L'espèce humaine se divise en races distinctes, dont une *race pure* ;

b) La race pure est *supérieure* aux autres races ;

c) La supériorité de la race pure justifie sa *domination* sur les autres races.

Examinons rapidement la question dans la perspective rationaliste.

a) Il faut d'abord *constituer un savoir sur la question*. La plupart des études scientifiques récentes concordent : *les races humaines pures n'existent pas*. D'abord, les groupes humains actuels résultent de l'évolution complexe et constante de l'espèce humaine ; les études historiques montrent que les groupes humains sont le résultat de métissages et qu'aucun ne peut être qualifié de pur. Ensuite, les connaissances génétiques ont réduit à peu de chose la signification biologique du concept de race :

> À la lumière de la génétique moderne, le concept de race est fondé sur la variabilité de quelques gènes parmi les dizaines de milliers que comptent les chromosomes de l'homme. [...] Une classification fondée sur un aussi petit nombre de gènes ne saurait avoir une portée générale. Que penser, en effet, d'une différence certes objective, mais qui trouve son origine dans la variation d'une fraction infime de l'immense fonds génétique de l'humanité ? Pour l'ethnologie moderne, le concept biologique de race n'est pas utilisable[90].

Bref, derrière l'usage du concept de race, il y a souvent omission de la complexité biologique et de l'interpénétration des groupes ethniques ou nationaux. Les races pures n'existant pas, la théorie raciste s'écroule, et la domination d'une race ne peut plus se justifier.

---

90. Daniel de Coppet, « Race », dans *Encyclopædia Universalis*, Corpus 19, *op. cit.*, p. 429. Pour en savoir plus sur la question, on pourra consulter les ouvrages suivants : Jacques Ruffié, *De la biologie à la culture*, Paris, Flammarion, 1976 ; Albert Jacquard, *Éloge de la différence*, Paris, Éditions du Seuil, 1978 ; Albert Memmi, *Le racisme*, Paris, Gallimard, 1982 ; UNESCO, *Le racisme devant la science*, Paris, 1985 ; *Le Genre Humain* (revue trimestrielle), n° 1 : « La science face au racisme », automne 1981 (Paris, Fayard).

b) Il faut ensuite *s'interroger sur la conception de l'être humain sous-jacente au racisme*, c'est-à-dire soumettre à la critique la thèse selon laquelle certains groupes humains sont supérieurs aux autres. Dans quel sens peut-on parler de supériorité ? Nous avons vu que ce ne saurait être au sens biologique. Serait-ce alors sur le plan de la culture, du développement économique, de l'organisation sociale, des institutions politiques, de la production artistique, des croyances religieuses ou des performances sportives ? Mais dans tous les cas, pour le rationaliste, les différences qui existent sur ces différents plans ne touchent pas à *l'essence même de l'être humain* et tous les humains sont égaux par nature en tant qu'êtres rationnels.

c) Enfin, il faut *critiquer le projet de société proposé par l'idéologie raciste*: En quoi les différences socioculturelles justifieraient-elles la domination d'un groupe par un autre de même que l'utilisation de la force et de la violence ? L'argument invoqué par les racistes tient à la menace que représenteraient les races dites « inférieures » pour l'ordre établi ou la sécurité de la communauté. Cet argument, pratiquement impossible à démontrer en général, révèle les mobiles qui animent ceux qui le défendent. Ces mobiles sont la peur devant la différence de l'étranger, de même que la volonté de préserver des avantages ou des privilèges socioéconomiques acquis. Or, dira le rationaliste, la peur et l'intérêt doivent être dépassés, parce qu'ils sont à l'origine de conflits destructeurs pour la communauté. Le contrat social doit être établi sur la base de l'égalité des droits et des chances de tous les citoyens.

En conclusion, pour un rationaliste, il est clair que le racisme est un obstacle à l'avènement d'une communauté humaine véritable.

Justification idéologique et rituels fascinants d'apparence religieuse servent à masquer des mobiles inavouables : peur devant la différence de l'étranger, volonté de préserver des avantages socioéconomiques et, même, pure cruauté.

FONDEMENTS THÉORIQUES DU RATIONALISME

2.1 L'ATTITUDE RATIONNELLE

1. Différenciez l'attitude fondée sur l'opinion de l'attitude rationnelle en décrivant les caractéristiques principales de chacune.

2. Décrivez les principaux bienfaits de la « parole » selon Isocrate.

3. Quel bienfait de la parole est le moins valorisé aujourd'hui ? Pourquoi ?

2.2 LES FONCTIONS DE LA RAISON

2.2.1 La fonction logique de la raison

4. Dans l'extrait cité de l'*Apologie de Socrate* (p. 8 et 9), Socrate refuse d'implorer la clémence de ses juges. Formulez dans vos propres mots les raisons qu'il invoque.

2.2.2 La fonction cognitive de la raison

5. Dites en quoi consiste une « explication rationnelle » des phénomènes naturels.

6. De quoi dépend, selon Descartes, la diversité de nos opinions ? Donnez des exemples.

7. Quelle est la raison avancée par Descartes à l'appui de sa position ?

8. Selon Kant, certaines questions que l'être humain se pose sont destinées à rester sans réponse.
a) Formulez trois de ces questions.
b) Pourquoi, selon Kant, ne peut-il y avoir de réponse à ces questions ?

9. Pour Kant, la connaissance résulte de la contribution de l'expérience sensible et de la raison. Expliquez en quelques mots l'apport de chacune.

2.2.3 La fonction pratique de la raison

10. Énoncez et explicitez les deux significations principales de la maxime stoïcienne « Vivre en accord avec la nature ». *avec la nature*
avec notre nature : rationnelle

11. Dans le texte cité aux pages 25 et 26, Kant définit ce qu'est une action morale-ment bonne. Formulez avec vos propres mots l'idée centrale du texte en répon-dant aux questions suivantes.
a) Établissez par un exemple la distinction entre « agir par devoir » et « agir conformément au devoir ».
b) Pourquoi agir conformément au devoir n'a-t-il pas de véritable valeur morale ?

12. Que signifie l'expression « impératif catégorique » ?

13. L'éthique kantienne affirme que certains principes éthiques ne doivent jamais être violés, quelles que soient les circonstances. Donnez des exemples de gestes que vous ne poseriez jamais, en expliquant pourquoi.

14. Selon le texte de Kant sur le mensonge pernicieux (p. 29), la responsabilité d'un acte répréhensible peut-elle être attribuée aux mauvais penchants ou à une mauvaise éducation ? Expliquez brièvement.

ANTHROPOLOGIE RATIONALISTE

3.1 LA SPÉCIFICITÉ HUMAINE

15. Reformulez les principales étapes du raisonnement de Descartes, qui part du doute méthodique pour aboutir à l'affirmation de l'être humain comme être pensant.

16. Dégagez les différentes oppositions que fait Pascal entre la raison de l'homme et l'instinct des animaux.

17. Pensez-vous, comme Pascal, que le destin de l'homme est de rompre avec son animalité en conservant et en augmentant ses connaissances ?

18. Quelle est la démonstration de Descartes pour établir que la première différence entre l'homme et l'animal est que l'homme parle et que l'animal ne parle pas ?

19. La conception rationaliste de l'être humain implique un conflit fondamental entre la raison et l'affectivité. À l'aide d'un exemple tiré de votre expérience, exposez et illustrez les dangers liés à la prédominance de l'affectivité.

3.2 LA SOCIABILITÉ HUMAINE

20. Indiquez les trois raisons qui permettent aux rationalistes d'affirmer que l'être humain est un être social.

21. Dites pourquoi, selon le rationalisme, on doit reconnaître à tous une égalité en droit.

22. Dites pourquoi, selon le rationalisme, le contrat social permet aux communautés humaines de se préserver et de se développer.

3.3 LA LIBERTÉ HUMAINE

23. Dites pourquoi l'existence des lois naturelles ne constitue pas une négation de la liberté selon les rationalistes.

24. Dites pourquoi l'existence des lois sociales n'est pas un obstacle à la liberté dans l'optique rationaliste.

25. En vous inspirant du texte de Kant portant sur les « Lumières », formulez une définition personnelle de la liberté humaine.

3.4 LA RAISON ET LA FOI *Il n'y a pas de connaissance sans expérience*

3.4.1 Rationalisme et foi chrétienne

26. Discutez des différences entre la démarche rationaliste et la démarche religieuse quant à la méthode d'acquisition du savoir, au contenu et à la finalité.

3.4.2 La rationalisation du concept de Dieu

27. Parmi les attitudes rationnelles possibles à l'égard de la question de l'existence de Dieu, laquelle vous paraît être la plus conforme à votre façon de penser? Expliquez votre réponse.

28. Exprimez en un paragraphe la compréhension que vous avez du concept de Dieu proposé par les différents courants philosophiques.

3.4.3 La problématique de l'existence de Dieu

29. Résumez en vos propres mots l'essentiel de l'argumentation de Kant sur l'impossibilité de démontrer rationnellement l'existence de Dieu.

3.5 LE DESTIN DE L'HUMANITÉ

30. Selon Thévénaz, être raisonnable, c'est devenir raisonnable. Expliquez cette position dans vos mots.

31. Discutez l'idée centrale de Kant selon laquelle l'être humain possède une aptitude naturelle au progrès.

REMARQUES CRITIQUES

4.1 RAISON ET PROGRÈS

32. Donnez votre opinion sur la thèse de Rousseau concernant le progrès humain. Justifiez-la avec des arguments pertinents.

4.2 HUMANITÉ ET ANIMALITÉ

33. La supériorité de l'être humain sur l'animal peut-elle être remise en question?

4.3 RAISON ET AFFECTIVITÉ

34. La conception rationaliste du rapport entre la raison et l'affectivité correspond-elle à votre expérience?

4.4 L'HÉRITAGE RATIONALISTE

35. Précisez en quoi consiste l'apport du rationalisme dans l'évolution de la pensée occidentale.

PROBLÉMATIQUE DU RACISME

36. Les connaissances récentes apportées par les sciences biologiques permettent-elles d'affirmer que la notion de race pure est scientifiquement valable ?

37. La constatation des différences entre les groupes ethniques permet-elle de soutenir l'affirmation de la supériorité d'un groupe sur l'autre, selon la définition de l'être humain proposée par le rationalisme ? Justifiez votre position.

38. Indiquez les éléments de l'attitude du jeune Gilles qui sont nettement en contradiction avec l'attitude rationnelle.

39. Le projet de société proposé par l'idéologie raciste vous paraît-il valable ?

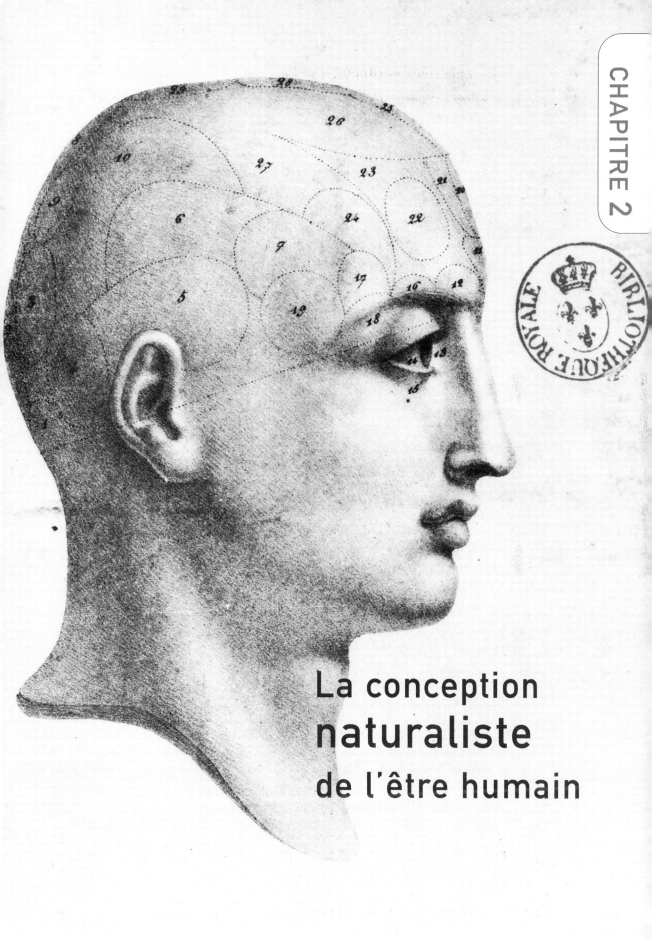

La conception
naturaliste
de l'être humain

Mathieu termine sa deuxième année d'études collégiales en sciences et projette de faire carrière dans la recherche en biologie. Il vient de passer toute une batterie d'examens médicaux. Depuis quelques semaines, il se plaignait de maux de tête et de fatigue excessive ; son état fiévreux et de fréquentes douleurs abdominales indiquaient qu'il avait un sérieux problème de santé. Le diagnostic médical, totalement inattendu, provoque un choc terrible : Mathieu souffre de leucémie.

Après de longs moments de désarroi, le jeune homme commence à se renseigner systématiquement sur la nature de sa maladie, les traitements possibles et les chances de guérison. Cette démarche n'est pas facile à accomplir, même si la biologie lui est familière. Sur le plan émotif, il y a toute une différence entre acquérir des connaissances purement théoriques sur les cancers, et se raccrocher à ces connaissances dans l'espoir de sauver sa vie. L'image que Mathieu a de lui-même est modifiée par la maladie : il se perçoit comme un organisme malade, comme le théâtre d'une lutte entre son système immunitaire et les cellules cancéreuses de son sang. Il devient en quelque sorte le spectateur de cette lutte. Seule une intervention extérieure peut lui permettre, sinon de guérir, du moins de prolonger sa vie de quelques années. Sa vie dépend des progrès récents des connaissances en biologie et de leurs applications thérapeutiques : la chimiothérapie et peut-être une greffe de moelle osseuse.

Une fois remis de son choc initial, Mathieu envisage positivement les traitements difficiles qu'il doit subir pendant les vacances. Il s'inscrit d'ailleurs à l'université pour l'année suivante, tel que prévu. Au lieu de se replier sur lui-même, il s'engage davantage dans sa vie amoureuse et dans ses relations familiales et amicales, qui deviennent plus intenses. Il veut désormais vivre le plus pleinement et le plus sereinement possible.

Pour Mathieu, cela signifie voir les choses avec réalisme, avec lucidité. Il n'est pas croyant, et sa maladie l'a confirmé dans sa perception du monde et de la vie humaine. À ses yeux, la maladie et la mort font partie du cycle de la vie, personne n'y échappe. Le fait d'être atteint d'un cancer est probablement lié à des prédispositions génétiques dont il aurait très bien pu ne pas hériter. Il ne sert à rien de refuser la maladie, de la nier : c'est un fait incontournable avec lequel il faut vivre.

Mathieu considère donc qu'il n'y a rien d'autre à faire que de tirer le meilleur parti possible des ressources actuelles de la médecine pour conserver la meilleure santé possible, le plus longtemps possible. Il voit là la seule attitude lui permettant de maintenir une bonne qualité de vie, malgré les difficultés. Les plaisirs physiques et intellectuels, et surtout les relations d'amour et d'amitié, acquièrent une intensité particulière maintenant qu'il fait face à l'éventualité d'une mort rapprochée.

Pour Mathieu, la mort est un phénomène purement organique, qui devient irréversible quand les fonctions du cerveau ont définitivement cessé. La cessation des fonctions cérébrales est un fait mesurable au moyen de l'électroencéphalogramme. La mort n'a pas d'autre signification que la fin de la vie biologique et de la conscience individuelle. Il est inutile de se révolter, de chercher un espoir dans un « monde meilleur » ou « plus juste », au-delà de la mort. Il faut au contraire s'engager le plus possible dans l'existence quotidienne, pour en tirer le plus possible de joies.

À première vue, l'attitude de Mathieu face à la maladie et à la mort peut étonner. Après un premier moment de désarroi, il semble à la fois résigné à l'éventualité de la mort et déterminé à vivre le plus longtemps possible. L'angoisse et la peur de mourir ne semblent pas assez grandes pour l'empêcher de jouir de la vie et, pourtant, il ne croit pas en l'au-delà. La sérénité qu'il manifeste ne procède pas de l'indifférence émotive, mais de sa manière de voir la vie, de concevoir l'être humain.

Si Mathieu a opté pour l'étude des sciences, c'est bien sûr en fonction d'un projet de carrière, comme tous les jeunes inscrits dans le même programme d'études. Dans son cas, l'intérêt pour la science est aussi soutenu par une conviction profonde : il pense que les sciences apportent les meilleures réponses aux questions qu'il se pose sur l'origine de l'univers et de la vie, l'évolution et l'avenir de l'espèce humaine, le fonctionnement de son propre corps, l'organisation de sa pensée et les relations humaines. Bref, il préfère se fier au savoir scientifique qu'à tout autre discours pour se connaître et pour comprendre la vie. Il manifeste ainsi une attitude que l'on peut qualifier de *naturaliste* ; voyons de plus près en quoi cette attitude consiste.

2 FONDEMENTS THÉORIQUES
DE LA PHILOSOPHIE NATURALISTE AUX SCIENCES NATURELLES

2.1 L'ATTITUDE NATURALISTE

Si nous disions que Mathieu a une attitude naturaliste, c'est parce qu'il se considère comme un être naturel soumis aux lois qui régissent le monde vivant et l'univers physique. De manière générale, l'*attitude naturaliste* se caractérise par une double conviction :

- *L'être humain n'est rien d'autre qu'un être naturel.* Il n'est pas nécessaire de faire intervenir un ordre de réalité supérieur ou un principe immatériel (l'âme, par exemple) pour comprendre l'être humain.
- *L'être humain peut et doit être un objet d'analyse scientifique.* Parce qu'il est soumis aux mêmes lois naturelles que les autres êtres vivants, il doit être étudié avec les

mêmes méthodes d'investigation, qui seules peuvent fournir des connaissances certaines sur sa nature et son organisation.

On qualifie donc de *naturaliste* une vision de l'être humain fondée sur le principe qu'il est possible de constituer un modèle cohérent et vérifiable de l'être humain, en le considérant exclusivement comme un être naturel objet de science.

L'anthropologie naturaliste repose à son tour sur une *philosophie de la nature et de la connaissance* qui se caractérise par les principes suivants :

a) *L'univers connaissable est composé d'objets naturels.* Est défini comme naturel tout objet dont l'existence est attribuable à des causes d'ordre spatio-temporel. Les objets situés dans le temps et l'espace sont les seuls objets directement accessibles à la connaissance.

b) *Une cause naturelle est un objet naturel qui provoque un changement observé chez un autre objet.* L'existence, le mouvement et le changement de tous les objets naturels sont attribuables à des causes naturelles. Le recours à des causes non naturelles ne constitue pas une explication valable des phénomènes.

c) *Le concept de nature recouvre donc l'ensemble des objets naturels.* Il ne s'agit pas d'un concept statique, mais dynamique, qui désigne le système résultant de tous les processus naturels, c'est-à-dire de tous les changements que les objets naturels provoquent les uns sur les autres. Ainsi définie, la nature est intelligible au sens où chacune de ses parties peut être expliquée.

Conséquemment, la nature considérée comme un tout n'est explicable qu'à partir de ses processus internes, et non pas à partir de quelque cause extérieure à la nature que ce soit. Il s'ensuit les deux principes méthodologiques suivants.

d) *Deux grands principes méthodologiques caractérisent le mode d'explication naturaliste.*
- Expliquer un processus naturel signifie déterminer les causes naturelles qui en rendent compte.
- Vérifier une explication signifie la soumettre à l'épreuve des conséquences : si une explication est valide, elle devrait permettre de prévoir l'enchaînement des conséquences qui découlent du processus naturel étudié.

La méthode d'investigation du réel qui procède par détermination des causes et prévision des conséquences caractérise donc la démarche naturaliste. Cette méthode constitue un instrument rigoureux d'explication des phénomènes naturels.

e) Le modèle classique de la connaissance proposé par le naturalisme suppose qu'*il existe dans les processus naturels une régularité qui permet de formuler des lois.* Le concept de régularité exclut celui de hasard dans la mesure où les objets naturels demeureraient incompréhensibles si leur apparition était purement aléatoire et si les propriétés des processus naturels étaient totalement dissemblables.

f) La constitution d'un ensemble de lois naturelles ne signifie pas que les connaissances des sciences naturelles soient immuables, établies une fois pour toutes. *Les explications scientifiques peuvent être révisées*; elles peuvent toujours être confirmées ou infirmées par de nouvelles vérifications.

g) Conséquemment, *la connaissance que nous avons de l'univers n'est jamais définitive*; elle représente la somme des connaissances scientifiques existantes à un moment donné de l'histoire humaine, sans prétention à la certitude absolue. Toutefois, elle doit avoir préséance sur les opinions qui ne satisfont pas aux exigences de la méthode scientifique (par exemple, les croyances personnelles ou religieuses).

h) *Comprise au sens strict, la position naturaliste débouche sur une philosophie matérialiste et athée.* En effet, elle affirme que les seuls objets connaissables avec certitude sont les phénomènes naturels étudiés selon la méthode des sciences naturelles. Or ces objets sont d'ordre matériel et spatio-temporel; cela exclut la croyance en des réalités spirituelles, transcendantes.

Dès lors, toutes les idées de réalités non matérielles issues de la tradition culturelle doivent être tenues pour des fictions inaccessibles à la connaissance. Les concepts d'âme, d'esprit ou de Dieu ne peuvent servir à constituer un modèle rigoureux de l'univers et de la réalité humaine. En ce sens, le naturalisme intégral comprend une position matérialiste et athée.

Cela dit, plusieurs tenants du naturalisme n'adoptent pas une philosophie matérialiste et athée. C'est le cas notamment de fondateurs de la science moderne comme Descartes et Newton, qui ont exprimé leur conception de Dieu dans des pages célèbres[1].

Les développements historiques de la position naturaliste couvrent plusieurs siècles et s'expriment dans des options philosophiques diverses. Il faut en connaître les moments principaux pour bien comprendre la nature et la portée de l'attitude naturaliste et des représentations de l'être humain qui nous sont aujourd'hui proposées par les disciplines scientifiques.

Rappel des IDÉES PRINCIPALES

2.1 L'ATTITUDE NATURALISTE

L'attitude naturaliste témoigne d'une double conviction:
- L'être humain n'est rien d'autre qu'un être naturel.
- L'être humain peut et doit être un objet d'analyse scientifique.

---

1. Descartes a publié ses *Méditations métaphysiques* en 1641. Le titre complet en est: *Méditations touchant la première philosophie dans lesquelles l'existence de Dieu et la distinction réelle entre l'âme et le corps de l'homme sont démontrées.*

La pensée naturaliste repose sur une philosophie de la nature et de la connaissance qui se caractérise par les principes suivants.

- L'univers connaissable est composé d'objets naturels.
- Les phénomènes s'expliquent par des causes naturelles.
- La nature est l'ensemble des objets naturels.
- Une explication est de type naturaliste :
  - lorsqu'elle détermine les causes naturelles des phénomènes ;
  - lorsqu'elle rend possibles la vérification ou la prévision.
- Les processus naturels sont soumis à une régularité qui permet de formuler des lois.
- Les explications scientifiques, parce qu'elles peuvent être infirmées par de nouvelles vérifications, sont susceptibles d'être révisées.
- La connaissance que nous avons de l'univers n'est jamais définitive.
- La position naturaliste au sens strict débouche sur une philosophie matérialiste et athée.

2.2 LES RACINES HISTORIQUES DU NATURALISME

Afin de suivre l'évolution de la pensée naturaliste, nous allons mettre en perspective certains des moments déterminants de l'histoire des idées. Nous retournerons d'abord à la volonté des philosophes grecs de dépasser l'explication mythique, telle qu'elle s'exprime notamment dans la philosophie d'Épicure. Nous relirons ensuite les fondateurs de la science moderne du XVIIe siècle, Descartes notamment, qui ont formulé le projet d'un savoir scientifique permettant de maîtriser la nature. Nous verrons aussi quel a été l'apport spécifique du XVIIIe siècle, le Siècle des lumières, et celui du XIXe siècle, au cours duquel les sciences de la vie ont connu un essor sans précédent. Nous serons alors en mesure de déterminer ce que signifie être naturaliste aujourd'hui.

2.2.1 Les sources anciennes du naturalisme

L'origine du courant naturaliste se confond avec le début même de la réflexion philosophique. Les premiers philosophes grecs avaient en effet pour projet de donner une explication rationnelle du monde et des phénomènes, une explication de type physique, indépendante des interprétations mythiques ou religieuses de l'époque. Ils supposaient qu'une réalité matérielle unique était le principe ou l'origine de toutes choses. Qu'il s'agisse de Thalès de Milet[2] qui privilégiait l'eau, d'Anaximène[3] qui

---

2. Thalès de Milet (env. 640-547 av. J.-C.). Philosophe et mathématicien de l'école ionienne. Au VIe siècle av. J.-C., l'Ionie fut le premier grand foyer de rayonnement de la civilisation grecque.
3. Anaximène (mort vers 480 av. J.-C.). Philosophe de l'école ionienne.

préconisait l'air ou d'Héraclite[4] qui soutenait la primauté du feu, ces premiers philosophes ont proposé des modèles de l'univers, ou cosmologies, régis par un principe matériel unique. En ce sens, on peut affirmer qu'ils sont les précurseurs de la pensée naturaliste.

C'est cependant avec Démocrite[5] et surtout Épicure[6] que la pensée naturaliste s'est véritablement constituée, qu'elle s'est traduite dans une vision d'ensemble de la réalité, soutenue par un développement rationnel rigoureux. Le souci de comprendre en lui-même le monde des phénomènes, sans le recours aux explications religieuses, mythiques ou poétiques, s'exprime dans leurs œuvres de manière constante et achevée.

Selon la cosmologie formulée par Démocrite et Épicure, tous les objets sont composés de corpuscules extrêmement petits. Ces particules élémentaires sont indivisibles, impérissables et existent de toute éternité : ce sont les atomes, le mot atome signifiant en grec indivisible (*a-tomos*). Formés d'une même matière, les atomes ne se différencient entre eux que par leurs propriétés géométriques : la grandeur et la forme. Ils se meuvent éternellement dans le vide infini et c'est leur mouvement dans le vide qui leur permet de se grouper différemment et de donner naissance aux formes différentes des objets. Leurs combinaisons multiples et variées suffisent à produire toute la diversité des êtres composés et périssables. Ce texte du philosophe Lucrèce[7] exprime bien la théorie atomique épicurienne :

Ne va pas considérer comme une propriété essentielle aux atomes éternels l'apparence que nous voyons ondoyer à la surface des corps, naître de temps en temps et soudain disparaître. La mort en détruisant les corps n'anéantit pas leurs éléments ; elle se borne à dissoudre leurs unions, puis à en combiner d'autres ; elle fait en sorte que toutes choses changent de forme et de couleur, acquièrent le sentiment pour le perdre en un éclair : d'où t'apparaît l'importance qu'il faut attacher aux combinaisons des atomes, à leurs positions, aux mouvements qu'entre eux ils s'impriment. C'est à l'aide des mêmes caractères que nous désignons le ciel, la mer, la terre, les fleuves, le soleil ; et de la même façon encore les moissons, les arbres, les animaux. Et dans nos vers eux-mêmes, l'ordre des lettres est essentiel, essentiels sont leurs arrangements ; les mots, non tous pareils, mais se ressemblant en grande partie, ne diffèrent que par

---

4. Héraclite (env. 576-480 av. J.-C.). Philosophe de l'école ionienne qui a notamment réfléchi au problème du devenir.

5. Démocrite (env. 460-370 av. J.-C.). Philosophe grec. Il a soutenu une conception voulant que l'univers soit composé d'une infinité d'atomes et a proposé une morale prônant la modération des désirs.

6. Épicure (env. 341-270 av. J.-C.). Philosophe grec. Il a repris les thèses cosmologiques de Démocrite. Il a également développé une morale fondée sur la recherche de l'équilibre dans le plaisir.

7. Lucrèce : voir la note 11 du chapitre 1.

l'ordonnance des lettres. Ainsi en est-il des corps de la nature. Il suffit que changent leurs figures, – intervalles, direction, liens, poids, chocs, rencontres, mouvements, ordre, positions – pour qu'eux-mêmes se trouvent changés[8].

La cosmologie épicurienne exprime, pour la première fois d'une façon aussi nette et rigoureuse, les lignes de force qui constitueront la pensée naturaliste. Elle repose sur les principes suivants :

a) La réalité du monde est matérielle. Il n'existe rien en dehors de la matière.

b) Les phénomènes physiques s'expliquent par le mouvement. Tout ce qui existe dans le monde est dû aux actions et aux interactions mécaniques des atomes. Il n'y a aucune intervention divine dans les phénomènes physiques.

c) La connaissance des phénomènes naturels permet de délivrer les humains des superstitions, de la crainte des dieux et de celle de la mort.

d) La connaissance de la nature provient du témoignage infaillible des sens, comme le souligne Lucrèce dans le texte suivant :

Tu verras que les sens sont les premiers à nous avoir donné la notion du vrai et qu'ils ne peuvent être convaincus d'erreur. Car le plus haut degré de confiance doit aller à ce qui a le pouvoir de faire triompher le vrai du faux. Or quel témoignage a plus de valeur que celui des sens ? Dira-t-on que s'ils nous trompent, c'est la raison qui aura mission de les contredire, elle qui est sortie d'eux tout entière ? Nous trompent-ils, alors la raison tout entière est mensonge. Dira-t-on que les oreilles peuvent corriger les yeux, et être corrigées elles-mêmes par le toucher ? Et le toucher, sera-t-il sous le contrôle du goût ? Est-ce l'odorat qui confondra les autres sens ? Est-ce la vue ? Rien de tout cela selon moi, car chaque sens a son pouvoir propre et ses fonctions à part. Que la mollesse ou la dureté, le froid ou le chaud intéressent un sens spécial, ainsi que les couleurs et les qualités relatives aux couleurs ; qu'à des sens spéciaux correspondent aussi les saveurs, les odeurs et les sons : voilà qui est nécessaire. Par conséquent, les sens n'ont pas le moyen de se contrôler mutuellement. Ils ne peuvent davantage se corriger eux-mêmes, puisqu'ils réclameront toujours le même degré de confiance. J'en conclus que leurs témoignages en tout temps sont vrais[9].

---

8. Lucrèce, *De la nature*, livre deuxième, trad. de Henri Clouard, Paris, GF Flammarion, 1964, p. 78-79.
9. *Ibid.*, livre quatrième, p. 130-131.

RÉSUMÉ DE LA PENSÉE DE L'AUTEUR

1. Les sens sont la source de la vérité. Leur témoignage ne peut être mis en doute. En effet :
   - ni la raison ne peut les contredire, puisque c'est sur eux qu'elle se base ;
   - ni les sens ne peuvent se contredire entre eux, puisqu'ils ont chacun leur fonction, leur domaine propre, et qu'aucun n'a le pouvoir de contrôler les autres.

2. Le témoignage des sens est donc toujours véridique.

L'être humain s'intègre à la cosmologie d'Épicure comme un être matériel parmi les autres, comme un être doué d'un corps et d'une âme destinés à se décomposer, parce qu'eux aussi composés d'atomes. La page suivante de Lucrèce est à ce propos éloquente :

Au reste, nous le sentons, l'âme naît avec le corps, avec lui elle grandit, elle partage sa vieillesse. Les enfants ont un corps tendre et frêle, la démarche incertaine, une pensée qui participe de cette faiblesse. Puis, avec les forces accrues par l'âge, l'intelligence s'étend, l'esprit acquiert de la puissance. Ensuite les durs assauts du temps ébranlent les forces du corps, les facultés s'émoussent et les membres s'affaissent ; alors l'esprit se met à boiter, la langue s'égare, la pensée chancelle, tout défaille, tout manque à la fois. Il faut donc que l'âme, en sa substance même, se dissipe comme une fumée dans les hautes régions de l'air, puisque nous la voyons naître avec le corps, avec lui grandir et, comme je l'ai montré, succomber avec lui à la fatigue des ans[10].

À la lecture de ces lignes, on comprend que la philosophie d'Épicure, telle qu'elle nous est parvenue à travers l'œuvre de Lucrèce, se soit imposée, du XVIIe au XXe siècle, comme une source majeure d'inspiration pour les penseurs naturalistes, après avoir été éclipsée durant tout le Moyen Âge. Cette renaissance de l'épicurisme se produisit de concert avec l'essor de la pensée scientifique, qui vint renouveler le projet naturaliste d'explication de l'univers et de l'être humain.

---

10. *Ibid.*, livre troisième, p. 98.

Rappel des IDÉES PRINCIPALES

2.2.1 Les sources anciennes du naturalisme

- L'origine du courant naturaliste se confond avec le début de la réflexion philosophique, dont le projet consistait à donner une explication rationnelle des phénomènes naturels, une explication de type physique et non plus mythique ou religieux.
- Démocrite et Épicure ont été les premiers à élaborer une véritable cosmologie naturaliste : les objets sont composés de particules élémentaires (les atomes) qui sont indivisibles et impérissables. Les multiples combinaisons de ces particules élémentaires expliquent la diversité des êtres.
- Cette cosmologie repose sur les principes suivants :
  - La réalité du monde est matérielle.
  - Le mouvement des atomes rend compte des phénomènes physiques.
- Cette connaissance délivre les humains des superstitions et de la crainte des dieux.
- La connaissance repose sur le témoignage infaillible des sens.
- L'être humain s'inscrit dans cette cosmologie comme un être naturel parmi les autres.

2.2.2 La naissance du projet scientifique moderne

Le Moyen Âge a marqué un arrêt dans l'évolution de la pensée naturaliste. Tout au long de cette période historique qui s'étend du IVe siècle à la fin du XIIIe siècle, le champ de la réflexion philosophique a été occupé presque totalement par l'effort de rationalisation du contenu de la foi religieuse. La réflexion sur la nature s'est certes poursuivie, mais sur la base des textes sacrés, dont l'autorité ne pouvait être contestée.

Pour l'essentiel, cette réflexion consistait à démontrer que toute réalité matérielle, y compris l'être humain, avait été créée par Dieu. Cette représentation de la nature, considérée comme une manifestation de la puissance et de la bonté de Dieu, a donc freiné pendant plusieurs siècles toute tentative de connaître les phénomènes naturels en tant que réalités autonomes.

Le second essor de la pensée naturaliste sera rendu possible par la renaissance de la pensée rationaliste occidentale, qui a revalorisé l'héritage philosophique et scientifique de l'antiquité gréco-romaine. Cette renaissance culturelle a permis :

- d'affirmer l'autonomie de la raison humaine en regard de l'autorité des doctrines fondées sur la foi en la révélation divine ;
- d'intégrer au champ propre de la réflexion rationnelle la connaissance du monde qui nous entoure, c'est-à-dire la réalité empirique dans ses principes et ses manifestations propres.

Ces deux grands postulats philosophiques jetaient les bases d'une nouvelle attitude de la raison humaine face à la connaissance, mais ils ne constituaient pas en eux-mêmes une méthode appropriée à la recherche des principes matériels du monde. C'est *la mise au point de la méthode expérimentale* qui a donné accès au monde des phénomènes naturels et a permis d'en proposer des explications vérifiables.

Galilée fut le premier à fixer les éléments principaux de cette méthode. L'observation, l'hypothèse et l'expérimentation constitueront désormais les étapes nécessaires de toute exploration et de toute tentative d'explication rigoureuse des phénomènes naturels. Analysons brièvement chacun de ces trois moments de la méthode expérimentale naissante.

A. L'observation des faits

L'observation de la nature constitue le point de départ obligé de toute analyse sérieuse des phénomènes naturels. Elle permet de dépasser les limites des savoirs fondés sur l'appel à l'autorité ou les analyses purement logiques, qui n'ont pas de fondement extérieur à elles-mêmes. L'observation des phénomènes donne à tous les chercheurs un point de départ commun et indépendant de leurs croyances personnelles.

GALILEO GALILEI, DIT GALILÉE (1564-1642)

Astronome, mathématicien et physicien, né à Pise. L'un des grands fondateurs de la méthode expérimentale, Galilée a formulé plusieurs lois fondamentales de la physique, notamment les lois de la chute des corps et le principe d'inertie. Sur la base d'observations, il a confirmé et développé le système astronomique proposé par Copernic (1473-1543). Dénoncé comme hérétique par l'Église catholique et interdit d'enseignement, Galilée fut forcé d'abjurer sa théorie devant l'Inquisition en 1633. Il n'a été réhabilité officiellement par Rome qu'en 1992.

La tentative de saisir l'essence vraie et intrinsèque des choses naturelles, je la tiens pour une entreprise aussi vaine dans les substances élémentaires et proches que dans celles du ciel et dans les plus éloignées.
(Les taches solaires)

Ce principe a rencontré beaucoup de résistances avant d'être généralement admis. En témoigne le refus de Cremonini, un adversaire de Galilée, d'observer la voûte céleste à travers la lunette astronomique récemment inventée. On peut penser que son attitude exprimait sa crainte de voir les phénomènes eux-mêmes contredire le modèle géocentrique[11] défendu par la tradition. Dans une lettre à Kepler[12], Galilée s'exclame à ce propos :

> Que diriez-vous aux premiers philosophes de notre École qui, malgré qu'on les y ait invités de mille façons, se refusent avec obstination à jamais regarder les planètes ou la lune ou même la lunette, et qui ferment ainsi de force leurs yeux à la lumière de la vérité ?… Cette sorte d'hommes croit que la philosophie est un livre, comme l'*Énéide* et l'*Odyssée*, et que la vérité doit se chercher non dans le monde ou dans la nature, mais – ce sont leurs propres termes – par la comparaison des textes. Comme vous ririez, si vous pouviez entendre le plus considérable philosophe de notre École s'efforcer de supprimer du ciel les nouvelles planètes par des arguments logiques, comme si c'étaient des paroles magiques[13] !

C'est donc à partir du grand livre de la nature que doit débuter toute lecture, toute réflexion, toute philosophie naturelle, selon les mots célèbres de Galilée, dans *L'Essayeur* :

> La philosophie est écrite dans ce très grand livre qui se tient constamment ouvert devant les yeux (je veux dire l'Univers), mais elle ne peut se saisir si tout d'abord on ne se saisit point de la langue et si on ignore les caractères dans lesquels elle est écrite. Cette philosophie, elle est écrite en langue mathématique ; ses caractères sont des triangles, des cercles et autres figures géométriques, sans le moyen desquels il est impossible de saisir humainement quelque parole ; et sans lesquels on ne fait qu'errer vainement dans un labyrinthe obscur[14].

Cette citation met en lumière un autre aspect fondamental de la méthode expérimentale : la description exacte du réel est rendue possible par les mathématiques. Galilée présente les mathématiques comme le langage même de la nature : la traduction mathématique des faits observés peut seule permettre au scientifique d'échapper au « labyrinthe obscur » qui le guette s'il s'engage dans la science armé du simple langage des mots et des concepts.

---

11. Géocentrisme : théorie astronomique dont les éléments essentiels ont été formulés par l'astronome grec Claude Ptolémée (IIᵉ siècle ap. J.-C.), qui a fait autorité durant tout le Moyen Âge et la Renaissance. Selon cette théorie, la terre était le centre de l'univers physique (l'univers était géocentrique). Tous les astres, y compris le soleil, gravitaient autour de la terre dans un mouvement circulaire. Ce modèle venait en quelque sorte renforcer la thèse chrétienne de la création selon laquelle l'être humain, qui dominait toutes les créatures terrestres, était le véritable centre de l'univers. Aussi la théorie de Ptolémée fut-elle enseignée et âprement défendue par les autorités religieuses.

12. Johannes Kepler (1571-1630). Astronome allemand qui a apporté une contribution décisive à l'évolution des théories physiques et astronomiques. Ses recherches et ses écrits ont établi les bases du principe de l'attraction universelle formulé par Newton.

13. Cité par Robert Blanché dans *La méthode expérimentale et la philosophie de la physique*, Paris, Armand Colin, 1969, p. 8.

14. Cité par Vilma Fritsch dans *Galilée ou l'avenir de la science*, Paris, Seghers, 1971, p. 133-134.

Cependant, les faits d'expérience ne livrent pas d'eux-mêmes les lois qui les régissent, du simple fait qu'ils ont été traduits en langage mathématique. Au terme de l'étape d'observation, les phénomènes se présentent à nous à la manière de conséquences auxquelles manquent des prémisses. C'est le rôle de l'hypothèse de remonter des conséquences, des faits observés, aux prémisses possibles, aux lois naturelles.

B. La formulation de l'hypothèse

Les faits observés et interprétés en langage mathématique constituent donc des données brutes. Le chercheur doit en quelque sorte les « faire parler », les expliquer. La seconde étape de la méthode expérimentale, *la formulation de l'hypothèse*, consiste précisément à supposer une cause encore inconnue (ou hypothétique), qui est susceptible de rendre compte des faits. La démonstration du lien de causalité entre les phénomènes constitue le but premier de la recherche empirique : elle vise à mettre les faits observés en relation avec d'autres faits, dans un enchaînement déterminé de causes et de conséquences.

Le rôle de l'hypothèse est d'engager l'analyse des données d'observation dans une voie qui permet la vérification. En supposant à l'avance une cause qui rend compte de la conséquence observée, le chercheur progresse de manière rigoureuse : ou bien son hypothèse est confirmée, auquel cas il peut conclure, ou bien elle est infirmée. Dans le second cas, il retourne à l'observation des faits pour formuler une nouvelle hypothèse.

Un exemple tiré des travaux de Galilée permet d'illustrer le rôle de l'hypothèse dans la démarche expérimentale. Galilée s'est fondé sur un fait d'observation courante pour initier sa réflexion : si on laisse tomber du haut d'un pont une plume d'oiseau et une pièce de métal, les deux objets ne tombent pas à la même vitesse. Il supposa que l'explication du phénomène résidait dans la résistance du milieu et énonça l'hypothèse suivante : si on élimine complètement la résistance du milieu, tous les corps tombent à égale vitesse. Le texte suivant de Galilée précise la portée de cette hypothèse :

Nous nous proposons de rechercher ce qui arriverait à des mobiles de poids très différents dans un milieu dont la résistance serait nulle, en sorte que les différences de vitesse que l'on constaterait entre ces mobiles ne pourraient être rapportées qu'à l'inégalité de leurs poids. Seul un espace entièrement vide d'air et de tout autre corps, même très subtil et facilement pénétrable, nous permettrait de bien voir ce que nous cherchons ; mais puisque nous ne disposons pas d'un semblable espace, nous observerons ce qui se produit dans les milieux plus subtils et de moindre résistance par comparaison avec ce qu'on voit se produire dans les milieux moins subtils et plus résistants. Si, de fait, nous en venons à constater que les mobiles de pesanteurs différentes se meuvent à des vitesses de moins en moins différentes à mesure que les milieux traversés sont de moins en moins résistants, et que finalement, dans un milieu plus ténu qu'aucun autre (encore que non vide), l'inégalité des vitesses entre des mobiles de poids extrêmement inégaux devient très faible et presque inobservable, il me semble que nous pourrons admettre comme une conjecture très probable que, dans le vide, les vitesses seraient rigoureusement égales[15].

Ce passage du *Dialogue des sciences nouvelles*, on l'aura remarqué, ne se limite pas à formuler l'hypothèse. Il décrit aussi un mode d'expérimentation ou de vérification de l'hypothèse dont il faut retenir deux caractéristiques :

- l'expérimentation procède par manipulation directe ou indirecte des objets physiques ;
- la quantification (mathématique) des résultats obtenus sert de base aux conclusions partielles de la recherche aussi bien qu'aux modèles théoriques qui formulent les lois naturelles fondamentales (par exemple l'attraction universelle).

Ces deux opérations constituent la troisième grande étape de la méthode expérimentale.

C. L'expérimentation ou la vérification de l'hypothèse

Si l'hypothèse représente une manière d'anticiper la réponse de la nature à la question que l'on se pose quant aux causes des phénomènes, l'expérimentation vient en quelque sorte obliger la nature à répondre aux questions du chercheur, comme le souligne Emmanuel Kant dans un texte cité au chapitre 1 (section 2.2.2 B).

C'est dans cet esprit que Galilée, pour démontrer le bien-fondé de ses hypothèses sur la chute des corps, réalisa une série d'expériences dans des conditions différentes, la variation des conditions d'expérimentation permettant de considérer l'ensemble des facteurs, des causes, qui influencent la chute des corps. Il observa, entre autres, le comportement de corps de poids inégaux et de corps de même poids spécifique, mais de surface inégale. Il réalisa aussi les mêmes expériences dans des milieux de densité différente, à savoir l'air et l'eau. Toutes ces expériences avaient un seul but : dégager les lois de la chute des corps.

Pour les pionniers de la méthode expérimentale, formuler une loi c'est exprimer le rapport constant entre les phénomènes tels qu'observés et soumis à l'expérimentation, à la condition que ce rapport soit donné en termes mathématiques. À leurs yeux, seul le traitement mathématique des données peut en assurer la description exacte et les rendre accessibles à la connaissance humaine. Il n'y a pas de science possible, de connaissance véritable, sans mathématiques.

*
* *

---

15. Galilée, *Dialogue des sciences nouvelles* (1638), dans *Dialogues et lettres choisies*, trad. de P. H. Michel, Paris, Hermann, 1966, p. 297-298.

Cette nouvelle théorie de la connaissance fondée sur l'observation des faits, leur quantification, la formulation d'une hypothèse et l'expérimentation constituait une véritable rupture avec la tradition. Les grands systèmes métaphysiques ou théologiques qui avaient prévalu jusqu'alors postulaient que l'être humain pouvait connaître l'essence des choses, ce qu'elles sont véritablement en elles-mêmes ; cette connaissance était accessible par les simples moyens du raisonnement ou par l'interprétation des textes sacrés.

Galilée affirmait au contraire, avec les naturalistes de son époque, que l'essence des choses ne pouvait être objet de connaissance, parce qu'elle n'était pas accessible à l'observation : « La tentative de saisir l'essence vraie et intrinsèque des choses naturelles, je la tiens pour une entreprise aussi vaine dans les substances élémentaires et proches que dans celles du Ciel et dans les plus éloignées[16]. »

C'est à René Descartes, contemporain de Galilée, que revient le mérite d'avoir ouvert la voie à la désacralisation de la nature. Comme nous l'avons vu au chapitre 1 (section 3.1), Descartes a nettement séparé l'âme ou la pensée du corps matériel en établissant que la nature fondamentale des objets matériels résidait dans leur extension ou leur étendue (définie par les trois dimensions). En reconnaissant la pleine autonomie de la raison humaine et en réduisant la nature à ses dimensions physiques, Descartes a fourni aux pionniers de la science moderne les arguments théoriques qui leur ont permis de rejeter les objections religieuses ou spiritualistes : expérimenter sur la nature n'était désormais plus un sacrilège, transformer la nature n'était plus un défi lancé à l'ordre du monde instauré par la Divinité.

Dorénavant, même l'étude scientifique du corps humain devenait concevable ou justifiable puisque, comme le souligne Descartes dans le texte suivant, le corps est comparable à un automate, à « une machine qui se meut soi-même ». La mort, dit-il, est explicable par la défaillance d'une partie vitale du corps, et il n'y a pas plus de différence entre un corps vivant et un corps mort qu'entre une montre qui marque l'heure et une montre cassée :

Quelle différence il y a entre un corps vivant et un corps mort.

Considérons que la mort n'arrive jamais par la faute de l'âme, mais seulement parce que quelqu'une des principales parties du corps se corrompt ; et jugeons que le corps d'un homme vivant diffère autant de celui d'un homme mort que fait une montre, ou autre automate (c'est-à-dire autre machine qui se meut de soi-même), lorsqu'elle est montée et qu'elle a en soi le principe corporel des mouvements pour lesquels elle est

16. Id., *Les taches solaires*, cité dans Vilma Fritsch, *op. cit.*, p. 134.

instituée, avec tout ce qui est requis pour son action, et la même montre, ou autre machine, lorsqu'elle est rompue et que le principe de son mouvement cesse d'agir[17].

Cela dit, il importe de mentionner que Descartes, tout en légitimant l'essor de la pensée naturaliste, maintenait une conception dualiste de l'être humain : pour lui, l'âme humaine constituait l'essence même de la personne, elle pouvait en principe exister indépendamment du corps matériel. Descartes n'intégrait donc qu'une partie de l'héritage épicurien, qui proposait une définition matérialiste du corps et de l'âme. Le dualisme cartésien fut d'ailleurs combattu par plusieurs penseurs contemporains de son époque de même que par nombre de penseurs naturalistes du Siècle des lumières.

Rappel des IDÉES PRINCIPALES

2.2.2 La naissance du projet scientifique moderne

- Le Moyen Âge, caractérisé par l'effort de rationalisation de la foi religieuse, a marqué un arrêt dans l'évolution de la pensée naturaliste.
- La renaissance de la pensée naturaliste au XVIe siècle s'exprime par l'affirmation de l'autonomie de la raison et par l'intégration de la connaissance du monde dans le champ de la réflexion rationnelle.
- La mise au point de la méthode expérimentale a donné une véritable clé permettant d'accéder au monde des phénomènes naturels. On doit à Galilée la première formulation des trois moments de cette méthode :
  - L'observation des faits et leur description exacte grâce aux mathématiques.
  - La formulation de l'hypothèse susceptible de rendre compte des phénomènes observés.
  - L'expérimentation, qui a pour but de valider ou d'infirmer l'hypothèse.
- René Descartes a ouvert la voie à la science expérimentale moderne en réduisant la nature à ses dimensions physiques et en établissant la pleine autonomie de la raison humaine.

2.2.3 Le Siècle des lumières

De manière générale, le XVIIIe siècle se caractérise par une laïcisation accrue des savoirs et par l'extension de la pensée naturaliste à presque tous les secteurs de

---

17. René Descartes, *Les passions de l'âme*, art. 6, dans *Œuvres et lettres*, Paris, Gallimard, Bibliothèque de la Pléiade, 1963, p. 697. (Nous soulignons.)

l'activité humaine, y compris l'activité sociale, politique et religieuse. Ce fut une époque de grand développement et de diversification rapide des sciences expérimentales, une époque marquée par des découvertes importantes. Les progrès scientifiques, techniques et sociopolitiques de ce siècle ont largement contribué à renforcer la conviction selon laquelle seules les lumières de la raison sont en mesure de guider les êtres humains sur la voie de la connaissance et du bonheur, d'où l'appellation *Siècle des lumières*.

Nous avons déjà cité (chapitre 1, section 3.3.2) un texte célèbre de Kant où celui-ci développe la métaphore de l'accession de la raison humaine à l'âge de la majorité pour caractériser l'esprit du Siècle des lumières. L'*Encyclopédie*[18], le vaste ouvrage publié sous la direction de Diderot, représente cet esprit de manière exemplaire. En dressant un tableau « raisonné » des connaissances et des techniques de l'époque, cet ouvrage célèbre la maîtrise de l'univers par l'être humain et sa capacité à échapper aux préjugés en instaurant un ordre rationnel en matière de religion, de politique et de morale.

DENIS DIDEROT
(1713-1784)

Philosophe et écrivain français dont les œuvres témoignent d'une curiosité universelle nourrie par les thèses naturalistes et matérialistes. Son esprit critique lui valut une peine d'emprisonnement.

Aucun homme n'a reçu de la nature le droit de commander aux autres. La liberté est un présent du ciel, et chaque individu de la même espèce a le droit d'en jouir aussitôt qu'il jouit de la raison.
(*Encyclopédie*, « Autorité politique »)

Dans les pages qui suivent, nous examinerons les positions des encyclopédistes sous trois angles : la prédominance de la raison sur la foi, la constitution d'une morale naturelle et la place de l'être humain dans l'univers. Nous pourrons ainsi constater les deux points suivants :

- la pensée naturaliste se situe dans le sillage de la philosophie rationaliste qui établit l'autorité de la raison humaine sur tous les domaines de connaissance et sur les méthodes d'acquisition des connaissances ;

---

18. *Encyclopédie ou Dictionnaire raisonné des sciences, des arts et des métiers*. Rédigé de 1751 à 1772 et publié en 17 volumes sous la direction de Diderot et d'Alembert, ce monumental dictionnaire est l'œuvre collective de savants et de philosophes parmi lesquels on retient les noms de Rousseau, Voltaire et Montesquieu. Ces auteurs sont appelés les *encyclopédistes*.

- la pierre d'assise de l'anthropologie naturaliste est la définition de l'être humain comme être naturel, comme objet d'étude scientifique ; l'horizon de la conception naturaliste est matérialiste (la matière est la seule réalité) et athée (Dieu n'existe pas).

A. La prédominance de la raison sur la foi

Les phénomènes naturels et la réalité humaine sont explicables par les seules règles de la raison, sans référence à une quelconque dimension surnaturelle. Raison et foi sont même perçues comme incompatibles : quand la raison prend appui sur l'évidence ou sur l'étude systématique des données de l'expérience sensible et qu'elle entre en conflit avec le contenu de la foi religieuse, c'est toujours à la raison qu'il faut se fier. Dans l'article « Raison » de l'*Encyclopédie*, Diderot résume ainsi les rapports entre raison et foi :

> Nulle proposition ne peut être reçue pour révélation divine, si elle est contradictoirement opposée à ce qui nous est connu, ou par une intuition immédiate, telles que sont les propositions évidentes par elles-mêmes, ou par des déductions évidentes de la *raison*, comme dans les démonstrations ; parce que l'évidence qui nous fait adopter de telles révélations ne pouvant surpasser la certitude de nos connaissances, tant intuitives que démonstratives, si tant est qu'elle puisse l'égaler, il serait ridicule de lui donner la préférence [...]. Et partout où nous avons une décision claire et évidente de la *raison*, nous ne pouvons être obligés d'y renoncer pour embrasser l'opinion contraire, sous prétexte que c'est une matière de foi. La raison de cela, c'est que nous sommes hommes avant que d'être chrétiens[19].

« Nous sommes hommes avant que d'être chrétiens. » Cette affirmation de Diderot indique clairement la préséance de la raison sur la foi, mais elle ne dénigre pas totalement l'option religieuse. Certains auteurs naturalistes du XVIIIe siècle, dont Voltaire, adoptaient en effet une position déiste (voir le chapitre 1, section 3.4.2) et prônaient une religion naturelle, libérée de toute autorité révélée. Ces auteurs cherchaient à établir un concept de Divinité par les seuls moyens de la raison naturelle, et non pas une représentation abstraite, métaphysique, qui serait objet de foi. Ils manifestaient une attitude naturaliste, sans être véritablement matérialistes.

19. Denis Diderot, article « Raison », *Encyclopédie ou Dictionnaire raisonné des sciences, des arts et des métiers*, Paris, Bordas, 1967, p. 152-153.

VOLTAIRE
(1694-1778)

Écrivain français, poète, dramaturge et essayiste. On retient notamment ses *Contes philosophiques*, une œuvre polémique qui remet en cause les institutions politiques et sociales de son époque et les idées philosophiques reçues. Il y défend entre autres une position déiste. (Le déiste est celui qui admet l'existence d'une Divinité, mais qui rejette toute religion révélée ou tout dogme religieux : voir la section 3.4.2 du chapitre 1.)

Presque tout ce qui va au-delà de l'adoration d'un Être suprême et de la soumission du cœur à ses ordres éternels est superstition.
(Dictionnaire philosophique)

B. La constitution d'une morale naturelle

L'affirmation de la primauté de la raison fonde aussi une morale nouvelle, dite naturelle, tant sur le plan individuel que social. L'être humain a conquis son autonomie grâce à sa capacité de se connaître en tant qu'être naturel. Il peut résister à l'emprise de l'autorité dogmatique de la foi et de la morale chrétiennes. Il est dorénavant capable de reconnaître ce qui est objectivement bon pour lui et pour les autres et de décider librement d'agir en conséquence. Il peut ainsi rechercher le bonheur par delà les interdits fondés sur les superstitions et par delà les influences néfastes du milieu social. Ce texte du baron d'Holbach[20] exprime bien quel doit être le fondement de la morale naturelle :

L'homme, dès qu'il ouvre les yeux, ne se voit entouré que d'exemples qui le détournent du bien et le sollicitent au mal. Il suce pour ainsi dire la corruption avec le lait ; ses parents, bien loin de développer sa raison, lui enseignent le vice, lui inspirent leurs propres folies, leurs préjugés, leurs goûts déraisonnables. Ses instituteurs religieux ne permettent point à sa raison d'éclore, et ne lui donnent pour se guider que le flambeau lugubre de la superstition, dont la sombre lumière ne fait que l'égarer : ses maîtres injustes lui font sentir que le vice seul lui est utile, et que la vertu ne serait pour lui qu'un sacrifice douloureux.

Quel remède opposer à la dépravation générale des sociétés, que tant de causes puissantes semblent devoir éterniser ? Il n'en est qu'un : c'est

---

20. Paul Henri, baron d'Holbach (1723-1789). Philosophe français, représentant de l'esprit matérialiste et athée du Siècle des lumières. Auteur du *Système de la nature* (1770) et du *Système social* (1776). Il a également publié des pamphlets antireligieux.

la vérité. Si l'erreur, comme tout le prouve, est la source commune des malheurs de la terre, si les hommes ne sont vicieux et méchants que parce qu'ils ont des idées fausses de leur félicité, c'est en combattant l'erreur avec courage et longanimité ; c'est en leur présentant des idées saines ; c'est en leur faisant sentir leurs véritables intérêts que l'on peut se promettre d'opérer leur guérison[21].

Pour d'Holbach, la réforme des mœurs passe donc par la réforme des lois et l'éducation des citoyens. C'est, selon son expression, « en cultivant la raison publique » que l'être humain peut s'engager sur la voie du bonheur individuel et collectif. Les philosophes Rousseau et Montesquieu[22] relevèrent le défi de montrer qu'une réforme sociale et juridique était réalisable dans la mesure où elle se fonde sur des principes laïcs traduits dans un contrat social et concrétisés dans des textes de loi et des institutions juridiques.

C. La place de l'être humain dans l'univers

Nous l'avons souligné antérieurement, la thèse centrale du naturalisme réside dans l'affirmation du statut naturel de l'être humain : il appartient à la raison, sur la base de la méthode expérimentale, de démontrer l'origine de l'être humain et de déterminer sa place dans l'univers. Comme en témoigne ce texte d'Holbach, cette idée avait progressé au Siècle des lumières :

Elle [l'expérience] nous montrera que dans nous-mêmes, ainsi que dans tous les objets qui agissent sur nous, il n'y a jamais que de la matière douée de propriétés différentes, diversement combinée, diversement modifiée, et qui agit en fonction de ses propriétés. En un mot, l'homme est un tout organisé, composé de différentes matières ; de même que toutes les autres productions de la nature, il suit des lois générales et connues, ainsi que des lois ou des façons d'agir qui lui sont particulières et inconnues.

Ainsi, lorsqu'on demandera ce que c'est que l'homme, nous dirons que c'est un être matériel, organisé ou conformé de manière à sentir, à penser, à être modifié de certaines façons propres à lui seul, à son organisation, aux combinaisons particulières des matières qui se trouvent rassemblées en lui. Si l'on nous demande quelle origine nous donnons aux êtres de l'espèce humaine, nous répondrons que, de même que tous les autres, l'homme est une production de la nature, qui leur ressemble à quelques

---

21. D'Holbach, *Système social ou Principes naturels de la morale et de la politique*, 3e partie, chap. XII, dans Pierre-François Moreau, *Les racines du libéralisme — Une anthologie*, Paris, Seuil, 1978, p. 94-95.

22. Charles de Secondat, baron de Montesquieu (1689-1755). Moraliste, penseur et philosophe français qui a donné des essais politiques et des ouvrages sur les lois, dont le célèbre *De l'esprit des lois* (1748). Son œuvre constitue un appel à la liberté et affirme la rationalité des institutions sociales.

égards, et se trouve soumise aux mêmes lois, et qui en diffère à d'autres égards, et suit des lois particulières, déterminées par la diversité de sa conformation. Si l'on demande d'où l'homme est venu, nous répondrons que l'expérience ne nous met point à portée de résoudre cette question, et qu'elle ne peut nous intéresser véritablement ; il nous suffit de savoir que l'homme existe, et qu'il est constitué de manière à produire les effets dont nous le voyons susceptible. [...]

L'homme est-il autre chose que de la matière combinée dont la forme varie à chaque instant[23] ?

Si l'être humain n'est pas autre chose, selon les mots d'Holbach, que de la « matière combinée », il est logique d'étendre l'explication matérialiste à l'ensemble de la vie psychique humaine. La Mettrie fut l'un des penseurs du XVIIIe siècle qui ont défini la pensée elle-même comme une propriété de la matière : « Je crois la pensée si peu incompatible avec la matière organisée, qu'elle semble en être une propriété, telle que l'électricité, la faculté motrice, l'impénétrabilité, l'étendue, etc.[24] »

JULIEN OFFRAY DE LA METTRIE
(1709-1751)

Médecin et philosophe français qui a donné plusieurs traités de médecine. Il est demeuré célèbre grâce à son ouvrage *L'homme-machine* (1748), dans lequel il applique à l'être humain les idées de Descartes sur l'animal-machine.

Je crois que Descartes serait un homme respectable à tous égards, si, né dans un siècle qu'il n'eût pas dû éclairer, il eût connu le prix de l'expérience et de l'observation et le danger de s'en écarter.
(L'homme-machine)

Ces auteurs poursuivent donc le travail de désacralisation de la nature, amorcé par Descartes, en définissant l'être humain lui-même comme un être matériel parmi les autres. À leurs yeux, l'originalité humaine tient essentiellement à une aptitude que possède en propre l'être humain : la capacité de connaître l'univers matériel par la méthode scientifique et de le transformer par la technique.

23. D'Holbach, *Système de la nature*, Hildesheim, Georg Olms Verlagsbuchhandlung, 1966.
24. Julien Offray de La Mettrie, *L'homme-machine*, Paris, Denoël/Gonthier, coll. Médiations, 1981, p. 145.

Qu'ils fussent strictement matérialistes ou non, les maîtres à penser du Siècle des lumières partageaient une même confiance inébranlable dans le pouvoir cognitif de la raison humaine. Un postulat nécessaire fondait cette confiance : l'univers est connaissable. Ce postulat leur paraissait d'autant plus évident qu'ils entretenaient une représentation déterministe de l'univers.

Le concept de *déterminisme* mérite d'être explicité. Même s'il a été consacré par les auteurs naturalistes européens dans la deuxième moitié du XIXe siècle seulement, il s'exprimait déjà depuis la plus haute Antiquité, notamment dans la conception astrologique du destin et le concept de prédétermination des événements selon la volonté divine. L'idée de prédétermination appelant celle de prévisibilité, les êtres humains ont de tout temps cherché à interpréter le mouvement des astres ou les textes sacrés, à la recherche d'un enchaînement déterminé d'événements ou de signes annonciateurs des événements à venir.

La renaissance de la philosophie naturaliste, alliée à l'élaboration de la méthode expérimentale, a permis d'asseoir sur de nouvelles bases la recherche d'un ordre prédéterminé des choses en vue de prévoir l'avenir. On assista alors à l'intégration progressive de la notion de déterminisme dans le discours philosophique et scientifique. Selon la thèse déterministe, tous les phénomènes naturels sont l'effet des mouvements antérieurs des corps physiques. S'il était possible de démontrer les liens de causalité entre les phénomènes et de dégager les lois qui régissent l'univers physique, on pourrait dès lors prévoir les mouvements à venir des corps. Ainsi la formulation de la loi de l'attraction universelle par Isaac Newton représente-t-elle l'une des pierres d'assise de la physique moderne.

ISAAC NEWTON
(1643-1727)

On peut dire que les travaux du penseur anglais Isaac Newton tiennent du génie. En mathématiques, il a été le précurseur du calcul vectoriel et du calcul différentiel et intégral. En astronomie, il a mis au point le télescope à réflexion et l'analyse du spectre lumineux. En physique, il a formulé les lois de l'attraction universelle, qui l'ont immortalisé. Les découvertes scientifiques de Newton ont profondément marqué le XVIIIe siècle.

La vraie méthode pour s'enquérir des propriétés des choses, c'est de les déduire des expériences.
(*Lettre à Oldenburg*, juillet 1672)

La thèse déterministe suppose aussi qu'il est possible de réduire l'apparente hétérogénéité des corps à un nombre limité d'éléments fondamentaux. Si tous les corps naturels, y compris les corps vivants, sont composés des mêmes éléments et obéissent aux mêmes lois fondamentales, on peut dès lors concevoir le projet d'une représentation unifiée du système du monde, un modèle général du mouvement universel, valable pour l'ensemble des sciences naturelles.

Ce texte de Laplace, publié au début du XIXe siècle (1814), tire en quelque sorte les conclusions de deux siècles de réflexion naturaliste sur la question du déterminisme :

Tous les événements, ceux mêmes qui par leur petitesse semblent ne pas tenir aux grandes lois de la nature, en sont une suite aussi nécessaire que les révolutions du soleil. Dans l'ignorance des liens qui les unissent au système entier de l'univers, on les a fait dépendre des causes finales ou du hasard, suivant qu'ils arrivaient et se succédaient avec régularité ou sans ordre apparent ; mais ces causes imaginaires ont été successivement reculées avec les bornes de nos connaissances, et disparaissent entièrement devant la saine philosophie, qui ne voit en elles que l'expression de l'ignorance où nous sommes des véritables causes. Les événements actuels ont avec les précédents une liaison fondée sur le principe évident, qu'une chose ne peut pas commencer d'être sans une cause qui la produise. [...]

Nous devons donc envisager l'état présent de l'univers comme l'effet de son état antérieur et comme la cause de celui qui va suivre. Une intelligence qui, pour un instant donné, connaîtrait toutes les forces dont la nature est animée et la situation respective des êtres qui la composent, [...] embrasserait dans la même formule les mouvements des plus grands corps de l'univers et ceux du plus léger atome ; rien ne serait incertain pour elle, et l'avenir, comme le passé, serait présent à ses yeux[25].

RÉSUMÉ DE LA PENSÉE DE L'AUTEUR

1. Tout événement, de quelque nature qu'il soit, s'inscrit à l'intérieur des grandes lois de la nature.

2. Donc, faire appel à des causes finales, c'est-à-dire affirmer qu'un phénomène trouve son explication dans un phénomène à venir, pour expliquer la régularité des phénomènes, ou au

25. Pierre Simon, marquis de Laplace, *Essai philosophique sur les probabilités*, présenté comme introduction à la 2e édition de la *Théorie analytique des probabilités*, dans *Œuvres*, Paris, Gauthier-Villars, 1886, vol. VII, I, p. VI-VII.

hasard pour expliquer le manque d'ordre apparent, c'est avouer son ignorance quant aux liens qui unissent les événements entre eux.

3. Tout événement est l'effet d'une cause et la cause d'un effet, si bien qu'en connaissant parfaitement l'état d'un système à un moment donné on pourrait en déduire avec certitude l'état antérieur ou en prévoir la transformation future.

PIERRE SIMON, MARQUIS DE LAPLACE (1749-1827)

Astronome, mathématicien et physicien français. Dans chacune de ses disciplines, il a donné son nom à des découvertes majeures, notamment dans le domaine de l'électricité. En astronomie, il a publié un traité célèbre, *Exposition du système du monde* (1796), où il formule une hypothèse sur l'origine du système solaire.

Nous devons envisager l'état présent de l'univers comme l'effet de son état antérieur et comme la cause de celui qui va suivre.
(Essai philosophique sur les probabilités)

Cette perspective déterministe inspira d'importantes découvertes théoriques et donna également naissance à des innovations techniques capitales pour l'essor industriel et économique de l'Europe[26]. Certes, ces découvertes théoriques ont montré que des forces physiques influençaient la matière vivante et que la connaissance des lois naturelles permettait de manipuler les forces physiques. Toutefois, ce n'est qu'au XIXᵉ siècle, marqué par l'essor des sciences de la vie, que s'est achevé le travail de désacralisation de la nature et qu'ont été fermement établis les fondements théoriques de l'anthropologie naturaliste telle que nous la connaissons aujourd'hui.

---

26. Sur le plan des découvertes scientifiques, on peut citer le mouvement propre des étoiles (Halley, 1718), la circulation de la sève dans les végétaux (Hales, 1727), la classification des êtres vivants (Linné, 1738), la composition chimique de l'air (Lavoisier, 1777), la pile électrique (Volta, 1800) et différents travaux de mathématiques. Sur le plan technique, les innovations ont été nombreuses : le chronomètre (Harrison, 1736), le métier à tisser automatique (Vaucanson, 1745) et mécanique (Cartwright, 1785 et Jacquard, 1790), le perfectionnement de la machine à vapeur (Watt, 1782), l'aérostat (Montgolfier, 1783), le télégraphe (Chappe, 1793).

Rappel des IDÉES PRINCIPALES

2.2.3 Le siècle des lumières

- Le Siècle des lumières se caractérise par l'extension de la pensée naturaliste à presque tous les secteurs de l'activité humaine.
- L'*Encyclopédie* représente l'esprit de l'époque :
  - en affirmant la prédominance de la raison sur la foi ;
  - en soulignant la possibilité d'une morale naturelle ;
  - en définissant l'être humain comme un être naturel.
- Cette conception de l'époque repose sur une vision déterministe de l'univers, qui suppose qu'il existe un ordre de choses rendant possible la prévision des phénomènes naturels.

2.2.4 L'essor des sciences de la vie au XIXᵉ siècle

Une étape majeure a été franchie au XIXᵉ siècle dans l'élaboration d'une définition naturaliste de l'être humain : pour la première fois, une masse critique de connaissances sur le vivant était produite, et elle était applicable à la résolution des grandes questions concernant la spécificité humaine ainsi que l'origine et la destinée de l'espèce humaine.

Ce pas décisif a été franchi dans la foulée des diverses révolutions qui ont marqué l'étude du vivant. On pense ici à l'avènement de la paléontologie[27], qui a fourni les matériaux de base des théories de l'évolution de Lamarck et de Darwin, que nous étudierons dans les pages qui suivent. On pense aussi aux travaux en microbiologie de Pasteur et aux premières recherches en génétique de Mendel[28]. Il faut aussi souligner l'influence déterminante qu'ont exercée en médecine des chercheurs comme Claude Bernard, qui a systématisé les principes et les règles de la méthode expérimentale pour l'appliquer à l'étude du corps humain.

---

27. Paléontologie : science des êtres vivants qui ont existé avant la période historique. Elle est à la fois une science de la vie et une science de la terre qui procède essentiellement par l'observation directe et comparée des fossiles. Elle tente de reconstituer ainsi les acteurs de l'évolution et leur décor. Trois activités centrales caractérisent le travail du paléontologiste : l'étude anatomique des fossiles, leur datation et la détermination de leur filiation ainsi que leur classification. La paléontologie humaine s'occupe de la partie biologique de l'évolution de l'être humain tandis que la préhistoire traite de la partie culturelle de cette évolution. (Cette définition s'inspire de Yves Coppens, *Le singe, l'Afrique et l'homme*, Paris, Fayard, 1983, p. 11-18.

28. Johann Mendel (1822-1844). Moine et botaniste autrichien. Ses travaux sur l'hybridation des plantes lui ont permis de formuler les lois de base de l'hérédité.

LOUIS PASTEUR
(1822-1895)

Biologiste et chimiste français, célèbre pour ses travaux sur l'asepsie et les microbes et pour la mise au point du vaccin contre la rage. Les découvertes de Pasteur ont marqué le début de la biologie moderne et jeté les bases du contrôle médical des épidémies. Les historiens qualifient cet épisode de «révolution pastorienne».

Qu'il me suffise d'avoir essayé de faire comprendre le but vers lequel tendent toutes mes recherches actuelles. C'est la poursuite, à l'aide d'une expérience rigoureuse, du rôle physiologique, immense selon moi, des infiniment petits dans l'économie générale de la nature. (Lettre adressée au ministre de l'Instruction publique, avril 1862)

CLAUDE BERNARD
(1813-1878)

Médecin et physiologiste français qui a consacré sa vie à la recherche, à l'enseignement et à l'écriture. On lui doit des publications scientifiques et des réflexions philosophiques sur les sciences expérimentales. Son *Introduction à l'étude de la médecine expérimentale* (1865) est un classique.

L'observation est l'investigation d'un phénomène naturel, et l'expérience est l'investigation d'un phénomène modifié par l'investigateur.
(Introduction à l'étude de la médecine expérimentale)

Dans le cadre de ce chapitre, nous allons circonscrire notre réflexion aux théories évolutionnistes, qui constituent la véritable pierre d'assise de la définition naturaliste du rapport de l'être humain à la nature. Historiquement, l'hypothèse de l'évolution, c'est-à-dire de la formation et de la transformation des espèces, a été formulée en réaction à la doctrine fixiste, défendue notamment par Georges Cuvier[29].

La théorie fixiste reprend la croyance religieuse selon laquelle tous les êtres vivants sont créés par Dieu, pour tenter de la fonder sur l'étude et la classification des organismes vivants, de lui donner une formulation systématique et rationnelle.

---

29. Georges Cuvier (1769-1832). Zoologiste et paléontologiste français, l'un des fondateurs de l'anatomie comparée.

Selon la thèse fixiste, toutes les espèces vivantes que nous connaissons ont été créées telles quelles; elles ne se transforment pas, elles sont immuables. Conséquemment, la disparition d'espèces et l'apparition de nouvelles espèces rendent nécessaire l'hypothèse de créations successives.

Par opposition au fixisme, l'évolutionnisme soutient que les êtres vivants que nous connaissons actuellement, y compris l'être humain, sont les descendants d'organismes vivants antérieurs qui se sont modifiés et différenciés sous l'influence de l'environnement et de processus organiques. Cette idée générale de l'évolution naturelle du vivant a connu depuis deux siècles des formulations différentes. Notre survol historique s'arrêtera aux deux grandes théories fondatrices, celles de Lamarck et de Darwin.

Nous serons alors en mesure d'exposer la dernière partie de cette section, consacrée à la théorie synthétique de l'évolution. Nous étudierons cette théorie non seulement pour exposer l'état des connaissances actuelles en matière d'évolution, mais aussi pour tracer les grandes lignes de la conception naturaliste propre au XXe siècle.

A. Les premiers pas de l'évolutionnisme

Lamarck a formulé la première théorie systématique de la transformation des espèces végétales et animales au cours du temps. Cette théorie repose sur les deux principes suivants :

- il existe une tendance de la matière vivante à progresser des formes de vie les plus simples vers les plus complexes, jusqu'à l'Homme ;
- le moteur de la transformation des espèces est l'influence du milieu sur l'organisme : s'il fallait identifier Lamarck par son idée maîtresse, on associerait son nom à la thèse de la *transmission des caractères acquis*.

JEAN-BAPTISTE DE MONET, CHEVALIER DE LAMARCK (1744-1829)

Naturaliste français, fondateur de la théorie transformiste. Ses thèses sont exposées dans *Philosophie zoologique* (1809) et *Histoire naturelle des animaux sans vertèbres* (1815-1822).

J'espère prouver que la nature possède les moyens et les facultés qui lui sont nécessaires pour produire elle-même ce que nous admirons en elle.
(Philosophie zoologique)

On peut résumer ainsi l'enchaînement de ses arguments :

a) L'organisme, pour satisfaire ses besoins, doit s'adapter aux conditions de l'environnement physique où il se trouve. Dans son effort d'adaptation, il subit l'influence ou l'action de forces qui lui sont extérieures et qui suscitent l'activité de certains organes ou de certains membres, la modification de certaines habitudes.

b) L'accomplissement de mouvements ou de comportements nouveaux provoque des modifications dans l'organisme : l'usage accru d'un organe entraîne son développement, alors que le défaut de l'utiliser entraîne son atrophie.

c) Les modifications organiques ainsi acquises sont transmises aux descendants, puis d'une génération à l'autre : c'est le principe de la transmission héréditaire des caractères acquis.

d) Il se produit ainsi une adaptation des espèces à leur environnement ; cette adaptation s'effectue graduellement, sur plusieurs générations.

En guise d'illustration, on cite souvent l'exemple de la girafe. Selon la thèse de la transmission des caractères acquis, la longueur du cou de la girafe serait explicable par l'effort répété de brouter les feuilles des arbres et par la transmission d'un cou ainsi allongé à la progéniture. Les descendants étant eux-mêmes soumis aux mêmes contraintes de l'environnement, la transmission du cou allongé se serait répétée de génération en génération. Voyons les termes mêmes de Lamarck :

Quantité de faits nous apprennent qu'à mesure que les individus d'une de nos *espèces* changent de situation, de climat, de manière d'être ou d'habitude, ils en reçoivent des influences qui changent peu à peu la consistance et les proportions de leurs parties, leur forme, leurs facultés, leur organisation même ; en sorte que tout en eux participe, avec le temps, aux mutations qu'ils ont éprouvées. [...]

Pour juger si l'idée qu'on s'est formée de l'*espèce* a quelque fondement réel, revenons aux considérations que j'ai déjà exposées ; elles nous font voir :

- que tous les corps organisés de notre globe sont de véritables productions de la nature, qu'elle a successivement exécutées à la suite de beaucoup de temps ; [...]
- qu'à l'aide d'un temps suffisant, des circonstances qui ont été nécessairement favorables, des changements que tous les points de la surface du globe ont successivement subis dans leur état, en un mot, du pouvoir qu'ont les nouvelles situations et les nouvelles habitudes pour modifier les organes des corps doués de la vie, tous ceux qui existent maintenant ont été insensiblement formés tels que nous les voyons ;

- enfin, que, d'après un ordre semblable de choses, les corps vivants ayant éprouvé chacun des changements plus ou moins grands dans l'état de leur organisation et de leurs parties, ce qu'on nomme *espèce* parmi eux a été insensiblement et successivement ainsi formé, n'a qu'une constance relative dans son état et ne peut être aussi ancien que la nature[30].

RÉSUMÉ DE LA PENSÉE DE L'AUTEUR

1. De nombreux faits montrent que les individus d'une espèce changent sous l'influence du milieu, du climat, etc.

2. Tous les organismes sont des productions de la nature échelonnées sur de longues périodes.

3. Le temps, les circonstances favorables, les changements intervenus dans l'environnement ont le pouvoir de modifier les organes des êtres vivants.

4. Ce qu'on nomme une espèce n'est qu'un état transitoire de la transformation insensible mais constante que connaît tout groupe d'organismes. Toute espèce est appelée à changer.

La théorie de Lamarck a été au centre de débats passionnés depuis sa première publication. On lui a adressé deux critiques principales : d'une part, on l'a tenue pour dépassée par la thèse de la sélection naturelle de Darwin ; d'autre part, on lui a reproché l'incompatibilité de son hypothèse centrale, la transmission directe des caractères acquis, avec les lois de l'hérédité mises au jour par la génétique du XXe siècle. Soulignons que Lamarck n'avait proposé aucun mécanisme précis pour expliquer la transmission des caractères acquis.

Malgré ces critiques, les hypothèses de Lamarck nourrissent encore aujourd'hui les réflexions et les querelles des évolutionnistes. Le grand mérite de Lamarck est d'avoir donné une première formulation systématique de l'idée de la transformation des espèces dans le temps.

B. Darwin et la notion de sélection naturelle

La publication de *L'origine des espèces au moyen de la sélection naturelle* (1859) par Charles Darwin représente une date cruciale dans le développement des sciences de la vie et de la pensée naturaliste. En proposant une explication de la variété des

---

30. Lamarck, *Philosophie zoologique*, Paris, Union générale d'Éditions, coll. 10-18, 1968, p. 91-93.

espèces vivantes centrée sur la notion de sélection naturelle, Darwin conférait à l'hypothèse transformiste un caractère véritablement scientifique. La théorie darwinienne prenait en effet appui sur une masse imposante de faits paléontologiques et zoologiques issus de nombreuses observations sur le terrain. *L'origine des espèces* a véritablement jeté les bases de la théorie évolutionniste contemporaine. Ses grandes hypothèses constituent encore aujourd'hui des références obligées : les théoriciens contemporains ne peuvent éviter de situer leurs travaux en regard de l'héritage darwinien.

CHARLES DARWIN
(1809-1882)

Naturaliste et physiologiste anglais qui a donné une formulation élaborée du transformisme, établi la notion de sélection naturelle et proposé un modèle méthodologique rigoureux fondé sur les nombreuses observations qu'il fit au cours d'un voyage de cinq ans autour du monde.

Comme il naît beaucoup plus d'individus de chaque espèce qu'il n'en peut survivre ; comme, en conséquence, la lutte pour l'existence se renouvelle à chaque instant, il s'ensuit que tout être, qui varie quelque peu que ce soit de façon qui lui est profitable, a une plus grande chance de survivre ; cet être est ainsi l'objet d'une sélection naturelle.
(L'origine des espèces)

Voici l'enchaînement des principaux arguments de la théorie darwinienne :

a) Darwin a d'abord été influencé par une observation faite par Thomas Malthus[31] dans son *Essai sur le principe de population* : la capacité de reproduction des êtres vivants dépasse de beaucoup la capacité de l'habitat naturel, aussi bien sur le plan de l'espace que sur celui des ressources alimentaires. C'est pourquoi seule une minorité de tous les êtres qui naissent parviennent à l'âge de procréer et se reproduisent effectivement.

b) Ainsi les individus et les espèces sont-ils engagés dans une lutte permanente pour la survie et, conséquemment, pour la reproduction : certains réussissent à procréer, mais le plus grand nombre disparaît sans descendance.

c) Telle est la sélection naturelle : un processus par lequel se fait la sélection des plus aptes à la reproduction.

---

31. Thomas Robert Malthus (1766-1834). Économiste anglais. Sa théorie économique, que l'on dénomma le malthusianisme, repose sur l'idée que la population augmente plus vite que les ressources de subsistance, menant ainsi à long terme l'humanité vers la famine.

d) La sélection naturelle repose sur les différences existant entre les individus, qui sont le fruit de modifications organiques apparaissant au hasard. Parmi elles, certaines confèrent un désavantage dans la lutte pour la survie, d'autres un avantage. Celles qui sont avantageuses permettent aux individus qui en bénéficient de se reproduire ; à long terme, elles permettent à une espèce de survivre par rapport à une autre. Ainsi s'opère le processus de sélection des individus et des populations les mieux adaptés à leur environnement.

e) L'évolution du vivant concerne donc aussi bien les populations prises comme ensembles que les individus qui introduisent le changement au sein de leur espèce ; mais, à long terme, ce sont les transformations de population qui comptent, étant donné la brièveté de la vie d'un individu.

f) L'évolution des espèces est un processus de transformation progressif. L'apparition d'une nouvelle espèce résulte de l'accumulation de nombreuses variations mineures. C'est ainsi que s'opère insensiblement, sur de longues périodes, le processus par lequel des populations entières se transforment, donnant naissance à des espèces modifiées et, à plus long terme, à des espèces complètement nouvelles.

Voyons en quels termes Darwin présente la notion de sélection naturelle comme mécanisme fondamental de l'évolution des espèces :

Comment, demandera-t-on [...], les variétés ou espèces naissantes, comme je les appelle, finissent-elles par se convertir en espèces distinctes qui, dans la plupart des cas, diffèrent évidemment plus entre elles que ne le font les variétés d'une même espèce ? Comment surgissent ces groupes d'espèces qui constituent ce que nous nommons des genres distincts, et qui diffèrent entre eux plus que ne le font les espèces du même genre ? Tous ces résultats [...] sont la conséquence de la lutte pour l'existence. C'est grâce à cette lutte que les variations, si minimes qu'elles soient d'ailleurs, et quelle qu'en soit la cause déterminante, tendent à assurer la conservation des individus qui les présentent, et les transmettent à leurs descendants, pour peu qu'elles soient à quelque degré utiles et avantageuses à ces membres de l'espèce, dans leurs rapports si complexes avec les autres êtres organisés, et les conditions physiques dans lesquelles ils se trouvent. Leur descendance aura ainsi plus de chances de réussite ; car, sur la quantité d'individus d'une espèce quelconque qui naissent périodiquement, il n'en est qu'un petit nombre qui puissent survivre.

J'ai donné à ce principe, en vertu duquel toute variation avantageuse tend à être conservée, le nom de *sélection naturelle*, pour indiquer ses rapports avec la sélection appliquée par l'homme. Cependant l'expression souvent employée par M. Herbert Spencer, « la survivance du plus apte », est peut-être plus juste et parfois également convenable. [...]

La lutte pour l'existence est la conséquence inévitable du taux élevé suivant lequel tous les êtres organisés tendent à s'accroître. Chaque être, produisant dans le cours de sa vie plusieurs œufs ou graines, doit, à une certaine période de son existence, être soumis à la destruction, car autrement, vu la raison géométrique suivant laquelle a lieu sa multiplication, il finirait par pulluler et atteindre promptement à des chiffres auxquels aucun pays ne pourrait suffire. Puisqu'il se produit donc plus d'individus qu'il n'en peut survivre, il faut que, dans tous les cas, il y ait lutte, soit entre individus d'une même espèce, soit entre individus d'espèces distinctes, soit enfin avec les conditions extérieures. C'est la doctrine de Malthus appliquée aux règnes animal et végétal [...].

On peut par métaphore dire que la sélection naturelle est à chaque instant et dans l'univers entier, occupée à scruter les moindres variations ; rebutant celles qui sont mauvaises, conservant et additionnant toutes celles qui sont bonnes ; travaillant insensiblement et sans bruit, partout et toutes fois que l'occasion s'en présente, à l'amélioration de chaque être organisé, dans ses rapports tant avec le monde organique qu'avec les conditions inorganiques. Nous ne voyons les progrès de ces lents changements que lorsque la main du temps a marqué le cours des âges ; et encore les connaissances que nous pouvons acquérir sur les périodes géologiques depuis longtemps écoulées sont-elles si imparfaites, que nous voyons seulement que les formes actuelles sont différentes de ce qu'elles étaient autrefois[32].

RÉSUMÉ DE LA PENSÉE DE L'AUTEUR

1. La variété des espèces est la conséquence de la lutte pour l'existence.

2. Grâce à cette lutte, les individus qui présentent des variations utiles et avantageuses transmettent celles-ci à leurs descendants, qui ont ainsi plus de chances de réussite.

3. Ce principe, qui affirme que toute variation avantageuse tend à être conservée, peut être désigné par l'expression *sélection naturelle* ou *survivance du plus apte*.

4. La lutte pour l'existence découle du fait que la capacité de reproduction des êtres vivants dépasse de beaucoup la capacité de l'habitat naturel en ressources de subsistance.

---

32. Charles Darwin, *L'origine des espèces au moyen de la sélection naturelle*, Verviers (Belgique), Éditions Gérard & Co, coll. Marabout Université, 1973, p. 73-76, 95.

5. Les changements qui résultent de la sélection naturelle – autrement dit l'évolution des espèces – sont très lents et ne sont pas perceptibles à l'échelle de la vie humaine. Tout ce que nous pouvons constater, c'est que les formes actuelles sont différentes de ce qu'elles étaient autrefois.

Si la théorie darwinienne était révolutionnaire sur le plan scientifique, elle venait en outre bouleverser les idées reçues sur la place de l'être humain parmi les espèces vivantes[33]. En effet, le principe de la sélection naturelle portait un dur coup aux conceptions finalistes selon lesquelles la transformation des espèces (ou leur création par Dieu) visait l'apparition de l'Homme, doué de conscience réfléchie, couronnement de la nature. Selon l'approche darwinienne, il n'y a pas de sens préétabli de l'évolution : on ne peut que constater *a posteriori* la direction de celle-ci, en observant les résultats des essais et des erreurs successifs de la sélection naturelle. Autrement dit, si l'évolution des espèces recommençait au tout début, elle aurait bien peu de chances de conduire à nouveau à l'apparition de l'espèce humaine.

Cette caricature publiée à l'époque de la parution de *L'Origine des espèces* de Darwin témoigne bien du choc culturel provoqué par la théorie de l'évolution.

L'essentiel de la théorie darwinienne a toujours sa place dans les théories évolutionnistes actuelles : on parle encore aujourd'hui de modifications organiques apparaissant au hasard, qui se transmettent ou non à la descendance, selon qu'elles sont avantageuses ou non. Par contre, le progrès des sciences biologiques a permis de compléter ou de corriger les vues de Darwin sur deux points importants. La génétique a permis d'expliquer comment se produisent les « modifications organiques » qui différencient les individus. Et l'hypothèse selon laquelle l'évolution des espèces est un processus graduel est remise en cause.

C. La théorie synthétique de l'évolution, ou néo-darwinisme

On peut affirmer que l'élaboration de la notion de mutation génétique a permis, à partir du début du XXᵉ siècle, d'asseoir la théorie évolutionniste de Darwin sur de nouvelles bases ; il en a résulté une théorie plus complexe, que l'on appelle parfois *néodarwinisme*.

---

33. Darwin a publié en 1871 *La descendance de l'homme et la sélection sexuelle*, ouvrage dans lequel il applique sa théorie au cas particulier de l'évolution de l'être humain.

Au point de départ, il importe de bien saisir l'importance des lois de l'hérédité publiées par Mendel en 1865, mais pratiquement ignorées par la communauté scientifique jusqu'en 1900. En effet, Mendel a démontré que les caractères qui se transmettent d'une génération à l'autre sont l'effet de déterminants héréditaires spécifiques (qu'on appellera les gènes), et que seules les modifications ou les combinaisons de ces déterminants se transmettent à la descendance selon des proportions prévisibles.

C'est en reprenant les lois de l'hérédité formulées par Mendel que des chercheurs comme Hugo De Vries[34] ont donné la clé de l'hypothèse darwinienne de la sélection naturelle : ils ont en effet démontré que des variations organiques, les mutations des gènes[35], se produisent spontanément et peuvent expliquer l'apparition de différences significatives entre les individus. Les individus (puis les populations) qui survivent et se multiplient sont donc ceux dont les mutations constituent un avantage sur le plan de l'adaptation à l'environnement.

À la suite de découvertes récentes en génétique, un concept central est apparu dans les théories évolutionnistes : celui de *polymorphisme génétique*[36]. Si tous les individus d'une même espèce possédaient le même génotype[37], aucune sélection naturelle ne serait possible. Par conséquent, ou bien l'espèce persisterait indéfiniment, ou bien elle disparaîtrait d'un bloc, selon que les conditions de l'environnement seraient favorables ou défavorables. Mais toute espèce est polymorphe sur le plan génétique : différentes mutations se produisent chez les individus qui en font partie, et elles peuvent affecter n'importe quelle fonction organique. Ces mutations ont lieu de manière aléatoire et ne constituent pas en tant que telles une réponse à un

---

34. Hugo De Vries (1848-1935). Botaniste hollandais. Il fut, en 1900, l'un des principaux artisans de la redécouverte des lois de l'hérédité, formulées par Mendel en 1865 mais demeurées méconnues.

35. Le médecin et zoologiste August Weismann (1834-1914) a été le premier à concevoir l'existence, dans les chromosomes, d'unités de base qu'il appelait *ides*. Cette notion est à l'origine du concept actuel de gène. Weismann a aussi établi la distinction entre les cellules germinales, seules responsables de la reproduction, et les cellules somatiques. Cette distinction remettait directement en cause le concept lamarckien de la transmission des caractères acquis.

    Le *gène* est un point défini d'un chromosome dont dépendent la transmission et le développement de caractères héréditaires de l'individu. Le gène correspond à un segment de molécule d'ADN (l'*A*cide *D*ésoxyribo*N*ucléique est un constituant quasi universel de la matière vivante). La fonction principale du gène consiste à servir de modèle pour la synthèse d'une chaîne de protéines nécessaire à une fonction cellulaire donnée, laquelle est à son tour nécessaire à des processus vitaux spécifiques.

    On désigne par le terme *mutation* tout changement qui intervient dans le matériel génétique cellulaire et qui aboutit à une modification durable de certains caractères héréditaires. On distingue différents types de mutations dont les mutations géniques (qui touchent un seul gène), les mutations chromosomiques (qui aboutissent à un remaniement du chromosome) et les mutations du génome (addition ou soustraction de chromosomes). Il est à noter que seules les mutations qui atteignent les gamètes (les spermatozoïdes et les ovules) sont transmissibles à la descendance.

    (Ces définitions sont largement inspirées du *Dictionnaire de génétique* de Ph. l'Héritier, Paris, Masson, 1979.)

36. Cette partie de notre exposé s'inspire du traité de Jacques Ruffié intitulé *De la biologie à la culture*, vol. I, Paris, Flammarion, coll. Champs, 1983.

37. Génotype : l'ensemble des gènes que porte un individu.

besoin d'adaptation de l'individu au milieu. Ce n'est qu'après coup que les mutations peuvent s'avérer des facteurs d'adaptation.

En ce sens, on peut affirmer que les populations qui ont une réserve génique diversifiée (c'est-à-dire qui sont davantage polymorphes) ont plus de chances de s'adapter aux pressions du milieu, à la condition que les modifications de l'environnement ne soient pas trop brusques ou importantes. La notion classique d'*adaptation* est donc ainsi redéfinie par Jacques Ruffié :

> Le schéma néodarwinien conduit à considérer tout groupe vivant comme un bilan entre un pool génique, qui offre à ce groupe certaines potentialités, et une contrainte écologique, dont l'action permanente favorise la diffusion de certains gènes, défavorise celle de certains autres. Ce bilan constitue l'*adaptation*[38].

L'adaptation doit aussi être perçue comme une notion *relative*, car elle traduit des phénomènes de relation fonctionnelle entre un organisme vivant et son environnement. Cette notion ne renvoie donc pas à une *qualité* précise acquise par l'individu ou par l'espèce, mais à la capacité d'un organisme vivant de survivre et de se reproduire dans des conditions données, à un moment donné de son évolution. Il y a adaptation d'une structure vivante à son milieu quand telle nouvelle caractéristique présente un bilan positif sur le plan de la survie et de la reproduction, c'est-à-dire quand elle s'avère adéquate. Ruffié conclut ainsi sa réflexion sur la notion d'adaptation :

> Les êtres vivants qui peuplent notre monde familier ne sont que des combinaisons imparfaites, se situant entre une réussite totale (théoriquement possible, mais tellement improbable qu'on ne la rencontre jamais) et l'échec qui nous échappe. Chaque individu est une réussite partielle, un bilan. Cette situation rend compte de la variabilité des individus. Si l'adaptation était parfaite, tous seraient semblables [...]. Mais, dans la perspective darwinienne, cette adaptation, relative, s'est faite au prix d'un immense gaspillage.
>
> Malgré son coût, le résultat est modeste. L'adaptation biologique ne correspond pas à un processus raisonnable. Fruit de phénomènes aléatoires, elle apparaît comme faite de bric et de broc, d'éléments favorables et d'autres qui le sont moins. Elle est le bilan d'une série de mutations, apparues elles-mêmes au hasard. [...] C'est en ce sens que l'*invention biologique* diffère de l'*invention humaine*. La seconde est le résultat d'une volonté délibérée, réfléchie. [...] La première est, au contraire, le produit du hasard aveugle. On ne saurait s'étonner qu'avant d'arriver à

38. Jacques Ruffié, *op. cit.*, p. 53.

l'admissible, elle ait multiplié les erreurs et qu'il demeure, dans la solution définitive, bien des imperfections, des inutilités, voire des contre-adaptations.

[...] Les «merveilles de la nature» ne sont en vérité que des demi-réussites ou, si l'on veut, des demi-échecs. Mais, pour analyser les phénomènes biologiques, il ne faut pas raisonner avec un esprit anthro-pocentrique. La sélection n'a aucun motif de suivre les voies de l'invention humaine qui conduirait à fabriquer des êtres biologiquement parfaits, c'est-à-dire rigoureusement adaptés à un but. Ce type d'adaptation serait dangereux car fragile : il ne tolérerait aucun écart. La moindre anomalie immobilise un hélicoptère ou arrête un récepteur de télévision. Un simple grain de sable peut bloquer la machine la plus parfaite. Ce genre de structure serait fatal pour le vivant. Soumis à de multiples stimuli, à d'innombrables contraintes, l'individu serait sans cesse menacé dans son équilibre et dans sa vie. L'approximation même des phénomènes adaptatifs et ses imperfections leur confèrent une inertie qui les rend compatibles avec une certaine variation. [...] L'imperfection doit au bout du compte se traduire par un avantage, puisque la sélection naturelle l'a retenu[39].

RÉSUMÉ DE LA PENSÉE DE L'AUTEUR

1. Sur le plan de l'adaptation, chaque individu est une réussite partielle, une combinaison distincte issue du processus évolutif.

2. L'adaptation biologique est le résultat de phénomènes aléatoires, elle est le bilan d'une série de mutations apparues au hasard.

3. La sélection naturelle ne produit donc pas des êtres biologique-ment parfaits, c'est-à-dire précisément adaptés à un but.

4. Mais c'est cette imperfection même qui rend les êtres vivants aptes à s'adapter à d'autres changements éventuels et qui assure ainsi leur survie.

Un élément vient renforcer le caractère aléatoire et imprévisible des phénomènes d'adaptation : c'est l'aspect discontinu de l'évolution des espèces. Il est en effet de plus en plus admis que l'apparition de nouvelles espèces ne résulte pas de modifi-cations graduelles sur de longues périodes, comme le pensait Darwin ; elle serait plutôt l'effet de mutations brusques de l'organisation des chromosomes, ce qui

39. *Ibid.*, p. 87-88.

expliquerait notamment la difficulté à trouver les « chaînons manquants » entre les espèces actuelles et les espèces fossiles.

Toutes ces connaissances sont non seulement venues compléter ou corriger les hypothèses des premiers évolutionnistes, mais elles nous ont forcés à réviser nos concepts usuels d'espèce, de population et d'individu, de même que les notions d'adaptation, de relation entre l'organisme et le milieu et de hasard biologique.

Malgré la large reconnaissance dont elle jouit, la théorie néodarwiniste ne fait évidemment pas l'unanimité dans le monde scientifique. Certaines recherches mettent en lumière des aspects problématiques de cette théorie[40]. Quoi qu'il en soit, la recherche se poursuit dans ce domaine et elle emprunte les avenues théoriques ouvertes par les grands fondateurs de l'évolutionnisme, Lamarck et Darwin. Laissons François Jacob[41] formuler le sens et la portée des théories évolutionnistes :

Il y a, en biologie, un grand nombre de généralisations, mais fort peu de théories. Parmi celles-ci, la théorie de l'évolution l'emporte de beaucoup en importance sur les autres, parce qu'elle rassemble, dans les domaines les plus variés, une masse d'observations qui, sans elle, resteraient isolées ; [...] parce qu'elle instaure un ordre dans l'extra-ordinaire variété des organismes et les lie étroitement au reste de la terre ; bref, parce qu'elle fournit une explication causale du monde vivant et de son hétérogénéité. La théorie de l'évolution se résume essentiellement en deux propositions. Elle dit d'abord que tous les organismes, passés, présents et futurs, descendent d'un seul, ou de quelques rares systèmes vivants qui se sont formés spontanément. Elle dit ensuite que les espèces ont dérivé les unes des autres par la sélection naturelle des meilleurs reproducteurs. Pour une théorie scientifique, celle de l'évolution présente le plus grave des défauts : comme elle se fonde sur l'histoire, elle ne se prête à aucune vérification directe. Si elle n'en a pas moins un caractère scientifique, par opposition au magique ou au religieux, c'est qu'elle reste soumise au démenti que peut lui apporter l'expérience. La formuler, c'est prendre le risque d'être un jour contredit par quelque observation. Mais jusqu'ici, la plupart des généralisations qu'a établies la biologie ne font que refléter certains aspects de la théorie de l'évolution et la confirmer.

[...] Ce qu'ont montré la physiologie et la biochimie au cours de ce siècle, c'est d'abord l'unité de composition et de fonctionnement dans le monde vivant. Par-delà la diversité des formes et la variété des performances,

---

40. Certaines découvertes récentes en génétique humaine et des expériences menées en laboratoire tendraient à établir que des mutations peuvent être directement influencées par des facteurs de l'environnement (chimiques, viraux, etc.), mais elles ne permettent pas toutefois de mettre en évidence leur portée sur le plan de l'évolution.

41. François Jacob, professeur au Collège de France et chercheur en biologie moléculaire à l'Institut Pasteur. Prix Nobel de médecine en 1965.

tous les organismes emploient les mêmes matériaux pour effectuer des réactions similaires. Comme si, dans son ensemble, le monde vivant utilisait toujours les mêmes ingrédients et les mêmes recettes, n'apportant de fantaisie que dans la cuisson et les condiments. Force est donc d'admettre qu'une fois trouvée la recette qui se révélait la meilleure, la nature s'y est tenue au cours de l'évolution[42].

RÉSUMÉ DE LA PENSÉE DE L'AUTEUR

1. On peut résumer la théorie de l'évolution par deux affirmations essentielles :
   - tous les organismes proviennent d'un seul, ou de quelques systèmes vivants ;
   - les espèces ont dérivé les unes des autres par la sélection naturelle.

2. Fondée sur l'histoire, cette théorie présente le défaut de ne pas pouvoir faire l'objet d'une vérification directe ; cependant, elle reste susceptible d'être soumise à l'épreuve de la réfutation.

3. Les recherches en physiologie et en biochimie tendent à confirmer la théorie de l'évolution. Elles soulignent en effet l'unité de composition et de fonctionnement dans le monde vivant.

Rappel des IDÉES PRINCIPALES

2.2.4 L'essor des sciences de la vie au XIXᵉ siècle

Le XIXᵉ siècle a constitué une étape majeure dans l'élaboration d'une définition naturaliste de l'être humain. Les premières théories évolutionnistes ont été formulées en opposition à la doctrine fixiste (qui affirmait que les espèces étaient immuables). Elles ont rattaché l'être humain à la grande famille des êtres vivants.

A. Les premiers pas de l'évolutionnisme

Pour Lamarck, ce sont les influences du milieu sur les organismes, puis la transmission à la descendance des modifications acquises qui expliquent la transformation des espèces.

---

42. François Jacob, *La logique du vivant*, Paris, Gallimard, 1970, p. 21-22.

B. Darwin et la notion de sélection naturelle

Pour Darwin, c'est le processus de sélection naturelle qui rend compte de la transformation des espèces. Des variations organiques se produisent chez les individus d'une population donnée ; ces variations confèrent un avantage ou un désavantage dans la lutte pour la survie et la reproduction. Ainsi se transforment des populations, des espèces entières ; ce sont les mieux adaptées à leur environnement qui subsistent.

C. La théorie synthétique de l'évolution (néodarwinisme)

- C'est la notion de mutation génétique, définie au début du XXe siècle, qui, jointe à la découverte des lois de l'hérédité, a fourni la base des théories actuelles de l'évolution : les modifications qui se produisent chez les individus sont des mutations génétiques aléatoires qui se transmettent à la descendance. La sélection naturelle s'exerce donc sur les variations significatives qui résultent de ces mutations : les espèces qui s'adaptent à leur environnement sont celles qui sont dotées d'un bagage génétique plus avantageux.

- Le progrès de la génétique a en outre permis de préciser, notamment grâce à la compréhension des facteurs de variabilité des populations (polymorphisme génétique), les conditions qui gouvernent l'évolution des espèces.

- D'autres résultats de la recherche sont venus compléter ou corriger la théorie initiale de Darwin. Par exemple, on a remis en cause l'idée que l'apparition de nouvelles espèces se fasse nécessairement de façon graduelle et sur une longue durée. Mais, dans l'ensemble, la biologie du XXe siècle a confirmé la justesse des vues de Darwin.

3   L'ANTHROPOLOGIE NATURALISTE

D'entrée de jeu, deux précisions s'imposent à propos de l'expression *anthropologie naturaliste*, que nous utilisons pour désigner la conception ou la représentation de l'être humain découlant des connaissances scientifiques actuelles.

Premièrement, nous employons cette expression pour faciliter la comparaison avec les anthropologies rationaliste, marxiste et freudienne. Cependant, il faut bien distinguer cette signification que nous donnons au terme anthropologie et l'acception plus usuelle du même mot, qui désigne les disciplines scientifiques spécialisées ayant pour objet les caractères physiques ou culturels spécifiques de l'*Homo sapiens* comparés à ceux des autres espèces animales (l'anthropologie physique et l'anthropologie culturelle).

Deuxièmement, les connaissances scientifiques auxquelles nous nous référerons dans cette section sont la plupart empruntées aux sciences biologiques et incluent les découvertes récentes de la génétique, de la biologie moléculaire et de la neurologie. La contribution des sciences humaines à la compréhension de l'être humain sera étudiée par l'entremise des conceptions marxiste et freudienne, aux chapitres 3 et 4. Les sciences biologiques représentent, dans le contexte de ce chapitre, des savoirs plus directement issus du mode de pensée naturaliste que les sciences humaines ; elles permettent donc de mieux distinguer la conception naturaliste de l'être humain des autres conceptions étudiées.

Dans cette perspective, notre but n'est pas de brosser un tableau exhaustif du savoir scientifique sur l'être humain. Nous n'avons pas non plus la prétention de fournir une information scientifique complète et détaillée, mais de choisir certaines données significatives, en invitant le lecteur à approfondir ses connaissances par des lectures complémentaires. Nous exposerons donc dans cette section sur l'anthropologie naturaliste certaines données scientifiques de base qui nous permettront d'élaborer une représentation cohérente de l'être humain et d'en tirer des éléments utiles à la réflexion philosophique.

Une double interrogation guidera l'ensemble de notre démarche et servira à structurer chacune de ses étapes :
- Quels faits montrent l'appartenance de l'être humain au monde vivant ?
- Quels faits différencient l'être humain des autres êtres vivants ?

Ce questionnement portera sur les sujets de l'animalité humaine et du rapport entre la pensée et le cerveau, et il nous conduira à aborder les thèmes de la liberté et de la destinée humaines.

3.1 L'ANIMALITÉ HUMAINE : L'*HOMO SAPIENS*

Pour le naturaliste, l'être humain appartient pleinement au monde vivant. L'*Homo sapiens* partage une même structure biologique de base, un même environnement ainsi qu'une même origine avec les milliers d'espèces animales de la planète.

3.1.1 L'espèce humaine

L'*Homo sapiens* se classe, parmi les *êtres vivants sexués*, comme un *animal vertébré* à sang chaud et, plus précisément, parmi les *mammifères placentaires*, comme un *primate anthropoïde*[43]. Le texte suivant d'André Langaney[44] explicite chacune de ces

43. Anthropoïde (ou anthropomorphe) : ce terme est utilisé pour désigner notamment les grands singes qui ont, par certains traits, la forme ou l'apparence de l'être humain : les gorilles, les chimpanzés et les orangs-outans.

44. André Langaney est biologiste et professeur à l'Université de Genève. Les recherches qu'il mène à Genève et à Paris, notamment au CNRS, portent sur l'histoire génétique du peuplement humain et la biologie du comportement. Il a notamment publié *Le sexe et l'innovation* (2e éd., Paris, Seuil, coll. Points, 1987).

catégories, qui sont autant d'appartenances de l'être humain à des communautés plus vastes de la classification animale :

C'est en tant qu'*être vivant* qu'il [l'être humain] assure son maintien, sa nutrition, et le renouvellement permanent des constituants chimiques de son organisme. Comme tous les autres êtres vivants, que l'on sait issus d'une histoire unique, il est soumis aux lois de la biochimie, du code génétique, de l'organisation cellulaire. Les constituants chimiques de l'organisme et les lois qui les régissent sont les mêmes de la Bactérie à l'Homme, en passant par le Platane et la Baleine.

En tant qu'*être sexué*, l'Homme est partagé en deux catégories d'êtres mortels qui, à chaque génération, doivent mettre en présence des cellules sexuelles qui se fécondent deux à deux pour produire des œufs. [...] La sexualité a pour conséquence les lois de l'hérédité, mécanisme fondamental de l'histoire de la vie.

L'appartenance au monde animal lance l'Homme à la recherche, dans le milieu ambiant, d'une nourriture et d'une énergie qu'il est incapable de produire sans comportement, contrairement aux plantes qui se nourrissent immobiles.

Le fait d'être un *Vertébré* dote l'Homme d'un plan anatomique très précis, organisé autour d'un squelette interne et d'un système nerveux. Certains éléments de ce système nerveux varient peu depuis les Poissons jusqu'aux Mammifères. [...] Par ailleurs, le développement de tous les Vertébrés se fait selon un plan remarquablement constant et l'organisation d'un embryon humain reste, relativement longtemps, proche de celle d'un embryon de Poisson ou de Grenouille.

[...] Chez les *Mammifères* supérieurs, la gestation permet un développement prolongé de l'embryon, puis du fœtus, à l'abri du milieu extérieur. Le jeune peut ainsi naître dans un état de complexité très supérieur à celui d'autres animaux. [...] L'allaitement permet au jeune Mammifère un contact durable avec la mère. Ce contact, et les soins qui s'y ajoutent, permettent à la fois de prolonger et de complexifier la maturation du jeune en fournissant l'occasion d'un apprentissage. En même temps, la cellule familiale [...] constitue la base d'une structure sociale souvent fondamentale chez les Mammifères.

Les *Primates* se singularisent par l'usage qu'ils font de leurs membres, en particulier de leurs mains, par la complexité de leurs sociétés, par l'abondance des interactions entre les individus et par le temps, souvent très important, consacré à des activités d'exploration[45].

---

45. André Langaney, *Les Hommes. Passé, présent, conditionnel*, Paris, Armand Colin, 1988, p. 10-11. (Nous soulignons.)

RÉSUMÉ DE LA PENSÉE DE L'AUTEUR

Diverses catégories expliquent l'appartenance de l'être humain au règne vivant et animal :

1. En tant qu'*être vivant*, l'être humain est soumis aux lois élémentaires de la biologie, les mêmes de la bactérie à l'homme.

2. En tant qu'*être sexué*, il est partagé en deux catégories d'êtres mortels qui doivent s'unir pour se reproduire, et qui sont de ce fait soumis aux lois de l'hérédité.

3. En tant que *vertébré*, il est doté d'une organisation anatomique très précise caractérisée par un squelette interne et un système nerveux.

4. En tant que *mammifère*, il bénéficie d'une longue gestation à l'abri du milieu extérieur, ce qui lui permet de naître dans un état de complexité avancé ; en outre, l'allaitement donne au jeune un contact durable avec la mère qui favorise sa maturation et son apprentissage.

5. En tant que *primate*, il fait usage de ses mains, vit dans des sociétés complexes et consacre beaucoup de temps à des activités d'exploration.

On peut conclure que plusieurs des propriétés biologiques de l'*Homo sapiens* ne lui appartiennent pas en propre, mais qu'elles sont au contraire répandues dans des groupes parfois très vastes et très diversifiés d'êtres vivants. Il faut donc retenir du texte de Langaney que l'organisme humain constitue le moteur premier d'activités, de modes de subsistance, de reproduction et d'organisation sociale qui sont communs à l'être humain et à d'autres espèces.

Il reste à préciser les propriétés biologiques spécifiques ou la combinaison originale de propriétés biologiques non spécifiques qui permettent de distinguer l'espèce humaine des autres espèces animales. Quelles particularités font de l'être humain un animal différent ? Frank Tinland formule ainsi la problématique de la différence anthropologique :

Homo sapiens hérite d'un type d'organisation venu au monde selon les processus naturels qui engendrent les autres productions vivantes. Que cette évolution ait eu des caractères qui la distinguent de celle qui conduisit aux autres espèces est peu contestable. Le corps humain n'en appartient pas moins à l'ordre entier des vivants, et sa place taxonomique[46]

---

46. Taxonomie : science qui a pour objet la classification des formes vivantes. (Note des auteurs.)

peut être fixée avec certitude, même s'il demeure quelques imprécisions, dans l'arbre zoologique. Mais cet enracinement dans le monde biologique n'exclut pas l'originalité structurelle et fonctionnelle de l'organisme humain. Bien que, pris un à un, tous les traits du corps humain puissent trouver leur homologue chez les autres primates [...], la formule selon laquelle ils s'articulent donne une totalité fonctionnelle qui manifeste, par rapport à ses plus proches voisins, une profonde singularité, racine naturelle d'une véritable *altérité*[47] dans les modalités selon lesquelles se constitue l'être de l'homme en tant qu'être humain[48].

Tinland soutient donc que l'on peut mettre en relief une caractéristique biologique de l'être humain qui lui confère une « profonde singularité » en regard des autres espèces animales. Cette singularité se manifeste dans les processus naturels ou les modes d'organisation fonctionnelle qui ont progressivement assuré la différenciation de l'*Homo sapiens*. L'originalité biologique de l'être humain est donc une réalité dynamique, qu'il faut chercher dans le passage de l'animalité à l'humanité, dans le processus d'hominisation.

3.1.2 Le processus d'hominisation

A. Le passage du primate à l'*Homo Sapiens*

Avant d'aborder la question de l'originalité humaine, il convient de brosser en quelques traits un tableau de l'origine de l'espèce humaine, et ce pour deux raisons. Il est d'abord important de situer sur une échelle de temps le processus d'hominisation ; il faut ensuite comprendre que l'origine de l'être humain peut être expliquée de manière plausible au moyen des théories de l'évolution.

Dès que l'on envisage l'idée de l'évolution biologique de l'espèce humaine, une question vient à l'esprit : l'être humain descend-il du singe ? Cette interrogation remonte aux débats passionnés qu'a suscités la publication de *L'origine des espèces* de Darwin au siècle dernier[49]. Nous savons aujourd'hui que la question n'est pas sans fondement scientifique : il y a effectivement une étroite parenté biochimique et génétique entre l'être humain et un grand singe comme le chimpanzé. Ces similitudes n'indiquent toutefois pas un lien de *filiation* entre les grands singes et l'*Homo sapiens*, mais bien une *origine commune*, un ancêtre commun. L'être humain et les singes constituent deux orientations dans l'évolution des primates, le premier

47. Altérité : ce terme désigne le fait d'être autre ; il est l'antonyme d'identité. (Note des auteurs.)

48. Frank Tinland, *La différence anthropologique. Essai sur les rapports de la Nature et de l'Artifice*, Paris, Aubier Montaigne, 1977, p. 118.

49. La filiation entre les grands singes et l'être humain fut d'ailleurs le sujet favori des caricaturistes de l'époque qui voulaient stigmatiser la théorie darwinienne.

primate connu ayant vécu il y a 70 millions d'années, donc cinq millions d'années avant la disparition massive des grands dinosaures.

Les primates apparaissent donc tardivement dans l'histoire de l'évolution du règne animal, qui remonte approximativement à 600 millions d'années. L'histoire de l'*Homo sapiens* et de ses ancêtres immédiats est encore plus brève. La trame de cette évolution a été établie sur la base des restes fossiles qui ont pu être reconstitués. On en retient les étapes suivantes :

- de 25 à 30 millions d'années : présence de singes semblables à ceux que nous connaissons ;
- de 20 à 15 millions d'années : présence de primates qui seraient les ancêtres des anthropoïdes actuels ;
- de 14 à 8 millions d'années : présence du Ramapithèque, le plus ancien anthropoïde, l'ancêtre de la lignée humaine ;
- 4 millions d'années : apparition de l'Australopithèque, qui a acquis la station debout et qui a la même capacité crânienne que le chimpanzé ;
- de 1,8 à 1,6 million d'années : apparition du premier représentant du type *homo*, *Homo habilis*, qui fabriquait des outils en pierre taillée ;
- 1,5 million d'années : apparition de l'*Homo erectus*, dont certaines populations ont appris à maîtriser le feu il y a 400 000 ans et représentent vraisemblablement nos ancêtres directs ;
- les premiers *Homo sapiens* apparaissent il y a environ 100 000 ans sous la forme de l'homme de Neandertal, qui pratiquait notamment la chasse aux mammouths et la sépulture des morts ;
- au cours des 30 000 dernières années, on ne trouve que des fossiles de l'*Homo sapiens* contemporain.

Malgré les progrès importants de la paléontologie, les preuves matérielles de la transformation des premiers primates jusqu'à l'*Homo sapiens* demeurent fragmentaires. Les données paléontologiques donnent d'ailleurs lieu à plusieurs modèles d'explication et prêtent encore flanc aux objections des tenants du créationnisme. Ces derniers tirent argument du fait que l'on a jamais mis à jour les fossiles du véritable chaînon manquant entre l'*Homo sapiens* contemporain et ses ancêtres. Voici comment André Langaney répond à ces objections :

Si l'on oublie quelques instants l'Homme et l'angoisse de nos mythes d'origine, on s'aperçoit que l'on ne connaît jamais, dans aucun groupe d'espèces animales, de populations fossiles nombreuses et intermédiaires entre deux espèces successives. Cette objection a toujours fait la joie des créationnistes et autres adversaires de la théorie « gradualiste » de l'évolution de Darwin. La théorie des équilibres ponctués et d'une évolution par sauts rapides entre des types spécifiques durables est la seule qui puisse, aujourd'hui, réfuter cette objection, tout en étant compatible avec les faits biologiques et génétiques. Remarquons toutefois qu'elle concerne les transformations d'une espèce à une autre et n'interdit pas l'évolution graduelle à l'intérieur d'une même espèce. L'histoire de la lignée humaine pourrait donc se partager en deux phases successives :

- une série de sauts, d'une espèce à l'autre, qui aboutirait à la naissance de l'espèce humaine et qui expliquerait l'impossibilité de retracer avec précision la lignée menant des premiers Primates aux premiers Hommes ;
- une évolution graduelle, à l'intérieur de la nouvelle espèce *Homo sapiens*, qui pourrait expliquer la relative continuité observée entre les fossiles humains, depuis *Homo habilis* jusqu'à nous[50].

Les connaissances actuelles sur l'origine de l'espèce humaine indiquent donc que le processus d'hominisation, ou le passage du primate à l'*Homo sapiens*, se présente comme un phénomène complexe et tardif de l'évolution du vivant.

B. L'originalité biologique de l'être humain

L'opinion commune attribue spontanément l'originalité biologique de l'espèce humaine à la spécificité du cerveau : parce qu'il est doté d'un cerveau plus développé, l'être humain utilise le langage symbolique pour communiquer et raisonner, il invente des outils spécialisés pour transformer son environnement, il se donne des modes d'organisation socioculturels complexes. Cette perception met l'accent sur l'originalité neurologique qui se manifeste dans la conscience réfléchie.

Mais il importe de comprendre que ces capacités cérébrales sont le résultat de l'ensemble de l'organisation du corps humain, à tel point, souligne Tinland, que la rationalité humaine n'aurait pas pu se développer dans une autre structure que le corps d'un hominien[51] :

 Cette altérité trouve une de ses manifestations dans l'originalité neurologique de l'*Homo sapiens*. Mais c'est l'ensemble du corps humain qui en est le véritable support, et il serait impensable que la rationalité humaine puisse se faire jour en une architecture somatique autre que celle des hominiens[52].

La description des caractéristiques spécifiques de l'espèce humaine relève de plusieurs disciplines scientifiques, chacune mettant en relief un aspect de l'originalité humaine.

---

50. André Laganey, *op. cit.*, p. 18-19.

51. Hominien : désigne la famille de primates qui comprend l'être humain ainsi que les fossiles intermédiaires entre les anthropoïdes et l'*Homo sapiens* actuel. On classe notamment parmi les hominiens l'homme de Cro-Magnon et l'homme de Neandertal.

52. Frank Tinland, *op. cit.*, p. 118.

Pour le biologiste Jacques Ruffié[53], c'est un ensemble de traits étroitement reliés qui a permis l'apparition et le développement de la conscience réfléchie chez l'*Homo sapiens* :

I. La station debout permanente

La station debout constitue la première caractéristique humaine. Les hominiens sont les seuls primates présentant une station debout permanente avec deux paires de membres hautement différenciés : les inférieurs (postérieurs) pour la locomotion, les supérieurs (antérieurs) pour la préhension [...].

De plus, le passage de la situation antérieure en situation supérieure donne à la masse crânienne un meilleur équilibre par rapport au champ de la pesanteur et lui ouvre la possibilité d'accroissement selon tous les diamètres.

II. Le développement de l'encéphale

Ce développement est, comme on vient de le voir, lié au caractère précédent. L'homme est le primate qui possède le cerveau le plus important, aussi bien par sa masse que par sa structure. Il comprend trois fois plus de cellules que chez l'anthropomorphe le plus évolué. [...]

Il faut en outre souligner que l'accroissement du volume du cerveau n'est pas uniforme et global mais affecte de manière préférentielle certaines zones : néocortex des lobes frontaux, temporaux, pariétaux : c'est-à-dire des zones capables d'enregistrer des informations multiples, d'envoyer des ordres précis, d'assurer l'archivation de multiples souvenirs et la réutilisation des expériences passées, et où il existe surtout des centres d'association extrêmement complexes permettant la réflexion logique. [...]

III. La libération du membre antérieur

[...] Elle est, elle aussi, liée à la station debout permanente. De ce fait, la main devient disponible pour les gestes volontaires les plus complexes et les plus minutieux. Ainsi, non seulement l'homme peut concevoir des projets de plus en plus complexes, mais il est capable de les exécuter et de les améliorer sans cesse grâce à l'expérience. [...]

---

53. Jacques Ruffié est chercheur spécialiste de la génétique des populations abordée sous l'angle de l'hémotypologie (la typologie des groupes sanguins) et professeur au Collège de France et à la New York University. Il a notamment publié *De la biologie à la culture* (Paris, Flammarion, 1976) et *Traité du vivant* (Paris, Fayard, 1982).

IV. La conscience réfléchie

[...] Le développement du psychisme permet la communication logique entre les individus par la parole [...]. Désormais, d'individuelle, l'expérience devient collective ; celle de chaque sujet sera mise à profit par tout le groupe. [...]

Ainsi la conscience individuelle est assez vite remplacée au palier humain par la conscience collective, faite de la mise en commun au sein du groupe, par la tradition orale d'abord, par l'écriture ensuite, de toutes les expériences individuelles présentes et passées[54].

RÉSUMÉ DE LA PENSÉE DE L'AUTEUR

À l'origine, l'*Homo sapiens* s'est distingué des autres primates par un ensemble de traits étroitement reliés :

1. *La station debout permanente*
   - Elle a permis la différenciation des deux paires de membres, les inférieurs pour la locomotion et les supérieurs pour la faculté de saisir les objets.
   - Elle a favorisé l'accroissement de la masse crânienne.

2. *Le développement de l'encéphale*
   - L'homme est le primate qui possède le cerveau le plus développé.
   - L'accroissement du volume du cerveau humain touche surtout les zones qui contribuent à l'élaboration de la réflexion logique.

3. *La libération du membre antérieur (la main)*
   Cette libération, en permettant l'exécution de gestes complexes, rend possible la conception, la réalisation et le perfectionnement de projets de plus en plus complexes.

4. *La conscience réfléchie*
   L'accroissement des facultés psychiques favorise la communication logique entre les individus et la mise en commun de leurs expériences.

---

54. Jacques Ruffié, « Le mutant humain », dans *L'unité de l'Homme*, collectif sous la direction d'Edgar Morin et Massimo Piattelli-Palmarini, Paris, Seuil, Centre Royaumont – Pour une science de l'Homme, 1974, p. 126-128.

Ainsi décrits, les traits de l'originalité humaine constituent le substrat biologique de la *culture*. La station debout, la libération de la main et le développement du cerveau sont les conditions biologiques nécessaires du développement de la conscience réfléchie et de la culture humaine.

Dans cette perspective, l'interaction entre biologie et culture devient l'idée maîtresse de la spécificité humaine. *L'être humain se distingue par sa nature d'être bioculturel.* Il s'est détaché des autres espèces animales au fur et à mesure qu'il a superposé un environnement culturel à l'environnement naturel, cette transformation du milieu ayant été rendue possible par les modifications progressives du corps humain. Les recherches de la biologie et de l'anthropologie culturelle s'accordent pour désigner la culture comme le facteur décisif de l'hominisation. Jacques Ruffié exprime cette idée ainsi :

> Le développement des sociétés humaines, fondées essentiellement sur des relations culturelles, crée un nouveau milieu : le milieu humain, qui libérera ses membres, en partie du moins, des contraintes de l'environnement, mais imposera de nouvelles contraintes, de nature psychosociale. L'individu est intégré et tenu par un milieu fait de la masse des connaissances, des traditions, des mythes, des règles qui guident les comportements. Cet ensemble constitue la culture [...].
>
> L'homme qui vient au monde doit acquérir sa culture. Chez lui, très peu de choses ressortent du domaine de l'inné. Tout au long de sa vie, l'être humain assimile de nouvelles données, les améliore par ses propres expériences ; les diffuse autour de lui et contribue à augmenter pour sa part le patrimoine commun de l'humanité. Si l'homme crée la société humaine, en retour, la société humaine ne cesse de créer l'homme[55].

Si on compare les populations humaines aux autres populations animales, on constate chez les premières une diminution significative du poids des caractères innés (génétiquement déterminés) au profit des caractères acquis (qui résultent de l'éducation, de l'apprentissage, lesquels sont fonction du milieu socioculturel). En ce sens, on peut affirmer que l'évolution culturelle a pris chez l'être humain le relais de l'évolution proprement biologique. Le développement des capacités d'adaptation de l'être humain, de même que la direction de son développement historique, reposent désormais sur l'interaction complexe entre la culture et les structures sociales d'une part, et le patrimoine biologique d'autre part. L'être humain deviendra, dans une large mesure, ce qu'il fera de lui-même.

---

55. Id., *De la biologie à la culture*, vol. 2, Paris, Flammarion, coll. Champs, 1983, p. 29.

Rappel des IDÉES PRINCIPALES

3.1 L'ANIMALITÉ HUMAINE : L'*HOMO SAPIENS*

Par *anthropologie naturaliste*, nous désignons la représentation de l'être humain issue des connaissances scientifiques actuelles, notamment des sciences biologiques.

L'être humain appartient pleinement au monde vivant. Il partage avec les milliers d'autres espèces animales une même structure biologique de base, une même origine.

3.1.1 L'espèce humaine

- L'*Homo sapiens* se classe, parmi les êtres vivants sexués, comme un animal vertébré à sang chaud, un mammifère placentaire.
- Plusieurs de ses caractéristiques biologiques ne lui appartiennent pas en propre. L'organisme humain constitue le moteur premier d'activités, de modes de subsistance, de reproduction et d'organisation sociale qui sont communs à l'être humain et à d'autres espèces.
- Reste à déterminer les particularités qui font de l'être humain un animal différent, à décrire son originalité biologique. Celle-ci réside dans l'originalité structurelle et fonctionnelle de l'organisme humain.

3.1.2 Le processus d'hominisation

A. Le passage du primate à l'*Homo sapiens*
L'être humain descend-il du singe ? Il existe une parenté biochimique, génétique et morphologique entre l'être humain et les grands singes. Cela ne signifie pas qu'il y a filiation entre le singe et l'*Homo sapiens*, mais que les deux ont un ancêtre commun.

B. L'originalité biologique de l'être humain
- On attribue généralement l'originalité biologique de l'*Homo sapiens* à la spécificité de son cerveau, qui le rend capable de langage symbolique et de conscience réfléchie.
- Or le développement de ces facultés est le résultat d'un ensemble de facteurs :
  - la station debout permanente ;
  - le développement de l'encéphale ;
  - la libération du membre antérieur (la main).
- Ces traits de l'originalité humaine constituent le substrat biologique de la culture : l'être humain se distingue fondamentalement par sa nature d'être bioculturel.

3.2 LE CERVEAU ET LA PENSÉE

Au terme de notre réflexion sur le processus d'hominisation, nous sommes en mesure de résumer en une phrase le trait distinctif de l'être humain en regard des autres espèces animales : l'être humain se distingue par sa nature d'être bioculturel, qui est sans équivalent dans le monde vivant. Il est cet animal qui s'est engagé sur la voie de l'évolution culturelle, principalement parce qu'il dispose d'un cerveau plus développé qui le rend capable de conscience réfléchie.

En établissant un lien évolutif et fonctionnel entre le cerveau et la conscience réfléchie, entre l'activité psychique et l'activité organique, le naturalisme propose le dépassement de la position dualiste traditionnelle qui présente l'esprit et le corps comme deux ordres de réalité différents. Comme nous l'avons vu dans le chapitre précédent, le dualisme se trouve au fondement des conceptions rationaliste et chrétienne de l'être humain. Il est d'ailleurs présent chez certains auteurs qui ont été à l'origine de la renaissance, au XVIe siècle, de la pensée naturaliste et du développement des sciences expérimentales : on pense notamment à Descartes, qui maintenait une différence de nature entre le corps matériel, défini comme une machine, et l'âme immatérielle et immortelle, siège de la pensée.

Le dépassement du dualisme ne se fera que graduellement chez les penseurs naturalistes, et il ne s'achèvera qu'avec les progrès importants accomplis dans la connaissance scientifique du cerveau. La thèse du naturalisme, dont nous développons ci-après quelques arguments centraux, soutient que l'explication des phénomènes psychiques supérieurs (la perception et la catégorisation, la mémoire et la reconnaissance, l'attention et la conscience, la pensée, le jugement et les émotions) doit nécessairement tenir compte des processus biologiques propres au système nerveux et au cerveau. L'exposé qui suit s'inspire directement des écrits de Jean-Pierre Changeux[56] et de Gerald M. Edelman[57], qui seront cités à l'occasion. Il présente trois importants champs de recherche.

3.2.1 L'évolution des fonctions cérébrales humaines

Le bilan des connaissances actuelles indique que l'évolution du cerveau humain s'explique par la continuité évolutive d'une espèce à l'autre, l'accroissement de la complexité des opérations accomplies par le cerveau humain et l'interaction dynamique entre les fonctions cérébrales et l'environnement. Jean-Pierre Changeux dresse ce bilan :

---

56. Jean-Pierre Changeux est directeur du laboratoire de neurobiologie moléculaire de l'Institut Pasteur et professeur au Collège de France (chaire de Communications cellulaires). Depuis juin 1992, il préside le Comité consultatif national d'éthique pour les Sciences de la vie et de la santé, à Paris. Il a notamment publié *L'homme neuronal* (Paris, Fayard, coll. Pluriel, 1983).

57. Gerald M. Edelman dirige l'Institut des neurosciences de l'Université Rockefeller (New York). Il a reçu le prix Nobel de médecine en 1972. Il a récemment publié *Biologie de la conscience* (Paris, éd. Odile Jacob, 1992).

Avec le progrès des connaissances en neurobiologie, en génétique moléculaire et en paléontologie, les dimensions du « phénomène humain » perdent leur caractère de prodige. De la souris à l'homme, le cortex cérébral[58] se compose des mêmes catégories cellulaires, des mêmes circuits élémentaires. La surface du cortex progressivement s'accroît et, avec elle, le nombre des cellules nerveuses et de leurs connexions. [...] Cette continuité de l'évolution anatomique de l'encéphale[59] s'accompagne d'une au moins égale continuité dans l'évolution du génome[60].

Changeux précise que les variations du patrimoine génétique d'une espèce à l'autre ne peuvent rendre compte du phénomène de l'évolution du cerveau sous tous ses aspects. Les mutations du stock des gènes sont responsables de l'accroissement du nombre de neurones[61] du cortex, mais elles ne peuvent à elles seules expliquer le développement du réseau des communications neuronales, qui se fait en complexité. Il faut faire intervenir un second facteur d'évolution du cerveau : l'influence de l'environnement ou, plutôt, l'interaction de l'encéphale avec l'environnement. Le neurobiologiste poursuit en ces termes :

L'interaction avec l'environnement contribue [...] au déploiement d'une organisation neurale toujours plus complexe en dépit d'une mince évolution du patrimoine génétique. Cette structuration sélective de l'encéphale par l'environnement se renouvelle à chaque génération[62].

L'influence de l'environnement sur l'évolution du cerveau, que Changeux qualifie de « structuration sélective de l'encéphale par l'environnement », doit être comprise au sens d'une interaction. À mesure qu'il établit des contacts avec le milieu physique et que la communication entre les humains s'enrichit, le cerveau élargit sa capacité à traiter de l'information, à constituer des réseaux de neurones. Conséquemment, il peut combiner davantage d'informations et produire des réponses de plus en plus élaborées aux stimuli de l'environnement physique et humain. C'est ainsi que les liens sociaux et les outils culturels se développent d'une génération à l'autre. Chaque individu subit donc dans son milieu propre un réseau d'influences données ; celles-ci marquent son cerveau d'une empreinte originale qui vient s'ajouter aux variations génétiques qui distinguent les individus. Le développement des capacités d'adaptation

---

58. Cortex cérébral (ou néocortex) : « couche de substance grise qui constitue la paroi des hémisphères cérébraux et se développe de manière très importante chez les mammifères. » (Définition empruntée au glossaire de J.-P. Changeux, *L'homme neuronal, op. cit.*, p. 376.)

59. Encéphale : désigne l'ensemble des centres nerveux contenus dans le crâne (le cerveau, le cervelet, le bulbe rachidien, etc.).

60. Jean-Pierre Changeux, *op. cit.*, p. 330.

61. Neurone : « la cellule nerveuse ; celle-ci comprend un corps cellulaire ou soma qui contient le noyau et des prolongements [...] de deux types : les dendrites, qui convergent vers le soma, et l'axone unique qui en part. » (Glossaire de *L'homme neuronal, op. cit.*, p. 377.)

62. Jean-Pierre Changeux, *op. cit.*, p. 330-331.

du cerveau humain passe donc par l'adaptation singulière de chaque individu à son environnement propre. Voyons maintenant quels processus neurophysiologiques sont en jeu dans l'activité cérébrale.

3.2.2 Les processus neurophysiologiques du cerveau

Les connaissances actuelles sur le fonctionnement du cerveau ont été acquises grâce aux recherches concurrentes et complémentaires menées sur deux aspects ou niveaux de l'activité cérébrale : la structure des cellules nerveuses (neurones) et de leurs réseaux de communication, et la localisation des différentes fonctions (langage, mémoire, parole, etc.) dans des régions données du cerveau. Résumons brièvement certaines conclusions et avenues de recherche pertinentes pour notre propos.

A. La structure de base du cerveau : le neurone

On sait que le cerveau humain est composé de plus de cent milliards de neurones, dont les points de jonction, appelés synapses, sont estimés à plus d'un million de milliards. La transmission des signaux ou impulsions d'un neurone à l'autre s'effectue par les synapses chimiques (qui établissent une communication à l'aide de molécules chimiques appelées neurotransmetteurs[63]) et par les synapses électriques (par lesquels se propagent les signaux électriques, que l'on peut mesurer au moyen de l'électro-encéphalogramme).

Le traitement d'une information par le cerveau suppose d'abord la circulation d'un message transmis par le système nerveux, lequel réagit à des stimuli internes ou externes. Toute activité cérébrale, et donc toute activité psychique, suppose une organisation des neurones en circuits, puis une organisation des circuits neuronaux en un réseau de communication d'une très grande complexité.

Sur ce plan, on constate une similitude de structure entre le cerveau humain et le cerveau animal ; on peut même affirmer que les processus cérébraux élémentaires sont de même nature chez l'être humain et chez l'animal. Jean-Pierre Changeux formule ainsi cette constatation :

L'activité nerveuse, évoquée ou spontanée, et sa propagation dans les réseaux de neurones s'expliquent en fin de compte par des propriétés *atomiques*. [...] Les molécules des neurotransmetteurs et de leurs récepteurs sont composées de carbone, d'hydrogène, d'oxygène et d'azote qui n'ont rien de propre aux êtres vivants. Le système nerveux se compose de et emploie pour fonctionner la même « matière » que le monde inanimé. Celle-ci s'organise en édifices « moléculaires » qui interviennent dans la

---

63. Par exemple : la dopamine qui est étudiée en rapport avec la schizophrénie et l'enképhaline qui jouerait le rôle d'une morphine naturelle.

communication nerveuse au même titre que d'autres règlent la respiration cellulaire ou la réplication des chromosomes. [...]

Le trait le plus frappant qui se dégage des recherches actuelles sur l'électricité et la chimie du cerveau est que les mécanismes responsables de l'« activité » ou, si l'on veut, la communication dans la machine cérébrale ressemblent à ceux qui s'observent dans le système nerveux périphérique et même en d'autres organes. On les trouve également dans les systèmes nerveux d'organismes très simples. Ce qui est vrai pour l'organe électrique du Gymnote[64] l'est pour le cerveau de l'*Homo sapiens*. Au niveau des mécanismes élémentaires de la communication nerveuse, rien ne distingue l'homme des animaux. Aucun neurotransmetteur, aucun récepteur ou canal ionique n'est propre à l'homme[65].

Qu'est-ce alors qui distingue les activités cérébrales humaines de celles des autres animaux ? D'abord l'organisation ou l'architecture unique du cerveau humain, qui présente un développement en complexité et en plasticité. Ensuite, la dynamique propre au cerveau humain, qui lui permet d'accomplir des opérations supérieures comme le langage ou le raisonnement. La dynamique du cerveau humain sera étudiée à la section 3.2.3. Pour le moment, voyons les principaux éléments d'organisation du cerveau humain.

B. L'architecture du cerveau humain

Les premières recherches sur l'activité du cerveau humain ont porté sur la localisation des fonctions cérébrales supérieures. Elles remontent au début du XIXe siècle. Ces travaux ont longtemps reposé sur l'observation des différentes lésions cérébrales et de leurs effets sur les activités mentales. Ainsi, la section chirurgicale du faisceau nerveux reliant les deux hémisphères du cerveau chez certains patients épileptiques a-t-elle été l'occasion d'observer le fonctionnement séparé des deux hémisphères du cerveau, appelés parfois « cerveau droit » et « cerveau gauche ».

Les premières observations ont conduit les chercheurs à localiser dans l'un ou l'autre hémisphère les opérations liées à une fonction donnée : on disait que les hémisphères accomplissaient des tâches spécifiques. Ainsi l'hémisphère gauche était donné pour le siège principal du langage tandis que l'hémisphère droit était associé aux processus affectifs.

Grâce à différents procédés d'imagerie, on sait aujourd'hui que les principales fonctions cérébrales ne correspondent pas à l'un ou l'autre des hémisphères. Pour ne citer que deux exemples, on a découvert que les structures neuronales qui

---

64. Gymnote : communément appelé anguille électrique. (Note des auteurs.)
65. Jean-Pierre Changeux, *op. cit.*, p. 123-124.

interviennent dans la formation et l'usage des concepts sont distribuées dans certaines régions sensorimotrices des deux hémisphères du cerveau. On a pu également établir que le flux sanguin se déplace dans différentes régions du cerveau selon que le sujet entend des mots, les lit, les prononce ou les conçoit.

Mais ce n'est pas tout de visualiser les fonctions cérébrales, il faut encore en expliquer les structures et les processus. Sur ce plan, les découvertes récentes des neurosciences permettent d'élaborer des modèles explicatifs, dont les concepts centraux viennent remettre en question certaines idées reçues à propos du fonctionnement du cerveau. Présentons brièvement quelques éléments significatifs de ces modèles.

Au point de départ, il faut abandonner la représentation linéaire de la circulation de l'influx nerveux. Certes, il est vrai que la base de l'activité cérébrale est la transmission d'un message d'un neurone à l'autre, mais les neurosciences nous apprennent que l'analyse d'un stimulus, aussi bien que la réponse donnée par le cerveau, font appel à un fonctionnement de groupe des neurones, dont toutes les facettes, y compris l'orientation spatiale des synapses, sont mises à contribution dans le traitement de l'information. Chacune des grandes fonctions cérébrales (la perception des informations sensorielles, la mémorisation, la communication par le langage, l'expression des émotions, la coordination des mouvements corporels) fait appel à plusieurs groupes ou assemblées de neurones qui accomplissent chacun leur tâche spécifique et fonctionnent en réseau. Ces réseaux de communication s'établissent non seulement entre les assemblées de neurones propres à une fonction donnée, mais aussi entre des régions différentes du cerveau, par exemple entre les centres de la perception visuelle, de la mémoire des visages et de la communication verbale.

Ainsi, le geste apparemment réflexe du joueur de tennis qui retourne une balle comporte des dimensions motivationnelles, sensorielles, stratégiques et motrices qui font appel à des fonctions différentes accomplies par des groupes de neurones très spécialisés, situés dans des régions différentes du cerveau. Pour ne mentionner qu'un aspect de l'activité de celui-ci, les informations visuelles que sont la vitesse, le mouvement et la couleur de la balle, de même que l'attitude de l'adversaire, sont traitées par des assemblées de neurones différentes qui fonctionnent en réseau en une fraction de seconde.

En résumé, nous savons désormais que les fonctions cérébrales reposent sur l'activité de neurones regroupés, que les groupes de neurones fonctionnent en réseau et que le résultat de leur action conjuguée est qualitativement différent de la somme des messages qui se transmettent d'un neurone ou d'une assemblée de neurones à l'autre. Ainsi, on peut formuler une première conclusion quant aux fonctions cérébrales les plus complexes de l'être humain comme le langage, la conscience ou la pensée : leur assise matérielle ne réside pas dans certains neurones bien localisés qui seraient les « neurones de la conscience ou de la pensée », mais dans l'organisation biochimique et spatiale d'ensemble de nombreux groupes de neurones, dans la fonction d'intégration de leurs activités respectives.

Sujet de réflexion

Croyez-vous, comme Jean-Pierre Changeux, que les processus biologiques du cerveau peuvent expliquer les activités mentales spécifiquement humaines comme la conscience et la pensée ? Développez votre argumentation en faisant intervenir la position rationaliste sur la question.

Edelman formule ainsi cette conclusion, en insistant sur la complexité et la plasticité des processus du cerveau, lesquels se modifient constamment sous la pression du milieu :

Le cerveau, qui donne naissance à l'esprit, est le prototype d'un système complexe et, du point de vue de son style d'organisation, il ressemble davantage à une jungle qu'à un ordinateur. Cependant, cette analogie comporte une faille. En effet, alors que dans une jungle les plantes sont sélectionnées au cours de l'évolution, la jungle elle-même ne l'est pas. En revanche, le cerveau est soumis à deux processus de sélection – à la sélection naturelle et à la sélection somatique.

Il en résulte une entité subtile et multistratifiée, pleine de boucles et de niveaux différents. Des gènes aux protéines, des cellules au développement orchestré, de l'activité électrique à la libération de neuromédiateurs, des couches sensorielles aux cartes, de la forme à la fonction et au comportement, et, en sens inverse, de la communication sociale vers n'importe lequel de ces niveaux ou vers tous à la fois, nous nous trouvons devant un système de sélection somatique qui est constamment soumis à la sélection naturelle. Dans ces conditions, il n'est pas étonnant que les philosophes, qui réfléchissent au problème de l'esprit sans disposer de ces connaissances, aient été tentés de postuler l'existence de certaines entités, [...] ou que ceux qui aspirent à l'immortalité continuent à postuler l'existence d'esprits éternels.

Ces penseurs pourront être déçus en apprenant que les réponses à bien des problèmes fondamentaux concernant l'esprit viendront de l'analyse de la complexité de sa structure, qui est régie par des principes d'organisation originaux[66].

Il nous reste donc à voir de manière plus précise comment l'explication scientifique de la complexité du cerveau permet de rendre compte des activités proprement humaines.

---

66. Gerald M. Edelman, *Biologie de la conscience*, Paris, éd. Odile Jacob, 1992, p. 193-195.

3.2.3 Les activités cérébrales spécifiquement humaines

Aussi loin que l'on remonte dans l'histoire de la pensée naturaliste, la prétention de développer un modèle proprement naturel des activités mentales supérieures a été contestée. L'opposition la plus forte est traditionnellement venue et vient toujours des spiritualistes, qui soutiennent que la conscience et la pensée humaines ne sont pas réductibles aux processus biologiques ou aux structures du langage. À leurs yeux, il subsistera toujours une différence d'essence entre les processus biologiques, à la base matériels, et les activités de l'esprit défini comme une faculté non matérielle. Ils sont d'ailleurs convaincus que les sciences biologiques n'arriveront jamais à produire une explication complète et définitive des opérations les plus abstraites de la pensée, notamment la formation des représentations.

Dans son chapitre de *L'homme neuronal* portant sur les objets mentaux, Changeux s'inscrit en faux contre cette objection :

> Bergson[67], dans *Matière et Mémoire*, écrivait que le « système nerveux n'a rien d'un appareil qui servirait à fabriquer ou même à préparer des représentations ». La thèse développée dans ce chapitre est l'exact contre-pied de celle de Bergson. L'encéphale de l'homme que l'on sait *contenir*, dans l'organisation anatomique de son cortex, des représentations du monde qui l'entoure, est aussi *capable* d'en construire et de les utiliser dans ses calculs.
>
> Essayons d'examiner les fondements biologiques de ces facultés considérées traditionnellement comme relevant du « psychisme »[68].

Changeux et d'autres chercheurs soutiennent qu'il est possible d'élaborer une théorie unifiée des fonctions mentales supérieures comme le langage, et ce sur la base de fondements purement biologiques. Ils ne disposent pas actuellement d'une connaissance détaillée de tous les processus en cause, loin de là. Mais les découvertes récentes leur permettent de formuler un modèle d'explication hypothétique.

Le concept central de ce modèle est celui d'*objet mental*. Il désigne les matériaux biologiques des représentations mentales, dont on distingue trois grands types : les perceptions, les images de mémoire et les concepts. Les objets mentaux correspondent à l'activité de groupes de neurones dont les connexions sont réparties, comme des tentacules, dans différentes aires ou régions du cortex cérébral. Chaque objet mental correspond ainsi à un réseau, à une mosaïque de neurones et à leur activité.

On ignore pour le moment les mécanismes génétiques, moléculaires et cellulaires précis qui effectuent la stimulation, la connexion et la stabilisation de ces réseaux

---

67. Henri Bergson (1859-1941). Philosophe français qui soutenait que la pensée est en grande partie indépendante du cerveau.

68. Jean-Pierre Changeux, *op. cit.*, p. 161-162.

de neurones, bien que les connaissances avancent rapidement dans ce domaine. On n'a pas réussi non plus à identifier et à localiser de groupe de neurones correspondant exactement à tel concept, souvenir ou perception.

Cependant, dans l'optique de Changeux, il est logique d'affirmer que les activités mentales de perception du monde extérieur reposent sur des réseaux de neurones principalement situés dans la région du cortex où se projettent les terminaisons neuronales des sens. Il est également plausible que les groupes de neurones responsables de la formation des concepts soient situés dans les régions du cortex associées aux fonctions du langage.

Selon la même logique, on peut avancer que les activités mentales supérieures de l'être humain – appréhender la réalité, utiliser des informations mémorisées, réfléchir à l'aide de notions abstraites – font appel à des réseaux de neurones plus complexes encore, qui mettent en communication et en interaction des images mémorielles, des perceptions du monde extérieur et des concepts.

C'est au cours de tels processus d'association que se produit le phénomène de la conscience. La conscience correspond en quelque sorte à la perception subjective que nous avons de l'ensemble des activités du cerveau. Changeux exprime cette idée dans les termes suivants :

> Les opérations sur les objets mentaux et surtout leurs résultats seront « perçus » par un *système de surveillance* composé de neurones très divergents [...]. Ces enchaînements et emboîtements, ces « toiles d'araignée », ce système de régulations fonctionneront *comme un tout*. Doit-on dire que la conscience « émerge » de tout cela ? Oui, si l'on prend le mot « émerger » au pied de la lettre, comme lorsqu'on dit que l'iceberg émerge de l'eau. Mais il nous suffit de dire que la conscience *est* ce système de régulations en fonctionnement[69].

Cette affirmation de Changeux, selon laquelle la conscience correspond au système de régulation de l'ensemble des activités cérébrales, traduit bien l'esprit qui anime les neurophysiologistes et autres spécialistes qui prennent résolument le parti d'expliquer les phénomènes mentaux en tant que processus biologiques.

Une orientation complémentaire de la recherche consiste à mettre les modèles biologiques en perspective avec les autres disciplines scientifiques qui s'intéressent aux phénomènes de la pensée et de la conscience humaines, notamment la psychologie et les sciences du langage. Dans son ouvrage *Biologie de la conscience*, Gerald Edelman exprime bien cette orientation :

---

69. *Ibid.*, p. 211.

La pensée est une compétence que l'on construit à partir de l'expérience vécue, en entre-tissant les niveaux et les canaux parallèles de la vie perceptive et conceptuelle. Au bout du compte, il s'agit d'une compétence soumise aux contraintes des valeurs sociales et culturelles. L'acquisition de cette compétence exige plus que l'expérience des choses ; elle exige des interactions sociales, affectives et linguistiques. [...]

Cela signifie que les données issues des neurosciences, aussi nombreuses soient-elles, ne permettront jamais, à elles seules, d'expliquer ce qu'est la pensée. Mais cette affirmation n'a rien de mystérieux ni de mystique : elle signifie simplement que l'explication issue des neurosciences est nécessaire, mais qu'elle n'est pas suffisante en tant qu'explication ultime. [...]

Par conséquent, dans la pratique, toute tentative pour réduire la psychologie à la biologie finit nécessairement par échouer à un certain point. Étant donné que l'exercice de la pensée, en tant que compétence, dépend d'interactions sociales et culturelles, de conventions, de raisonnements logiques, et aussi de métaphores, les méthodes purement biologiques telles qu'on les connaît aujourd'hui sont insuffisantes. [...]

Des régularités biologiques sous-tendent toutes ces activités. Ces régularités peuvent, et doivent, être étudiées. Mais tant que nous n'aurons pas construit des objets conscients capables de parler – ce qui n'arrivera pas avant longtemps – les méthodes biologiques resteront trop maladroites pour permettre d'établir des corrélations entre le neuronal et la signification des pensées d'un « penseur pur » au cours d'un raisonnement. Néanmoins, nous pouvons quand même étudier les processus neuronaux de base qui sous-tendent ces actes, et nous pouvons le faire sans devenir des dualistes des propriétés. Mais, dans la pratique, il serait absurde, au nom de la pureté scientifique, de n'utiliser que des méthodes biologiques[70].

RÉSUMÉ DE LA PENSÉE DE L'AUTEUR

1. La pensée est une compétence qui s'élabore à partir de l'expérience vécue ; elle repose sur des interactions sociales, culturelles et affectives.

2. Les connaissances sur le cerveau proposées par les neurosciences ne permettront donc jamais, à elles seules, d'expliquer

---

70. Gerald M. Edelman, *op. cit.*, p. 228-231.

ce qu'est la pensée : ces connaissances sont nécessaires, mais insuffisantes. En ce sens, on ne peut réduire la psychologie à la biologie.

3. Il demeure toutefois nécessaire de poursuivre l'étude des processus biologiques de base qui sous-tendent l'exercice de la pensée.

Reprenons, en guise de conclusion, la dernière phrase d'Edelman. Elle indique bien avec quelle ouverture d'esprit il faut aborder la recherche scientifique sur le cerveau humain. Il n'y a pas, dit-il, un critère de pureté scientifique qui forcerait les chercheurs à s'en tenir aux seules méthodes proprement biologiques. Expliquons brièvement ce point.

Edelman reconnaît bien sûr la nécessité d'étudier les régularités biologiques qui sous-tendent toutes les activités mentales humaines. La connaissance scientifique de ces régularités met au jour la continuité entre l'espèce humaine et les autres espèces animales sur le plan des fonctions cérébrales. Nous avons précédemment étudié certains aspects de cette continuité, notamment quant à l'évolution et aux structures de base du cerveau humain ; il est maintenant établi que le cerveau humain se compose des mêmes types de cellules et des mêmes circuits que le cerveau animal, et que la différence spécifique tient principalement à la complexité supérieure du cerveau humain.

La démonstration de cette proximité entre l'homme et l'animal a par ailleurs mis en lumière l'importance primordiale de l'interaction entre le cerveau humain et l'environnement. On sait maintenant que le milieu humain joue un rôle essentiel dans l'évolution du cerveau de l'espèce humaine de même que dans la structuration des fonctions cérébrales supérieures de chaque individu, notamment le langage.

Sur cette base, on peut donc affirmer avec Edelman que la recherche scientifique sur le cerveau humain doit demeurer ouverte aux disciplines qui s'intéressent aux activités mentales, au langage et à la réalité socioculturelle.

Du même souffle, Edelman souligne que l'on peut s'engager dans cette voie sans devenir des « dualistes des propriétés ». Par ces propos, il vise les tenants du spiritualisme qui ont l'habitude de disqualifier la recherche scientifique sur le cerveau humain sous prétexte qu'elle est incapable de produire, ici et maintenant, des explications exhaustives et définitives des activités mentales supérieures. Edelman rappelle simplement, en bon naturaliste, que la recherche d'un savoir vérifiable, donc réfutable, sur les activités mentales humaines est une entreprise en continuel développement.

Rappel des IDÉES PRINCIPALES

3.2 LE CERVEAU ET LA PENSÉE

Les connaissances scientifiques sur le cerveau humain permettent aux penseurs naturalistes de dépasser la thèse dualiste, qui établit une différence de nature entre le corps et l'esprit, le cerveau et la pensée.

3.2.1 L'évolution des fonctions cérébrales humaines

- Le développement du cerveau humain s'inscrit dans une continuité évolutive : le cerveau humain est composé des mêmes éléments de base que le cerveau des autres espèces.
- La spécificité du cerveau humain tient à sa capacité de réaliser des opérations complexes et de communiquer au moyen d'un langage.
- Cette capacité s'explique autant par des modifications génétiques que par l'interaction avec l'environnement naturel et culturel.

3.2.2 Les processus neurophysiologiques du cerveau

- Le cerveau humain se présente comme un réseau de communication extrêmement complexe, composé de plus de cent milliards de cellules nerveuses ou neurones.
- Les neurones constituent l'unité de base de la transmission des informations dans le cerveau. Cette transmission s'effectue par voie électrique ou chimique.
- Certaines opérations constitutives des fonctions cérébrales propres à l'être humain, le langage par exemple, peuvent être localisées dans des régions déterminées du cerveau.
- Les neurones sont organisés en groupes ou assemblées ; ils ne communiquent pas de manière linéaire, un à un ; ils fonctionnent en réseaux spécialisés.
- L'explication des fonctions cérébrales humaines repose sur l'organisation d'ensemble de ces réseaux, sur leur intégration.

3.2.3 Les activités cérébrales spécifiquement humaines

- L'explication biologique des fonctions cérébrales proprement humaines, notamment le langage et la pensée, requiert l'élaboration d'une théorie des objets mentaux, d'un modèle de la formation des images et des concepts et de leur organisation dans un langage structuré.
- Les chercheurs travaillent actuellement sur la formulation de ce modèle, qui demeure largement hypothétique. Leurs efforts portent principalement sur l'élucidation du fonctionnement des groupes de neurones dans la formation des perceptions du monde extérieur, des images de mémoire et des concepts, ainsi que sur les conditions qui permettent les combinaisons de ces objets mentaux.

- Dans cette perspective, la conscience est définie comme la perception subjective que nous avons de l'ensemble des activités du cerveau.
- L'explication proprement biologique des activités mentales humaines doit être complétée par la psychologie et les sciences du langage.

3.3 PEUT-ON PARLER DE LIBERTÉ HUMAINE ?

En étudiant les processus cérébraux et les comportements de l'être humain, le naturaliste constate un fait indéniable : l'être humain a la capacité de produire des réponses nouvelles, inédites, à des problèmes que les habitudes, les techniques et les connaissances déjà acquises ne permettent pas de résoudre de manière adéquate. Cette faculté d'innover s'est raffinée et diversifiée au cours de l'évolution biologique et culturelle de l'espèce humaine. Elle rend compte d'un phénomène unique dans l'histoire de l'évolution : les populations humaines ont progressivement acquis la maîtrise de leur adaptation aux conditions changeantes du milieu. Les populations humaines s'adaptent en effet en transformant leur habitat naturel et en modifiant les conditions de leur environnement social et culturel. On peut affirmer que la capacité d'innover de l'être humain s'exprime ultimement dans un pouvoir d'auto-transformation.

Par ailleurs, le naturaliste découvre que l'aptitude à l'innovation existe aussi chez l'animal, notamment chez les grands primates, mais à un degré nettement moindre. Il y a donc, de l'innovation animale à l'innovation humaine, un saut qualitatif majeur. En regard des autres animaux, l'être humain dispose d'une « marge de manœuvre », d'une capacité de création et d'adaptation nettement supérieures. Ce qui soulève la question suivante : le naturaliste peut-il faire appel au concept philosophique de liberté pour expliquer cette capacité ?

La réponse naturaliste se résume en une affirmation : l'être humain est « programmé pour apprendre ». Les comportements humains ne sont pas stéréotypés, ils n'obéissent pas à un programme inné de réponses prédéterminées à des stimuli externes. André Langaney exprime ainsi cette thèse fondamentale du naturalisme :

L'absence de comportements innés stéréotypés est à peu près totale chez le petit d'Homme qui est, à la naissance, une sorte de larve sachant à peine chercher et téter le sein qu'on lui tend. [...] Ceci ne veut évidemment pas dire que l'Homme n'est pas programmé génétiquement mais, comme le souligne François Jacob, qu'il est « programmé pour apprendre » et non programmé pour savoir faire, comme le sont la plupart des animaux. Cette « liberté » par rapport à son programme génétique, cette possibilité de se comporter plus en fonction de programmes appris, et souvent modifiables, qu'en fonction d'un répertoire inné de comportements est sans égale dans le monde animal.

> Beaucoup d'animaux supérieurs [...] sont capables d'apprendre des comportements très compliqués [...]. Mais cet apprentissage [...] ne permet pas, comme chez l'Homme, une remise en question totale du mode de vie et des structures sociales. La plus grande spécificité de l'humain nous semble donc être l'indétermination de son répertoire de comportements et son adaptabilité culturelle à l'environnement et à la société[71].

L'idée capitale du texte de Langaney est *l'indétermination du répertoire de comportements de l'être humain*. Le petit animal qui voit le jour dispose d'un programme précis d'actes réflexes et de comportements instinctifs qui lui permettront, sur la base d'apprentissages élémentaires, d'accomplir les gestes nécessaires à sa survie et à sa reproduction. Quant à l'enfant naissant, il ne sait pratiquement rien faire, il est totalement dépendant de son entourage. Il est par contre doué d'une capacité virtuellement illimitée d'apprentissage, il est ouvert à toutes les influences du milieu socioculturel. Il apprend ainsi un répertoire de comportements modifiables qui vont lui permettre non seulement de s'adapter à son environnement et d'en tirer sa subsistance, mais de manifester son autonomie dans la transformation de son milieu physique et humain.

Pour Edgar Morin[72], il est légitime de parler d'*autonomie de l'être humain*, à la condition d'intégrer à la définition du terme autonomie les notions de dépendance et d'auto-organisation. Les connaissances des sciences biologiques nous amènent en effet à repenser l'opposition classique, qui nous vient de la tradition rationaliste, entre la notion d'autonomie et celles de dépendance ou de déterminisme. Selon le rationalisme, on peut parler de liberté et d'autonomie de l'être humain, parce que sa raison lui permet d'échapper aux dépendances, aux déterminismes naturels et sociaux, de les maîtriser. Aux yeux de Morin, il faut dépasser cette opposition :

> Ici apparaît dès lors le point le plus crucial de la nouvelle notion d'autonomie ; *un système ouvert est un système qui peut nourrir son autonomie, mais à travers la dépendance à l'égard du milieu extérieur.* Cela veut dire que, contrairement à l'opposition simplifiante entre une autonomie sans dépendance et un déterminisme de dépendance sans autonomie, nous voyons que la notion d'autonomie ne peut être conçue qu'en relation avec l'idée de dépendance [...] Plus un système développera sa complexité, plus il pourra développer son autonomie, plus il aura des dépendances multiples. Nous-mêmes nous construisons notre autonomie

71. André Langaney, *op. cit.*, p. 193-194.

72. Né à Paris en 1921, Edgar Morin est directeur de recherches au CNRS et à l'École des hautes études en sciences sociales, notamment au Centre d'études transdisciplinaires. Ses nombreux ouvrages élaborent une approche systémique des savoirs sur l'être humain. Citons entre autres : *Le paradigme perdu : la nature humaine* (Paris, Seuil, 1973) et *La méthode* (Paris, Seuil) : tome 1, *La nature de la nature* (1977) ; tome 2, *La vie de la vie* (1980) ; tome 3, *La connaissance de la connaissance* (1986).

psychologique, individuelle, personnelle, à travers les dépendances que nous avons subies qui sont celles de la famille, la dure dépendance au sein de l'école, les dépendances au sein de l'Université. Je ne dis pas que plus on est dépendant, plus on est autonome. Il n'y a pas réciprocité entre ces termes. Je dis qu'on ne peut pas concevoir d'autonomie sans dépendance[73].

L'être humain n'est pas doué d'une capacité ou d'une faculté d'action autonome qui chercherait à s'exprimer à l'encontre des limites posées par l'organisation de la vie sociale. Il est au contraire doué d'un programme génétique ouvert à toutes les influences du milieu humain, et le développement de son autonomie dépend de la qualité des connaissances, des techniques et des institutions que la société et la culture mettent à sa disposition.

En d'autres termes, si certains groupes ou individus s'adaptent moins bien que d'autres à des conditions de vie difficiles, ce n'est pas parce qu'ils ont été soumis à des contraintes qui ont bloqué le développement naturel de leur autonomie. C'est au contraire que l'ensemble des dépendances issues de leur environnement socio-culturel n'était pas suffisamment riche et complexe pour leur fournir les matériaux nécessaires à la résolution des problèmes, ou suffisamment ouvert pour permettre l'initiative individuelle, la création, la modification des conditions matérielles et sociales d'existence.

L'autonomie humaine se nourrit donc de dépendances multiples, d'un réseau fort complexe de connaissances et de représentations symboliques, de savoir-faire technique, de relations humaines et d'institutions sociales, économiques et politiques. Ces dépendances sont modifiables, elles sont le produit de l'activité humaine : c'est en ce sens que certains auteurs naturalistes contemporains, comme Albert Jacquard, parlent d'autotransformation ou d'auto-organisation de l'être humain :

> Ayant dépassé en complexité, de plusieurs ordres de grandeur, toutes les autres espèces, l'homme est devenu, de ce fait même, le champion de l'*auto-organisation*. Ce mot a un sens bien précis ; il signifie que celui qui est doté de ce pouvoir développe des processus dont il est lui-même la source. Représentons la réalisation d'un homme par un schéma [p. 156] ; trois flèches symbolisent les apports des trois sources que nous avons évoquées : les gènes, le milieu, la mémoire sociale collective. Pour que ce schéma soit complet, il faut y faire figurer une quatrième flèche qui part de l'individu pour revenir sur lui-même ; elle représente son pouvoir d'auto-organisation.

---

73. Edgar Morin, « Peut-on concevoir une science de l'autonomie ? », dans *L'auto-organisation. De la physique au politique*, colloque de Cerisy, collectif sous la direction de Paul Dumouchel et Jean-Pierre Dupuy, Paris, Seuil, coll. Empreintes, 1983, p. 320.

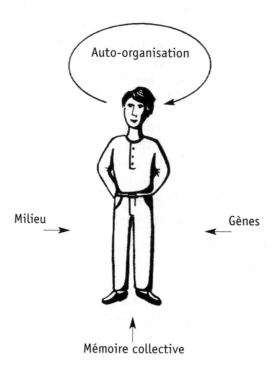

Milieu → ← Gènes

Mémoire collective

Un être qui n'est que le résultat d'influences extérieures est nécessairement un objet fabriqué ; plus ou moins bien réussi selon la qualité
des sources, il est l'aboutissement passif de chaînes causales sur lesquelles
il n'a pas de prise. L'auto-organisation, si elle se développe suffisamment,
lui permet de devenir un sujet, qui se détermine en partie lui-même.

C'est-à-dire qui peut prétendre être libre.

Toutes les descriptions de l'homme qui se bornent à énumérer ce qu'il a
reçu (gènes, énergie, substances chimiques, affection, informations)
sont insuffisantes, irréalistes, car elles passent à côté de l'essentiel.
Toutes les images qui s'efforcent de faire comprendre les mécanismes
humains en les comparant à des mécanismes connus dans d'autres
structures, sont nécessairement trompeuses car elles négligent ce qu'il
y a en lui de spécifique.

Par sa nature même, l'homme se situe au-delà des explications simplistes
et des métaphores ; encore faut-il que l'accès à cette spécificité soit
accordé à chacun[74].

74. Albert Jacquard, *Moi et les autres*, Paris, Seuil, 1983, p. 136-138.

ALBERT JACQUARD
(NÉ EN 1925)

Chercheur en génétique des populations et professeur de génétique mathématique à Paris et à Genève. Il est connu pour ses ouvrages de réflexion critique qui ont pour but de sensibiliser le public aux problèmes soulevés par les découvertes récentes des sciences biologiques. Citons entre autres : *Éloge de la différence* (1978) et *Au péril de la science* (1982).

Tout se passe finalement «comme si» la nature nous avait essentiellement fourni la capacité d'acquérir de nouvelles capacités, à condition de regrouper nos savoirs, nos énergies, nos imaginations.
(Cinq milliards d'hommes dans un vaisseau)

Il est donc possible de parler de liberté humaine dans une perspective naturaliste, mais dans un sens bien précis. Le philosophe rationaliste, nous l'avons vu dans le chapitre précédent, cherche à fonder la liberté d'action humaine dans un principe « supérieur », la raison, c'est-à-dire dans un ordre de réalité transcendant l'ordre proprement naturel. Le naturaliste quant à lui emploie le terme liberté pour désigner le processus d'autotransformation de l'être humain sur le plan individuel et collectif. Et il s'efforce de rendre compte scientifiquement de ce phénomène, en ayant recours notamment aux méthodes de la génétique, de la biologie moléculaire, de la neurophysiologie du cerveau, de l'étude rigoureuse des faits sociaux et culturels, dans leurs dimensions historique et actuelle.

On peut résumer en une phrase l'enseignement de la réflexion naturaliste sur le problème de la liberté humaine. La liberté n'est pas donnée à l'avance à l'être humain ; elle se manifeste dans les gestes d'autotransformation que les êtres humains accomplissent parfois, quand la conjoncture des facteurs organiques et des dépendances socioculturelles le permettent[75]. Pour reprendre les termes d'Edgar Morin :

 La liberté n'est pas une qualité propre à l'homme. La liberté est une émergence, qui, dans certaines conditions externes et internes favorables, peut émerger chez l'homme[76].

---

75. Ainsi, on peut interpréter comme un phénomène d'autotransformation l'augmentation de l'espérance de vie des populations occidentales qui a suivi l'amélioration des conditions d'hygiène et d'alimentation et les progrès de la médecine.

76. Edgar Morin, *op. cit.*, p. 323.

Sujet de **réflexion**

Commentez la citation d'Edgar Morin ci-dessus en établissant un parallèle avec la conception rationaliste de la liberté, en particulier celle de Kant : quels sont les points de convergence et de divergence entre les deux penseurs ? Laquelle des deux thèses vous paraît le mieux refléter la condition humaine actuelle ?

Rappel des IDÉES PRINCIPALES

3.3 PEUT-ON PARLER DE LIBERTÉ HUMAINE ?

- L'être humain possède la capacité de produire des réponses nouvelles à des problèmes. Cette faculté d'innover existe déjà dans le monde animal, mais à un degré nettement moindre.
- L'être humain dispose d'une capacité de création et d'innovation qui lui permet de transformer son milieu en fonction de ses besoins. Peut-on faire appel au concept de liberté pour rendre compte de cette capacité ? La génétique nous apprend d'abord que l'être humain est programmé pour apprendre : il possède en propre l'indétermination de son répertoire de comportements.
- Sur cette base, on peut recourir au concept d'autonomie de l'être humain, à la condition d'intégrer à la définition du terme « autonomie » les notions de dépendance et d'auto-organisation.
- La possibilité de l'action autonome dépend de la qualité des connaissances, des techniques et des institutions que la société et la culture mettent à la disposition de chaque individu.
- L'autonomie humaine se nourrit donc de dépendances multiples et repose sur des facteurs modifiables par l'action humaine : on peut ainsi parler de liberté au sens de capacité d'auto-organisation.
- La liberté n'est donc pas donnée à l'avance à l'être humain comme une faculté en soi : elle est conditionnelle, elle peut éclore lorsque les facteurs favorables sont réunis.

3.4 PEUT-ON PARLER DE DESTINÉE HUMAINE ?

Dans le chapitre précédent, nous avons formulé la question de la destinée humaine dans les termes suivants : l'existence humaine a-t-elle un but ou une finalité, a-t-elle une direction ou un sens ? Nous avons vu que la conception rationaliste interprétait l'histoire de l'humanité dans l'optique du progrès de la raison humaine sur le plan des savoirs et de la maîtrise pratique des déterminismes naturels et sociaux, traçant la perspective d'un règne de la raison marqué par l'accroissement des possibilités de bonheur individuel et l'avènement d'une « paix perpétuelle ».

Quel est l'horizon propre de la conception naturaliste ? Quels enseignements peut-on tirer des principes naturalistes quant à l'avenir de l'espèce humaine ou au sens de l'existence ? Devons-nous reconnaître que la vie humaine est réglée par des lois naturelles qui déterminent à l'avance le cours des choses, de sorte que nous sommes en présence d'une fatalité, d'un destin inévitable ? Par ailleurs, comment faut-il interpréter la capacité d'auto-organisation de l'être humain mise en lumière par des auteurs comme Albert Jacquard ? L'être humain a-t-il le pouvoir d'échapper aux lois naturelles inexorables et d'influencer le cours de sa propre évolution, de lui tracer une destination, une raison d'être qui constituerait la motivation ultime de l'existence humaine individuelle et collective ?

La réponse se trouve à mi-chemin entre la reconnaissance du destin naturel de l'humanité et la prise en considération du pouvoir d'auto-organisation de l'être humain.

3.4.1 Le destin naturel de l'être humain

Le contenu de la notion de destin naturel peut être établi sur la base des facteurs d'appartenance de l'être humain au monde vivant.

En premier lieu, l'*Homo sapiens* est un produit, un accident de l'évolution des espèces vivantes : l'espèce humaine a une origine historique déterminée et elle aura une fin, elle cessera d'exister. De même que l'apparition de l'espèce humaine ne correspondait à aucune volonté, à aucune intention, à aucun plan, sa disparition sera en quelque sorte indifférente, sauf, bien sûr, pour l'être humain lui-même. Jacques Ruffié formule en ces termes le destin biologique de l'être humain en tant qu'espèce :

Beaucoup de nos contemporains gardent, souvent de façon inconsciente, une vision fixiste du monde. Ils agissent comme si les choses avaient toujours été ce qu'elles sont et ne devaient pas changer. Rien n'est moins vrai. Toute histoire a un commencement, une suite et une fin. L'histoire naturelle n'échappe pas à cette règle. La vie a commencé, la vie continue, la vie finira. Et notre espèce, comme tant d'autres, disparaîtra un jour.

Dès à présent on peut entrevoir les conditions de la mort possible de l'humanité. À long terme, la vie quittera le globe. Le Soleil est condamné à s'éteindre. Sa température interne, évaluée à 36 millions de degrés centigrades, tient à une série de réactions nucléaires qui usent sa masse, lentement mais sûrement. On évalue à 7 milliards d'années le délai nécessaire pour que l'astre du jour soit totalement consumé.

La source d'énergie qui avait permis l'apparition, le développement et l'extraordinaire diversification des groupes vivants sur la terre aura disparu. Notre planète se retrouvera dans le froid absolu, sous un ciel constellé d'étoiles encore plus visibles qu'aujourd'hui, mais qu'aucune aube ne viendra blanchir. Elle appartiendra à un système mort, comme il en existe des myriades dans l'Univers, et ne sera plus qu'un vaste cimetière, conservant peut-être quelques vestiges des civilisations disparues. Mais il n'y aura plus aucun archéologue pour les étudier. Tel le vaisseau fantôme de la légende peuplé d'un équipage de squelettes et poursuivant, au gré des flots, une course éternelle, la terre continuera sa ronde silencieuse jusqu'à la fin des temps. À moins que d'ici là les hommes ne réussissent à s'installer ailleurs (ce qui demeure improbable), l'aventure humaine sera terminée.

Elle n'aura représenté qu'une péripétie dans l'histoire de la vie, elle-même incident mineur dans le devenir du cosmos. L'émergence humaine en fut la conscience : mais à quoi aura-t-elle servi ? A-t-elle un sens[77] ?

L'interrogation formulée par Ruffié à propos du sens de l'émergence humaine mérite réflexion. L'être humain est en effet le seul être vivant doué de conscience réfléchie, le seul capable de connaissance. Ces facultés lui ont permis de développer les savoirs scientifiques qui le confrontent brutalement à la finitude de son habitat physique et, partant, à sa propre finitude. On peut, comme le fait Ruffié, se demander si l'émergence de l'*Homo sapiens* a un sens, et même si elle n'est pas tout simplement absurde.

Bien sûr, la croyance en une vie surnaturelle permet de combattre ce sentiment d'absurdité, mais ce n'est pas dans cette voie que conduit l'attitude naturaliste. Celle-ci conduit d'abord à distinguer entre les faits et l'interprétation subjective qu'on peut leur donner sur le plan existentiel. Elle invite ensuite à reconnaître les faits, à les intégrer dans les représentations que nous nous faisons de l'être humain. S'il est prévu que le refroidissement du soleil rendra la terre hostile à la vie, il faut donc concevoir l'espèce humaine comme une espèce vouée à disparaître, de la même manière que chaque individu doit reconnaître que sa mort est inévitable.

Cette citation de Lucrèce, inspirée de la simple observation des phénomènes naturels, exprime l'attitude naturaliste quant à la finitude de toutes choses :

Puisque la masse terrestre, l'eau, les souffles légers des vents et les brûlantes vapeurs du feu, dont se compose l'ensemble des choses, puisque tous ces corps connaissent la nécessité de naître et de mourir, pensons qu'il en est de même pour le monde entier. Car les êtres dont nous voyons les membres formés d'une substance née et d'un corps mortel, ces êtres-là apparaissent contraints à naître et à mourir. C'est pourquoi voyant les vastes membres, les parties gigantesques du monde se consumer et ensuite renaître, je conclus que pour le ciel et la terre pareillement il y a eu un premier instant et il y aura une ruine fatale[78].

---

77. Jacques Ruffié, *Traité du vivant*, Paris, Fayard, 1982, p. 744-745.
78. Lucrèce, *De la nature*, livre cinquième, *op. cit.*, p. 163.

Mais l'échelle de temps dont il est question quand on réfléchit à l'extinction de la vie terrestre se chiffre en millions ou en milliards d'années. Il est certainement permis de poursuivre la réflexion sur la destinée de l'humanité en considérant une échelle de temps à notre mesure. Reformulons donc la question : y a-t-il un danger d'extinction de l'espèce humaine sur le plan proprement biologique ? Ernst Mayr répond :

Le danger d'extinction de l'Homme est négligeable à moins qu'il ne s'extermine lui-même par une guerre atomique ou une autre folie. Aucun autre organisme ne peut réussir à vivre dans toutes les zones climatiques et dans tant d'habitats. L'Homme est suffisamment polymorphe pour que même les maladies les plus dévastatrices laissent des survivants. L'existence semi-isolée de nombre de sociétés primitives augmente cette probabilité de survie. Dans le domaine purement biologique, il n'y a donc pas de grandes raisons de s'inquiéter de la continuité génétique de l'espèce humaine[79].

Mayr signale cependant un risque majeur, celui de la surpopulation. Ce risque touche la qualité spécifique de la vie humaine et l'emporte en importance sur le risque d'extinction de l'espèce humaine :

La surpopulation constitue en fait à présent un problème beaucoup plus sérieux. Je ne parlerai pas de ses aspects matériels comme l'épuisement des ressources minérales et de celles du sol ni de l'accroissement des difficultés pour fournir de la nourriture à 6, 8 ou 10 milliards de personnes. La technique humaine peut trouver des solutions à tous ces problèmes. Mais je ne vois pas comment pourraient prospérer toutes les meilleures choses de l'Homme – sa vie spirituelle, sa joie devant la beauté de la nature, et tout ce qui le distingue des animaux – s'il n'existe que « des places debout ». Il me semble que longtemps avant que ce point soit atteint, la lutte de l'Homme et sa préoccupation des problèmes sociaux, économiques et mécaniques sera devenue si importante et les sous-produits indésirables des cités surpeuplées si nuisibles que peu de possibilités seront laissées à la culture des attributs les plus élevés et les plus spécifiquement humains de l'Homme. Je ne vois pas non plus où la sélection naturelle pourrait entrer dans ce tableau et arrêter cette tendance. L'Homme peut continuer à prospérer physiquement dans ces circonstances, mais continuera-t-il à approcher de ce que nous considérons comme l'Idéal de l'Homme[80] ?

---

79. Ernst Mayr, *Populations, espèces et évolution*, traduction de Yves Guy, Paris, Hermann, 1974, p. 445-446.
80. *Ibid.*, p. 449-450.

L'espèce humaine se retrouve donc, au tournant du XXIᵉ siècle, dans une situation paradoxale : grâce aux avantages adaptatifs que lui a conféré le développement de la culture, des populations humaines de plus en plus nombreuses ont pu survivre et procréer. Or cette faculté d'adaptation a été telle que l'habitat terrestre est devenu surpeuplé et que cette croissance démographique anarchique menace les fondements mêmes de la culture.

Les lois écologiques constituent donc une nouvelle facette du destin naturel de l'être humain. Les sciences de l'environnement démontrent en effet l'interdépendance des espèces animales et végétales, notamment à l'intérieur de la pyramide alimentaire, de même que la dépendance entre le vivant et les conditions physico-chimiques de chaque niche écologique et de la planète en tant que système. Elles montrent aussi que les écosystèmes réagissent en permanence au poids démographique et aux transformations imposées par l'espèce humaine, en « cherchant » constamment de nouvelles formes d'équilibre. Elles nous apprennent enfin qu'il y a des limites à la transformation du milieu naturel par l'être humain. Au-delà de ces limites, l'espèce humaine s'expose à une détérioration grave de ses conditions d'existence et risque peut-être aussi sa survie même, comme le soulignent maints auteurs.

L'humanité doit maintenant gérer les ressources de la planète et sa propre croissance démographique pour assurer sa survie et le bien-être des générations futures. Elle doit en quelque sorte « prendre en mains » son destin naturel. Cela suppose qu'elle est capable d'innovation, d'autotransformation.

Sujet de **réflexion**

- **Peut-on affirmer que la conception naturaliste du rapport entre l'homme et la nature remet en question le vœu de Descartes que l'homme devienne « maître et possesseur de la nature » ?**

- **En faisant une lecture personnelle et critique du lien entre la recherche de connaissances scientifiques, le développement de technologies et le progrès de l'économie de marché, tentez d'expliquer pourquoi le rêve de Descartes menace de tourner au cauchemar.**

3.4.2 Le pouvoir d'auto-organisation de l'être humain

Devant l'horizon plutôt sombre que trace l'étude du destin naturel de l'être humain en tant qu'espèce biologique, peut-on nourrir un espoir dans sa capacité d'innovation et d'autotransformation, dont traitent plusieurs auteurs naturalistes ?

Pour répondre à cette question cruciale dans un esprit proprement naturaliste, nous proposons d'abord ce texte de Theodosius Dobzhansky[81]. Il situe la question dans

---

81. Theodosius Dobzhansky (1900-1975). Généticien d'origine russe naturalisé américain. On lui doit notamment *La génétique et l'origine des espèces* (1937), *L'homme en évolution* (1961) et *Génétique du processus évolutif* (1977). Ses recherches ont permis de préciser le concept de sélection naturelle en montrant l'importance, pour l'évolution, des individus porteurs de génotypes différents au sein des populations.

sa perspective historique, celle des représentations successives du rapport entre l'être humain et l'univers physique :

 La civilisation a aidé une bonne part de l'humanité à passer de l'ignorance, de la sous-alimentation et de la saleté à l'instruction, à une relative abondance et à l'hygiène. Il est indiscutable que c'est un bien. L'homme a cependant perdu sans recours, au fil de ces transformations, des choses d'inestimable valeur.

L'homme ne jouit plus de la certitude de se dresser au centre d'un univers spécialement créé pour lui, ni de la certitude jumelle que son univers est présidé par une Puissance que des prières peuvent toucher et rendre propice, et qui s'intéresse à lui individuellement ou collectivement. Copernic et Galilée lancent brusquement la nouvelle : le monde ne tourne pas autour de l'homme, c'est l'homme qui tourne autour du monde – et voilà que dans ce monde, immense et sans merci, jamais plus circonscrit et douillettement familier, l'homme n'est qu'un incident et presque superflu. [...]

Que n'a-t-on tenté pour que l'homme ne se sente plus séparé du monde qu'il habite ? Descartes pensait : l'homme possède une âme immortelle, tandis que les animaux ne sont que des machines ; mais Locke de faire remarquer : il n'y a rien dans l'esprit de l'homme qui n'y soit entré par la voie des organes des sens. [...] Pour beaucoup, Darwin semblait avoir asséné le coup de grâce, rendant le schisme irréparable dans l'âme humaine : non, le monde n'était pas fait pour l'homme, loin de là, il n'était qu'une simple unité au milieu de millions d'autres espèces, et comment cela ? grâce à des phénomènes matériels assez peu édifiants, du genre lutte pour la vie ou survivance du plus apte ; et il se voyait du même coup parent de créatures aussi peu recommandables que les singes ! Avec Freud fut parachevée la dépréciation de la condition humaine ; raillant les prétentions de l'homme à la spiritualité, il lui déniait non seulement cette spiritualité, mais avec elle la rationalité[82].

Il est assez curieux que le point le plus important de l'enseignement de Darwin soit passé inaperçu : l'homme n'est pas seulement évolué, il évolue. C'est une source d'espoir dans l'abîme du désespoir. En un sens, Darwin a pansé la plaie ouverte par Copernic et par Galilée.

L'homme n'est pas le centre matériel de l'univers, mais il peut en être le centre spirituel. L'homme et l'homme seul sait que le monde évolue et qu'il évolue avec lui. En changeant ce qu'il connaît du monde, l'homme

---

82. Voir à ce propos le chapitre 4, qui traite de la conception freudienne de l'être humain.

change le monde qu'il connaît ; en changeant le monde dans lequel il vit, l'homme se change lui-même. Les changements peuvent être détérioration ou amélioration : l'espoir repose sur cette possibilité que les changements inspirés par la connaissance seront aussi dirigés par la connaissance[83].

La connaissance scientifique et ses applications technologiques se présentent ainsi, pour le naturaliste, comme les moyens privilégiés pour assumer la gestion de la vie. S'il y a une direction, une destination, un sens de l'existence humaine, ce serait la maîtrise de son propre développement par la connaissance sans cesse renouvelée des dynamismes qui gouvernent sa vie organique, psychologique et sociale, dans l'acceptation de son destin d'être naturel tel qu'il est tracé par les lois immuables d'organisation du vivant et de l'univers physique. Pour paraphraser Dobzhansky, l'espoir qui motive le naturaliste, c'est que l'évolution culturelle humaine réussisse à placer les décisions individuelles et collectives sous l'égide des connaissances les meilleures dont nous disposons sur l'être humain et son habitat ; en somme, que les décisions cruciales qui doivent être prises sur le plan politique, social et économique s'inspirent d'une représentation de l'être humain et de l'univers qui soit la plus exacte, la plus objective et la plus ouverte possible.

Certes, rien n'indique par avance que la représentation résultante de l'être humain et de sa place dans l'univers sera source d'espoir, qu'elle permettra de chasser les angoisses face à la mort et à l'avenir qui hantent l'être humain depuis la nuit des temps. Nous ne pouvons pas prédire que la représentation sans cesse inachevée de l'être humain développée par les sciences sera en elle-même porteuse d'une signification répondant à toutes les questions existentielles qui ont conduit l'être humain sur la voie de la recherche philosophique et religieuse.

Selon certains auteurs naturalistes, il n'est plus possible de reculer, de revenir à des représentations non scientifiques de l'être humain. Dans cette optique, la seule avenue qui s'offre à nous est d'explorer la logique naturaliste jusqu'au bout, quitte à constater que nous sommes « incapables de soutenir la vérité de la science ». C'est le cas du biologiste français Jean Rostand, dont les propos représentent un pôle radical de l'attitude naturaliste :

La science n'a guère fait jusqu'ici, on doit le reconnaître, que donner à l'homme une conscience plus nette de la tragique étrangeté de sa condition, en l'éveillant pour ainsi dire au cauchemar où il se débat. On est fondé à souhaiter que, dans l'avenir, elle apprenne à user de sa puissance pour dispenser à l'homme la paix affective, l'aise morale. Il se pourrait, par exemple, que les progrès de la physiologie cérébrale, ou simplement de la psychanalyse, le mettent en mesure de modifier assez

83. Theodosius Dobzhansky, *L'homme en évolution*, Paris, Flammarion, 1966, p. 390-391.

profondément les réactions psychiques pour que l'individu accepte sans douleur les disharmonies inhérentes à sa condition.

La science est allée trop loin maintenant pour s'arrêter en chemin, et l'on doit s'attendre qu'elle ajoute à sa rude doctrine des méthodes qui prépareraient les âmes à la recevoir. Il ne suffit pas, en effet, qu'elle nous enseigne notre néant, il faut qu'elle nous rende capables de le tolérer. Il ne suffit pas qu'elle nous ôte l'illusion d'une tâche aux suites infinies, il faut qu'elle nous en arrache le besoin. Il ne suffit pas qu'elle nous dépouille du sentiment de notre liberté, il faut qu'elle règle le fonctionnement de notre machine de telle sorte que nous nous acceptions pour machine.

Il se peut qu'une science toute-puissante réussisse, en définitive, à créer ce nouvel homme adapté à l'humain, satisfait de n'être que ce qu'il est, comblé par son destin étroit, guéri de tout rêve qui le dépasse. Mais il se pourrait aussi que l'humanité fût, dans son ensemble, incapable de soutenir la vérité de la science[84].

JEAN ROSTAND
(1894-1977)
Biologiste français, fils de l'écrivain Edmond Rostand, l'auteur du célèbre *Cyrano de Bergerac*. L'un des derniers chercheurs à travailler de manière autonome dans son laboratoire privé, Jean Rostand s'est fait connaître par ses recherches sur la tératogenèse, notamment chez les batraciens. Il a publié de nombreux ouvrages de vulgarisation scientifique et de réflexion d'ordre philosophique.

L'homme est un miracle sans intérêt.
(Pensées d'un biologiste)

À un autre pôle du courant de pensée naturaliste, on trouve des auteurs plus modérés, comme Dobzhansky et Jacquard. Aux yeux de ces derniers, les savoirs scientifiques servent à critiquer et à faire progresser les représentations de l'être humain de même que les pratiques et les institutions correspondantes, tout en permettant de conserver les acquis culturels les plus féconds sur le plan existentiel. Ces acquis culturels, qu'ils soient philosophiques, juridiques ou artistiques, contribuent à

---

84. Jean Rostand, *Pensées d'un biologiste*, Paris, Stock, coll. Plus, 1978, p. 106-107.

donner un sens à l'existence humaine et à organiser la vie individuelle et sociale selon des principes de convivialité, de solidarité et de responsabilité envers les générations futures, selon des principes porteurs d'espoir.

Rappel des IDÉES PRINCIPALES

3.4 PEUT-ON PARLER DE DESTINÉE HUMAINE ?

L'être humain a-t-il le pouvoir d'influencer le cours de sa propre évolution, de lui assigner une destination et une raison d'être qui constitueraient la motivation ultime de l'existence individuelle et collective ?

3.4.1 Le destin naturel de l'être humain

- En tant que produit de l'évolution, l'espèce humaine a une origine historique et aura une fin : elle cessera d'exister.
- De même que son apparition ne correspondait à aucun plan, sa disparition sera en quelque sorte indifférente. L'espèce humaine est appelée à disparaître, tout comme la mort de chaque individu est inévitable.
- À l'échelle du temps humain, l'extinction de la vie terrestre ne constitue pas une préoccupation immédiate. Un danger plus imminent guette l'espèce humaine : celui de la surpopulation.
- L'humanité doit désormais gérer les ressources de la planète et sa propre croissance démographique pour assurer sa survie et le bien-être des générations futures.

3.4.2 Le pouvoir d'auto-organisation de l'être humain

- Les savoirs scientifiques et leurs applications techniques peuvent permettre à l'être humain de maîtriser son propre développement, à la condition que les décisions politiques, économiques et sociales importantes s'inspirent des meilleures connaissances sur l'être humain et son habitat.
- Toutefois, rien ne peut garantir que la gestion du développement humain sur la base de ces connaissances scientifiques s'inscrira nécessairement dans la perspective des idéaux et des aspirations au bonheur individuel et collectif véhiculées par les cultures religieuses et philosophiques depuis des millénaires.
- La conception naturaliste soutient par contre que le meilleur pari que l'on puisse faire est celui de la connaissance : il faut poursuivre le développement des savoirs qui, par leur ouverture à la vérification et à la remise en question, permettent l'autonomie et l'innovation. Pour maîtriser son développement, l'être humain doit maîtriser la connaissance qu'il a de lui-même et de l'univers.

4 REMARQUES CRITIQUES

4.1 LE DÉPASSEMENT DU DÉTERMINISME

Comme nous l'avons exposé précédemment à la section 2.2.3 C, l'un des postulats premiers du naturalisme moderne se traduit dans la notion de *déterminisme*. Selon ce postulat, l'ordre naturel des choses obéit à un enchaînement déterminé de causes et d'effets; les lois de ce mouvement peuvent être formulées avec certitude et le déroulement des phénomènes prévu avec précision. Sur cette base, on pouvait supposer qu'une explication scientifique complète de l'être humain était accessible : en établissant un lien de causalité entre son évolution en tant qu'espèce animale, les lois de son organisation biologique, le fonctionnement de son cerveau, la maîtrise du langage et les phénomènes psychiques, il aurait été possible d'expliquer et de prévoir les comportements individuels et sociaux.

Or, à mesure que nous avons progressé dans l'étude scientifique du vivant et de l'être humain, nous avons rencontré des notions étrangères au modèle déterministe : les notions de hasard, de complexité, d'auto-organisation, de programme génétique ouvert. En fait, plus nous nous familiarisions avec des connaissances biologiques récentes, plus nous nous éloignions de la vision déterministe. Cela se comprend par le fait que l'idée même du déterminisme naturel a été remise en question d'abord dans le domaine de la physique, et ce dès le début du XXe siècle. L'avènement de la physique quantique[85] a en effet constitué une véritable révolution dans la conception naturaliste de l'univers et de la science. Expliquons brièvement l'objet de cette révolution à l'aide de ce texte d'Edgar Morin :

> N'oublions pas que le problème du déterminisme s'est transformé en un siècle. L'idée de déterminisme s'est corrélativement assouplie et enrichie. À l'idée de lois souveraines, anonymes, permanentes, guidant toutes choses dans la nature s'est substituée l'idée de lois d'interactions [...]. Plus encore : le problème du déterminisme est devenu celui de l'ordre de l'univers. L'ordre signifie qu'il n'y a pas que des «lois», mais des contraintes, invariances, constances, régularités dans notre univers. L'idée d'ordre est plus riche que l'idée de lois, et elle nous permet de comprendre que les contraintes, invariances, constances, régularités dépendent de conditions singulières ou variables. [...]

---

85. La théorie des quanta a été formulée en 1900 par Max Planck (1858-1947). Elle affirme que l'énergie a, comme la matière, une structure discontinue et qu'elle existe sous forme de corpuscules – ou quanta – mesurables en fréquence de rayonnement. Cette théorie a inspiré toute la physique du XXe siècle, notamment les travaux d'Albert Einstein (1879-1955) sur la lumière et de Niels Bohr (1885-1962) sur la structure de l'atome. La théorie des quanta introduit l'idée fondamentale de discontinuité dans la conception de l'univers physique.

Mieux encore : nous voyons que l'ordre biologique, c'est-à-dire les invariances, constances, règles, régularités propres aux phénomènes vivants, n'a pu se constituer qu'après une longue et marginale évolution physico-chimique, et dans des conditions d'existence temporaires, locales et précaires, qui sont celles de notre planète. Cet ordre, donc, n'est ni absolu, ni éternel, ni inconditionnel. Il est le produit d'une évolution particulière et déviante au sein d'une petite planète d'un soleil de banlieue, et, s'il y a vie dans une autre planète, elle y serait également particulière, marginale, provisoire[86].

Morin expose ensuite l'idée centrale de désordre, qui se rattache en physique atomique au comportement imprévisible des particules subatomiques et, en génétique, aux mutations aléatoires. Il présente la notion de désordre comme étant indissociable de celle d'ordre. Il y a dans l'univers des processus d'organisation de la matière – la formation de cellules, de molécules, d'atomes ou d'étoiles – qui sont producteurs d'ordre ; mais ces processus organisateurs comportent nécessairement des désordres, c'est-à-dire des irrégularités, des ruptures, des discontinuités. Dès lors, les phénomènes naturels doivent être conçus dans une perspective évolutive, où ils se présentent sous la forme d'une boucle ordre/désordre/organisation : le monde physique, biologique et humain s'organise et évolue selon des processus nécessaires et accidentels, réguliers et irréguliers, prévisibles et aléatoires – bref, ordonnés et désordonnés.

Cette remise en question du déterminisme classique entraîne deux grandes conséquences qui intéressent directement notre réflexion sur l'anthropologie naturaliste. La première touche à la conception de la science comme connaissance certaine. Edgar Morin l'exprime en ces termes :

Certes, on a longtemps cru que l'univers était une machine déterministe impeccable qui serait totalement connaissable, et certains croient encore qu'une équation maîtresse nous livrerait son secret. Or, en fait, l'enrichissement de notre connaissance de l'univers débouche sur le mystère de son origine, de son être, de son avenir. [...] Notre logique piétine devant l'infiniment petit et devant l'infiniment grand, le vide physique et les très hautes énergies. Les extraordinaires découvertes de l'organisation à la fois moléculaire et informationnelle de la machine vivante nous conduisent non à la connaissance finale de la vie mais aux portes du problème de l'auto-organisation.

---

86. Edgar Morin, « Au-delà du déterminisme : le dialogue de l'ordre et du désordre », dans *La querelle du déterminisme : philosophie de la science d'aujourd'hui*, collectif, Paris, Gallimard, coll. Le débat, 1990, p. 83-84.

On peut même dire que, de Galilée à Einstein, de Laplace à Hubble, de Newton à Bohr, nous avons perdu le trône d'assurance qui mettait notre esprit au centre de l'univers : nous avons appris qui nous sommes, nous autres citoyens de la planète Terre, les banlieusards d'un Soleil de banlieue lui-même exilé à la périphérie d'une galaxie périphérique d'un univers mille fois plus mystérieux que nul ne l'aurait imaginé il y a encore un siècle. Le progrès des certitudes scientifiques produit donc un progrès de l'incertitude. Mais c'est une « bonne » incertitude qui nous délivre d'une illusion naïve et nous éveille d'un rêve légendaire : c'est une ignorance qui se reconnaît comme ignorance[87].

Cette conception ouverte de la science ne peut que déboucher sur une conception ouverte de l'être humain ; c'est là la deuxième conséquence. Si nous avons perdu, selon les mots de Morin, le trône d'assurance qui mettait notre esprit au centre de l'univers, nous avons aussi abandonné le projet de construire un modèle biologique simple de l'être humain. Nous connaissons désormais certains mots-clés pour la compréhension de l'être humain : la communication, l'interaction, l'auto-organisation. Nous avons la certitude que les modèles d'explication proposés par la génétique et la neurophysiologie du cerveau sont fondamentaux, en même temps que nous les savons extrêmement complexes et largement incomplets dans l'état actuel de la science. Nous savons aussi que les processus d'interaction entre l'organisme humain et le milieu socioculturel sont tout aussi fondamentaux que les processus proprement biologiques, mais nous cherchons encore un modèle qui permettrait de les expliquer foncièrement. Une grande part d'incertitude ou d'ignorance demeure donc au terme de notre réflexion sur l'anthropologie naturaliste.

Il ne faudrait pas conclure de ces remarques critiques que nous devrions délaisser les savoirs scientifiques pour revaloriser les conceptions non scientifiques de l'être humain. Au contraire, les penseurs naturalistes réaffirment la valeur de leur perspective, et soutiennent même plus que jamais la supériorité de la méthode scientifique sur les autres approches de l'être humain. Laissons Edgar Morin exprimer en quoi consiste cette supériorité :

Ainsi la science n'est pas seulement une accumulation de vérités vraies [...] : elle est un champ toujours ouvert où se combattent non seulement les théories mais les principes d'explication, c'est-à-dire aussi les visions du monde et les postulats métaphysiques. Mais ce combat a et maintient ses règles du jeu : le respect des données d'une part, l'obéissance à des critères de cohérence d'autre part. C'est l'obéissance à cette règle

---

87. Id., *Science avec conscience*, Paris, Seuil, 1990, p. 23.

> du jeu par des débattants-combattants acceptant sans équivoque cette
> règle, qui fait la supériorité de la science sur toute autre forme de
> connaissance[88].

Si les règles du jeu scientifique sont un gage de validité et de réfutabilité des différentes hypothèses ou théories sur l'être humain, on peut en revanche se demander si les savoirs scientifiques arrivent à produire une représentation de l'être humain porteuse d'une signification culturelle partagée par le plus grand nombre. En d'autres termes, on peut se demander s'il y a véritablement intégration culturelle de la conception naturaliste de l'être humain.

4.2 L'INTÉGRATION CULTURELLE DE LA SCIENCE

Les progrès continus des connaissances et des techniques scientifiques ont amené les chercheurs à étudier des aspects de la réalité qui échappent à la perception sensorielle et aux représentations fondées sur celle-ci. Face à l'infiniment grand (astronomie et astrophysique), à l'infiniment petit (physique atomique, chimie et biologie moléculaire) et à l'infiniment complexe (sciences de la vie et sciences humaines), ils doivent recourir à des modèles mathématiques hautement abstraits, faire de plus en plus confiance à l'ordinateur pour vérifier les calculs, analyser les phénomènes et élaborer l'image de phénomènes que l'on ne peut pas percevoir directement. Les connaissances s'expriment sous forme de modèles complexes faisant appel à un vocabulaire hyperspécialisé.

De plus, les grandes disciplines scientifiques traditionnelles se sont subdivisées en branches spécialisées dont les résultats sont pratiquement impossibles à intégrer dans une vision d'ensemble : il y a morcellement et cloisonnement des savoirs. Edgar Morin exprime ainsi ce phénomène :

> Nous semblons approcher d'une révolution redoutable dans l'histoire du
> savoir, où celui-ci, cessant d'être pensé, médité, réfléchi, discuté par
> des êtres humains, intégré dans la recherche individuelle de connaissance
> et de sagesse, devient de plus en plus destiné à être accumulé dans les
> banques de données[89].

Une conséquence importante en découle : la vulgarisation du savoir scientifique de pointe est devenue un défi pratiquement impossible à relever, la traduction du langage scientifique en langage commun, une tâche extrêmement difficile. Il devient de plus en plus ardu de traduire les théories scientifiques à l'aide de notions claires

---

88. *Ibid.*, p. 24.
89. *Ibid.*, p. 17.

et facilement compréhensibles pour la personne qui cherche à résoudre ses dilemmes existentiels, qui est engagée dans une recherche individuelle de connaissance et de sagesse, selon les termes d'Edgar Morin. Dans une perspective plus globale, l'intégration de la culture scientifique à la culture de masse fait problème, malgré l'enseignement des sciences dans les programmes scolaires et l'existence de nombreuses revues et d'ouvrages de vulgarisation scientifique.

On peut voir une manifestation de cette difficulté d'intégration dans la cohabitation du discours scientifique avec les croyances religieuses, comme en témoigne le débat qui oppose encore, dans certaines cultures, les évolutionnistes et les créationnistes.

La position créationniste judéo-chrétienne, qui affirme essentiellement que Dieu a précédé le monde et l'a créé, prend sa source dans le premier chapitre de la Genèse :

Au commencement, Dieu créa le ciel et la terre. Or la terre était vide et vague, les ténèbres couvraient l'abîme, un vent de Dieu tournoyait sur les eaux.

Dieu dit : « Que la lumière soit » et la lumière fut. Dieu vit que la lumière était bonne, et Dieu sépara la lumière et les ténèbres. Dieu appela la lumière « jour » et les ténèbres « nuit ». Il y eut un soir et il y eut un matin : premier jour.

Dieu dit : « Qu'il y ait un firmament au milieu des eaux et qu'il sépare les eaux d'avec les eaux » et il en fut ainsi. Dieu fit le firmament, qui sépara les eaux qui sont sous le firmament d'avec les eaux qui sont au-dessus du firmament, et Dieu appela le firmament « ciel ». Il y eut un soir et il y eut un matin : deuxième jour.

Dieu dit : « Que les eaux qui sont sous le ciel s'amassent en une seule masse et qu'apparaisse le continent » et il en fut ainsi. Dieu appela le continent « terre » et la masse des eaux « mers », et Dieu vit que cela était bon.

Dieu dit : « Que la terre verdisse de verdure : des herbes portant semence et des arbres fruitiers donnant sur la terre selon leur espèce des fruits contenant leur semence » et il en fut ainsi. La terre produisit de la verdure : des herbes portant semence selon leur espèce, des arbres donnant selon leur espèce des fruits contenant leur semence, et Dieu vit que cela était bon. Il y eut un soir et il y eut un matin : troisième jour.

Dieu dit : « Qu'il y ait des luminaires au firmament du ciel pour séparer le jour et la nuit ; qu'ils servent de signes, tant pour les fêtes que pour les jours et les années ; qu'ils soient des luminaires au firmament du ciel pour éclairer la terre » et il en fut ainsi. Dieu fit les deux luminaires majeurs : le grand luminaire comme puissance du jour et le petit luminaire comme puissance de la nuit, et les étoiles. Dieu les plaça au firmament du ciel pour éclairer la terre, pour commander au jour et à la nuit, pour séparer la lumière et les ténèbres, et Dieu vit que cela était bon. Il y eut un soir et il y eut un matin : quatrième jour.

Dieu dit : « Que les eaux grouillent d'un grouillement d'êtres vivants et que des oiseaux volent au-dessus de la terre contre le firmament du ciel » et il en fut ainsi. Dieu créa les grands serpents de mer et tous les êtres vivants qui glissent et qui grouillent dans les eaux selon leur espèce, et toute la gent ailée selon son espèce, et Dieu vit que cela était bon. Dieu les bénit et dit : « Soyez féconds, multipliez, emplissez l'eau des mers, et que les oiseaux multiplient sur la terre. » Il y eut un soir et il y eut un matin : cinquième jour.

Dieu dit : « Que la terre produise des êtres vivants selon leur espèce : bestiaux, bestioles, bêtes sauvages selon leur espèce » et il en fut ainsi. Dieu fit les bêtes sauvages selon leur espèce, les bestiaux selon leur espèce et toutes les bestioles du sol selon leur espèce, et Dieu vit que cela était bon[90].

Ainsi, l'univers n'est pas éternel : il a eu un commencement et il aura une fin. Ce commencement est absolu, c'est-à-dire que Dieu n'a pas créé le monde à partir d'un matériau existant, comme le fait le menuisier en bâtissant une maison : la matière elle-même est l'œuvre de Dieu.

Le récit de la Genèse, qui présente la création par Dieu, dans un court laps de temps, de la multitude des êtres animés et inanimés de la terre et de l'infinité des astres de l'univers, a longtemps été tenu pour conforme à la réalité historique. En fait, on l'a considéré comme tel jusqu'à ce que l'on commence à mettre en doute la croyance voulant que les textes bibliques soient vrais à la lettre. Comme nous l'avons vu, le développement de l'évolutionnisme au XIXe siècle a contribué, avec d'autres facteurs, à ébranler cette croyance et a amené les chrétiens à *interpréter* le récit biblique de la création. La majorité des chrétiens verra dès lors le texte de la Genèse comme une œuvre littéraire métaphorique et symbolique. Ils ne croiront plus que Dieu a créé instantanément le monde et tous les êtres qui l'habitent, chacun selon son espèce, mais diront que les lois régissant les phénomènes physiques et que les principes de l'organisation de la vie sur la terre sont l'œuvre de Dieu.

Si l'on conserve le message initial selon lequel Dieu est le créateur de tout ce qui existe, certains admettent désormais que l'évolution des espèces à partir des formes primitives de la vie a pu être le moyen que Dieu a choisi pour préparer l'avènement

90. Genèse 1, 1-25, dans *La Bible de Jérusalem*, Paris, Les Éditions du Cerf, 1981, p. 31-32.

de l'être humain. Les êtres vivants n'en continuent pas moins de dépendre de Dieu, ce qui constitue le sens premier de la création. Ils en dépendent non seulement dans leur existence, mais aussi dans leur essence et dans leur devenir. Ainsi, la théologie contemporaine a dépassé la querelle qui, au siècle dernier, opposait les créationnistes aux évolutionnistes. Cette pensée de Pierre Teilhard de Chardin[91] en témoigne : « Accepter intellectuellement la possibilité, et démontrer scientifiquement la réalité de cette naissance de l'Homme au sein de la vie générale, a été l'un des plus beaux efforts accomplis par la loyauté et la ténacité des hommes au cours de ces dernières années[92]. »

Cependant, cette tentative de rapprochement entre la science et la religion n'est pas acceptée par tous les chrétiens. En témoignent les mouvements qui revendiquent encore aujourd'hui, par exemple aux États-Unis, la parité entre l'enseignement de l'évolutionnisme et celui du créationnisme, et même la présence exclusive du créationnisme dans les programmes d'études primaires et secondaires. D'ailleurs, la cause du créationnisme a été portée devant les plus hautes instances des tribunaux américains, notamment à propos de la séparation de l'Église et de l'État et de la liberté d'expression des enseignants. Certains groupes extrémistes, ne craignant pas la contradiction, vont même jusqu'à financer des recherches scientifiques visant à démontrer la validité scientifique et biologique du récit de la Genèse.

Sujet de réflexion

Quelle est votre position dans le débat qui oppose créationnisme et évolutionnisme ? Quels sont vos arguments ? Quel lien établissez-vous entre cette problématique et celle du port du foulard islamique à l'école, signalée au chapitre 1 ?

Le niveau de militantisme, dans les différents mouvements en question, varie selon le rattachement au traditionalisme et selon l'engagement politique. Le tableau suivant précise, en empruntant des définitions d'Umberto Eco[93], les notions de fanatisme, de fondamentalisme, d'intégrisme et d'intolérance qui caractérisent les attitudes communes des mouvements religieux les plus extrémistes.

91. Pierre Teilhard de Chardin (1881-1955). Théologien, philosophe et paléontologue français. Auteur de l'essai *Le phénomène humain*, entre autres ouvrages. Dans son œuvre, il tente de concilier les exigences de la science avec celles de la foi catholique, en proposant notamment une interprétation évolutionniste de la création. Il voit dans l'évolution une spiritualisation progressive de la matière.

92. Pierre Teilhard de Chardin, *Œuvres*, tome III : *La vision du passé*, Paris, Éditions du Seuil, 1957, p. 249.

93. Les définitions des termes *fondamentalisme, intégrisme et intolérance* sont tirées d'Umberto Eco, « Les migrations, la tolérance et l'intolérable », dans *Cinq questions de morale*, Paris, Grasset, 2000, p. 139-143.

| **Fanatisme** | Foi exclusive en une doctrine, une religion, une cause, accompagnée d'un zèle absolu pour la défendre, conduisant souvent à l'intolérance et à la violence. |

Le Petit Robert

| **Fondamentalisme** | « En termes historiques, le "fondamentalisme" est un principe herméneutique, lié à l'interprétation d'un livre sacré. Le fondamentalisme occidental moderne naît dans les milieux protestants des États-Unis du XIXe siècle et est caractérisé par la décision d'interpréter littéralement les Écritures, surtout les notions de cosmologie dont la science de l'époque semblait mettre en doute la véracité. De là, le refus souvent intolérant de toute interprétation allégorique, et surtout de toute forme d'éducation qui minerait la confiance dans le texte biblique, comme cela était le cas avec le darwinisme triomphant. |

Une telle littéralité fondamentaliste était ancienne, et, déjà, les Pères de l'Église s'étaient divisés entre partisans de la lettre et partisans d'une herméneutique plus souple, à l'instar de celle de saint Augustin. Mais dans le monde moderne, le fondamentalisme strict ne pouvait être que protestant, car, pour être fondamentaliste, il faut assumer que la vérité est donnée par l'interprétation de la Bible. Chez les catholiques, en revanche, c'est l'autorité de l'Église qui garantit l'interprétation, et l'équivalent du fondamentalisme protestant prend la forme du traditionalisme. »

| **Intégrisme** | « On entend [...] par "intégrisme" une position religieuse et politique selon laquelle les principes religieux sont également modèle de vie politique et source des lois de l'État. Si fondamentalisme et traditionalisme sont en général conservateurs, certains intégrismes se veulent progressistes et révolutionnaires. Il existe des mouvements catholiques intégristes non fondamentalistes, qui luttent pour une société totalement inspirée des principes religieux mais n'entendent pas pour autant imposer une interprétation littérale des Écritures, et sont même prêts à accepter une théologie à la Teilhard de Chardin. »

Intolérance

« L'intolérance [...] a des racines biologiques, elle se manifeste entre les animaux sous forme de territorialité, elle se fonde sur des réactions émotives souvent superficielles – nous ne supportons pas ceux qui sont différents de nous, parce qu'ils ont une couleur de peau différente, parce qu'ils parlent une langue que nous ne comprenons pas, parce qu'ils mangent des grenouilles, du chien, du singe, du porc, de l'ail, parce qu'ils se font tatouer...

L'intolérance pour le différent ou l'inconnu est aussi naturelle chez l'enfant par l'instinct de vouloir posséder ce qu'il désire. L'enfant est éduqué peu à peu à la tolérance, tout comme il est éduqué peu à peu au respect de la propriété d'autrui, mais bien avant encore, au contrôle de ses sphincters. Malheureusement, si tous parviennent à la maîtrise de leur corps, la tolérance reste un problème éducatif permanent des adultes, car la vie quotidienne nous expose sans cesse au traumatisme de la différence. »

Le militantisme créationniste témoigne d'un rejet de la méthode et des savoirs scientifiques et indique bien la difficulté qu'il y a à développer une véritable culture scientifique, même dans les sociétés industrielles les plus développées sur les plans scientifique et technologique. Manifestement, l'enseignement de l'autonomie de pensée par le sens de l'observation exacte, la rigueur du raisonnement et le souci de la vérification n'est pas aussi répandu qu'on pourrait s'y attendre aujourd'hui.

Ce débat est certes un symptôme de la difficulté grandissante à vulgariser des connaissances complexes et hyperspécialisées. C'est peut-être aussi le signe que la philosophie naturaliste qui sous-tend le développement des sciences et des techniques n'est pas partagée par le plus grand nombre. Rappelons que l'attitude philosophique naturaliste se distingue par la volonté d'élaborer des représentations de l'univers et de l'être humain dont les contenus peuvent toujours être remis en question, par l'observation de règles de vérification des données et le respect de critères de cohérence. On peut se demander si l'importance donnée à la remise en question ne disqualifie pas la philosophie naturaliste aux yeux des personnes qui cherchent des certitudes existentielles, des vérités susceptibles d'apporter un sens à leur existence. C'est la question principale que nous développons brièvement dans notre réflexion sur l'attitude face à la mort.

5 PROBLÉMATIQUE
L'ATTITUDE FACE À LA MORT

Dans la mise en situation qui ouvre ce chapitre, nous présentons le cas de Mathieu, un jeune homme atteint de leucémie. Face à l'éventualité de la mort, il manifeste une attitude particulière, faite de réalisme, de lucidité et de volonté de vivre ; d'où le besoin qu'il ressent de profiter pleinement de chacun des instants de sa vie.

La problématique de l'attitude face à la mort nous semble pertinente pour tracer la perspective de conclusion de ce chapitre. En effet, l'interrogation sur le sens de la mort ne trouve pas de réponse univoque et unanime dans le contexte de nos sociétés pluralistes, et les enseignements naturalistes sur cette question nous semblent de nature à bien situer le débat.

Quelques brèves citations de Lucrèce et d'Épicure suffisent à caractériser l'enseigne-ment des philosophes naturalistes de l'Antiquité concernant la mort. Exprimant la pensée d'Épicure, Lucrèce nous rappelle d'abord que l'âme est une réalité corporelle et qu'elle est corruptible comme le corps :

> L'âme constitue une partie du corps et y occupe sa place fixe et déter-minée ainsi que les oreilles, les yeux et tous les autres sens qui gouver-nent la vie ; c'est pourquoi si la main, l'œil, le nez, une fois séparés de nous, ne peuvent éprouver de sensation ni exister par eux-mêmes, mais qu'au contraire ils se dissolvent et se corrompent en peu de temps, l'âme ne peut elle non plus exister seule sans le corps, détachée de la personne [...].

> Je le répète donc : l'enveloppe corporelle une fois dissoute et le souffle vital expulsé, il faut de toute nécessité que les facultés de l'esprit s'éteignent et l'âme pareillement, car leurs causes sont liées[94].

Lucrèce envisage malgré tout l'hypothèse d'une survie de l'âme, pour conclure aussitôt qu'elle est sans signification pour nous. Il argumente ainsi : à partir du moment où la mort signifie l'arrêt de la conscience individuelle, ce qui pourrait hypothétiquement arriver à une âme immortelle ne nous concerne pas et ne doit pas nous affecter. Voyons les termes mêmes de l'auteur :

> Même si, affranchis du corps, l'esprit et l'âme conservaient le sentiment, en quoi cela nous intéresse-t-il, nous dont une union intime de l'âme et du corps réalise l'existence et constitue l'être ? Et quand bien même le temps, après notre mort, rassemblerait toute notre matière et la réorganiserait dans son ordre actuel en nous donnant une seconde fois

---

94. Lucrèce, *De la nature*, livre III, *op. cit.*, p. 100-101.

la lumière de la vie, là encore il n'y aurait rien qui nous pût toucher, du moment que rupture se serait faite dans la chaîne de notre mémoire. Que nous importe aujourd'hui ce que nous fûmes autrefois? que nous importe ce que le temps fera de notre substance[95]?

Sujet de **réflexion**

Exposez en vos propres termes la sagesse ou l'art de vivre qui se dégage des passages de Lucrèce et d'Épicure sur le sens de la mort et, partant, sur le sens de la vie. Partagez-vous cette philosophie qui cherche à acquérir le savoir le plus complet possible, tout en acceptant que l'on ne puisse répondre à toutes les questions?

Nous retrouvons dans ces textes philosophiques anciens la conviction profonde qui anime Mathieu: la mort n'a d'autre signification que l'arrêt des fonctions vitales, elle est la disparition définitive de la personne comme entité biologique et psychologique. Il est donc tout à fait vain d'espérer survivre sous une forme spirituelle, de croire en une quelconque immortalité. Cela étant admis, il devient irrationnel de craindre la mort, puisque cette crainte est liée à l'incertitude quant au sort qui nous serait réservé dans l'au-delà. Si l'existence humaine cesse définitivement avec la mort biologique, il n'y a plus rien à craindre de l'au-delà, ni de la mort elle-même. Épicure formule à ce propos le raisonnement suivant:

 Familiarise-toi avec l'idée que la mort n'est rien pour nous, car tout bien et tout mal résident dans la sensation; or, la mort est la privation complète de cette dernière. Cette connaissance certaine que la mort n'est rien pour nous a pour conséquence que nous apprécions mieux les joies que nous offre la vie éphémère, parce qu'elle n'y ajoute pas une durée illimitée, mais nous ôte au contraire le désir d'immortalité. En effet, il n'y a plus d'effroi dans la vie pour celui qui a réellement compris que la mort n'a rien d'effrayant. Il faut ainsi considérer comme un sot celui qui dit que nous craignons la mort, non pas parce qu'elle nous afflige quand elle arrive, mais parce que nous souffrons déjà à l'idée qu'elle arrivera un jour. Car si une chose ne nous cause aucun trouble par sa présence, l'inquiétude qui est attachée à son attente est sans fondement. Ainsi, celui des maux qui fait le plus frémir n'est rien pour nous, puisque tant que nous existons la mort n'est pas, et que quand la mort est là nous ne sommes plus. La mort n'a, par conséquent, aucun rapport ni avec les vivants ni avec les morts, étant donné qu'elle n'est rien pour les premiers et que les derniers ne sont plus[96].

---

95. *Ibid.*, p. 198.

96. Épicure, *Lettre à Ménécée sur la morale*, dans *Épicure et les épicuriens*, textes choisis par Jean Brun, Paris, PUF, 1961, p. 130-131.

L'attitude philosophique naturaliste face à la mort sera mise en veilleuse, occultée par l'hégémonie de la culture judéo-chrétienne pendant plusieurs siècles[97]. Comme nous l'avons vu précédemment, la conception chrétienne du salut éternel se situe à l'opposé de la thèse naturaliste. La foi chrétienne dans l'immortalité de l'âme spirituelle marquera profondément les réflexions philosophiques, les attitudes et les pratiques culturelles entourant la mort. Les représentations de la mort que nous véhiculons, de même que nos rites funéraires, portent la marque de la vision chrétienne de la mort, définie comme le seuil ou l'accès à une forme d'existence correspondant à la finalité de l'être humain, à sa nature d'être doué d'une âme spirituelle.

Bien que la croyance en la vie éternelle soit une source d'espérance pour les chrétiens, il ne suffit pas d'y adhérer pour envisager la mort avec sérénité. La perception de sa propre mort demeure une source d'angoisse, ce sentiment étant étroitement lié à la crainte de la souffrance au moment de l'agonie et à l'incertitude quant au bonheur éternel. C'est pourquoi l'accompagnement du mourant par les proches et la traduction de l'espérance dans des représentations symboliques et des rites funéraires revêt autant d'importance que la foi individuelle en la survie de l'âme.

Or l'évolution des valeurs sociales et les progrès des techniques biomédicales ont profondément modifié les pratiques entourant la mort : on meurt aujourd'hui à l'hôpital, souvent après avoir vu sa vie prolongée le plus longtemps possible dans des conditions supportables grâce aux traitements médicaux de pointe, aux techniques de réanimation et de soutien artificiel des fonctions vitales et aux méthodes de soulagement de la douleur. On meurt entouré de professionnels de la santé et de quelques proches, et les rituels funéraires visent moins le renforcement de la signification symbolique de la mort que l'accompagnement des survivants qui doivent faire leur deuil.

Les connaissances scientifiques récentes, notamment la nouvelle définition biomédicale de la mort, contribuent à accentuer ces changements culturels. Ainsi, les critères de détermination de la mort ont-ils été modifiés : traditionnellement, le constat de décès reposait sur l'arrêt des fonctions cardiorespiratoires, suivi de signes cliniques comme la chute de la température corporelle et la rigidité cadavérique. On déclarait la personne décédée quand elle avait « rendu son dernier soupir », quand

---

97. L'évolution des représentations et des pratiques entourant la mort a suivi en Occident et en Orient des trajectoires d'une grande variété et d'un grand intérêt sur le plan symbolique et culturel. Ainsi, un large éventail de croyances religieuses a donné naissance à des attitudes et des rituels très divers ; sur le plan anthropologique, le passage de la culture centrée sur le groupe à la culture centrée sur l'individu représente l'un des phénomènes importants à étudier pour bien comprendre la problématique actuelle de la mort en Occident. Sur ces questions, on consultera avec intérêt les œuvres suivantes :
   – Philippe Ariès, *Essais sur l'histoire de la mort en Occident du Moyen Âge à nos jours*, Paris, Seuil, 1975.
   – Id., *L'homme devant la mort*, Paris, Seuil, 1977.
   – Jacques Choron, *La mort et la pensée occidentale*, Paris, Payot, 1969.
   – Louis-Vincent Thomas, *Anthropologie de la mort*, Paris, Payot, 1975.
   – Michel Vovelle, *La mort et l'Occident de 1300 à nos jours*, Paris, Gallimard, 1983.

son cœur avait cessé de battre ou quand son souffle ne laissait plus de trace humide sur un miroir. Cette perception plusieurs fois millénaire est aujourd'hui périmée : on sait désormais que la mort ne survient pas immédiatement après l'arrêt des fonctions cardiorespiratoires, mais quelques minutes plus tard, quand les fonctions cérébrales s'éteignent, par suite du défaut d'irrigation sanguine du cerveau. En d'autres termes, l'arrêt cardiorespiratoire ne provoque pas instantanément la mort : le signe ultime de la détérioration irréversible de l'organisme est la mort cérébrale. Bref, nous mourons tous de mort cérébrale.

On pourrait s'attendre à ce que le développement des connaissances biomédicales sur la dégénérescence et l'arrêt définitif des fonctions vitales vienne renforcer l'attitude naturaliste face à la mort. Ainsi, on pourrait penser que la mesure exacte de la cessation des activités cérébrales qui sont à la base de la conscience vienne actualiser l'idée épicurienne de la mort comme terme absolu de l'existence et de la conscience. On pourrait croire que l'attitude du jeune Mathieu face à la leucémie devienne le lot d'une majorité de personnes dans un contexte culturel imprégné par la science.

Or il semble que les explications religieuses et mystiques les plus diverses conservent leurs adeptes, qui croient tantôt à la réincarnation, tantôt à la communication médiumnique avec les morts ou encore aux voyages astraux. Une grande confusion de vocabulaire continue de régner autour de la définition de la mort, comme en témoignent les écrits sur les phénomènes psychiques vécus par certaines personnes ayant subi une réanimation cardiorespiratoire[98] : on y parle allègrement de personnes qui « ont vécu avec les morts », qui sont « revenues de l'au-delà », qui ont « quitté temporairement leur corps », qui ont « vu la lumière divine » et, même, qui « ont été mortes pendant un certain temps » et qui « savent ce que c'est que d'être mort » !

Ces croyances se situent manifestement à l'extrême opposé de la conception naturaliste de la mort. Si celle-ci n'est pas encore parvenue à les supplanter, c'est sans doute parce qu'elle n'est pas de nature à combler aussi facilement le besoin qu'a l'être humain de donner un sens à son existence.

Cette remarque peut être étendue à l'ensemble du naturalisme. En effet, la difficulté propre à la position naturaliste actuelle tient à la relativité des savoirs scientifiques qui servent de base à la réflexion sur le sens de l'existence. La certitude la plus grande du naturaliste porte essentiellement sur la capacité de la raison humaine de valider ou d'invalider les représentations et les modèles qu'elle construit selon les règles méthodologiques qu'elle a elle-même établies. Le naturaliste aborde le problème du sens de l'existence davantage sur la base de questions ouvertes qu'à partir de savoirs certains. On peut comprendre que cette perspective ne constitue pas d'emblée une source d'inspiration pour les personnes qui cherchent à apaiser une angoisse existentielle traduisant un refus de la finitude humaine.

---

98. Nous faisons référence ici aux ouvrages traitant des *NDE* (*near death experiments*).

MISE EN SITUATION

1. Dans la mise en situation qui commence ce chapitre, Mathieu est confronté à la mort. Indiquez les raisons qui permettent de qualifier son attitude de naturaliste.

FONDEMENTS THÉORIQUES DU NATURALISME

2.1 L'ATTITUDE NATURALISTE

2. Expliquez deux principes méthodologiques qui caractérisent la pensée naturaliste.

3. Pourquoi, selon la théorie naturaliste de la connaissance, les explications de nature religieuse ne sont-elles pas acceptables ?

4. Expliquez l'affirmation suivante : le naturalisme strict conduit à une position matérialiste et athée.

2.2 LES RACINES HISTORIQUES DU NATURALISME

2.2.1 Les sources anciennes du naturalisme

5. Expliquez en quoi les atomistes de l'Antiquité (Démocrite et Épicure) étaient des naturalistes.

2.2.2 La naissance du projet scientifique moderne

6. Résumez en des termes personnels les trois moments de la méthode expérimentale. En puisant dans vos connaissances scientifiques, donnez un exemple de l'application de cette méthode.

7. Quel est l'apport de Descartes au courant naturaliste ?

2.2.3 Le Siècle des lumières

8. Reformulez en vos termes la définition de l'être humain proposée par d'Holbach dans l'extrait du *Système de la nature* (voir à la p.112).

9. Explicitez la notion de déterminisme. Quel rôle joue-t-elle dans le naturalisme ?

2.2.4 L'essor des sciences de la vie au XIXe siècle

10. Indiquez et expliquez le facteur principal d'évolution des espèces vivantes selon Lamarck et Darwin.

11. Expliquez l'importance du concept de mutation génétique dans le développement de la théorie synthétique de l'évolution.

ANTHROPOLOGIE NATURALISTE

3.1 L'ANIMALITÉ HUMAINE : L'*HOMO SAPIENS*

12. Nommez et expliquez les propriétés biologiques que l'*Homo sapiens* a en commun avec les autres êtres vivants.

13. Montrez comment les traits suivants ont contribué au développement de la conscience réfléchie : la station debout, la libération de la main, le développement de l'encéphale.

14. Expliquez comment sa nature d'être bioculturel distingue l'être humain des autres animaux.

3.2 LE CERVEAU ET LA PENSÉE

15. Quelle est la portée philosophique de la recherche scientifique sur le cerveau humain ?

3.3 PEUT-ON PARLER DE LIBERTÉ HUMAINE ?

16. Explicitez le sens de l'affirmation suivante : « L'être humain est programmé pour apprendre. »

17. Quelle relation établit Edgar Morin entre les notions d'autonomie et de dépendance ?

18. Peut-on parler de liberté dans la perspective naturaliste ? Expliquez votre réponse.

3.4 PEUT-ON PARLER DE DESTINÉE HUMAINE ?

19. Expliquez l'idée de destin naturel, en précisant le danger majeur qui guette l'espèce humaine.

20. De quel moyen privilégié l'être humain dispose-t-il pour échapper à ce danger, selon le naturalisme ? Développez votre réponse.

21. Commentez personnellement l'affirmation suivante de Jean Rostand : « Mais il se pourrait aussi que l'humanité fût, dans son ensemble, incapable de soutenir la vérité de la science. »

REMARQUES CRITIQUES

22. La remise en question du déterminisme a entraîné deux conséquences pour la conception scientifique de l'être humain. Exposez ces conséquences.

23. À l'aide d'un exemple, explicitez le problème de l'intégration culturelle de la science.

24. Comment se pose aujourd'hui le rapport entre la foi religieuse et la science ? Peut-on être croyant et savant ?

PROBLÉMATIQUE DE L'ATTITUDE FACE À LA MORT

25. Quels sont les principaux arguments avancés par Épicure pour défendre l'idée qu'il est irrationnel de craindre la mort ?

26. La définition scientifique de la mort influence-t-elle le sens que vous donnez personnellement à la mort ? Explicitez votre position.

CHAPITRE 3

La conception **marxiste** de l'être humain

Nathalie possède un diplôme d'études collégiales. Elle est à la recherche d'un emploi depuis un an. À vrai dire, elle aimerait entreprendre des études universitaires, mais la situation familiale ne le lui permet pas. Sa mère ne peut travailler et son père est sans travail depuis quelques années : après trente ans de service, il a été mis à pied au moment où l'usine pour laquelle il travaillait a automatisé ses opérations ; en raison de son âge, il n'a pas trouvé à se placer ailleurs. Dans cette situation, Nathalie a décidé de travailler pour gagner sa vie et pour aider financièrement ses parents, chez qui elle demeure.

Malgré toutes les démarches entreprises par Nathalie, il n'y a toujours pas d'emploi en vue. Pourtant, à deux reprises, elle était venue bien près de décrocher un poste intéressant, pour lequel elle était parfaitement qualifiée. Chaque fois, quelqu'un d'autre avait reçu le petit « coup de pouce » nécessaire pour obtenir l'emploi.

Est-ce trop demander à la société que de pouvoir compter sur un travail stable ? Faut-il se contenter d'emplois précaires, occasionnels, temporaires ? Ou de l'assistance sociale ?

Elle se sent humiliée. Il est difficile de ne pas pouvoir devenir autonome, de ne pas pouvoir exercer ses aptitudes et réaliser ses aspirations. Il est encore plus difficile de se convaincre que ce n'est pas de sa faute si on reste ainsi sur le carreau. Nathalie se sent de plus en plus découragée.

Elle s'explique mal qu'un pays riche comme le sien ne puisse réaliser le plein-emploi. Plus elle suit l'actualité économique dont les médias font état, plus elle acquiert la conviction que la concurrence entre les entreprises sur le plan mondial est la seule règle du jeu. Tout se passe comme si les lois du développement économique ne permettaient plus d'assurer le bien-être des personnes. Si les crises et les récessions continuent à se succéder de manière aussi rapprochée, les gens sans travail vont devenir de plus en plus nombreux et pauvres, et les riches, de plus en plus riches! Et les emplois perdus ne seront jamais récupérés.

Progressivement, Nathalie se persuade qu'il y a quelque chose de fondamentalement injuste dans l'organisation du travail, et que c'est l'ensemble du système économique qu'il faut changer. Elle sait aussi que la situation qu'elle vit touche un nombre croissant de personnes, et que la solution au problème doit être collective et globale: les changements devront être pensés par la population, dans l'intérêt de la population. Elle en parle de plus en plus autour d'elle. Elle ne perd pas espoir.

Spontanément, nous sommes portés à qualifier d'injuste la situation que subit Nathalie. Elle éprouve un sentiment de dévalorisation; elle parvient de moins en moins à envisager sa vie dans la perspective d'un développement personnel, d'un idéal à réaliser. Plus les moyens concrets de subsistance s'imposent comme sa seule préoccupation quotidienne, moins elle fait de projets. Elle est de plus en plus convaincue qu'elle est appelée à grossir les rangs des moins bien nantis de la société.

Nathalie n'est pourtant pas la seule, loin de là, à souffrir de cette situation, en cette période de mondialisation de l'économie. Ses problèmes sont le lot d'un pourcentage de plus en plus élevé de jeunes, de diplômés ou de décrocheurs, de travailleurs mis à pied et de personnes qui vivent directement de l'aide sociale. Le nombre de citoyens vivant sous le seuil de la pauvreté croît constamment: de plus en plus de personnes seules, de mères célibataires ou de couples avec enfants n'arrivent plus à payer leur loyer, leur électricité, leur téléphone. La masse des vagabonds, des mendiants et des sans-abri s'accroît, et elle compte un nombre de plus en plus grand de jeunes. À Montréal, on estime que la faim frappe plus d'un citoyen sur cinq. Dans plusieurs écoles de quartiers défavorisés, la proportion des enfants qui ne mangent pas le matin augmente sans cesse: l'école doit désormais nourrir ces enfants. Plusieurs jeunes se livrent à la prostitution pour tenter d'échapper à leurs conditions de vie. On constate enfin que la misère touche non seulement des personnes sans revenu d'emploi, mais qu'elle atteint progressivement la masse grandissante des travailleurs à temps partiel ou payés au salaire minimum.

Le nombre de citoyens vivant sous le seuil de pauvreté croît constamment. La misère ne touche pas seulement les personnes sans revenu d'emploi, mais aussi la masse grandissante des travailleurs à temps partiel ou payés au salaire minimum.

En outre, la situation de nombreux travailleurs n'est pas beaucoup plus enviable : leur travail, loin d'être une source de satisfaction et un moyen d'accomplissement, est trop souvent précaire, parcellaire, ennuyeux, mécanique et répétitif. Souvent aussi, le travailleur touche un salaire qui lui permet d'échapper à la pauvreté, ou même d'accéder à un niveau de vie acceptable, mais qui n'est pas équitable en regard du profit que rapporte le produit de son travail.

Face à de telles situations, on peut adopter une attitude individualiste ou une attitude solidaire. L'attitude individualiste consiste à chercher une solution individuelle à un problème personnel : se trouver un emploi, améliorer son revenu. C'est le « chacun-pour-soi ». On se justifie alors en invoquant le caractère inévitable des inégalités sociales et de la pauvreté, le plein-emploi étant considéré comme une utopie ou un rêve irréalisable. On perçoit alors les rapports humains sur le modèle de la concurrence économique, de la lutte pour la survie : seuls les plus forts s'en tirent.

On peut aussi, comme Nathalie, adopter une attitude solidaire, développer une conscience sociale. Cette sensibilisation prend appui sur une conviction première : pour être durable et équitable, la solution aux problèmes personnels passe nécessairement par la recherche de solutions globales, qui touchent les conditions de vie de l'ensemble de la population.

On pourrait définir la conscience sociale comme étant d'abord le refus de la misère et de l'injustice ; dans cette optique, la réalité économique n'est pas une fatalité, c'est nous qui la créons. L'activité économique produit assez de richesses pour subvenir aux besoins de tous et chacun. Le progrès économique devrait avoir pour première conséquence une diminution significative et progressive de la misère humaine.

En second lieu, la conscience sociale est orientée vers l'action. Les sentiments de révolte et les critiques verbales demeurent vains tant et aussi longtemps qu'ils ne débouchent pas sur des actions concrètes qui améliorent effectivement les conditions d'existence. Mais ces actions doivent être réfléchies, elles doivent s'appuyer sur une analyse rigoureuse de l'organisation du travail et de la vie économique. Et cette analyse repose sur un postulat premier : le développement de l'être humain dépend inévitablement du mode d'organisation de la société dans laquelle il vit. L'être humain est d'abord et avant tout un être social.

Ces idées qui viennent à l'esprit de Nathalie à la suite de son expérience correspondent à quelques-unes des lignes de force de la pensée de Marx, sur laquelle nous allons maintenant nous pencher.

2 FONDEMENTS THÉORIQUES
LA PRIMAUTÉ DE LA VIE MATÉRIELLE

2.1 LA CRITIQUE SOCIALE DE KARL MARX

Personnage marquant de l'histoire contemporaine, Karl Marx, philosophe, économiste et homme politique allemand, a vécu de 1818 à 1883. Après avoir étudié le droit et la philosophie, il a écrit de nombreux ouvrages qui ont marqué la pensée philosophique et politique, dont les *Manuscrits de 1844* (publiés en 1932), *L'idéologie allemande* (1932), le *Manifeste du parti communiste* (1848), et *Le capital* (1867). Sur le plan philosophique, Marx a laissé une œuvre critique, novatrice à plus d'un titre : on lui doit la création des principaux concepts du matérialisme historique et dialectique, en rupture avec les philosophes idéalistes, Hegel notamment. Enfin, il faut souligner que le penseur se doublait d'un homme d'action, d'un militant engagé dans la formation de mouvements internationaux de travailleurs.

KARL MARX
(1818-1883)

Philosophe, économiste et homme politique allemand. Il a écrit de nombreux ouvrages qui ont marqué la pensée philosophique et politique. On lui doit la création des principaux concepts du matérialisme historique et dialectique.

Ce n'est pas la conscience des hommes qui détermine leur existence, au contraire c'est leur existence sociale qui détermine leur conscience.
(Critique de l'économie politique)

Dans le contexte de ce chapitre, il est impossible de présenter la pensée marxiste dans toute son étendue et sa complexité. L'œuvre de Marx relève de plusieurs disciplines, notamment la politique, l'économie, la sociologie et la philosophie. Elle ne peut être comprise dans toutes ses ramifications que dans la collaboration que Marx a entretenue avec Engels et dans les débats qu'il a eus avec ses opposants (Bakounine[1] et Proudhon[2], entre autres). Il faut encore interpréter ses écrits par delà les adaptations et les dénaturations de son œuvre commises par des théoriciens ultérieurs du marxisme, dont Lénine, Staline[3] et Mao Tsé-toung[4].

Il ne faut pas non plus perdre de vue que les écrits de Marx sont en prise directe sur les événements qui ont marqué la deuxième moitié du XIXᵉ siècle en Europe : l'industrialisation, l'organisation du travail collectif, la misère populaire et les soulèvements de travailleurs. Enfin, il faut tenter de dégager la pensée proprement philosophique de Marx des thèses idéologiques et des pratiques politiques qui, des socialismes aux communismes, ont revendiqué la paternité de Marx afin de transformer radicalement, au XXᵉ siècle, la vie d'un milliard et demi d'êtres humains.

---

1. Mikhaïl A. Bakounine (1814-1876). Révolutionnaire anarchiste russe. Il s'opposa aux thèses politiques de Marx, notamment quant au rôle de l'État.

2. Pierre Joseph Proudhon (1809-1865). Socialiste français. Il croyait à une possibilité de réforme du système capitaliste, contrairement à Marx. On lui doit notamment *La philosophie de la misère* (1846).

3. Staline (1879-1953). Homme politique soviétique et théoricien du marxisme. Il a succédé à Lénine aux commandes de l'URSS. Il est passé à l'histoire comme le grand responsable de la mise sous tutelle des pays d'Europe de l'Est et de purges politiques massives.

4. Mao Tsé-toung (1893-1976). Homme politique chinois. Grand leader du Parti communiste et de la révolution qui a mené à l'instauration de la République populaire de Chine en 1949. Les éléments essentiels de sa pensée ont été réunis dans le *Petit livre rouge*, qui a connu une très large diffusion mondiale.

FRIEDRICH ENGELS
(1820-1895)

Théoricien et homme politique allemand. Il collabora avec Marx à l'écriture de plusieurs œuvres dont *L'idéologie allemande* et le *Manifeste du parti communiste*.

Notre conscience et notre pensée, si transcendantes qu'elles paraissent, ne sont que le produit d'un organe matériel, corporel, le cerveau.
(Ludwig Feuerbach et la fin de la philosophie classique allemande)

LÉNINE
(1870-1924)

Homme politique et théoricien du marxisme. Figure de proue de la révolution russe de 1917, il a été le principal artisan de l'organisation de l'appareil politique et de l'économie russes selon les principes de Marx.

La société tout entière ne sera plus qu'un seul bureau et un seul atelier, avec égalité de travail et égalité de salaire.
(L'État et la révolution)

Dans le cadre de ce chapitre, nous insisterons sur trois aspects fondamentaux de la pensée de Marx. Nous lirons d'abord son œuvre comme un cri de révolte devant la situation intolérable vécue par un nombre incalculable d'êtres humains au XIXᵉ siècle. Nous pensons ici aux journées de travail de seize heures, aux salaires de famine, à la misère des enfants travaillant dans des ateliers et même dans des mines de charbon en Angleterre :

La Révolution française de 1789 avait supprimé les inégalités juridiques, aboli les privilèges des nobles et proclamé la liberté sous toutes ses formes (liberté de conscience, liberté de commerce et d'association) ; elle avait aussi inauguré une nouvelle façon d'exercer le pouvoir : la démocratie. Mais la révolution industrielle, déjà en cours, limitait de beaucoup la portée de ces idéaux : une petite minorité seulement allait profiter de l'égalité et jouir de la liberté. De fait, le pouvoir passa des mains des nobles à celles des industriels et des hommes d'affaires.

Pour les ouvriers, la liberté était une illusion, l'égalité et le progrès, une véritable farce. Ces idéaux ne signifiaient pas grand-chose pour les enfants pauvres, qui, comme en témoignait Villermé (1782-1863) :

«[...] restent seize à dix-sept heures debout chaque jour, dont treize au moins dans une pièce fermée, sans presque changer de place ni d'attitude, ce n'est plus là un travail, une tâche, c'est une torture... et on l'inflige à des enfants de 6 à 8 ans, mal nourris, mal vêtus, obligés de parcourir dès 5 heures du matin la longue distance qui les sépare de leurs ateliers [...]. Comment ces infortunés qui peuvent à peine goûter quelques instants de sommeil résisteraient-ils à tant de misère et de fatigue ?»

Et pourtant, l'industrialisation avait permis une *augmentation* de la richesse globale par une amélioration importante de la production. Mais il n'y avait personne pour consommer cette production : les travailleurs, en effet, gagnaient un salaire qui leur permettait à peine de ne pas mourir de faim. Des crises de surproduction augmentaient la misère et la pauvreté en provoquant des faillites et des fermetures d'usines à peine ouvertes ; les travailleurs, déracinés de leur milieu rural, allaient grossir le nombre des pauvres et des miséreux.

[...]

Le machinisme et le développement industriel, qui devaient alléger la misère des hommes et les affranchir, avaient créé en fait une nouvelle forme d'oppression : celle du capital sur les besoins humains négligés. Et l'État [...] restait neutre, c'est-à-dire laissait les plus forts opprimer les plus faibles ; les plus riches pouvaient impunément exploiter les travailleurs tout comme les grands propriétaires blancs pouvaient exploiter les esclaves noirs[5].

Nous nous intéresserons aussi à l'analyse marxiste du monde moderne et des contradictions inhérentes à ce monde qui font obstacle à la réalisation intégrale de l'être humain. Au fil de ses œuvres, Marx a élaboré une critique radicale d'un système économique qui dominait l'être humain au lieu de lui procurer des moyens de réalisation.

Enfin, nous insisterons, par-delà l'analyse critique de la réalité économique et politique, sur la formulation proprement marxiste des questions anthropologiques : la place de l'être humain dans l'univers, le sens de son développement historique et de son existence, la définition de la liberté humaine et de ses conditions d'exercice.

5. André Morazain et Salvatore Pucella, *Éthique et politique*, Montréal, Éditions du Renouveau Pédagogique, 1988, p. 101 et 102.

Angleterre, XIXᵉ siècle. Le travail des enfants dans les mines de charbon a été l'une des situations qui ont inspiré à Marx sa critique du capitalisme industriel.

C'est principalement la réflexion de Marx sur l'être humain qui fait l'objet de ce chapitre. C'est pourquoi nous avons isolé de l'ensemble de son œuvre les éléments qui intéressent directement l'anthropologie philosophique. Dans cette perspective, la présentation des fondements théoriques de la philosophie marxiste se limite ici aux éléments nécessaires à la compréhension de la conception de l'être humain qu'elle implique.

Rappel des IDÉES PRINCIPALES

2.1 LA CRITIQUE SOCIALE DE KARL MARX

Karl Marx a mis en évidence, par ses œuvres et son action politique, l'importance de la dimension sociale de l'existence humaine.

Sa pensée s'enracine dans le refus de la misère et de l'injustice et revendique l'amélioration effective des conditions concrètes d'existence.

2.2 L'ANALYSE DE LA VIE MATÉRIELLE

2.2.1 Le matérialisme de Marx

La pensée marxiste trouve son origine philosophique dans le matérialisme. Comme nous l'avons vu au chapitre précédent[6], le terme « matérialisme » se rattache à un courant de pensée philosophique qui remonte à l'antiquité grecque et romaine. Les matérialistes de l'antiquité, les épicuriens notamment, considéraient que les objets de l'univers physique étaient antérieurs à la pensée et avaient une existence propre[7], et que la matière constituait la réalité première. Dans *Ludwig Feuerbach et la fin de la philosophie classique allemande*, Engels résume ainsi la thèse du matérialisme classique :

 [...] le monde matériel, perceptible par les sens, auquel nous appartenons nous-mêmes, est la seule réalité [...]. Notre conscience et notre pensée, si transcendantes qu'elles paraissent, ne sont que le produit d'un organe matériel, corporel, le cerveau[8].

Aux yeux de Marx et d'Engels, le matérialisme classique, dans la formulation que lui donnent les auteurs français du XVIIIe siècle (La Mettrie et d'Holbach, notamment), présente une vision trop étroite de la réalité, et ce, pour deux raisons :

a) Le matérialisme classique se fonde sur un modèle déterministe de l'univers[9], donc sur une conception simpliste qui présente les phénomènes naturels comme une série linéaire et prévisible de causes et d'effets.

L'application exclusive de ce modèle aux phénomènes de la vie et à la réalité humaine paraît encore plus réductionniste. En présentant littéralement l'être humain comme une machine, le matérialisme classique ne permet pas de rendre compte de la complexité et de l'originalité du vivant, et plus spécifiquement de l'être humain.

b) Cette forme de matérialisme nous empêche de voir le monde « comme un processus, comme une matière en voie de développement[10] ».

Or l'essence même de la matière, c'est le changement ininterrompu : la réalité matérielle doit être pensée comme un processus de développement progressif :

---

6. Voir la section 2.2.1 du chapitre 2.

7. Contrairement à la théorie de Platon, selon laquelle les Idées immuables et éternelles sont antérieures à la réalité sensible.

8. Friedrich Engels, *Ludwig Feuerbach et la fin de la philosophie classique allemande*, Paris, Éditions sociales, 1966, p. 32.

9. Voir la section 2.2.3 C du chapitre 2.

10. F. Engels, *op. cit.*, p. 34.

> [...] le monde ne doit pas être considéré comme un complexe de *choses* achevées, mais comme un complexe de *processus* où les choses, en apparence stables – tout autant que leurs reflets intellectuels dans notre cerveau, les concepts –, se développent et meurent en passant par un changement ininterrompu au cours duquel, finalement, malgré tous les hasards apparents et tous les retours en arrière momentanés, un développement progressif finit par se faire jour [...][11].

La thèse fondamentale du matérialisme marxiste consiste à établir un lien de nécessité entre cette conception du monde matériel et l'activité propre de l'être humain. Le monde tel que nous le percevons, tel que nous le connaissons, est déjà humanisé, transformé par l'action humaine. Le monde ne peut être appréhendé que dans ce lien direct avec l'activité humaine. En d'autres termes, la matière est insaisissable dans son existence nue : on ne parvient à la connaître qu'à travers les transformations que l'être humain lui a fait subir concrètement. La réciproque est également vraie : l'être humain comme tel ne peut être compris qu'à travers le prisme de son activité transformatrice, c'est-à-dire à travers la vie économique.

Rappel des IDÉES PRINCIPALES

2.2.1 Le matérialisme de Marx

La pensée de Marx se rattache au matérialisme philosophique, qui affirme la primauté de la réalité matérielle sur la pensée.

Cependant, Marx conçoit la réalité matérielle non plus sous l'angle du modèle mécaniste de la nature, mais comme un processus, un développement progressif. La réalité matérielle est aussi l'œuvre de l'être humain qui, afin de satisfaire ses besoins, transforme sans cesse la nature par son travail, par son activité économique.

2.2.2 La primauté de la vie économique

L'activité économique est un processus qui unit deux éléments interdépendants : d'une part, des forces productives, c'est-à-dire des moyens ou des techniques pour produire des biens et, d'autre part, un cadre à l'intérieur duquel évoluent et se développent les forces productives. Ce cadre réside dans les rapports sociaux, puisque la production résulte toujours d'un effort collectif, de la collaboration de plusieurs individus.

---

11. *Ibid.*, p. 61.

L'ensemble de ces deux éléments constitue le mode de production. Il représente pour Marx la base même de la vie sociale à une période donnée de l'histoire, c'est-à-dire l'infrastructure d'une société. En d'autres termes, l'infrastructure est l'ensemble des ressources économiques existantes et des rapports sociaux qui résultent de l'organisation du travail ; elle conditionne tous les autres aspects de la vie sociale et culturelle, que Marx désigne dans leur ensemble par le terme « superstructure ». La superstructure d'une société est constituée par les institutions et les discours juridiques, politiques, scientifiques, religieux, artistiques, philosophiques[12]. Marx écrit à ce propos :

 Dans la production sociale de leur existence, les hommes nouent des rapports déterminés, nécessaires, indépendants de leur volonté ; ces rapports de production correspondent à un degré donné du développement de leurs forces productives matérielles. L'ensemble de ces rapports forme la structure économique de la société, la fondation réelle sur laquelle s'élève un édifice juridique et politique, et à quoi répondent des formes déterminées de la conscience sociale. Le mode de production de la vie matérielle domine en général le développement de la vie sociale, politique et intellectuelle. Ce n'est pas la conscience des hommes qui détermine leur existence, au contraire c'est leur existence sociale qui détermine leur conscience[13].

LA STRUCTURE DE LA VIE SOCIALE

SUPERSTRUCTURE

Idéologies :
- Idées religieuses
- Morales et mœurs
- Conceptions philosophiques

Institutions :
- Politiques : formes de gouvernement
- Juridiques : élaboration des lois, définition des droits et administration de la justice (tribunaux, police)

INFRASTRUCTURE : MODE DE PRODUCTION

Forces productives :
- Ressources naturelles
- Savoir scientifique
- Outils de production

Rapports de production :
- Régimes de propriété (privée, étatique, coopérative)
- Formes de distribution et d'échange des biens produits (libre-échange, protectionnisme)
- Répartition de la richesse produite

---

12. Voir le schéma intitulé « La structure de la vie sociale » à la section 2.2.2.
13. Karl Marx, *Critique de l'économie politique* (Avant-propos), dans *Œuvres*, vol. I, Paris, Gallimard, Bibliothèque de la Pléiade, 1965, p. 272-273.

Dans ce texte, Marx expose sa thèse principale concernant le rapport entre la vie économique et la vie des sociétés. On peut la résumer ainsi :

- Le mode de production engage les individus dans des rapports sociaux qu'ils n'ont pas choisis.

- Les forces et les rapports de production constituent la base économique de la vie sociale (infrastructure), qui conditionne les institutions et les façons de penser (superstructures).

- La conscience individuelle est donc déterminée par la position que l'individu occupe au sein des rapports sociaux.

Ainsi, l'histoire des institutions et des idées humaines doit être comprise et expliquée à partir de l'évolution de l'organisation économique. L'activité économique, c'est-à-dire la façon dont les humains organisent la production et la distribution des biens de consommation, constitue le moteur des changements culturels (l'évolution des valeurs, des mentalités et des représentations de la nature, des besoins humains, de la vie sociale et de l'existence). Un exemple encore récent nous aidera à comprendre cette idée maîtresse de Marx.

Au cours des deux décennies qui ont suivi la Deuxième Guerre mondiale, le Québec a connu une évolution décisive : il est passé d'une économie essentiellement primaire centrée sur l'agriculture, la pêche, la forêt et les mines, à une économie du type industriel. Or ce genre de production exige le développement d'une main-d'œuvre spécialisée, davantage scolarisée.

Une lecture marxiste de cette période historique soutiendrait que la création du ministère de l'Éducation, du réseau des écoles polyvalentes, des cégeps et des universités, de même que la promulgation des lois rendant la fréquentation scolaire obligatoire et la mise sur pied des programmes facilitant l'accessibilité aux études, représentent autant de réponses culturelles et politiques aux exigences de l'évolution économique. Ainsi le « progrès » de l'éducation au Québec serait directement lié au « progrès » économique, et non pas à une lutte purement idéologique pour la reconnaissance du droit à l'éducation et la promotion d'une société démocratique. Au contraire, ces luttes idéologiques accompagneraient le progrès économique, elles en seraient la transposition sur le plan des idées et des valeurs.

C'est en ce sens que Marx affirme que l'évolution de la vie matérielle détermine le sens du devenir historique de l'être humain. La dynamique fondamentale de l'histoire humaine est d'abord tributaire des modes d'organisation successifs de la vie économique ; les conflits politiques, idéologiques, religieux, et intellectuels, ainsi que l'action des grands personnages historiques, résultent des changements socioéconomiques ; ils en sont les effets.

2.2.2 La primauté de la vie économique

L'activité économique constitue le moteur de la vie sociale. Elle est structurée selon deux composantes :
- des forces productives, c'est-à-dire la création d'outils et la mise en œuvre d'un savoir en vue de la transformation des ressources naturelles ;
- des rapports de production, c'est-à-dire une organisation du travail qui encadre les rapports entre les agents économiques.

Cette structure économique influence et détermine la vie sociale et culturelle : les valeurs, les idées, les pensées, les droits, etc.

2.3 L'ANALYSE DU TRAVAIL

2.3.1 Les caractéristiques du capitalisme industriel

On peut définir le capitalisme industriel comme un système économique caractérisé par la propriété privée des moyens de production, la rationalisation du travail, l'augmentation de la capacité de production, l'économie de marché et l'organisation de la production selon les impératifs du profit.

La critique marxiste de l'économie porte sur trois aspects majeurs de l'économie capitaliste : la division du travail, sa spécialisation et la recherche du profit. Examinons l'analyse qu'il a fait de chacun de ces trois aspects.

a) La division du travail. Au cours de l'histoire, on a assisté à la division du travail en travail manuel et en travail intellectuel, et à la valorisation des activités intellectuelles au détriment des activités manuelles. Or la tendance historique, soutient Marx, est à la fixation, à la pétrification des activités sociales : « Dès l'instant où le travail commence à être réparti, chacun a une sphère d'activité exclusive et déterminée qui lui est imposée et dont il ne peut sortir ; il est chasseur, pêcheur ou berger ou critique critique [philosophe critique], et il doit le demeurer s'il ne veut pas perdre ses moyens d'existence […][14] ». Conséquemment, les effets de cette division du travail se retrouvent dans la hiérarchie des classes sociales et dans la difficulté pour le travailleur manuel d'accéder à la maîtrise du travail intellectuel et d'en utiliser les outils en vue de sa propre libération.

---

14. Marx-Engels, *L'idéologie allemande*, Paris, Éditions sociales, 1974, p. 67-68.

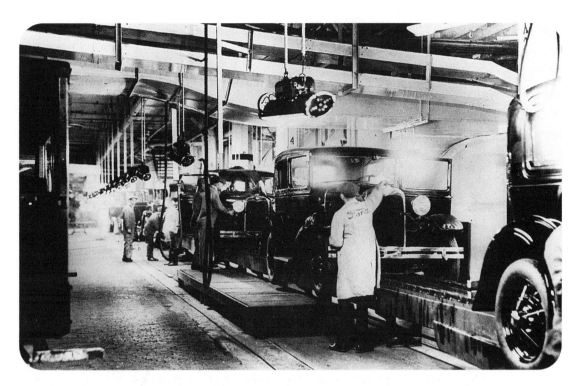

Usine Ford, Détroit, 1931. « L'extension du machinisme et la division du travail ont fait perdre au travail des prolétaires tout caractère d'indépendance et tout attrait. Le producteur devient un simple accessoire de la machine à qui on ne demande que le geste le plus simple, le plus monotone, le plus vite appris. » (*Manifeste du parti communiste*)

b) La spécialisation du travail. Marx souligne que l'on a également assisté à la spécialisation progressive du travail, au morcellement des tâches complexes en tâches plus simples, machinales, répétitives. La recherche de productivité et d'efficacité qui motivait ces changements a abouti à la mutilation, au morcellement du travailleur lui-même, celui-ci ne développant qu'une parcelle seulement de lui-même, au lieu d'exploiter l'ensemble de ses talents et capacités. Voici en quels termes Marx critique la spécialisation du travail :

 L'extension du machinisme et la division du travail ont fait perdre au travail des prolétaires tout caractère d'indépendance et tout attrait. Le producteur devient un simple accessoire de la machine à qui on ne demande que le geste le plus simple, le plus monotone, le plus vite appris. [...] Bien plus, à mesure que le machinisme et la division du travail s'accroissent, la somme de labeur augmente, soit par la prolongation de la durée du travail, soit par l'augmentation du travail exigé dans un temps donné, par le mouvement accéléré des machines, etc.[15]

15. Id., *Manifeste du parti communiste*, dans *Œuvres, op. cit.*, p. 168.

c) La recherche du profit. Dans l'économie du type capitaliste, la recherche du profit constitue le moteur de l'économie, la motivation première de ceux qui possèdent les capitaux et les moyens de production. Le capitaliste doit en outre compter sur le profit pour satisfaire ses besoins, puisqu'il ne travaille pas directement à la production de biens de subsistance. L'explication que donne Marx de l'origine du profit est essentielle pour comprendre la portée de sa critique du capitalisme industriel.

Le profit provient, selon Marx, du fait que l'employeur achète, moyennant salaire, une marchandise bien particulière, qui n'est rien d'autre que le travail de l'ouvrier. L'achat de la force de travail ouvrière est source de profits parce que la quantité de biens produits par l'ouvrier a une valeur plus grande que le salaire qui lui est versé. En d'autres termes, si l'employeur versait à l'ouvrier un salaire correspondant exactement à la valeur des biens qu'il produit, il devrait abandonner les affaires, étant dans l'impossibilité d'assurer lui-même sa subsistance. Dans cette optique, le profit devient le but premier de la production industrielle, ce qui modifie le rapport entre le travail et la satisfaction des besoins sociaux :

  Ce qui décide de l'extension ou de la limitation de la production, ce n'est pas le rapport entre la production et les besoins sociaux ou les besoins d'individus socialement développés, mais l'appropriation de travail non payé et le rapport entre celui-ci et le travail matérialisé en général, ou bien, en termes capitalistes, le profit et le rapport entre ce profit et le capital employé, donc un certain niveau du taux de profit[16].

Dans une page du *Manifeste du parti communiste* aux accents prophétiques, Marx analyse l'enchaînement des conséquences conduisant les sociétés industrielles capitalistes à chercher hors de leurs frontières de nouveaux débouchés, des ressources naturelles et de la main-d'œuvre à bon marché, en vue de maintenir et d'accroître les niveaux de profit. Ses propos sur la mondialisation de l'activité économique ne seraient pas différents s'ils avaient été écrits aujourd'hui.

 Poussée par le besoin de débouchés toujours plus larges pour ses produits, la bourgeoisie envahit toute la surface du globe : partout elle doit s'incruster, partout il lui faut bâtir, partout elle établit des relations. En exploitant le marché mondial, la bourgeoisie a donné une forme cosmopolite à la production et à la consommation de tous les pays. Au grand regret des réactionnaires, elle a dérobé le sol national sous les pieds de l'industrie. Les vieux métiers nationaux sont détruits, ou le seront bientôt. Ils sont détrônés par de nouvelles industries, dont l'adoption devient un problème vital pour toutes les nations civilisées, et qui emploient des matières premières provenant non plus de l'intérieur, mais des régions les plus éloignées. Les produits industriels sont consommés non seulement

16. Karl Marx, *Le capital*, III, dans *Œuvres, op. cit.*, p. 1041.

dans le pays même, mais dans toutes les parties du monde. Les anciens besoins, satisfaits par les produits indigènes, font place à de nouveaux qui réclament pour leur satisfaction les produits des pays et des climats les plus lointains. L'ancien isolement et l'autarcie locale et nationale font place à un trafic universel, à une interdépendance universelle des nations. Et ce qui est vrai de la production matérielle ne l'est pas moins des productions de l'esprit. Les œuvres spirituelles des diverses nations deviennent un bien commun. Les limitations et les particularismes nationaux deviennent de plus en plus impossibles, et les nombreuses littératures nationales et locales donnent naissance à une littérature universelle.

Par suite du perfectionnement rapide des instruments de production et grâce à l'amélioration incessante des communications, la bourgeoisie précipite dans la civilisation jusqu'aux nations les plus barbares. Le bas prix de ses marchandises est la grosse artillerie avec laquelle elle démolit toutes les murailles de Chine et obtient la capitulation des barbares le plus opiniâtrement xénophobes. Elle contraint toutes les nations, sous peine de courir à leur perte, d'adopter le mode de production bourgeois ; elle les contraint d'importer chez elles ce qui s'appelle la civilisation, autrement dit : elle en fait des nations de bourgeois. En un mot, elle crée un monde à son image[17].

Sujet de réflexion

Selon ses promoteurs, la mondialisation des marchés et du travail devrait produire un dynamisme économique et social favorisant l'amélioration des conditions de vie dans les pays en voie de développement qui y adhèrent librement. Dans les faits, la globalisation des marchés s'accompagne d'une subordination de l'ordre politique à l'ordre économique, comme en témoignent les exigences de libéralisation économique posées à ces pays par des organismes comme l'Organisation mondiale du commerce, le Fonds monétaire international ou la Banque mondiale. Or ces exigences se traduisent trop souvent par l'abandon de programmes de sécurité sociale assurés par l'État, sans garantie de remplacement. Selon vous, l'objectif financier d'accumulation maximale de profit à court terme est-il compatible avec celui du développement social et humain ? En d'autres termes, les entreprises ont-elles une mission d'équité sociale ? Dans l'affirmative, à qui doivent-elles rendre des comptes ?

---

17. Marx-Engels, *Manifeste du parti communiste*, dans *Œuvres, op. cit.*, p. 165.

2.3.1 Les caractéristiques du capitalisme industriel

Le mode de production propre au capitalisme industriel se caractérise par les éléments suivants :

a) la division du travail privilégie le travail intellectuel au détriment du travail manuel ;

b) la spécialisation du travail réduit l'ouvrier à ne développer qu'une partie de ses aptitudes ;

c) le profit accumulé par les propriétaires des moyens de production résulte du paiement à l'ouvrier d'un salaire inférieur à la valeur de son travail. La production ne sert pas la satisfaction des besoins sociaux.

2.3.2 Les trois formes de l'aliénation du travail

Marx propose le concept d'*aliénation* pour qualifier la situation du travailleur dans le contexte du capitalisme industriel. Le terme « aliénation » indique bien la portée de sa critique de la vie économique, qui se situe au-delà de la simple constatation de l'exploitation du travailleur. Marx soutient en effet que le travailleur est non seulement exploité, au sens où il ne reçoit pas un juste salaire pour le travail qu'il accomplit, mais aussi aliéné, au sens où il devient étranger à lui-même, à sa propre nature. L'organisation du travail, qui devrait servir sa propre réalisation, ne réussit qu'à l'asservir. Le travail et son organisation sociale sont devenus, au cours de l'histoire humaine, la source des misères de l'être humain.

Dans les *Manuscrits de 1844*, Marx parle de trois formes ou moments essentiels de l'aliénation du travail. On peut les formuler ainsi : la dépossession des fruits du travail, la dépersonnalisation du travailleur et la déshumanisation. Cette triple aliénation mérite une attention particulière.

a) La dépossession des fruits du travail. Cette première forme d'aliénation tient au fait que, dans le processus de production moderne, l'ouvrier est séparé et dessaisi des produits de son travail. Or, nous l'avons déjà souligné, l'ouvrier investit une partie de sa vie (correspondant au temps de travail fourni) dans l'objet qu'il produit. En étant séparé du produit de son travail, il est ainsi dépossédé d'une partie de sa vie. C'est pourquoi Marx affirme : « L'ouvrier devient d'autant plus pauvre qu'il produit plus de richesse…[18] » Le travail de l'ouvrier, qui est sa réalité même, est transformé en simple marchandise, en produit.

---

18. Karl Marx, *Manuscrits de 1844*, Paris, Éditions sociales, 1972, p. 57.

Pour bien comprendre la critique de cette aliénation, il faut rappeler la thèse marxiste selon laquelle l'activité humaine (le travail) fait naître un monde d'objets, de biens, de produits. Ces produits ne sont rien sans celui qui les produit : leur valeur première tient au fait qu'ils sont le résultat du travail humain. Or, dans le monde moderne, ces produits acquièrent une importance plus grande que l'être humain qui les crée : celui-ci devient dès lors esclave de ses propres créations.

En termes plus actuels, nous dirions que l'obsession de la productivité l'emporte sur la valeur humaine du travail. L'être humain doit se plier aux exigences de la productivité, aux lois économiques en général, alors que ce devrait être l'inverse : « [...] la vie qu'il a prêtée à l'objet s'oppose à lui, hostile et étrangère[19]. » L'être humain est ainsi aliéné par les choses, les objets, les produits de son propre travail. L'aliénation est donc dépossession. Voyons en quels termes Marx explique cette première forme d'aliénation :

L'ouvrier est à l'égard du *produit de son travail* dans le même rapport qu'à l'égard d'un objet *étranger*. Car ceci est évident par hypothèse : plus l'ouvrier s'extériorise dans son travail, plus le monde étranger, objectif, qu'il crée en face de lui, devient puissant, plus il s'appauvrit lui-même et plus son monde intérieur devient pauvre, moins il possède en propre. Il en va de même dans la religion. Plus l'homme met de choses en Dieu, moins il en garde en lui-même. L'ouvrier met sa vie dans l'objet. Mais alors celle-ci ne lui appartient plus, elle appartient à l'objet. Donc plus cette activité est grande, plus l'ouvrier est sans objet. Il n'est pas ce qu'est le produit de son travail. Donc plus ce produit est grand, moins il est lui-même. L'*aliénation* de l'ouvrier dans son produit signifie non seulement que son travail devient un objet, une existence *extérieure*, mais que son travail existe en *dehors* de lui, indépendamment de lui, étranger à lui, et devient une puissance autonome vis-à-vis de lui, que la vie qu'il a prêtée à l'objet s'oppose à lui, hostile et étrangère[20].

RÉSUMÉ DE LA PENSÉE DE L'AUTEUR

1. Dans la production industrielle moderne, l'ouvrier est privé des produits de son travail : ils ne lui appartiennent pas.

2. Or il investit dans ces produits une partie de sa vie, l'équivalent du temps nécessaire à leur production, et ces produits demeurent extérieurs à sa vie propre.

---

19. *Ibid.*, p. 58.
20. *Ibid.*, p. 57-58.

3. Donc, plus il produit, plus il s'appauvrit lui-même.

4. Parce que les objets produits acquièrent une existence autonome et une importance plus grande que l'être humain qui les crée, l'ouvrier devient aliéné dans son travail.

b) La dépersonnalisation du travailleur. L'aliénation existe aussi dans le travail lui-même. L'ouvrier est en effet débordé par l'organisation du travail, notamment par le rythme de travail, par la quantité des objets produits : il ne peut donc s'affirmer dans son travail. Le travail ne répondant pas à un besoin de réalisation, d'affirmation de soi, l'ouvrier se sent forcé d'aller travailler. L'automatisme et la répétition des mêmes gestes caractérisant son travail, l'ouvrier n'est pas engagé pour son intelligence, pour son sens de l'initiative. Cela l'expose à l'aliénation de soi, à la dépersonnalisation. Voyons sur ce point les propos mêmes de Marx :

En quoi consiste l'aliénation du travail ?

D'abord, dans le fait que le travail est *extérieur* à l'ouvrier, c'est-à-dire qu'il n'appartient pas à son essence, que donc, dans son travail, celui-ci ne s'affirme pas mais se nie, ne se sent pas à l'aise, mais malheureux, ne déploie pas une libre activité physique et intellectuelle, mais mortifie son corps et ruine son esprit. En conséquence, l'ouvrier n'a le sentiment d'être auprès de lui-même qu'en dehors du travail et, dans le travail, il se sent en dehors de soi. Il est comme chez lui quand il ne travaille pas et, quand il travaille, il ne se sent pas chez lui. Son travail n'est donc pas volontaire, mais contraint, c'est du *travail forcé*. Il n'est donc pas la satisfaction d'un besoin, mais seulement un *moyen* de satisfaire des besoins en dehors du travail. Le caractère étranger du travail apparaît nettement dans le fait que, dès qu'il n'existe pas de contrainte physique ou autre, le travail est fui comme la peste. Le travail extérieur, le travail dans lequel l'homme s'aliène, est un travail de sacrifice de soi, de mortification. Enfin, le caractère extérieur à l'ouvrier du travail apparaît dans le fait qu'il n'est pas son bien propre, mais celui d'un autre, qu'il ne lui appartient pas, que dans le travail l'ouvrier ne s'appartient pas lui-même, mais appartient à un autre. De même que, dans la religion, l'activité propre de l'imagination humaine, du cerveau humain et du cœur humain, agit sur l'individu indépendamment de lui, c'est-à-dire comme une activité étrangère divine ou diabolique, de même l'activité de l'ouvrier n'est pas son activité propre. Elle appartient à un autre, elle est la perte de soi-même[21].

21. *Ibid.*, p. 60.

RÉSUMÉ DE LA PENSÉE DE L'AUTEUR

1. Le travail de l'ouvrier n'est pas l'expression d'un besoin fondamental d'affirmation de soi : il ruine le travailleur physiquement et intellectuellement.

2. L'ouvrier se sent obligé d'aller travailler, dans le seul but de satisfaire ses besoins vitaux.

3. Le travail n'appartient donc plus à son auteur, l'ouvrier, mais à son employeur : le travail devient une perte de soi-même.

c) La déshumanisation. La troisième forme d'aliénation du travail, la déshumanisation, concerne le caractère social de l'être humain, les rapports des humains entre eux. Séparé des produits de son travail, vidé de sa propre réalité, l'ouvrier devient, selon les mots de Marx, « un individu séparé de la communauté, replié sur lui-même, préoccupé uniquement de son intérêt personnel et obéissant à son arbitraire privé[22] ». L'ouvrier isolé devient vite la victime d'un pouvoir étranger, le pouvoir de ceux qui s'accaparent les produits de son travail. Le travail aliéné crée donc une deuxième classe d'êtres humains qui ne produisent pas, mais qui jouissent des produits du travail des autres : en fixant des salaires qui ne correspondent pas à la valeur réelle du travail fourni par l'ouvrier, ils s'accaparent une partie de ce travail pour le transformer en profit, puis en capital.

Production et jouissance des biens se trouvent donc réparties entre deux catégories, deux classes d'individus. Il y a accumulation et concentration du profit aux mains de quelques individus ou de quelques familles qui constituent la classe possédante (ceux qui possèdent le capital, les usines et les commerces). La classe possédante domine la classe ouvrière, qui ne possède que sa force de travail et se voit obligée de la vendre pour survivre.

On assiste ainsi à la division de la société en classes inégales, antagonistes : les bourgeois utilisent les ouvriers comme de simples outils économiques. Marx écrit à ce propos :

Dans la même mesure où la bourgeoisie, autrement dit le capital, se développe, on voit se développer le prolétariat, la classe des travailleurs modernes, qui ne vivent qu'autant qu'ils trouvent du travail, et qui ne trouvent de l'ouvrage qu'autant que leur travail accroît le capital. Ces travailleurs sont obligés de se vendre morceau par morceau telle une marchandise : et, comme tout autre article de commerce, ils sont livrés à toutes les vicissitudes de la concurrence, à toutes les fluctuations du marché[23].

---

22. Karl Marx, *La question juive*, Paris, Union générale d'Éditions, 1968, p. 39.
23. Marx-Engels, *Manifeste du parti communiste*, dans *Œuvres, op. cit.*, p. 168.

Le caractère social de l'être humain ne peut donc s'exprimer et se développer au sein d'une structure sociale marquée par l'inégalité, la division et l'antagonisme, alors qu'elle devrait favoriser l'égalité, la cohésion et la solidarité. L'être humain demeure étranger à lui-même, à ce qu'il est vraiment : un être social. L'aliénation devient déshumanisation.

Le tableau suivant présente le fonctionnement de l'économie capitaliste selon Marx.

LE FONCTIONNEMENT DE L'ÉCONOMIE CAPITALISTE SELON KARL MARX[24]

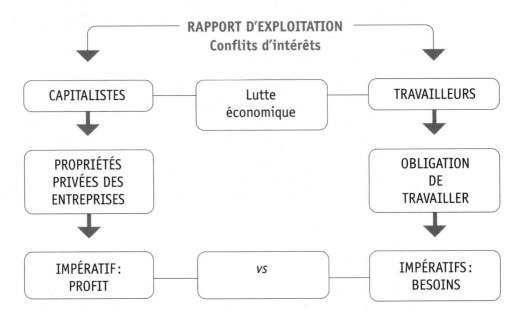

Dans les pages qui précèdent, nous avons vu comment Marx définit et analyse les trois formes de l'aliénation du travail : la dépossession des fruits du travail, la dépersonnalisation du travailleur et la déshumanisation. Les travailleurs peuvent-ils échapper à cette triple aliénation ? Peuvent-ils s'approprier les forces productives et transformer les rapports de production ? Bref, peuvent-ils inverser la tendance du capitalisme industriel et redonner au travail sa dimension humaine ? Pour répondre à ces questions, il faut d'abord considérer les principaux éléments de l'anthropologie marxiste. Le dépassement de l'aliénation du travail dépend en effet, aux yeux de Marx, de la reconnaissance préalable de la spécificité de l'être humain et de ses possibilités d'action concrète.

---

24. A. Morazain et S. Pucella, *op. cit*, p. 103.

2.3.2 Les trois formes de l'aliénation du travail

L'aliénation désigne des situations où l'être humain s'est perdu lui-même, est devenu étranger à lui-même. L'aliénation est donc déchéance ; elle est l'état de l'homme devenu comme son propre ennemi ! L'aliénation revêt trois formes.

a) *La dépossession des fruits du travail*
- Dans la production industrielle moderne, l'ouvrier est privé des produits de son travail : ils ne lui appartiennent pas.
- Or, il investit dans ces produits une partie de sa vie, l'équivalent du temps nécessaire à leur production, et ces produits demeurent extérieurs à sa vie propre.
- Donc, plus il produit, plus il s'appauvrit lui-même.

b) *La dépersonnalisation du travailleur*
- Le travail de l'ouvrier n'est pas l'expression d'un besoin fondamental d'affirmation de soi : il ruine le travailleur physiquement et intellectuellement.
- Le travail est monotone et répétitif ; il ne sollicite pas l'intelligence et la créativité de l'ouvrier.
- L'ouvrier se sent obligé d'aller travailler, dans le seul but de satisfaire ses besoins vitaux et non pas pour se réaliser, développer ses talents, ses potentialités.

c) *La déshumanisation*
- Le travail de l'ouvrier déshumanise l'être humain. La société capitaliste est divisée en deux catégories ou classes d'individus : ceux qui travaillent en échange d'un salaire et ceux qui tirent profit de la force de travail des ouvriers. Le caractère social et communautaire de l'être humain ne peut s'exprimer dans une société ainsi divisée en deux classes antagonistes.
- L'être humain demeure étranger à lui-même, à ce qu'il est vraiment : un être social. L'aliénation devient déshumanisation.
- Le mode de production capitaliste suppose la mort de l'être humain en tant qu'être humain, ce dernier devenant une simple marchandise.

3.1 LA SPÉCIFICITÉ HUMAINE

La conception marxiste de l'être humain commence avec la constatation de cette évidence : l'être humain appartient à la nature, c'est-à-dire au monde vivant et à l'univers physique. Pour Marx, l'être humain est essentiellement un être naturel vivant et, en tant que tel, il se définit par ses besoins. Et ses premiers besoins sont d'ordre matériel : se nourrir, se loger, s'habiller.

Le genre humain se distingue toutefois des autres espèces vivantes par sa production : alors que les autres vivants satisfont leurs besoins en s'intégrant aux processus naturels, l'être humain doit tirer sa subsistance de la transformation des processus naturels. Dès l'époque préhistorique, les collectivités humaines ont dû développer progressivement l'agriculture ainsi que la domestication et l'élevage des animaux, la cueillette des plantes et la chasse ne suffisant plus à subvenir à leurs besoins à cause de l'accroissement des populations.

L'être humain est donc apte à produire, par cette activité créatrice qu'est le travail, ses propres moyens de subsistance. On retrouve cette idée dans *L'idéologie allemande* :

> On peut distinguer les hommes des animaux par la conscience, par la religion et par tout ce que l'on voudra. Eux-mêmes commencent à se distinguer des animaux dès qu'ils commencent à *produire* leurs moyens d'existence, pas en avant qui est la conséquence même de leur organisation corporelle. En produisant leurs moyens d'existence, les hommes produisent indirectement leur vie matérielle elle-même[25].

Pour Marx, le travail n'est pas une activité ordinaire ; au sens propre, seul l'être humain travaille. Certes, l'abeille construit sa ruche, mais son activité est exécutée de manière instinctive et mécanique.

La célèbre page du *Capital* qui suit explique de façon plus détaillée comment le travail constitue l'activité spécifique de l'être humain :

> Le travail est de prime abord un acte qui se passe entre l'homme et la nature. L'homme y joue lui-même vis-à-vis de la nature le rôle d'une puissance naturelle. Les forces dont son corps est doué, bras et jambes, tête et mains, il les met en mouvement, afin de s'assimiler des matières en leur donnant une forme utile à sa vie. En même temps qu'il agit par ce mouvement sur la nature extérieure et la modifie, il modifie sa propre

---

25. Marx-Engels, *L'idéologie allemande, op. cit.*, p. 43.

nature, et développe les facultés qui y sommeillent. Nous ne nous arrêterons pas à cet état primordial du travail où il n'a pas encore dépouillé son mode purement instinctif. Notre point de départ c'est le travail sous une forme qui appartient exclusivement à l'homme. Une araignée fait des opérations qui ressemblent à celles du tisserand, et l'abeille confond par la structure de ses cellules de cire l'habileté de plus d'un architecte. Mais ce qui distingue dès l'abord le plus mauvais architecte de l'abeille la plus experte, c'est qu'il a construit la cellule dans sa tête avant de la construire dans la ruche. Le résultat auquel le travail aboutit préexiste idéalement dans l'imagination du travailleur. Ce n'est pas qu'il opère seulement un changement de forme dans les matières naturelles ; il y réalise du même coup son propre but dont il a conscience, qui détermine comme loi son mode d'action, et auquel il doit subordonner sa volonté. Et cette subordination n'est pas momentanée. L'œuvre exige pendant toute sa durée, outre l'effort des organes qui agissent, une attention soutenue, laquelle ne peut elle-même résulter que d'une tension constante de la volonté. Elle l'exige d'autant plus que, par son objet et son mode d'exécution, le travail entraîne moins le travailleur, qu'il se fait moins sentir à lui comme libre jeu de ses forces corporelles et intellectuelles, en un mot, qu'il est moins *attrayant*[26].

RÉSUMÉ DE LA PENSÉE DE L'AUTEUR

1. Par le travail, l'être humain :
   - s'approprie la nature en la modifiant afin de la rendre utile à sa vie ;
   - ce faisant, il développe ses propres capacités et facultés.

2. Le travail s'impose comme une activité spécifiquement humaine, il situe l'être humain dans une classe à part parmi les êtres vivants.

3. Le travail exige en effet le concours de la pensée et de l'imagination : l'être humain qui travaille agit non seulement en technicien, comme l'abeille qui réalise un plan établi d'avance, mais il imagine et élabore lui-même le plan de son action, il en fixe le but.

4. Le travail exige enfin le concours de la volonté, lorsque le travail est plus ardu, qu'il demande plus d'effort.

---

26. Karl Marx, *Le capital*, dans *Œuvres, op. cit.*, p. 727-728.

En analysant les fonctions de cette activité spécifiquement humaine qu'est le travail, Marx met en lumière son rôle primordial dans le devenir individuel et collectif de l'être humain : il démontre aussi l'importance première de la vie matérielle, des conditions concrètes de l'existence dans la détermination des actions, de la pensée et des possibilités de développement de l'être humain.

3.1.1 Les fonctions du travail

A. Le travail humanise la nature

Marx définit le travail comme une transformation intelligente de la nature. La première signification de tout travail est d'assurer la maîtrise de l'être humain sur la nature, d'humaniser celle-ci par la technique et l'industrie, pour assurer la satisfaction de tous les besoins humains :

> [...] le monde sensible [...] n'est pas un objet donné directement de toute éternité et sans cesse semblable à lui-même, mais le produit de l'industrie et de l'état de la société, et cela en ce sens qu'il est un produit historique, le résultat de l'activité de toute une série de générations, dont chacune se hissait sur les épaules de la précédente, perfectionnait son industrie et son commerce et modifiait son régime social en fonction de la transformation des besoins[27].

Le travail permet donc à l'être humain de transformer des éléments naturels en objets et en forces qui n'auraient pas été produits spontanément par l'évolution naturelle. Travailler, c'est animer le monde sensible, c'est lui donner une forme nouvelle, bref, c'est manifester et actualiser les possibilités de la nature. La nature ainsi transformée apparaît comme l'œuvre sans cesse inachevée de l'être humain ; elle devient de plus en plus humaine.

B. Le travail réalise les possibilités de l'être humain

En transformant le monde sensible, l'être humain cherche d'abord à satisfaire ses besoins. Ce faisant, il rencontre la résistance de la nature, qui ne produit pas d'elle-même tout ce dont il a besoin. Pour vaincre cette résistance, il doit mettre en œuvre toutes ses capacités physiques et intellectuelles. Le travail est donc à la fois une dure nécessité et une possibilité offerte à l'être humain de développer ses habiletés et ses facultés.

L'être humain n'est donc pas une entité toute faite ; il se développe et se constitue dans l'effort constant de création que représente le travail. Le moyen privilégié de

---

27. Marx-Engels, *L'idéologie allemande, op. cit.*, p. 56.

réalisation de l'être humain se trouve donc dans le travail : en façonnant la nature, il se façonne lui-même.

L'objet produit devient donc le miroir de l'être humain ; dans le produit de son travail, on le contemple dans sa totalité, puisque l'ensemble de ses capacités (imagination, volonté, force physique, etc.) est en jeu dans le travail. Le travail lui permet de se créer lui-même.

Ainsi, Marx définit le travail comme l'expression concrète du pouvoir d'autotransformation de l'être humain. Cette définition se situe à l'opposé des conceptions anciennes du travail, qui présentaient celui-ci comme une souffrance, une malédiction, voire un avilissement de l'être humain : l'homme vraiment libre pouvait se passer aisément du travail, qui était le lot de l'esclave. Marx inverse les termes de cette relation : par le travail, l'être humain acquiert sa véritable liberté, il met en œuvre et développe ses potentialités, il maîtrise de mieux en mieux les forces de la nature et il réalise ses besoins.

Sujet de réflexion

Selon le sociologue André Gorz, le travail n'aurait plus aujourd'hui la même importance qu'auparavant dans le processus de réalisation de soi, la vie sociale offrant d'autres possibilités d'accomplissement. Dans un premier temps, pouvez-vous nommer quelques-unes de ces possibilités ? Dans un deuxième temps, estimez-vous que celles-ci ont des répercussions aussi importantes que le travail sur le plan du développement des compétences, de l'accès à la propriété et de l'organisation de la vie familiale ?

C. Le travail socialise l'être humain

Tout en rendant possible la réalisation individuelle, le travail révèle et actualise la nature sociale de l'être humain.

La satisfaction des besoins humains ne se fait pas sans luttes : la présence d'obstacles naturels rend nécessaire l'organisation, la planification et l'innovation dans le travail, donc la définition d'un projet collectif. Nous savons tous, en effet, que l'accomplissement des gestes les plus ordinaires et les plus nécessaires (boire, manger, se loger, s'habiller) n'est pas possible sans le concours des autres. Les besoins humains, à cause de leur multiplicité, de la diversité des aptitudes et des talents individuels et de l'ampleur des activités de production nécessaires à leur satisfaction, ne peuvent être comblés que s'il y a collaboration dans le travail et partage des biens nécessaires à la vie.

La satisfaction des besoins humains est donc une affaire collective. Dans la production d'un monde humain, l'individu agit en tant que membre de la communauté humaine : il ne produit pas seulement ce dont il a immédiatement besoin, mais il assume une partie de la production des biens nécessaires à la communauté. La satisfaction des besoins collectifs dépend de la participation de chacun à l'effort de production, et le bien-être de chacun dépend de l'effort de production collectif. Le travail manifeste la nature sociale de l'être humain, qui est sa nature véritable.

Concluons cette analyse du travail et de ses principales fonctions par ces mots de Engels :

 Le travail, disent les économistes, est la source de toute richesse. Il l'est effectivement... conjointement avec la nature qui lui fournit la matière qu'il transforme en richesse. Mais il est infiniment plus encore. Il est la condition fondamentale première de toute vie humaine, et il l'est à un point tel que, dans un certain sens, il nous fait dire : le travail a créé l'homme lui-même[28].

3.1.2 Existence et vie matérielle

Aux yeux de Marx, le travail s'impose donc comme le caractère distinctif de l'être humain. La production de la vie matérielle par le travail devient ainsi la clef de l'analyse de la vie sociale et du devenir historique de l'humanité. C'est pourquoi Marx s'attache prioritairement à l'étude de la vie matérielle, c'est-à-dire à la façon dont les êtres humains, à une époque donnée, produisent, échangent, vendent et consomment les produits nécessaires à leur existence. Dans cette optique, il n'importe pas vraiment de savoir ce qu'ils pensent d'eux-mêmes, ni de connaître leurs idées personnelles, sociales, politiques ou religieuses. En effet, selon Marx : « La production des idées, des représentations et de la conscience est d'abord directement et intimement mêlée à l'activité matérielle et au commerce matériel des hommes, elle est le langage de la vie réelle[29]. »

Nous sommes ici en présence de la thèse fondamentale de Marx. Les conceptions issues de la tradition rationaliste présentaient un modèle abstrait de l'être humain, un modèle qui présupposait une essence déjà donnée, une faculté spécifique non matérielle qui donnait à l'existence humaine son sens premier ; dans cette optique, les personnes n'avaient qu'à actualiser leur être propre, à assumer ce qu'ils étaient déjà : des êtres rationnels. Ce faisant, ces conceptions n'ont pas reconnu l'importance de la vie matérielle dans l'existence humaine. Marx, au contraire, met en évidence le fait que les conditions concrètes dans lesquelles les humains produisent les biens nécessaires à leur survie et nouent leurs relations sociales influencent, conditionnent et déterminent leur pensée, leur être et leur devenir effectif :

---

28. Friedrich Engels, « Le rôle du travail dans la transformation du singe en homme », dans *Textes choisis et annotés par Jean Kanapa*, Paris, Éditions sociales, 1968, p. 133-134.

29. Marx-Engels, *L'idéologie allemande, op. cit.*, p. 50.

La façon dont les individus manifestent leur vie reflète très exactement ce qu'ils sont. Ce qu'ils sont coïncide donc avec leur production, aussi bien avec *ce qu'*ils produisent qu'avec la façon *dont* ils le produisent. Ce que sont les individus dépend donc des conditions matérielles de leur production[30].

En termes plus généraux, la réalité humaine coïncide avec l'activité humaine : elle est incarnée dans des individus concrets, dotés de forces actives qui leur permettent de façonner la nature selon leurs propres besoins. Ce qu'ils sont coïncide avec ce qu'ils font ; on ne peut définir l'être humain en faisant abstraction des êtres humains concrets, singuliers, agissants. Il n'y a pas d'essence *a priori* de l'être humain, il n'y a pas d'essence antérieure à l'individu qui existe, qui respire, travaille et communique, qui réalise ses besoins en fonction du contexte socioéconomique et de sa position dans l'ordre social.

Rappel des IDÉES PRINCIPALES

3.1 LA SPÉCIFICITÉ HUMAINE

3.1.1 Les fonctions du travail

Le travail est la clé de la compréhension de l'être humain. Par le travail, celui-ci :

a) humanise la nature, qu'il transforme pour répondre à ses besoins ;

b) utilise et développe ses capacités physiques et intellectuelles ;

c) manifeste sa réalité sociale, car la transformation de la nature en fonction de la satisfaction des besoins humains demande un effort collectif.

3.1.2 Existence et vie matérielle

- En produisant ses moyens de subsistance, l'être humain transforme les conditions concrètes, matérielles, de son existence.
- Ce faisant, il conditionne l'organisation de sa vie sociale et culturelle, il détermine l'orientation de son propre développement historique.
- L'être humain se définit donc par ce qu'il fait, par son activité concrète.

3.2 LA SOCIABILITÉ HUMAINE

En second lieu, la théorie marxiste rattache l'existence humaine d'abord à l'ordre social, ensuite seulement à l'ordre individuel. Trois arguments soutiennent cette thèse centrale.

---

30. *Ibid.*, p. 43.

a) Le premier argument est d'ordre historique. Aussi loin que l'on remonte dans l'histoire, on constate que l'individu humain appartient à une communauté. Dès l'origine de l'humanité, il est intégré dans une famille, une tribu ou un regroupement de tribus. Marx interprète cette appartenance comme une dépendance de l'individu envers le groupe, mais aussi comme un facteur de développement : l'être humain est un animal sociable, qui ne peut s'épanouir qu'en société.

b) Le deuxième argument repose sur une constatation de fait, que tous peuvent reconnaître : les activités humaines courantes, qu'elles soient collectives ou individuelles, font appel à l'expérience des membres de la communauté et à celle des générations antérieures. La langue, la culture, les coutumes et le savoir sont un héritage, un patrimoine collectif, ils sont le résultat de la coopération entre les hommes. Marx ajoute :

> Même si mon activité est scientifique, etc., et que je puisse rarement m'y livrer en communauté directe avec d'autres, je suis social parce que j'agis en tant qu'homme. Non seulement le matériel de mon activité – comme le langage lui-même grâce auquel le penseur exerce la sienne – m'est donné comme produit social, mais ma propre existence est activité sociale[31].

c) L'argument le plus fondamental est le troisième. Il provient de l'analyse des fonctions et des finalités mêmes du travail. Comme nous l'avons vu précédemment, la théorie marxiste définit le travail comme le moyen privilégié de réalisation des capacités de chaque individu, cette réalisation s'accomplissant au prix d'un investissement de temps et d'énergie. Pour Marx, le travail ne prend son sens véritable que dans la mesure où son résultat, c'est-à-dire la production d'un bien, sert à satisfaire le besoin de quelqu'un d'autre. La finalité ultime du travail est donc d'entrer en relation avec les autres, de contribuer à satisfaire leurs besoins autant que les nôtres. Les efforts individuels de transformation de la nature prennent alors tout leur sens : ils permettent à l'être humain d'accomplir sa nature véritable, la sociabilité. C'est là le sens de cette page lyrique de Marx :

> Supposons que nous produisions comme des êtres humains : chacun de nous s'affirmerait doublement dans sa production, soi-même et l'autre. Dans ma production, je réaliserais mon individualité, ma particularité ; j'éprouverais, en travaillant, la jouissance d'une manifestation individuelle de ma vie, et, dans la contemplation de l'objet, j'aurais la joie individuelle de reconnaître ma personnalité comme une puissance réelle, concrètement saisissable et échappant à tout doute. Dans ta jouissance ou ton emploi de mon produit, j'aurais la joie spirituelle immédiate de satisfaire par mon travail un besoin humain, de réaliser la nature humaine et de fournir au besoin d'un autre l'objet de sa nécessité. J'aurais

31. Karl Marx, *Manuscrits de 1844, op. cit.*, p. 89.

conscience de servir de médiateur entre toi et le genre humain, d'être reconnu et ressenti par toi comme un complément à ton propre être et comme une partie nécessaire de toi-même, d'être accepté dans ton esprit comme dans ton amour. J'aurais, dans mes manifestations individuelles, la joie de créer la manifestation de ta vie, c'est-à-dire de réaliser et d'affirmer dans mon activité individuelle ma vraie nature, ma sociabilité humaine. Nos productions seraient autant de miroirs où nos êtres rayonneraient l'un vers l'autre[32].

L'idée que le travail est une activité sociale prend donc chez Marx une double signification. D'abord, la production technique des biens matériels suppose, bien sûr, la collaboration de plusieurs personnes. Dans un sens plus fondamental, le travail crée le lien nécessaire de solidarité entre les êtres humains, hors duquel ils ne peuvent s'accomplir de manière véritablement humaine.

Rappel des IDÉES PRINCIPALES

3.2 LA SOCIABILITÉ HUMAINE

L'existence humaine se rattache d'abord à la réalité sociale. On peut le montrer par les arguments suivants.

a) Aussi loin que l'on remonte dans l'histoire, les êtres humains ont vécu en communauté. C'est là une condition de leur développement.

b) Les activités humaines courantes, notamment le travail, font appel à l'expérience des membres de la communauté et à celle des générations antérieures.

c) Le travail ne prend son sens véritable que dans la mesure où il sert à satisfaire les besoins des autres membres de la communauté : le travail est source de solidarité.

3.3 LE SENS DE LA LIBERTÉ HUMAINE

On doit aborder la question de la liberté humaine en tenant compte de deux thèses fondamentales du marxisme déjà étudiées.

Premièrement, l'activité humaine est définie comme l'expression concrète d'un projet, comme la manifestation d'une créativité, d'un pouvoir d'auto-organisation. L'être humain peut manifester sa liberté de choix et son autonomie dans ses œuvres concrètes, dans l'orientation qu'il donne à la vie économique, sociale et culturelle. Il peut se transformer lui-même lucidement et volontairement en transformant le monde matériel.

---

32. Id., *Notes de lecture*, dans *Œuvres*, vol. II, Paris, Gallimard, 1968, p. 33.

Deuxièmement, le système économique impose un mode d'organisation sociale qui façonne les individus à leur insu et détermine leur conscience ; autrement dit, ceux-ci se perçoivent à travers des structures de pensée déterminées par leurs conditions concrètes d'existence. De plus, l'organisation concrète du travail dans une société donnée peut être une source d'aliénation de l'être humain sur le plan individuel et sur le plan collectif.

Pour concilier ces deux thèses, il faut étudier la question de la liberté chez Marx dans l'optique de la libération collective de l'être humain à travers l'histoire, puis sous l'angle des conditions concrètes qui rendent possible la libération.

3.3.1 La libération historique de l'être humain

Contrairement à la problématique de la liberté individuelle issue de la tradition rationaliste, la question marxiste de la liberté se pose dans l'optique de la libération collective. Le rationalisme posait en effet la question de la liberté du point de vue de la conscience individuelle : une personne possède-t-elle la faculté de faire des choix et d'être autonome ? Autrement dit, est-elle responsable de son existence ? Chez Marx, la question de la liberté est inséparable de l'idée d'action collective : les êtres humains peuvent-ils agir collectivement sur leurs conditions concrètes d'existence afin de faire progresser l'humanisation de tous ? En d'autres termes, peuvent-ils orienter collectivement leur développement historique en vue de la satisfaction des besoins de chacun et du développement de la sociabilité ?

Marx ne se demande donc plus si chaque personne a la capacité intrinsèque d'agir librement, c'est-à-dire sans influence extérieure ; il se demande plutôt si des collectivités humaines peuvent prendre véritablement le contrôle des leviers socioéconomiques qui leur échappent, si elles peuvent éventuellement assumer pleinement le processus historique d'humanisation.

On l'a vu précédemment, la pensée marxiste s'intéresse à la vie matérielle, à l'être humain concret. Elle ne cherche pas l'essence de l'être humain, ce qu'il est en soi avant de se commettre dans des actes. Dans le même esprit, elle ne cherche pas un fondement métaphysique de la liberté humaine qui résiderait dans des facultés rationnelles insaisissables. Elle s'intéresse au contraire aux conditions concrètes et historiques de l'action humaine :

 [...] il n'est pas possible de réaliser une libération réelle ailleurs que dans le monde réel et autrement que par des moyens réels ; [...] on ne peut abolir l'esclavage sans la machine à vapeur et la mule-jenny[33], ni abolir le servage sans améliorer l'agriculture ; [...] plus généralement, on ne peut libérer les hommes tant qu'ils ne sont pas en état de se procurer

33. Première machine à filer automatique.

complètement nourriture et boisson, logement et vêtements en qualité et en quantité parfaites. La « libération » est un fait historique et non un fait intellectuel, et elle est provoquée par des conditions historiques [...][34].

Aux yeux de Marx, on ne peut parler de liberté aussi longtemps que les besoins humains fondamentaux ne sont pas satisfaits. Or la satisfaction de ces besoins dépend du développement de moyens techniques adéquats, et la mise en œuvre de ces moyens est le résultat d'un effort de travail collectif. Les conditions historiques de libération de l'être humain ne peuvent donc être que collectives, de sorte que la « liberté personnelle » de chacun dépend essentiellement de l'avènement d'une véritable vie communautaire :

C'est seulement dans la communauté [avec d'autres que chaque] individu a les moyens de développer ses facultés dans tous les sens ; c'est seulement dans la communauté que la liberté personnelle est donc possible. Dans les succédanés de communautés qu'on a eus jusqu'ici, dans l'État, etc., la liberté personnelle n'existait que pour les individus qui s'étaient développés dans les conditions de la classe dominante et seulement dans la mesure où ils étaient des individus de cette classe. [...] Dans la communauté réelle, les individus acquièrent leur liberté simultanément à leur association, grâce à cette association et en elle[35].

La réalisation de cette « communauté réelle » exige une modification des structures économiques et sociales en place. C'est dans cette perspective que se formule la question de la libération : est-il possible d'instaurer un système économique et une organisation de la vie sociale qui favoriseraient la satisfaction des besoins et l'accomplissement des potentialités humaines, qui permettraient l'expression de la puissance créatrice de tous les humains, bref, l'exercice pratique de leur liberté ?

3.3.2 Les conditions concrètes de la libération

Selon la conception marxiste, la libération de l'être humain n'est concevable et réalisable que dans la pratique, dans l'action collective visant à transformer les structures socioéconomiques concrètes. La libération passe nécessairement par la remise en cause de l'ordre social, économique, politique et culturel établi, principalement au moyen de la socialisation de l'économie.

Socialiser l'économie, c'est amener l'organisation du travail et la production de biens de consommation à servir les besoins du plus grand nombre. C'est donner à l'économie sa véritable fonction sociale : celle d'assurer la subsistance, le bien-être et la solidarité de la communauté dans son ensemble.

---

34. Marx-Engels, *L'idéologie allemande, op. cit.*, p. 53-54.
35. *Ibid.*, p. 113.

Ouvrière anglaise haranguant ses collègues de travail (vers 1900). Dans l'optique marxiste, la libération passe nécessairement par la remise en cause de l'ordre social, économique et politique établi.

Sujet de réflexion

Depuis la grande crise économique de 1929, l'État-providence joue un rôle de premier plan dans la création d'emplois et la répartition de la richesse par la dispensation de services sociaux financés à même les impôts, principalement les impôts des particuliers. De plus en plus, les tenants du libéralisme économique, et au premier chef les dirigeants d'entreprises, réclament des diminutions d'impôt pour l'ensemble des contribuables, en vue de stimuler l'économie par la consommation. Or ils réclament également la réduction de la taille de l'État et le transfert à l'entreprise privée de certaines des activités que celui-ci assure actuellement. Croyez-vous que vous sortirez gagnant de ce pari ? Compte tenu du fait que plus des deux tiers du budget du gouvernement du Québec vont à la santé et à l'éducation, estimez-vous que les baisses d'impôt dont vous pourriez bénéficier éventuellement compenseront, entre autres, l'augmentation des frais de scolarité ou l'établissement de primes d'assurance maladie ou de frais médicaux directs ?

L'abolition de la propriété privée et la prise de contrôle des moyens de production par les travailleurs est la première étape de la socialisation de l'économie. En réorganisant la production en fonction des besoins primaires de subsistance, les nouveaux dirigeants pourraient d'abord éliminer rapidement la pauvreté et la misère des classes les plus défavorisées, puis augmenter le niveau de vie de toute la population. La production n'étant plus soumise à la pression du profit, on pourrait réduire les cadences et les horaires de travail et améliorer la qualité de vie des travailleurs et de leur famille. On pourrait enfin restructurer la production industrielle de manière à la rendre moins machinale et morcelée, en faisant appel à la créativité et à l'initiative des travailleurs.

Aux yeux de Marx, l'abolition du système capitaliste devient la condition indispensable à la prise en main par l'être humain de sa propre humanité. Dans la perspective marxiste, en effet, le système économique est beaucoup plus qu'un simple moyen pour produire la richesse ou les biens de consommation : il recèle et impose un mode d'existence qui façonne les individus à leur insu. Le système capitaliste doit être remplacé par un autre qui, en socialisant l'économie, mettra la production au service de l'être humain, au service de la satisfaction de ses besoins plutôt qu'au service du capital.

Rappel des IDÉES PRINCIPALES

3.3 LE SENS DE LA LIBERTÉ HUMAINE

3.3.1 La libération historique de l'être humain

- La question marxiste de la liberté se pose dans l'optique de la libération collective :
  - elle ne consiste pas à savoir si, au départ, chaque individu est libre de mener son existence à sa guise ;
  - elle consiste plutôt à montrer que les êtres humains peuvent collectivement se rendre maîtres de la réalité économique, afin de combler leurs besoins à tous.
- On ne peut en effet parler de liberté véritable tant que les besoins fondamentaux de tous ne sont pas satisfaits.
- La liberté personnelle n'est donc possible que dans la communauté libre.

3.3.2 Les conditions concrètes de la libération

La libération collective est réalisable à condition de socialiser l'économie.

Il faut transformer radicalement l'économie afin qu'elle puisse satisfaire les besoins de tous les membres de la communauté humaine.
- Il faut abolir la propriété privée des moyens de production, afin que le plein contrôle en soit assuré par les travailleurs.
- Il faut réorienter la production en vue de la satisfaction des besoins humains, et non plus en fonction des impératifs du profit.

3.4 LA CRITIQUE DE LA RELIGION

Dans la perspective du matérialisme marxiste, la critique de la religion est un élément important de la remise en cause de l'ordre établi. La foi religieuse est considérée non seulement comme inutile, mais aussi comme néfaste. Avant Marx, Ludwig Feuerbach avait développé, dans *L'essence du christianisme*, une critique radicale de l'idée de Dieu et de la religion. Sa critique repose sur le constat suivant : l'idée que les humains se font de Dieu correspond à ce qui constitue l'essence, la nature même de l'être humain. En effet, dans le discours religieux, dans le discours chrétien en particulier, Dieu est considéré comme un être de bonté et de justice, comme l'intelligence, la puissance suprême, comme le maître de l'univers. Or ces qualités ou attributs, c'est-à-dire l'amour, la raison et la volonté libre, ne sont-ils pas là les qualités essentielles de l'être humain, celles qui le définissent ? Le discours sur Dieu doit donc être considéré comme un discours sur l'homme, puisque finalement les deux ne font qu'un.

La position de Feuerbach est très claire :

Telle la pensée de l'homme, tels ses sentiments, tel son Dieu : autant de valeur possède l'homme, autant et pas plus, son Dieu. La conscience de Dieu est la conscience de soi de l'homme, la connaissance de Dieu est la connaissance de soi de l'homme. À partir de son Dieu tu connais l'homme, et inversement à partir de l'homme son Dieu : les deux ne font qu'un. Ce que Dieu est pour l'homme, c'est son esprit, son âme, et ce qui est le propre de l'esprit humain, son âme, son cœur, c'est cela son Dieu : Dieu est l'intériorité manifeste, le soi (*das Selbst*) exprimé de l'homme ; la religion est le solennel dévoilement des trésors cachés de l'homme, l'aveu de ses pensées les plus intimes, la confession publique de ses secrets d'amour[36].

LUDWIG FEUERBACH
(1804-1872)

Philosophe allemand, disciple de Hegel. Il a formulé une critique de l'aliénation religieuse comme un moment à dépasser de l'histoire humaine. Il est l'auteur de *L'essence du christianisme* (1841).

Dieu est l'essence la plus propre de l'homme.
(L'essence du christianisme)

---

36. Ludwig Feuerbach, *L'essence du christianisme*, Paris, Maspero, 1968, p. 128-129.

L'idée de Dieu n'est donc qu'une projection de ce qu'il y a de meilleur chez l'être humain : la raison, l'amour et la volonté. L'être humain transfère ses qualités, ses attributs à un être supérieur qu'il appelle Dieu, comme s'il se sentait indigne d'être le sujet de ces qualités. Cédant à la figure de Dieu ses traits les plus nobles, il s'en dépouille lui-même réellement ; il se prive de créativité, d'originalité, de passion. Il devient ainsi un étranger pour lui-même : il nie de lui-même ce qu'il affirme de Dieu. C'est l'origine de l'aliénation religieuse. Ainsi apparaît comme évidente la nécessité d'une remise en question radicale de la religion. *L'essence du christianisme* se conclut pratiquement par les mots suivants, qui constituent un véritable appel à une solidarité humaine faisant partie de la nature même de l'être humain :

> La religion est la première conscience de soi de l'homme. [...] Mais ce qui pour la religion est premier, Dieu, est, comme on l'a démontré, second en soi, du point de vue de la vérité, car il n'est que l'essence de l'homme objective à elle-même, et ce qui pour la religion est second, l'homme, doit donc nécessairement [...] être posé et énoncé comme étant premier. L'amour pour l'homme ne peut pas être dérivé ; il doit être originaire. Alors seulement l'amour peut être une puissance authentique, sacrée, sûre. Si l'essence de l'homme est pour lui l'essence suprême, alors pratiquement la loi suprême et première doit être l'amour de l'homme pour l'homme, *Homo homini deus est* – tel est le principe pratique suprême[37].

L'affirmation de l'homme suppose la négation de Dieu au sens de la religion, tel est le message de Feuerbach. À ceux qui vont chercher dans la dimension du sacré une réponse aux grandes questions de l'existence, telles que « Pourquoi y a-t-il quelque chose en général, pourquoi le monde ? », Feuerbach donne une réponse d'une clarté désarmante :

> [Le monde existe] pour cette simple raison que si quelque chose n'existait pas, le néant existerait, et que si la raison n'existait pas, il n'existerait que la non-raison – c'est pourquoi le monde existe puisque c'est un non-sens qu'il ne soit point. Dans le non-sens de son non-être tu trouves le sens véritable de son être [...]. Le néant, le non-être est sans but, absurde, inintelligible. Seul l'être a but, fondement et sens[38].

Marx ajoute à cette critique de Feuerbach que l'abandon de la religion doit inciter l'être humain à établir sa propre réalité sur terre, puisque la réalité de « l'au-delà » ne résiste pas non plus à la critique. L'être humain ne pouvant plus projeter l'avènement d'un monde meilleur dans une dimension surnaturelle, au-delà de la vie terrestre, il lui incombe de changer le monde qui l'entoure pour atteindre à la satisfaction réelle de ses besoins. L'être humain doit ainsi régler le problème des injustices sociales et de la

---

37. *Ibid.*, p. 425-426.
38. *Ibid.*, p. 163.

pauvreté ici et maintenant, et non pas dans l'au-delà, à la fin des temps. Aussi Marx écrit-il, dans la *Critique de la philosophie hégélienne du droit* :

La misère religieuse est à la fois l'expression de la misère réelle et la protestation contre cette misère. La religion est le soupir de la créature accablée, l'âme d'un monde sans cœur, comme elle est l'esprit d'une existence sans esprit. Elle est l'opium du peuple.

L'abolition de la religion en tant que bonheur illusoire du peuple est une exigence de son bonheur réel. Exiger que le peuple renonce à ses illusions sur sa condition, c'est exiger qu'il abandonne une condition qui a besoin d'illusions. La critique de la religion est donc virtuellement la critique de la vallée de larmes dont la religion est l'auréole.

La critique a effeuillé les fleurs imaginaires qui ornent nos chaînes non pas pour que l'homme porte ses chaînes prosaïques et désolantes, mais pour qu'il secoue ses chaînes et cueille la fleur vivante. La critique de la religion désabuse l'homme afin qu'il pense, agisse, crée sa réalité comme un homme désabusé, parvenu à la raison, afin qu'il se meuve autour de son véritable soleil, c'est-à-dire autour de lui-même. La religion n'est que le soleil illusoire qui se meut autour de l'homme, aussi longtemps que celui-ci ne se meut pas autour de lui-même[39].

La religion constitue, aux yeux de Marx, « l'opium du peuple », c'est-à-dire une illusion qui empêche le peuple de secouer « ses chaînes prosaïques ». La critique de la religion s'impose donc comme un préalable à la remise en question radicale de l'ordre économique et à la socialisation proprement dite de l'économie.

Sujet de réflexion

Comme vous l'avez sans doute observé, la plupart des citoyens américains se disent croyants, et plusieurs affichent publiquement leur foi, notamment des vedettes du spectacle ou du sport, qui remercient Dieu de leurs succès. Dans la même veine, les présidents américains qui ont mené les guerres du Viêtnam et de l'Irak ont affirmé qu'ils avaient le soutien de Dieu dans ces entreprises. D'autre part, alors que les États-Unis constituent la première puissance économique mondiale, une partie importante de la population de ce pays vit dans une pauvreté extrême et plus de gens encore ne bénéficient pas de la protection de l'assurance maladie. Selon vous, est-il possible de concilier les réalités de la guerre et de la misère humaine avec les principes fondamentaux de la foi chrétienne, tels que vous les concevez ?

---

39. Karl Marx, *Critique de la philosophie hégélienne du droit*, dans *Pages de Karl Marx*, traduction de Maximilien Rubel, Paris, Payot, 1970, p. 105.

Rappel des IDÉES PRINCIPALES

3.4 LA CRITIQUE DE LA RELIGION

- Le concept de Dieu résulte de la projection des qualités humaines les plus importantes : la raison, la volonté, l'amour. Ce faisant, l'être humain se perçoit comme un être dépourvu de ces qualités et incapable de créativité, d'originalité, de passion.
- L'idée de salut éternel résulte de la projection dans une dimension surnaturelle de l'espoir d'un monde meilleur.
- La religion doit être critiquée comme étant « l'opium du peuple », au sens où elle détourne l'être humain de la tâche qu'il a de transformer la réalité socioéconomique concrète, d'éliminer les injustices réelles et actuelles.

3.5 LE SENS DE L'HISTOIRE

Marx soutient que le mode de production capitaliste ne peut se maintenir indéfiniment, parce qu'il porte en lui les germes de son propre dépassement ; il est porteur de contradictions qui l'entraînent à sa perte. L'une des contradictions principales tient à l'incompatibilité entre l'impératif du profit, qui exige que l'entreprise fixe les salaires les plus bas possible pour maximiser ses gains, et la nécessité de donner au travailleur un salaire de plus en plus élevé pour lui permettre de se procurer les biens de consommation produits par l'entreprise. Voici les termes mêmes de Marx :

Chacun des capitalistes sait que ses ouvriers ne lui font pas face comme consommateurs dans la production ; il s'efforce donc de restreindre autant que possible leur consommation, c'est-à-dire leur salaire. Cela ne l'empêche pas de souhaiter que les ouvriers des *autres* capitalistes fassent la plus grande consommation possible de ses marchandises. [...] Le capital est ainsi une contradiction vivante : il impose aux forces productives une limite spécifique, tout en les poussant à dépasser toute limite[40].

La prise de conscience des contradictions inhérentes au capitalisme devient donc la première condition de la libération effective des travailleurs. Cette prise de conscience et les changements concrets qu'elle suscite sont d'ailleurs, d'après Marx, inévitables. La révolution devient non seulement nécessaire, mais prévisible, le terme révolution étant pris au sens de changement radical et en profondeur des institutions sociales, économiques et politiques établies.

---

40. Id., *Grundrisse...* [p. 322-323 ; (I, 378)], dans Kostas Papaioannou, *Marx et les marxistes,* Paris, Flammarion, 1972, p. 158-159.

La Révolution française de 1789 représente aux yeux de Marx un bon exemple de la loi fondamentale du processus historique selon laquelle les contradictions inhérentes à un système économique donné sont porteuses de leur propre dépassement. Voici comment il interprète cet événement historique. Vers la fin du XVIIIe siècle, de nouvelles forces productives se développent : la révolution industrielle est déjà en cours, notamment sous l'impulsion du machinisme. Les commerçants, les entrepreneurs et les industriels tentent de développer de nouvelles techniques de production, mais ils sont bloqués, entravés dans leurs efforts par les anciens rapports de production : barrières douanières, corporations, protectionnisme, etc. La Révolution de 1789 rend possible le développement des forces productives dans un nouveau cadre : celui de la libre entreprise, de l'accumulation du capital, de la libre concurrence, du salariat individuel.

La Révolution française de 1789. Prise de la Bastille (16 juillet 1789).

La terre promise. Allégorie sur l'avènement d'un monde socialiste réalisant la liberté, l'égalité et la fraternité.

Le capitalisme, résultat de cette évolution, n'échappe donc pas à la loi de l'histoire. De la même manière que les modes de production qui l'ont précédé ont été radicalement transformés, le capitalisme devient lui-même une entrave au développement de nouvelles forces productives, en provoquant une anarchie des marchés, des crises de surproduction, un gaspillage des ressources, un chômage chronique et d'autres effets néfastes :

 À mesure que diminue le nombre des potentats du capital qui usurpent et monopolisent tous les avantages de cette période d'évolution sociale, s'accroissent la misère, l'oppression, l'esclavage, la dégradation, l'exploitation, mais aussi la résistance de la classe ouvrière sans cesse grossissante et de plus en plus disciplinée, unie et organisée par le mécanisme même de la production capitaliste. [...] La socialisation du travail et la centralisation de ses ressorts matériels arrivent à un point où elles ne peuvent plus tenir dans leur enveloppe capitaliste. Cette enveloppe se brise en éclats. L'heure de la propriété capitaliste a sonné. Les expropriateurs sont à leur tour expropriés[41].

41. Id., Le capital, dans Œuvres, vol. I, op. cit., p. 1239.

Une nouvelle révolution, celle des travailleurs, devient alors nécessaire. La socialisation de l'économie dont parle Marx ne peut donc se faire sans luttes et sans le recours à des moyens radicaux. De la même manière que la lutte était indispensable pour sortir l'être humain de son état animal, elle est nécessaire pour enlever aux capitalistes la propriété des moyens de production et pour la remettre aux mains de la collectivité. Marx prévoyait donc que des révolutions visant à établir des États communistes se produiraient dans les grands pays industrialisés, et que le modèle de l'économie socialisée se répandrait sur toute la planète.

Il importe de faire une remarque d'ordre historique sur cette dernière question. Premièrement, les révolutions populaires ne se sont pas produites, comme Marx le prévoyait, dans les pays les plus industrialisés, mais bien dans des pays dont l'économie était largement du type agricole (la Russie en 1917, la Chine en 1949 et Cuba en 1959). Deuxièmement, on constate, avec le recul du temps, que le sort des travailleurs des sociétés industrielles libérales s'est progressivement amélioré au lieu de se détériorer, que le niveau de vie du plus grand nombre a augmenté, notamment grâce à l'accroissement de la productivité. En effet, la mécanisation, puis la robotisation de la production ont permis aux entreprises de maintenir et d'accroître leurs profits, alors que l'émergence de l'État-providence venait ajouter de l'eau au moulin par la création de nombreux emplois et de services de première nécessité.

Le mode de production industriel capitaliste n'a donc pas éclaté sous la pression de ses contradictions internes, contrairement à ce qu'avait prévu Marx. Cependant, les crises économiques successives, le chômage chronique et l'endettement des particuliers et des États montrent que l'évolution des sociétés industrielles modernes entraîne d'autres contradictions majeures. Il est donc légitime de se demander si le niveau de vie dont jouissent actuellement les pays industrialisés pourra se maintenir encore longtemps.

Rappel des IDÉES PRINCIPALES

3.5 LE SENS DE L'HISTOIRE

- Selon la théorie marxiste, le mode de production capitaliste est appelé à disparaître, parce qu'il est porteur de contradictions internes.
- Un changement radical est inévitable : l'économie capitaliste deviendra socialiste et la société sera profondément transformée.
- Il y a donc un sens au déroulement de l'histoire humaine.

Les remarques critiques qui suivent visent à favoriser la discussion et l'élaboration de positions personnelles. Elles se rapportent, au moins indirectement, à des aspects problématiques de l'anthropologie de Marx, qu'il n'est pas toujours facile de distinguer clairement des thèses proprement politiques qu'il a défendues.

4.1 LES APPLICATIONS POLITIQUES DU MARXISME

D'entrée de jeu, il faut reconnaître que la diffusion des idées de Marx a effectivement contribué à la prise de conscience des injustices et des inégalités entre les individus, au sein des sociétés industrielles occidentales, et entre les peuples du monde. Les progrès enregistrés dans plusieurs pays quant à l'humanisation des milieux de travail (la santé et la sécurité du travail, la durée de la semaine de travail, etc.) et quant à l'accessibilité des services de santé et d'éducation pour toutes les classes sociales se situent dans la foulée de la critique marxiste des inégalités. Les tentatives récentes des gouvernements des sociétés industrielles libérales de se désengager des programmes sociaux ramènent la question de la justice sociale et de l'égalité des chances au cœur des débats politiques contemporains.

Par contre, il est devenu clair, au tournant des années 90, que les moyens politiques mis en place, depuis le début du siècle, pour remplacer l'économie capitaliste par l'économie socialiste ont soulevé d'énormes problèmes de développement économique, de niveau de vie, de destruction de l'environnement et de violation des droits et libertés de la personne. On pense ici aux régimes communistes qui ont revendiqué la paternité idéologique de Marx pour instaurer et maintenir des régimes totalitaires répressifs et largement improductifs sur le plan économique.

La question âprement débattue à ce propos est le lien qui existe entre, d'une part, les conceptions philosophiques et anthropologiques de Marx ainsi que ses analyses économiques et ses thèses politiques et, d'autre part, les échecs des régimes communistes. L'objet du débat est le suivant : les conceptions marxistes de la vie matérielle, de la sociabilité humaine, de la primauté de l'économie, du sens de l'histoire et de la nécessité de l'action révolutionnaire portent-elles les germes des régimes totalitaires ? En d'autres termes, les échecs des régimes communistes sont-ils contenus dans la conception anthropologique même de Marx ou sont-ils attribuables à une dénaturation de sa pensée qui serait le fait de chefs politiques et d'idéologues comme Staline ?

Il ne nous appartient pas de procéder ici à la discussion de cette question controversée. D'abord, elle appelle une analyse en profondeur des théories économiques et politiques de Marx, de même que des adaptations qui en ont été faites par les penseurs et les dirigeants des régimes politiques dits « socialistes révolutionnaires ». Ensuite, il faudrait procéder à l'analyse des structures sociales, économiques et politiques des régimes communistes afin d'établir le lien de nécessité entre la théorie de Marx et les pratiques institutionnelles particulières. C'est là un travail qui relève de la compétence des sciences humaines et du champ de la philosophie politique.

4.2 LE RÉDUCTIONNISME ÉCONOMIQUE

On a souvent reproché à l'anthropologie marxiste de simplifier abusivement la réalité humaine en la réduisant à sa dimension économique. Cette critique insiste sur une carence particulière de la théorie marxiste : la dimension psychique de l'individu y est pratiquement absente. À trop insister sur la dynamique économique et sociale, Marx a largement ignoré la dynamique psychique, simplifiant ainsi les données d'un problème extrêmement complexe : celui des mobiles profonds de l'action humaine.

Le développement des sciences du comportement, et plus particulièrement l'avènement de la psychanalyse freudienne (voir le chapitre 4), a en effet mis en lumière le fait que l'organisation de la vie sociale résulte également de l'opposition des désirs, de l'amour et de la haine, de l'appât du gain et du pouvoir. On constate ainsi que la vie psychique obéit à ses lois propres et qu'à ce titre elle structure les rapports sociaux au moins autant que ne le fait la dynamique socioéconomique.

En attendant d'étudier, au chapitre 4, l'analyse freudienne des rapports sociaux, lisons ce passage où Freud expose une critique directe des fondements du projet de société marxiste :

Les communistes croient avoir découvert la voie de la délivrance du mal. D'après eux, l'homme est uniquement bon, ne veut que le bien de son prochain ; mais l'institution de la propriété privée a vicié sa nature. [...] Lorsqu'on abolira la propriété privée, qu'on rendra toutes les richesses communes et que chacun pourra participer aux plaisirs qu'elles procurent, la malveillance et l'hostilité qui règnent parmi les hommes disparaîtront. Comme tous les besoins seront satisfaits, nul n'aura plus aucune raison de voir un ennemi en autrui, tous se plieront bénévolement à la nécessité du travail. La critique économique du système communiste n'est point mon affaire, et il ne m'est pas possible d'examiner si la suppression de la propriété privée est opportune et avantageuse. En ce qui concerne son postulat psychologique, je me crois toutefois autorisé à y reconnaître une illusion sans consistance aucune. En abolissant la propriété privée, on retire, certes, à l'agressivité humaine et au plaisir qu'elle procure l'un de ses instruments, et sans doute un instrument puissant, mais non pas le plus puissant. [...] Abolirait-on le droit individuel aux biens matériels, que subsisterait le privilège sexuel, d'où émane obligatoirement la plus violente jalousie ainsi que l'hostilité la plus vive entre des êtres occupant autrement le même rang[42].

4.3 SENS DE L'HISTOIRE ET COMPLEXITÉ HUMAINE

Dans une perspective élargie, la critique de réductionnisme économique peut également s'appliquer à la thèse marxiste selon laquelle l'histoire a un sens déterminé. En effet, selon Marx, les modes de production économique et les rapports sociaux seraient porteurs de contradictions qui conduisent inéluctablement à tel type d'action politique, d'organisation sociale et de production intellectuelle. La marche de l'humanité, le déroulement de l'histoire conduirait à l'avènement d'une société égalitaire et sans classes à la suite de révolutions successives. Il y aurait donc une logique de l'histoire que Marx aurait décodée, et qui conduirait inévitablement l'humanité vers un but précis.

Nous avons souligné précédemment que les sociétés industrielles libérales n'ont pas emprunté les voies révolutionnaires prévues par Marx, qu'elles ont surmonté certaines des contradictions propres aux structures socioéconomiques du XIXe siècle, pour éventuellement en produire d'autres, au tournant de l'an 2000.

À la thèse marxiste du progrès historique on peut opposer une vision de l'histoire humaine qui se fait par essais et erreurs, par création et destruction de savoirs et d'institutions, et dont l'évolution reste toujours largement imprévisible, ouverte aux progrès aussi bien qu'aux régressions.

Les capacités de choix, d'innovation, d'invention et d'adaptation, de même que les conflits qui opposent les individus et les peuples de manière souvent anarchique, incitent davantage à reconnaître l'imprévisibilité du déroulement de l'histoire que le contraire. Ainsi, qui aurait pu prédire, au sortir de la Deuxième Guerre mondiale, les événements que nous connaissons actuellement, que ce soit la mondialisation rapide de l'économie, la fin de la guerre froide par suite de l'écroulement du bloc communiste ou la montée des intégrismes religieux ?

On peut donc affirmer que seule une réduction de la complexité anthropologique permet de soutenir la thèse voulant qu'il y ait une logique socioéconomique de l'histoire humaine.

---

42. Sigmund Freud, *Malaise dans la civilisation*, Paris, PUF, 1983, p. 66-67.

4.4 LA CONTRIBUTION DE MARX À L'ANTHROPOLOGIE

Par-delà les critiques adressées à l'œuvre et à l'action politique de Marx et des marxistes, il importe de dégager la part de l'œuvre de Marx qui a contribué à faire évoluer l'anthropologie.

Il faut reconnaître à Marx le mérite d'avoir revalorisé la notion d'existence concrète, c'est-à-dire d'avoir souligné l'importance première des conditions matérielles de la vie humaine pour toute réflexion anthropologique. Cette notion n'occupait pas une place significative dans la perspective du rationalisme classique.

La pensée de Marx représente en ce sens un appel à l'action, un plaidoyer en faveur de la transformation de la réalité concrète. Elle pose à la réflexion sur l'être humain une exigence incontournable : toute conception anthropologique doit déboucher sur un projet d'appropriation et d'humanisation de la réalité matérielle.

Il est bon de rappeler, dans le contexte des sociétés dites postindustrielles libérales – lesquelles semblent faire peu de cas de la valeur du travail et de la situation vécue par les personnes sans emploi – que la philosophie de Marx valorise le travail en tant qu'effort de création et de participation à la vie de la communauté, en tant que moyen privilégié de réalisation de l'être humain.

La pensée marxiste met l'accent sur la dimension sociale de l'être humain et sur la recherche de solutions d'avenir qui soient valables pour l'ensemble de la collectivité, dans un contexte marqué par les valeurs individualistes. Elle rappelle que c'est la vie en société qui rend possibles la naissance et l'épanouissement de l'individualité.

5 PROBLÉMATIQUE
L'ÉQUITÉ SOCIALE

Au début de ce chapitre, dans la mise en situation (section 1), nous avons constaté les difficultés importantes qu'éprouvait Nathalie à se trouver du travail. Nous avons également partagé le sentiment d'injustice qu'elle ressentait devant les limites du marché de l'emploi et l'organisation de l'économie. Comment expliquer les difficultés matérielles auxquelles font face de plus en plus de personnes dans le contexte socioéconomique actuel ?

Dans la perspective marxiste, on peut répondre ainsi aux questions soulevées par Nathalie : les problèmes de chômage et de pauvreté sont dus à une organisation de l'économie qui n'est pas orientée vers la satisfaction des besoins de subsistance et d'épanouissement de la communauté, mais qui est régie exclusivement par la logique du profit. La perspective de la mondialisation de l'économie qui prévaut à l'approche de l'an 2000 ne fait qu'accentuer cette tendance. Le bref survol des problèmes sociaux actuels que nous présentons ci-dessous soulève de manière aiguë la question de l'égalité des chances et de l'équité des conditions concrètes d'existence dans une société qui place pourtant l'égalité juridique des droits au fondement même de ses institutions[43].

L'extension de la pauvreté

Les programmes gouvernementaux de sécurité sociale sont nettement insuffisants, particulièrement en période de crise économique ou de récession. Les différentes formes d'aide sociale n'arrivent tout simplement plus à répondre aux besoins de la masse sans cesse grandissante des chômeurs, des sans-abri, des malades psychiatriques «désinstitutionnalisés» et des enfants sous-alimentés. La misère touche un nombre de plus en plus grand de personnes.

Comment expliquer les difficultés matérielles auxquelles font face de plus en plus de personnes dans le contexte socioéconomique actuel?

43. Notre présentation de quelques problèmes sociaux actuels s'inspire d'une analyse de Marcel Pépin (*Le nécessaire combat syndical*, Montréal, ACFAS, 1987). Ce syndicaliste bien connu au Québec et dans les grandes organisations ouvrières internationales a été président de la CSN pendant plusieurs années.

La cohorte des sans-abri ne cesse d'augmenter dans nos sociétés. Naguère constituée surtout d'hommes âgés, souvent alcooliques, elle compte maintenant de plus en plus de femmes et de jeunes que la situation économique a forcés d'élire domicile sur la voie publique.

Le difficile accès à l'égalité des femmes

L'égalité salariale entre les hommes et les femmes est encore loin d'être atteinte, malgré les progrès accomplis au cours des dernières années. Dans plusieurs secteurs d'emploi, les femmes ne gagnent que les deux tiers du salaire des hommes. Si l'on ajoute à l'écart salarial le fait que les emplois occupés par les femmes sont plus souvent des emplois à temps partiel et peu protégés, on se fait une idée plus précise de leur condition socioéconomique précaire.

La situation stagnante des jeunes

Les jeunes sont parmi les groupes sociaux sacrifiés par les politiques économiques qui ne favorisent pas le plein-emploi ou le partage de l'emploi. Souvent, les jeunes ne parviennent à trouver que des emplois rémunérés au salaire minimum, à temps partiel et qui ne correspondent pas à leur formation ou à leurs intérêts.

La croissance rapide du chômage

Les décideurs économiques et politiques considèrent qu'un certain taux de chômage est normal. L'emploi devient pour ainsi dire un privilège ; pourtant, nos sociétés sont régies par des chartes de droits et libertés qui reconnaissent le droit au travail. Il semble de plus en plus clair que l'impératif du profit ne s'accommode pas d'une politique de plein-emploi, comme en témoignent les mises à pied massives qui visent à « rationaliser » la production, c'est-à-dire à maintenir, voire augmenter, le rendement financier des entreprises dans le contexte de la mondialisation de l'économie.

Le sous-développement des régions

La non-intervention de l'État dans l'économie, réclamée par les représentants du patronat, prive la société d'une planification rationnelle et équitable du développement économique. La faiblesse de l'intervention de l'État pèse lourdement sur le sort des régions éloignées : plusieurs d'entre elles deviennent de véritables « poches de pauvreté », lorsqu'elles ne se vident tout simplement pas de leurs habitants.

La vulnérabilité des personnes âgées

Bon nombre de personnes âgées ne jouissent pas d'une situation économique satisfaisante. Les régimes publics de rentes s'établissent environ au quart du revenu du salaire moyen, ce qui est nettement insuffisant pour assurer un niveau de vie décent. Or une forte proportion des travailleurs ne peuvent compter que sur les seuls régimes publics, car ils n'ont pas les moyens de se payer un régime supplémentaire de rente ou de retraite.

La détérioration des conditions salariales

On peut affirmer que la richesse produite n'est pas répartie équitablement. Les salaires suivent péniblement le taux de l'inflation, et ce même en période de croissance économique, alors que la production de la richesse augmente plus que l'inflation. On observe que les salariés s'appauvrissent dans leur ensemble, même quand l'économie s'enrichit. À plus forte raison, ils s'appauvrissent en période de crise ou de récession !

Ce bref survol des problèmes sociaux de notre époque apporte une dimension actuelle aux préoccupations dont Marx a fait état dans son œuvre. Il nous rappelle que si le sens de la vie et de l'histoire peut se débattre sur le plan théorique, il est d'abord et avant tout une question que des humains bien réels se posent à propos de leurs conditions concrètes d'existence.

EXERCICES

MISE EN SITUATION

1. Expliquez en quoi une attitude solidaire se différencie d'une attitude individualiste en regard des problèmes sociaux.

FONDEMENTS THÉORIQUES DU MARXISME

2.1 LA CRITIQUE SOCIALE DE KARL MARX

2. De manière générale, à quel facteur principal Marx attribue-t-il l'origine de la misère et de la pauvreté dans les sociétés industrielles capitalistes ?

2.2 L'ANALYSE DE LA VIE MATÉRIELLE

3. Exposez brièvement, en vos propres mots, l'idée centrale du matérialisme marxiste.

4. Pour Marx, l'histoire des institutions et des idées doit être comprise et expliquée à partir de l'évolution de l'organisation économique. Donnez un exemple tiré de l'histoire récente du Québec qui illustre cette thèse et commentez-le.

2.3 L'ANALYSE DU TRAVAIL

5. Expliquez brièvement les caractéristiques principales de l'économie capitaliste.

6. Définissez en vos propres termes la notion d'aliénation.

7. Décrivez les trois formes de l'aliénation du travail selon Marx.

ANTHROPOLOGIE MARXISTE

3.1 LA SPÉCIFICITÉ HUMAINE

8. Indiquez les principales étapes du raisonnement de Marx montrant que, dans un certain sens, le travail a créé l'homme lui-même.

9. Nommez et expliquez brièvement, avec vos propres mots, les trois fonctions principales du travail selon Marx.

10. D'après vous, laquelle de ces trois fonctions est la moins développée dans le contexte économique actuel ? Justifiez votre réponse et illustrez-la par un exemple.

3.2 LA SOCIABILITÉ HUMAINE

11. Résumez, avec vos propres mots, les trois arguments utilisés par Marx pour démontrer la sociabilité de l'être humain.

3.3 LE SENS DE LA LIBERTÉ HUMAINE

12. Indiquez les principales étapes du raisonnement de Marx montrant que la liberté personnelle dépend essentiellement de l'avènement d'une véritable vie communautaire.

13. Après avoir expliqué le sens de l'expression « socialisation de l'économie », dites pourquoi elle peut, selon Marx, assurer une plus grande liberté à l'être humain.

14. Comment nos sociétés libérales ont-elles intégré des éléments du modèle et des objectifs de l'économie socialiste ?

3.4 LA CRITIQUE DE LA RELIGION

15. Aux yeux de Marx, « la religion est l'opium du peuple ». Expliquez le sens de cette critique et donnez votre opinion sur le sujet.

3.5 LE SENS DE L'HISTOIRE

16. Selon Marx, la fin du capitalisme et l'expansion du modèle de l'économie socialisée sont inévitables. Ces deux prévisions sont-elles confirmées ou démenties par les événements actuels ? Quelle conclusion en tirez-vous quant au sens de l'histoire ? Justifiez votre position.

REMARQUES CRITIQUES

17. Indiquez quelle est la principale contribution de Marx à l'anthropologie philosophique.

18. Selon vous, quel est le point faible de la conception marxiste de l'être humain ?

PROBLÉMATIQUE DE L'ÉQUITÉ SOCIALE

19. Discutez des solutions possibles aux problèmes sociaux suivants :
- la pauvreté d'une portion croissante de la population ;
- l'inégalité entre les hommes et les femmes dans l'accès au marché du travail ;
- le chômage et l'emploi précaire chez les jeunes ;
- la détérioration des conditions de travail.

20. Les solutions que vous préconisez vont-elles dans le sens d'une économie capitaliste ou dans le sens d'une économie socialiste ? Expliquez votre point de vue.

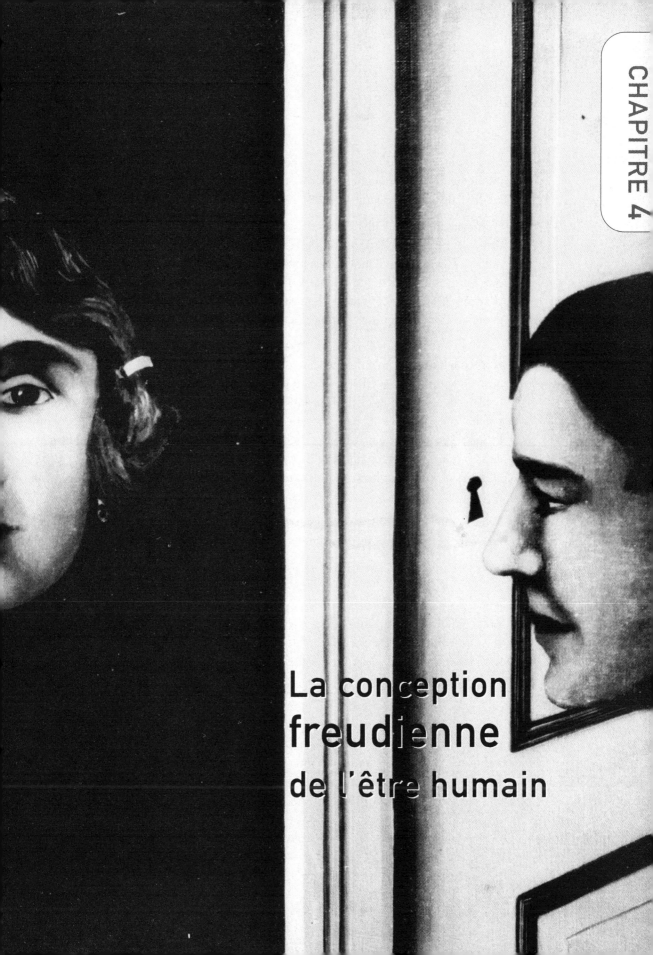

CHAPITRE 4

La conception
freudienne
de l'être humain

1 MISE EN SITUATION
THÉRAPIE OU RÉPRESSION?

Mireille étudie en assistance sociale au cégep. Elle s'intéresse particulièrement au problème de la délinquance juvénile et fait son stage de troisième année dans un centre d'accueil pour jeunes en difficulté.

Parmi les jeunes accueillis au centre, le cas de Christian la touche particulièrement: timide et renfermé, il n'a aucun des comportements typiques du jeune délinquant révolté. Cependant, le motif de sa présence au centre d'accueil est sérieux: un soir où sa mère était sortie, il a mis le feu à la maison familiale, alors que son père se trouvait au sous-sol, où il avait l'habitude de bricoler. Heureusement, l'incendie n'a pas fait de victime, puisque son père a réussi à s'échapper du brasier, mais la maison a été rasée.

Après quelques semaines de stage, Mireille se fait une idée plus précise des problèmes qui accablent le jeune Christian. Son père, sévère et autoritaire, était alcoolique et battait sa femme quand il était sous l'empire de l'alcool. Christian lui-même n'échappait pas à ces accès de violence dès qu'il tentait de s'opposer à son père ou lorsqu'il agissait d'une manière qui ne lui plaisait pas. Ainsi, il avait pris l'habitude de s'enfermer dans sa chambre et de ne plus exprimer ses désirs et ses besoins, pour éviter le pire. Il avait honte d'amener ses amis à la maison.

Le soir où il a mis le feu à la maison, Christian n'avait qu'une idée en tête: repartir à zéro. Il savait très bien que son acte était criminel, mais le désir de recommencer à neuf était plus fort que tout: il ne pouvait s'empêcher d'incendier la maison.

Après avoir vérifié l'exactitude de l'histoire familiale de Christian et convaincue de la sincérité de celui-ci, Mireille prend la décision d'axer son intervention auprès du jeune, de même que tous ses travaux de stage, autour d'une idée centrale: Christian et ses parents doivent suivre une psychothérapie. Tous les trois ont besoin d'aide. Il ne faut à aucun prix considérer ce jeune comme un criminel; si la justice doit intervenir, c'est pour s'assurer que Christian recevra toute l'aide dont il a besoin.

Le cas du jeune Christian est trop fréquent pour passer inaperçu. Les médias écrits et électroniques rapportent régulièrement des événements semblables, sans parler des nombreux cas, beaucoup plus graves, de meurtres familiaux ou de tireurs fous: un jeune tue sa mère qui lui refuse les clefs de l'auto, un forcené abat sans raison apparente les clients d'un restaurant ou les enfants en récréation dans une cour d'école. Nous en arrivons parfois à douter de la capacité de l'être humain à atteindre et à maintenir un équilibre minimal dans ses relations avec ses semblables. La raison humaine semble parfois si peu efficace pour orienter l'action qu'on se demande même si l'instinct n'assure pas un meilleur équilibre au sein des populations animales.

Repartir à zéro ? La détresse psychologique peut engendrer les actes les plus extrêmes.

Au-delà du battage médiatique qui les accompagne, ces gestes nous interpellent. Les actes paroxystiques constituent l'expression la plus aiguë, la plus intense d'un état psychique. On dit souvent que les forcenés qui les commettent sont allés « trop loin », qu'ils ont « perdu le contrôle », ce qui implique qu'au départ les états psychiques des forcenés sont les mêmes que ceux des personnes dites « normales ». La question se pose alors : sommes-nous tous « habités » par des forces psychiques qui pourraient échapper à notre maîtrise ? Pouvons-nous tous dire des choses qui « dépassent notre pensée » ou perdre la maîtrise de nos actes ?

Nous connaissons tous, sans pouvoir les expliquer précisément, certaines défaillances de notre maîtrise consciente : oubli de noms qui nous sont parfaitement connus, d'un rendez-vous important (chez le dentiste, par exemple), erreurs commises en parlant, en lisant, en écrivant à cause d'un manque d'attention. Il y a souvent un écart entre ce que nous désirons, voulons et décidons de faire, et la réalité de notre comportement, de notre vécu. L'éventualité d'agir ou de ne pas pouvoir agir sous le coup d'une émotion plus ou moins puissante n'est pas sans nous inquiéter, car nous tenons généralement à ce que la maîtrise consciente de nos comportements soit un élément essentiel de nos relations interpersonnelles, de notre identité propre et de notre responsabilité.

Plusieurs questions nous viennent à l'esprit :
- Connaissons-nous véritablement les dynamismes de nos comportements, les raisons profondes de nos choix ?
- Quelle est la part de l'affectivité dans l'action humaine ?

- Dans quelle mesure les expériences vécues depuis l'enfance influencent-elles la vie de chaque personne ?
- Les défaillances de la maîtrise consciente du comportement (les oublis et les lapsus, par exemple) sont-elles simplement dues au hasard ou faut-il les interpréter comme étant significatives ?
- Les comportements associés à la maladie mentale sont-ils le symptôme, l'expression d'un problème affectif profond ?
- Dans quelle mesure les personnes ayant des troubles psychologiques peuvent-elles être tenues pour responsables de leurs actes ?

On ne peut répondre à ces questions sans remettre en cause des éléments de certaines conceptions de l'être humain, notamment l'attribution à une faculté supérieure, la raison, de la capacité d'assurer le plein contrôle de l'action par la maîtrise consciente des forces irrationnelles, instinctives ou affectives. Historiquement, la remise en cause systématique de la conception moderne de l'homme libre, volontaire, conscient et auteur de ses actes a été le fait, pour une large part, des maîtres dits « du soupçon ». Ces penseurs du XIXe siècle ont fait éclater le cadre de la réflexion philosophique traditionnelle sur l'homme en abordant la question anthropologique sous l'angle de l'insertion de l'humain dans la généalogie du monde vivant (Darwin), de la sociologie et de l'économie (Marx), mais aussi de la vie psychique inconsciente (Freud). Dans les pages qui suivent, nous nous intéressons à Sigmund Freud (1856-1939), le fondateur de la psychanalyse. Par-delà son importance historique, son œuvre dégage une conception de l'être humain qui représente une clé essentielle à la compréhension actuelle de la complexité humaine.

2 FONDEMENTS THÉORIQUES
LES DÉTERMINISMES INCONSCIENTS

2.1 LA PSYCHANALYSE FREUDIENNE

Né le 6 mai 1856 à Freiberg, en Moravie, d'une famille de commerçants juifs, Sigmund Freud a cinq ans lorsque ses parents se fixent à Vienne, où il passera presque toute sa vie.

Après des études classiques, il s'inscrit à la faculté de médecine de Vienne en 1873. Il y suit des cours de zoologie, de botanique et de chimie minéralogique pour s'orienter finalement en physiopathologie. En 1881, il est promu docteur en médecine et passe au service de l'Institut d'anatomie cérébrale de Vienne. Sa situation matérielle étant très précaire, il doit débuter sa pratique médicale privée auprès d'une clientèle particulière de malades, appelés à cette époque les « nerveux », qui résistent à toutes les thérapies médicales connues. Contrairement à ses collègues plus fortunés qui laissent ces malades à leurs souffrances et aux guérisseurs de toutes espèces, Freud se consacre à l'étude de ces maladies « nerveuses », et particulièrement à la question de l'hystérie. Il complète sa formation en neuropathologie et, à l'automne 1885, il va suivre à Paris les cours de Charcot, célèbre neurologue français.

En 1893, il publie avec Joseph Breuer, médecin viennois très connu, des *Études sur l'hystérie* qui contiennent déjà les rudiments de sa future théorie psychanalytique, notamment l'importance de la vie affective et la distinction entre les actes psychiques inconscients et conscients. Ces études mettent aussi en doute les conceptions psychologiques établies : contrairement aux idées reçues, Freud et Breuer soutiennent que les symptômes névrotiques ne sont pas des phénomènes accidentels, mais qu'ils sont au contraire liés à des événements précis de la vie des personnes qui les manifestent.

SIGMUND FREUD
(1856-1939)

Neurologue et psychiatre autrichien, fondateur de la psychanalyse. Il s'est attaché principalement à dévoiler et expliquer les processus psychiques inconscients et à traiter les troubles psychosomatiques. Théoricien audacieux s'inspirant sans relâche de son expérience de thérapeute et de l'analyse de son propre cas, il a produit une œuvre qui a bouleversé notre conception de l'être humain, et a créé une méthode originale d'exploration de l'inconscient.

L'inconscient est le psychique lui-même et son essentielle réalité. Sa nature intime nous est aussi inconnue que la réalité du monde extérieur, et la conscience nous renseigne sur lui d'une manière aussi incomplète que nos organes des sens sur le monde extérieur. (L'interprétation des rêves)

Freud cherchera l'origine de ces symptômes dans la période de l'enfance, c'est-à-dire au moment où l'équilibre psychique est extrêmement fragile. L'enfance peut en effet être marquée par des événements dramatiques : la mort d'un parent, les accès de violence d'un parent alcoolique, l'absence affective du père, les conflits entre le père et la mère. L'enfant essaiera d'oublier ces situations vécues, leur seul souvenir étant douloureux et même honteux. Mais ces accidents ne disparaissent pas ; ils laissent leur empreinte.

Ainsi, Freud acquiert la conviction que le malade hystérique souffre d'un événement traumatisant de son enfance qu'il a totalement oublié. Mais cet oubli n'est pas définitif. Il est possible de ranimer le souvenir, de l'amener à la conscience, ce qui entraîne l'amélioration de l'état du patient, puis la guérison.

Nous n'en sommes toutefois qu'au début de l'explication. Nous aurons à parcourir les œuvres de Freud pour développer notre compréhension des dynamismes psychiques humains. Mais avant d'aborder l'étude des concepts fondamentaux du freudisme, il convient de définir brièvement la discipline qui leur donne naissance et les organise dans un ensemble cohérent : la psychanalyse. On utilise généralement le mot psychanalyse dans deux sens différents.

Premièrement, ce terme désigne *la méthode de psychologie clinique* qui consiste à explorer et mettre au jour les processus psychiques profonds dans un but thérapeutique (le traitement de certaines affections comme les névroses[1]). Par cette méthode, on cherche donc à faire remonter à la conscience les motifs inconscients des conduites et ainsi à permettre l'élaboration de mesures d'adaptation compatibles avec un comportement socialement acceptable.

Bureau de travail de Freud. Ses objets personnels et sa collection d'antiquités.

Deuxièmement, la psychanalyse désigne aussi *une théorie psychologique* qui explique les phénomènes qui règlent la vie psychique de l'être humain. À ce titre, elle se présente comme une science et, comme telle, elle part d'observations, analyse les faits, élabore des hypothèses et systématise les données dans un ensemble cohérent.

Au fil de notre étude des concepts fondamentaux de la psychanalyse, nous serons à même de constater que celle-ci a profondément marqué la pensée et la culture occidentales. Nous verrons que Freud a contesté l'idée voulant que l'être humain soit d'abord un être autonome, libre, responsable, maître de lui-même, défini par sa conscience et sa raison. Nous ignorons,

---

1. Nous donnons ici une brève définition de la névrose, sur laquelle nous reviendrons plus loin. Cette définition est empruntée au *Vocabulaire de la psychanalyse* de J. Laplanche et J.-B. Pontalis, publié aux Presses Universitaires de France en 1967 et plusieurs fois réédité. La *névrose* est une affection dont les symptômes sont l'expression d'un conflit psychique qui trouve ses racines dans l'histoire infantile. Dans le cas de la névrose obsessionnelle, par exemple, le conflit psychique s'exprime par des symptômes tels que les idées obsédantes, l'envie d'accomplir des actes indésirables, l'accomplissement de rites purificateurs, etc.

dit Freud, les raisons véritables de notre comportement, et nos choix sont liés davantage à des expériences affectives vécues dès notre plus jeune âge qu'à des efforts lucides de notre volonté. La théorie freudienne revalorise l'affectivité, ignorée ou dévalorisée par les conceptions rationaliste et chrétienne.

L'un des apports majeurs de la théorie freudienne a été de montrer que l'enfance est la clé de la compréhension de l'adulte. Dans la tradition rationaliste, l'enfant se définissait par la négative : il n'était pas encore un adulte, il n'avait pas encore « l'âge de raison ». L'enfance était une période d'attente, sans signification particulière ; l'enfant n'avait pas de sexualité. Or Freud s'est employé à montrer que, contrairement à l'idée reçue, l'enfance n'est pas une période enchantée où rien ne se passe. Nous verrons qu'elle consiste au contraire en une suite d'apprentissages laborieux et difficiles : apprendre à manger, à marcher, à être propre, à parler, à endiguer sa sexualité.

Enfin, la théorie freudienne, de même que les théories et les pratiques qui s'en sont inspirées pour la développer ou la réorienter, ont exercé et exercent encore une profonde influence sur les mœurs sexuelles, l'éducation et la définition du concept juridique de responsabilité, pour ne citer que trois exemples. Pour bien saisir la portée de cette influence, il faut se familiariser avec les concepts fondamentaux de la psychanalyse freudienne[2].

Rappel des IDÉES PRINCIPALES

2.1 LA PSYCHANALYSE FREUDIENNE

En s'appuyant sur son expérience clinique, Sigmund Freud a mis en évidence les dynamismes inconscients du comportement humain.

Ce faisant, il a remis en cause d'une façon radicale la conception selon laquelle l'être humain est un sujet guidé par la raison consciente.

La psychanalyse, discipline qu'il a fondée, désigne à la fois :
- une méthode de psychologie clinique visant à traiter certaines affections psychiques comme les névroses et
- une théorie psychologique proposant un modèle des phénomènes psychiques constitutifs de la personnalité humaine.

---

2. Dans ce chapitre, nous nous en tiendrons aux concepts psychanalytiques qui ont un rapport direct avec l'anthropologie. Nous mettrons donc entre parenthèses l'analyse détaillée de l'évolution de la pensée et de la thérapie psychanalytique freudiennes, de même que la contribution de ses disciples à la constitution et au développement de la psychanalyse.

2.2 L'INCONSCIENT

On peut situer en 1885 le début des travaux qui devaient conduire Sigmund Freud à formuler l'hypothèse de l'inconscient. C'est en effet au cours des recherches qu'il mène à l'époque sur l'hypnose que Freud fait une constatation fondamentale : des idées inconscientes, donc ignorées par le patient lui-même, sont à l'œuvre chez des personnes souffrant, à des degrés divers, d'angoisses, de phobies, d'obsessions et d'autres troubles mentaux. Ces patients présentent parfois des symptômes physiques très sérieux : paralysie, incapacité de parler, pertes de conscience, notamment. Ces symptômes se manifestent même si, sur le plan somatique, le patient est tout à fait sain, c'est-à-dire qu'il a effectivement la capacité de marcher ou de parler. Si leurs troubles ne sont pas d'origine physique, il faut donc les considérer comme des symptômes de troubles ou de déséquilibres psychiques.

Freud en vint donc à supposer que l'ordre psychique pouvait influencer l'ordre biologique, et que certains troubles biologiques manifestaient une vie psychique qui débordait le champ de la conscience claire du sujet. Freud donna un nom à cette vie psychique « souterraine », capable d'influencer à notre insu notre vie consciente : il l'appela l'inconscient. Le terme inconscient désigne donc une activité psychique qui n'est pas immédiatement présente dans le champ de l'attention consciente et qui fait partie du fonctionnement normal du psychisme.

Le mérite de Freud réside dans le fait d'avoir montré, sur la base de l'expérience clinique, l'importance et le rôle de l'inconscient dans le comportement humain, en proposant un modèle explicatif du psychisme humain. À ceux qui contestent l'existence d'un dynamisme psychique inconscient, Freud répond, dans *Métapsychologie* :

L'hypothèse de l'inconscient est *nécessaire* et *légitime*, et [...] nous possédons de multiples *preuves* de l'existence de l'inconscient. Elle est nécessaire, parce que les données de la conscience sont extrêmement lacunaires ; aussi bien chez l'homme sain que chez le malade, il se produit fréquemment des actes psychiques qui, pour être expliqués, présupposent d'autres actes qui, eux, ne bénéficient pas du témoignage de la conscience. Ces actes ne sont pas seulement les actes manqués et les rêves, chez l'homme sain, et tout ce qu'on appelle symptômes psychiques et phénomènes compulsionnels chez le malade ; notre expérience quotidienne la plus personnelle nous met en présence d'idées qui nous viennent sans que nous en connaissions l'origine, et de résultats de pensées dont l'élaboration nous est demeurée cachée.

Tous ces actes conscients demeurent incohérents et incompréhensibles si nous nous obstinons à prétendre qu'il faut bien percevoir par la conscience tout ce qui se passe en nous en fait d'actes psychiques ; mais ils s'ordonnent dans un ensemble dont on peut montrer la cohérence, si nous interpolons [intercalons] les actes inconscients inférés. Or, nous trouvons dans ce gain de sens et de cohérence une raison, pleinement justifiée, d'aller au-delà de l'expérience immédiate. Et s'il s'avère de plus que nous pouvons fonder sur l'hypothèse de l'inconscient une pratique couronnée de succès, par laquelle nous influençons, conformément à un but donné, le cours des processus conscients, nous aurons acquis, avec ce succès, une preuve incontestable de l'existence de ce dont nous avons fait l'hypothèse. L'on doit donc se ranger à l'avis que ce n'est qu'au prix d'une prétention intenable que l'on peut exiger que tout ce qui se produit dans le domaine psychique doive aussi être connu de la conscience[3].

Si l'existence de l'inconscient paraît indubitable, sa nature profonde reste par contre inconnue. En effet, comment pourrions-nous appréhender directement l'inconscient, qui par nature n'est pas présent à la conscience et donc échappe à celle-ci ? C'est ce qui fait dire à Freud :

 L'inconscient est le psychique lui-même et son essentielle réalité. Sa nature intime nous est aussi inconnue que la réalité du monde extérieur, et la conscience nous renseigne sur lui d'une manière aussi incomplète que nos organes des sens sur le monde extérieur[4].

En l'absence d'une connaissance directe de l'inconscient, il devient nécessaire de cerner celui-ci au moyen d'hypothèses et d'essais d'explication partiels. C'est ce que Freud s'emploiera à faire, essentiellement à partir de l'analyse et de l'interprétation des rêves, « la voie royale pour arriver à la connaissance de l'inconscient », selon sa fameuse formule.

Au terme de sa recherche, Freud a défini l'inconscient comme le foyer actif des désirs et des tendances individuelles, en lutte constante avec des forces qui tendent à les neutraliser ou à les maîtriser. Reprenons les deux membres de cette affirmation :

a) D'une part, l'inconscient est le lieu où réside l'énergie vitale et affective qui nous pousse à vivre, à agir, à jouir. Freud a désigné cette énergie vitale par le terme latin de *libido*. Cette énergie psychique tend à s'actualiser, à s'extérioriser sans contrôle et sans contrainte : elle est réglée par le principe de plaisir qui vise à apaiser les tensions existantes dans le psychisme en réalisant le plaisir et en évitant la douleur.

b) D'autre part, il faut comprendre ces tendances comme essentiellement égoïstes, puisqu'elles visent le plaisir du sujet, l'autosatisfaction. En centrant l'individu sur lui-même, au détriment des règles de la vie sociale et des exigences de la réalité matérielle, elles deviennent menaçantes pour l'ordre social établi et potentiellement dangereuses pour l'individu lui-même. La famille et la société posent donc des

---

3. Sigmund Freud, *Métapsychologie*, Paris, Gallimard, 1968, p. 66.
4. Id., *L'interprétation des rêves*, Paris, PUF, 1967, p. 520.

obstacles à la libre expression ou à la manifestation de ces tendances, de la libido. Il y a donc une lutte constante entre la libido et les obstacles levés par la société au nom du principe de réalité : l'individu doit apprendre à modifier la modalité et le moment de la satisfaction de ses désirs en tenant compte de l'ordre du monde et de l'ordre social.

Il importe de bien comprendre que cette lutte se déroule, dans une très large mesure, dans l'inconscient du sujet. En effet, les obstacles à la libido sont intériorisés de manière inconsciente par le sujet et le processus par lequel les tendances et les désirs sont bloqués avant leur manifestation demeure inaccessible à la conscience. Freud décrira ce processus par le terme de « refoulement ».

Rappel des IDÉES PRINCIPALES

2.2 L'INCONSCIENT

Le terme « inconscient » désigne une activité psychique qui n'est pas présente dans le champ de l'attention consciente.

Freud a montré que le foyer actif de nos désirs et de nos tendances, la source de notre énergie vitale et affective, était de nature inconsciente. Il y a en nous un faisceau de forces inconscientes qui tendent à s'actualiser.

2.3 LE REFOULEMENT   *Repression*

Voici, dans les grandes lignes, comment s'opère le mécanisme du refoulement ou d'inhibition des tendances. Les règles de morale (en matière de sexualité, par exemple) ou les normes de comportement (la bienséance, la propreté, le respect de l'autorité, etc.) apprennent à l'individu une manière d'agir dans sa vie personnelle et sociale : elles fixent les limites de ce qui est permis et de ce qui est interdit. En d'autres termes, elles indiquent ce qu'il est légitime de faire et de désirer en matière d'autosatisfaction, de recherche du plaisir.

Si ces normes et ces interdits sont, pour une large part, connus et appris par le sujet qui tend à s'y conformer consciemment, le processus par lequel les désirs sont effectivement contrôlés demeure inconscient. D'abord, l'apprentissage des normes morales et comportementales s'accompagne nécessairement d'événements affectifs qui sont indissociables de la norme elle-même (la crainte suscitée par la menace de punition parentale, par exemple). Les interdits et leur charge affective sont ainsi intériorisés par le sujet, hors de son champ d'attention, et deviennent les principes actifs du refoulement, les obstacles à la réalisation des désirs.

C'est ainsi qu'une véritable censure s'exerce sur les désirs, qui sont triés, sélectionnés. Certains parviennent au champ de l'attention consciente ; généralement, ils sont socialement acceptables ou ne risquent pas de troubler profondément le sujet. D'autres désirs sont refoulés, retournés à leur point d'origine, l'inconscient, avant même d'avoir pénétré le champ de l'attention consciente. C'est le sort qui est réservé aux tendances jugées répréhensibles ou indécentes du point de vue moral, social ou esthétique.

Tout se passe donc comme si le sujet ne voulait pas connaître les désirs réprimés par la société, comme si le fait d'être conscient de la lutte entre le principe de plaisir et le principe de réalité constituait un danger pour le sujet lui-même. Les forces opposées qui sont à l'œuvre dans le refoulement expliquent aussi le phénomène de la résistance qu'oppose le patient à l'élucidation de ses symptômes et à la progression de la thérapie. Alors que l'inconscient cherche à se frayer un chemin vers la conscience, des mécanismes de défense entrent en jeu pour empêcher le sujet qui suit la thérapie d'avoir accès à son inconscient.

Il importe enfin de noter que ces désirs refoulés ne sont pas éliminés : ils sont en quelque sorte mis en veilleuse et réapparaissent lorsque « l'attention » du sujet est moins grande, par exemple sous forme de rêves pendant le sommeil. Ils peuvent aussi se manifester dans les symptômes des déséquilibres psychiques (névroses) ou lorsque l'organisme devient vulnérable (fatigue, stress).

L'étude de la structure de l'appareil psychique proposée par Freud, que nous allons présenter à la section 2.5, permettra de situer le processus du refoulement dans un modèle d'ensemble. Pour l'instant, il importe d'énoncer trois caractéristiques essentielles du refoulement.

a) Le refoulement est à l'œuvre dès l'enfance. En effet, dès le jeune âge, les désirs de l'enfant sont contrariés par ses parents lorsqu'ils entrent en conflit avec les exigences de la vie familiale et sociale. Sous la menace physique ou affective, l'enfant doit renoncer à ses tendances sans pouvoir en comprendre la raison.

b) Le refoulement est un processus aveugle dans lequel la raison, qui permettrait de discerner ce qui mérite d'être refoulé (parce que manifestement nocif et asocial) et ce qui ne mérite pas de l'être (parce qu'inoffensif pour l'individu et la société), n'intervient pas.

c) Les tendances sexuelles sont les plus touchées par cette répression, parce qu'elles représentent, selon Freud, la menace la plus sérieuse pour l'ordre familial et social. Le contenu de l'inconscient est donc lourd de désirs sexuels refoulés ; conséquemment, les rêves et les symptômes névrotiques, qui sont un exutoire, une manifestation des désirs refoulés, sont essentiellement liés à la sexualité du sujet. La mise en évidence du rôle de la sexualité dans la vie psychique et relationnelle de l'être humain représente l'un des apports majeurs de Freud. Il convient de s'y pencher.

2.3 LE REFOULEMENT

La majeure partie des tendances d'origine inconsciente ne peuvent s'actualiser sans nuire à l'ordre social et moral établi.

Une véritable censure s'exerce ainsi sur les tendances ou les désirs jugés répréhensibles ou indécents du point de vue moral et social.

Ces désirs sont refoulés à leur point de départ, mais ne disparaissent pas pour autant. Ils demeurent latents et peuvent se manifester de manière détournée dans les rêves ou les symptômes névrotiques.

Le processus du refoulement se caractérise ainsi :
- il est à l'œuvre dès l'enfance ;
- il n'est pas l'œuvre de la raison consciente ;
- il touche surtout les tendances sexuelles jugées dangereuses pour l'ordre familial et l'ordre social.

2.4 LA SEXUALITÉ

2.4.1 La sexualité infantile

L'analyse du contenu de certaines représentations et tendances sexuelles refoulées a amené Freud à situer le moment du refoulement à la période de l'enfance et à considérer la sexualité comme une réalité agissante et centrale dans la vie de l'individu, et ce, dès la naissance.

Il est intéressant de souligner que Freud avait déjà choqué la communauté scientifique de son époque en attribuant un rôle prépondérant à l'inconscient dans la vie psychique humaine. On comprendra aisément que la société bien pensante et protestante de la fin du XIXe siècle ait été littéralement scandalisée par les thèses freudiennes qui faisaient de la sexualité le moteur de la vie psychique et qui affirmaient l'existence d'une sexualité infantile. Jusque-là, la sexualité avait été considérée comme une réalité honteuse dont l'enfant, dans son innocence, était épargné jusqu'à la puberté.

Deux remarques s'imposent pour éclairer ces propos. En premier lieu, comme nous l'avons vu, Freud a élargi la notion de psychisme, jusque-là limitée aux états conscients, en y intégrant le domaine de l'inconscient. De la même manière, il a élargi la notion de sexualité, limitée traditionnellement au domaine de la génitalité (la fonction de procréation), en l'appliquant à toute source corporelle de plaisir. Ainsi qualifie-t-il de sexuelle la recherche de satisfaction de l'enfant qui, très tôt, découvre que diverses zones de son propre corps peuvent être sources de plaisir, en plus d'accomplir leurs fonctions spécifiques.

Dans une page souvent citée de l'*Introduction à la psychanalyse*, Freud affirme que la sexualité infantile est bien réelle, qu'elle « contient virtuellement » toutes les tendances de la sexualité adulte, même si elles n'existent qu'à l'état de traces :

L'enfant a dès le début une vie sexuelle très riche, qui diffère sous plusieurs rapports de la vie sexuelle ultérieure, considérée comme normale. Ce que nous qualifierons de *pervers* dans la vie de l'adulte s'écarte de l'état normal par les particularités suivantes : méconnaissance de barrière spécifique (de l'abîme qui sépare l'homme de la bête), de la barrière opposée par le sentiment de dégoût, de la barrière formée par l'inceste (c'est-à-dire par la défense de chercher à satisfaire les besoins sexuels sur des personnes auxquelles on est lié par des liens consanguins), homosexualité et enfin transfert du rôle génital à d'autres organes et parties du corps. Toutes ces barrières, loin d'exister dès le début, sont édifiées peu à peu au cours du développement et de l'éducation progressive de l'humanité. Le petit enfant ne les connaît pas. Il ignore qu'il existe entre l'homme et la bête un abîme infranchissable ; la fierté avec laquelle l'homme s'oppose à la bête ne lui vient que plus tard. Il ne manifeste au début aucun dégoût de ce qui est excrémentiel : ce dégoût ne lui vient que peu à peu, sous l'influence de l'éducation. Loin de soupçonner les différences sexuelles, il croit au début à l'identité des organes sexuels ; ses premiers désirs sexuels et sa première curiosité se portent sur les personnes qui lui sont les plus proches ou sur celles qui, sans lui être proches, lui sont le plus chères : parents, frères, sœurs, personnes chargées de lui donner des soins ; en dernier lieu, se manifeste chez lui un fait qu'on retrouve au paroxysme des relations amoureuses, à savoir que ce n'est pas seulement dans les organes génitaux qu'il place la source du plaisir qu'il attend, mais que d'autres parties du corps prétendent chez lui à la même sensibilité, fournissent des sensations de plaisir analogue et peuvent ainsi jouer le rôle d'organes génitaux. L'enfant peut donc présenter ce que nous appellerions une « perversité polymorphe », et si toutes ces tendances ne se manifestent chez lui qu'à l'état de traces, cela tient, d'une part, à leur intensité moindre en comparaison de ce qu'elle est à un âge plus avancé et, d'autre part, à ce que l'éducation supprime avec énergie, au fur et à mesure de leur manifestation, toutes les tendances sexuelles de l'enfant[5].

---

5. Id., *Introduction à la psychanalyse*, Paris, Payot, coll. Petite Bibliothèque Payot, 1970, p. 193-194.

RÉSUMÉ DE LA PENSÉE DE L'AUTEUR

1. La sexualité infantile diffère, sous plusieurs aspects, de la sexualité adulte considérée comme normale.

2. On parle de perversité chez l'adulte lorsque le comportement sexuel transgresse les limites associées à la sexualité normale : bestialité, coprophagie, inceste, homosexualité et érotisme non génital.

3. Ces limites, l'enfant ne les connaît pas. La sexualité infantile présente, à l'état de traces, tous les traits qui caractérisent les perversions :
   - l'enfant ignore qu'il existe une différence marquée entre l'homme et l'animal ;
   - il ne manifeste pas de dégoût pour ses selles ;
   - ses premiers désirs sexuels se portent sur les membres de son entourage immédiat, sur sa famille ;
   - sa sexualité ne se limite pas uniquement aux organes génitaux.

4. Ces tendances, considérées comme perverses, sont « supprimées avec énergie » par l'éducation.

En second lieu, précisons qu'un facteur d'ordre biologique est à la base de l'explication du développement de l'enfant et caractérise l'espèce humaine. Voici ce que dit Freud à ce propos dans *Inhibition, symptôme et angoisse* :

Le facteur biologique est l'état de détresse et de dépendance très prolongé du petit d'homme. Par rapport à celle de la plupart des animaux, l'existence intra-utérine de l'homme est relativement abrégée, il est moins achevé qu'eux lorsqu'il est jeté au monde. L'influence du monde extérieur réel s'en trouve renforcée, la différenciation du moi d'avec le ça est acquise précocement, les dangers du monde extérieur prennent une importance plus grande, et la valeur de l'objet qui seul peut protéger contre ces dangers et remplacer la vie intra-utérine perdue en est énormément augmentée. Ainsi donc, le facteur biologique est à l'origine des premières situations de danger et crée le besoin d'être aimé, qui n'abandonnera plus l'être humain[6].

6. Id., *Inhibition, symptôme et angoisse*, Paris, PUF, 1981, p. 82-83.

2.4.2 Le développement psychosexuel de l'enfant

Selon Freud, la recherche de plaisir de l'enfant s'accomplit progressivement, à travers des phases successives, qui sont autant d'étapes du développement de la sexualité infantile et de la personnalité. Freud décrit ainsi les caractères essentiels de la sexualité infantile :

 Celle-ci se développe en *s'étayant* sur une fonction physiologique essentielle à la vie ; elle ne connaît pas encore d'objet sexuel, elle est *auto-érotique* et son but est déterminé par l'activité d'une *zone érogène*. Disons, en anticipant, que ces caractères se retrouvent dans la plupart des manifestations érotiques de l'enfant[7].

Voyons les principales étapes de l'évolution sexuelle de l'enfant.

A. Le stade oral (de la naissance à 18 mois)

C'est autour du besoin d'alimentation que s'organise le premier stade du développement psychosexuel. La manifestation initiale de la sexualité infantile consiste dans le plaisir de sucer que l'enfant tire de sa première zone érogène : la bouche. Ainsi, la nutrition, tout en répondant à un besoin physiologique, est source d'un état de satisfaction que Freud n'hésite pas à qualifier de sexuel :

 La volupté de sucer absorbe toute l'attention de l'enfant, puis l'endort ou peut même amener des réactions motrices, une espèce d'orgasme. [...] Quand on a vu l'enfant rassasié abandonner le sein, retomber dans les bras de sa mère, et les joues rouges, avec un sourire heureux, s'endormir, on ne peut manquer de dire que cette image reste le modèle et l'expression de la satisfaction sexuelle qu'il connaîtra plus tard[8].

Mais cet état de satisfaction n'est pas permanent. Très tôt, les besoins alimentaires de l'enfant commencent à être réglementés, encadrés, notamment par un horaire qui répond davantage à la disponibilité des parents qu'aux exigences de son organisme. Le petit enfant ne mange plus quand il veut, ni d'ailleurs ce qu'il veut.

Les premières interdictions commencent aussi à prendre forme. L'enfant se rend compte progressivement que plusieurs comportements ne sont pas tolérés par l'entourage : mordre, sucer son pouce, laisser tomber des objets. Petit à petit, afin de garder l'affection de ses proches, il apprend inconsciemment à renoncer à ses besoins ou, à tout le moins, à en différer l'assouvissement. Il doit ainsi accepter cette réalité incontournable : l'affection des autres n'est pas toujours compatible avec ses désirs.

---

7. Id., *Trois essais sur la théorie de la sexualité*, Paris, Gallimard, coll. Idées, 1964, p. 76.
8. *Ibid.*, p. 73-75.

C'est le début d'un difficile apprentissage qui se poursuivra tout au long de l'enfance : en refoulant l'expression de ses désirs, l'enfant cherchera à garder l'affection des parents et à retrouver ainsi la sécurité initiale de la vie intra-utérine.

Le premier stade du développement psychosexuel de l'enfant se termine habituellement par le sevrage, qui amorce la séparation d'avec la mère, rendue bien concrète par le renoncement définitif et pénible au sein maternel.

B. Le stade anal (de 18 à 30 mois)

Le stade anal débute au moment où l'enfant découvre le plaisir lié à une autre fonction physiologique essentielle à la vie : la fonction d'élimination. Une nouvelle zone érogène, la zone anale, devient progressivement source de satisfaction à mesure que l'enfant fait l'expérience de la rétention volontaire, puis de l'expulsion des selles. Freud décrit ainsi l'élimination des selles comme une source de plaisir :

> Les enfants qui utilisent l'excitabilité érogène de la zone anale se trahissent parce qu'ils retiennent leurs matières fécales, jusqu'à ce que l'accumulation de ces matières produise des contractions musculaires violentes, et que, passant par le sphincter anal, elles provoquent sur la muqueuse une vive excitation. On peut supposer qu'à une sensation douloureuse s'ajoute un sentiment de volupté[9].

L'enfant sort ainsi progressivement de l'état initial de dépendance totale qui caractérise la première phase de son développement : il commence à être actif. En faisant l'expérience du contrôle de la fonction d'élimination, il apprend qu'il peut maîtriser ses propres besoins. Il affirme alors de plus en plus sa personnalité face aux autres, principalement ses parents, qui lui imposent l'apprentissage de la propreté. La maîtrise de la fonction d'élimination offre à l'enfant la possibilité soit de les satisfaire (en étant propre), soit de les contrarier (en se salissant).

Une attitude hostile de l'enfant caractérise souvent cette période d'affirmation de l'autonomie. La phase d'opposition à autrui qu'il traverse lui permet d'exprimer ses exigences : le fait de se salir se présente alors à lui comme une première forme de contestation.

On observe à ce moment l'apparition des premiers sentiments de honte et de pudeur, associés aux fonctions physiologiques et aux plaisirs qu'elles procurent. L'impatience des parents de voir leur enfant devenir propre, au moment où il commence à peine à prendre conscience des premiers contrôles qu'il peut exercer sur son corps, peut provoquer de l'entêtement ou une pudeur excessive.

---

9. *Ibid.*, p. 80.

Le stade anal se caractérise donc par l'ébauche du caractère social : l'enfant apprend progressivement à contrôler son corps, ses plaisirs, à les soumettre à des règles extérieures, sous l'effet notamment de l'éducation à la propreté.

C. Le stade phallique et le complexe d'Œdipe (de 3 à 6 ans)

Freud distingue une troisième phase de l'évolution psychosexuelle de l'enfant, le stade phallique, durant lequel la recherche des plaisirs partiels propres aux deux phases précédentes tend à s'unifier autour de la découverte des organes génitaux. C'est en effet à cet âge que l'enfant ressent les premières excitations génitales et aime à les répéter. Mais la découverte de la zone érogène génitale ne va pas sans conflit.

Le stade phallique est en effet marqué par le complexe d'Œdipe[10]. Freud désigne par ce terme l'ensemble des sentiments d'amour et d'hostilité que l'enfant éprouve envers ses parents. L'enfant partage en effet ses sentiments amoureux et agressifs entre son père et sa mère. L'attraction sexuelle rapproche le garçon de sa mère et sa haine est canalisée vers son père. Pour la fille, la situation s'inverse. Les deux cherchent par tous les moyens à gagner l'attention, l'amour exclusif et total du parent de sexe opposé. Mais l'enfant comprend assez tôt que cet amour est irréalisable et sans issue, non sans d'abord s'être rendu compte que ses sentiments amoureux se heurtent à l'incompréhension et au refus de ses parents. Le garçon, par exemple, aime son père, aimerait lui ressembler, mais celui-ci est en même temps perçu comme un rival, un obstacle à son amour pour sa mère (avec qui il aimerait se marier plus tard).

L'issue de cette situation serait tragique si l'enfant ne réalisait pas que, malgré l'incompréhension et le refus de ses parents, ceux-ci continuent à accueillir positivement ses demandes d'attention et ses émotions. L'enfant renonce donc progressivement à voir un rival dans le parent du même sexe ; au lieu de vouloir prendre sa place, il cherche à s'identifier à lui, à vouloir faire comme lui. Il devra dorénavant chercher un autre partenaire de son amour, comme ses parents l'ont déjà fait avant lui.

La période critique du complexe d'Œdipe met donc l'enfant devant une première épreuve, vécue dans un climat d'incertitude, d'anxiété et de culpabilité. Une seconde épreuve s'ajoute au complexe d'Œdipe : le complexe de castration.

Selon Freud, la manière dont l'enfant réagit à la découverte de la distinction entre l'homme et la femme, de la différence entre les organes génitaux masculins et féminins, est tout aussi déterminante. Freud soutient que l'organe mâle, le pénis, est

---

10. Œdipe est un personnage de la mythologie grecque, fils de Laïos, roi de Thèbes, et de Jocaste. Un oracle ayant prédit qu'Œdipe était destiné à tuer son père et à épouser sa mère, on l'éloigne du palais royal dès son tout jeune âge. Devenu adulte, il rencontre un voyageur et le tue au cours d'une querelle : c'était son père. Plus tard, proclamé roi par le peuple, il épousera sans le savoir sa propre mère, Jocaste. Apprenant qu'il est parricide et incestueux, Œdipe se crève les yeux tandis que sa mère se pend.

le seul à jouer un rôle : le garçon, qui le possède, pense que la fille n'en a pas parce qu'on le lui a enlevé, et se met à éprouver l'angoisse de la castration. Quant à la fille, elle ressent cette absence de pénis comme un manque, et elle développe l'envie du pénis, le désir de le posséder. Ce désir sera l'origine de l'attachement au père chez la fille, tandis que la crainte de la castration sera à l'origine du renoncement au désir envers la mère, chez le garçon, et le début de son identification au père.

Apprenant qu'il est parricide et incestueux, Œdipe se crève les yeux. Scène du film *Œdipe-Roi* (1967), de Pier Paolo Pasolini.

La résolution des épreuves du complexe d'Œdipe joue un rôle fondamental dans la structuration de la personnalité, notamment dans le développement de la sexualité génitale et dans le choix de l'objet de l'amour à l'âge adulte. On peut dire que l'enjeu majeur du complexe d'Œdipe est la socialisation de l'enfant, qui doit apprendre à choisir un autre objet d'amour que le père ou la mère et accepter l'ouverture du triangle familial.

L'évolution positive du complexe d'Œdipe peut être entravée par la mort ou l'absence prolongée de l'un des parents, les disputes fréquentes entre les parents ou leur séparation. Le petit garçon peut être durablement affecté par un père trop sévère, brutal ou violent, qui étouffe toute velléité d'identification. Chez la petite fille, une mère trop faible, effacée et toujours soumise peut causer un problème analogue d'identification.

L'influence de la période œdipienne sur le développement psychosexuel ultérieur est d'autant plus profonde qu'elle se joue, pour une très large part, dans l'inconscient, puisque les sentiments et les désirs qui habitent l'enfant sont refoulés. Ils ne laissent donc pas de trace directement accessible dans la mémoire de l'adulte.

On découvre ainsi jusqu'à quel point les expériences des premières années de la vie déterminent et conditionnent les attitudes et les comportements de l'adolescence et de l'âge adulte, de même que les prédispositions aux troubles mentaux (névroses, psychoses[11]). Il en va de même pour l'apparition des perversions (voyeurisme, exhibitionnisme, sadisme, masochisme) qui n'ont pas, chez Freud, le sens péjoratif de perversité morale qu'on leur attribue communément. Freud définit plutôt la perversion comme la manifestation d'un arrêt dans le développement normal de la sexualité vers la génitalité, les relations hétérosexuelles complètes étant posées comme l'aboutissement normal du développement psychosexuel[12].

La théorie de Freud sur le rôle de la sexualité dans l'évolution de l'individu démontre toute l'importance de l'enfance pour le développement de la personnalité. En montrant que l'enfant continue de vivre dans l'adulte, elle récuse la perception traditionnelle voyant un petit adulte dans l'enfant, et affirme que c'est plutôt l'adulte qui est un grand enfant !

Sujet de réflexion

Comment interpréter la notion freudienne de perversion sexuelle dans le contexte actuel d'ouverture à l'orientation homosexuelle et de libre manifestation de gestes autrefois réprimés tels que le sadomasochisme ou l'exhibitionnisme ? La notion de perversion a-t-elle encore un sens à vos yeux ? Par ailleurs, comment interprétez-vous l'omniprésence de la sexualité dans notre culture médiatique ?

11. Selon Laplanche et Pontalis (*op. cit.*), le terme *psychose* désigne les maladies mentales (schizophrénie, paranoïa, manie) dans lesquelles la relation du sujet avec la réalité est perturbée. Les symptômes de la psychose, notamment les constructions délirantes, sont vus comme des tentatives pour reconstituer le lien avec la réalité.

12. Laplanche et Pontalis (*op. cit.*) définissent la *perversion* comme une déviation par rapport à l'acte sexuel normal, défini comme l'accouplement, avec une personne du sexe opposé, visant à obtenir l'orgasme par pénétration génitale.

Rappel des IDÉES PRINCIPALES

2.4 LA SEXUALITÉ

2.4.1 La sexualité infantile

Freud a élargi la notion de sexualité, auparavant limitée au domaine de la génitalité, en l'appliquant à toute source corporelle de plaisir. Il a montré que toutes les tendances de la sexualité adulte existent à l'état de traces chez l'enfant.

À la base du développement psychosexuel de l'enfant, il y a un constat: sa dépendance prolongée de l'entourage, due à l'immaturité physiologique.

2.4.2 Le développement psychosexuel de l'enfant

LE STADE ORAL (de la naissance à 18 mois)	• La nutrition est source d'un premier état de satisfaction. (Avoir permet d'être.) Le baiser témoigne de cette réalité permanente. • Pour garder l'affection de ses parents, l'enfant apprend à retarder la satisfaction de ses besoins (à prendre son lait à des heures fixes). • L'expérience du sevrage peut être traumatisante: peur de perdre l'affection des parents.
LE STADE ANAL (de 18 à 30 mois)	• La rétention ou l'expulsion des selles est aussi source de satisfaction et de plaisir. • L'enfant passe d'un état de dépendance totale à un état actif: il apprend à être propre et à exercer une maîtrise sur la satisfaction de ses besoins. • L'apprentissage de la propreté est l'occasion pour l'enfant d'affirmer son autonomie (premières affirmations de soi et entêtement). • Ébauche de la sociabilité: importance de se soumettre aux règles sociales de la propreté.
LE STADE PHALIQUE (de 3 à 6 ans)	• La recherche du plaisir s'étend aux organes génitaux. • Ce stade est caractérisé par le *complexe d'Œdipe*. Cette expression désigne les sentiments d'amour et d'hostilité que l'enfant éprouve envers ses parents et dont l'enjeu majeur est la socialisation: l'enfant doit apprendre à choisir un objet d'amour en dehors de la famille (faire comme ses parents et non pas prendre la place de l'un d'eux).

2.5 L'APPAREIL PSYCHIQUE OU LA STRUCTURE DE LA PERSONNALITÉ

La complexité des phénomènes psychiques révélée par l'étude du processus du refoulement et de la sexualité infantile, en ouvrant une nouvelle avenue de recherche théorique, a poussé Freud à définir un modèle, à concevoir un appareil psychique qui permette d'expliquer les dynamismes de la vie psychique:

> Nous admettons que la vie psychique est la fonction d'un appareil auquel nous attribuons une étendue spatiale et que nous supposons formé de plusieurs parties[13].

Le nouveau modèle représente la personnalité comme une structure constituée de trois systèmes ou instances:

- Le *ça*, constitué par l'ensemble des pulsions innées (sexuelles et agressives) et des désirs refoulés.
- Le *moi*, constitué par la partie du ça qui est modifiée par le contact avec le monde extérieur. Il assure l'adaptation de l'individu à son entourage.
- Le *surmoi*, constitué par la modification du moi issue de l'intériorisation des contraintes sociofamiliales exercées sur l'individu au cours de son développement.

En proposant ce modèle de la personnalité, appelé aussi *appareil psychique*, Freud veut exprimer la nature et la dynamique de forces qui ne peuvent pas faire l'objet d'une observation clinique directe, mais dont l'existence doit être supposée si l'on veut rendre compte de plusieurs manifestations observables de l'activité psychique. Freud exprime en ces termes la nécessité de formuler un tel modèle conceptuel:

> Dans notre domaine scientifique, comme dans tous les autres, il s'agit de découvrir derrière les propriétés (les qualités) directement perçues des objets, quelque chose d'autre qui dépende moins de la réceptivité de nos organes sensoriels et qui se rapproche davantage de ce qu'on suppose être l'état de choses réel[14].

Aux yeux de Freud, seules la description de la structure de la personnalité et la détermination du fonctionnement de l'appareil psychique peuvent mener à une meilleure compréhension de l'évolution affective des individus, des phénomènes du refoulement et de la censure et des autres processus qui sont absents de la conscience. Sur ce dernier point, Freud ajoute:

> Nous inférons ainsi une quantité de processus en eux-mêmes «inconnaissables». Nous insérons ensuite ceux-ci parmi les processus dont nous sommes conscients. Quand, par exemple, nous déclarons: «Ici s'est

---

13. Sigmund Freud, *Abrégé de psychanalyse*, 5ᵉ édition, traduction d'Anne Berman, Paris, PUF, 1967, p. 3.
14. *Ibid.*, p. 72.

inséré un souvenir inconscient», c'est qu'il s'est produit quelque chose que nous ne concevons pas, mais qui, s'il était parvenu jusqu'à notre conscient, ne se pourrait décrire que de telle ou telle façon[15].

Freud lui-même a donné une représentation visuelle de l'appareil psychique. Le psychisme y apparaît comme un système ouvert sur le milieu physique et humain. (Voir la figure.)

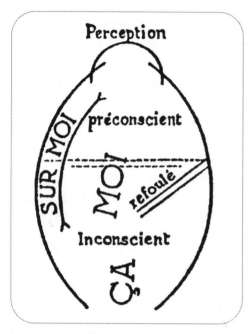

La structure de la personnalité psychique. Dessin de Freud[16].

Analysons maintenant de plus près chacune des instances[17] de la personnalité psychique dans l'ordre de leur formation.

2.5.1 Le ça

Le terme *ça* désigne l'instance psychique la plus profonde, la plus obscure et la plus impénétrable. Cette instance représente la forme originelle et constitutive de l'appareil psychique. Le contenu du ça comprend l'expression psychique des pulsions[18], lesquelles expriment les grands besoins vitaux d'ordre somatique, ainsi que tout ce qui a été l'objet du refoulement. Les contenus du ça cohabitent et subsistent indéfiniment, dans l'attente d'une possibilité de satisfaction. En ce sens, on peut comprendre le ça comme une source d'énergie psychique dont les contenus sont inconscients.

Le ça plonge donc ses racines dans l'être biologique et vise uniquement à satisfaire de manière immédiate les pulsions, conformément au principe de plaisir. Il ne fait aucune distinction entre ce qui est bien et ce qui est mal selon les règles sociales ou entre ce qui est bénéfique ou nuisible pour la survie ou l'intégrité de l'organisme lui-même. En un mot, le ça est l'instance où se manifeste la spontanéité pulsionnelle, qui est inévitablement en conflit avec la réalité extérieure et avec les instances qui représentent

---

15. *Ibid.*, p. 73.

16. Id., *Nouvelles conférences sur la psychanalyse*, Paris, Gallimard, coll. Folio, 1971, p. 107.

17. Freud utilise le terme *instance* pour désigner les parties ou structures de la personnalité psychique. Par analogie avec le sens courant du terme instance, qui désigne un tribunal, une autorité détenant un pouvoir de décision, l'instance psychique représente une structure active, qui exerce une action spécifique dans la vie psychique.

18. Le *Vocabulaire de la psychanalyse* de Laplanche et Pontalis (*op. cit.*) définit ainsi le terme pulsion : « Processus dynamique consistant dans une poussée (charge énergétique, facteur de motricité) qui fait tendre l'organisme vers un but. Selon Freud, une pulsion a sa source dans une excitation corporelle (état de tension) ; son but est de supprimer l'état de tension qui règne à la source pulsionnelle ; c'est dans l'objet ou grâce à lui que la pulsion peut atteindre son but. » Une étude plus approfondie du concept de pulsion est faite à la section 3.1.

celle-ci : le moi et le surmoi. Voyons en quels termes Freud présente l'instance originelle de l'appareil psychique :

C'est la partie obscure, impénétrable de notre personnalité, et le peu que nous en savons, nous l'avons appris en étudiant l'élaboration du rêve et la formation du symptôme névrotique. Ce peu a, en outre, un caractère négatif et ne se peut décrire que par contraste avec le moi. Seules certaines comparaisons nous permettent de nous faire une idée du ça ; nous l'appelons : chaos, marmite pleine d'émotions bouillonnantes. Nous nous le représentons débouchant d'un côté dans le somatique et y recueillant les besoins pulsionnels qui trouvent en lui leur expression psychique, mais nous ne pouvons dire dans quel substratum. Il s'emplit d'énergie, à partir des pulsions, mais sans témoigner d'aucune organisation, d'aucune volonté générale ; il tend seulement à satisfaire les besoins pulsionnels, en se conformant au principe de plaisir. Les processus qui se déroulent dans le ça n'obéissent pas aux lois logiques de la pensée ; pour eux, le principe de la contradiction est nul. Des émotions contradictoires y subsistent sans se contrarier, sans se soustraire les unes des autres ; tout au plus peuvent-elles, sous la pression économique qui domine, concourir à détourner l'énergie vers la formation de compromis. Dans le ça, rien qui puisse être comparé à la négation ; on constate non sans surprise que le postulat, cher aux philosophes, suivant lequel l'espace et le temps sont des formes obligatoires de nos actes psychiques, se trouve là en défaut. Dans le ça, rien qui corresponde au concept du temps, pas d'indice de l'écoulement du temps et, chose extrêmement surprenante, et qui demande à être étudiée au point de vue philosophique, pas de modification du processus psychique au cours du temps. Les désirs qui n'ont jamais surgi hors du ça, de même que les impressions qui y sont restées enfouies par suite du refoulement, sont virtuellement impérissables et se retrouvent, tels qu'ils étaient, au bout de longues années. Seul le travail analytique, en les rendant conscients, peut parvenir à les situer dans le passé et à les priver de leur charge énergétique ; c'est justement de ce résultat que dépend, en partie, l'effet thérapeutique du traitement analytique. [...]

Il va de soi que le ça ignore les jugements de valeur, le bien et le mal, la morale. Le facteur économique ou, si vous préférez, quantitatif, intimement lié au principe de plaisir, domine tous les processus. Les charges instinctuelles qui tendent à se déverser se trouvent toutes, croyons-nous, dans le ça[19].

19. Sigmund Freud, *Nouvelles conférences sur la psychanalyse, op. cit.*, p. 99-100.

2.5.2 Le moi

Le moi se construit à partir d'une modification du ça, sous l'influence de la réalité extérieure. Il remplit essentiellement les fonctions de relation de l'organisme avec le milieu ambiant; il est ainsi le siège des activités de perception des excitations provenant de l'organisme et du monde extérieur, et des activités intellectuelles. Son rôle principal consiste à ajuster les pulsions à la réalité extérieure. Le moi cherche à canaliser les pulsions du ça, c'est-à-dire à les harmoniser entre elles et à les rendre compatibles avec les règles et les coutumes de la vie sociale et culturelle. Il peut aussi différer la satisfaction des pulsions du ça en fonction des possibilités.

On peut résumer les fonctions du moi en disant qu'il remplace le principe de plaisir par le principe de réalité, en vue d'assurer la sécurité de l'individu. Il veille donc à la préservation du sujet en lui évitant les conflits avec les contraintes extérieures naturelles ou sociales, qui pourraient constituer une menace à son intégrité et même à sa survie, en cas de transgression des règles établies.

On comprend donc que le moi ne correspond pas dans la théorie freudienne à l'ensemble de la personnalité de l'individu, mais à une partie seulement de la personnalité psychique, celle qui a pour rôle d'assurer son adaptation à l'environnement. Il est également important de retenir que le moi n'est pas l'équivalent du conscient; aux yeux de Freud, le phénomène de la conscience prend place dans le cadre de l'activité du moi, mais une partie des activités du moi sont inconscientes.

Freud présente ainsi les principales fonctions du moi:

Est-il besoin d'expliquer que le moi est la partie du ça modifiée par la proximité et l'influence du monde extérieur, organisée pour percevoir les excitations et pour s'en défendre, comparable ainsi à la couche corticale dont s'entoure la parcelle de substance vivante? Le rapport avec le monde extérieur est devenu pour le moi d'une importance capitale; le moi a pour mission d'être le représentant de ce monde aux yeux du ça et pour le plus grand bien de ce dernier. En effet, sans le moi, le ça, aspirant aveuglément aux satisfactions instinctuelles, viendrait imprudemment se briser contre cette force extérieure plus puissante que lui. Le moi, du fait de sa fonction, doit observer le monde extérieur, s'en faire une image exacte et la déposer parmi ses quelques souvenirs de perception. Il lui faut encore, grâce à l'épreuve du contact avec la réalité, tenir à distance tout ce qui est susceptible, dans cette image du monde extérieur, de venir grossir les sources intérieures d'excitation. Par ordre du ça, le moi a la haute main sur l'accès à la motilité, mais il a intercalé entre le besoin et l'action le délai nécessaire à l'élaboration de la pensée, délai durant lequel il met à profit les souvenirs résiduels que lui a laissés l'expérience. Ainsi détrône-t-il le principe de plaisir qui, dans le ça, domine de façon absolue tout le processus. Il l'a remplacé par le principe de réalité plus propre à assurer sécurité et réussite[20].

2.5.3 Le surmoi

Le surmoi résulte de la longue période de dépendance de l'enfant envers l'adulte. Cet état de dépendance amène l'enfant à s'identifier à ceux qui prennent soin de lui et qui l'éduquent en réprimant ses désirs. Progressivement, l'enfant intériorise leurs jugements et leurs valeurs; ce processus conduit à la formation d'une nouvelle instance psychique, le surmoi. Celui-ci s'acquitte, au sein même de l'appareil psychique, des fonctions remplies jusqu'alors par les éducateurs: le surmoi surveille le moi, il lui donne des ordres, il le juge ou le menace de châtiments, exactement comme les parents dont il a pris la place.

Le surmoi se forme donc au cours de la première enfance, par l'intériorisation ou l'assimilation des interdits moraux, culturels et sociaux transmis par les parents.

Par rapport au ça, le surmoi remplit essentiellement une fonction d'approbation ou de réprobation des pulsions ou des désirs. Agissant automatiquement, à l'insu du sujet, il impose à celui-ci les normes morales et sociales transmises par les éducateurs avec rigueur et scrupule. Il agit donc véritablement comme le censeur de la vie psychique.

L'instance du surmoi se forme à la frontière du ça et du moi. On peut dire qu'il se détache du moi pour accomplir une fonction spécifique: le surmoi « juge » les pulsions et les désirs non seulement en fonction des interdits sociaux, mais aussi en fonction de l'idéal du moi, de l'aspiration du sujet vers le perfectionnement. Il remplit de fait un rôle indispensable: sans lui, la vie sociale serait impossible, le ça étant par nature égoïste et asocial.

Freud décrit ainsi l'origine et la fonction du surmoi:

 Le surmoi représente toutes les contraintes morales et aussi l'aspiration vers le perfectionnement, bref tout ce que nous concevons maintenant psychologiquement comme faisant partie de ce qu'il y a de plus haut dans la vie humaine. C'est en nous tournant vers les sources d'où découle le surmoi que nous parviendrons plus aisément à connaître sa signification; or nous savons que le surmoi dérive de l'influence exercée par les parents, les éducateurs, etc. En général, ces derniers se conforment, pour l'éducation des enfants, aux prescriptions de leur propre surmoi. Quelle qu'ait été la lutte menée entre leur surmoi et leur moi, ils se montrent sévères et exigeants vis-à-vis de l'enfant. Ils ont oublié les

---

20. *Ibid.*, p. 101-102.

difficultés de leur propre enfance et sont satisfaits de pouvoir maintenant s'identifier à leurs parents à eux, à ceux qui leur avaient autrefois imposé de dures restrictions. Le surmoi de l'enfant ne se forme donc pas à l'image des parents, mais bien à l'image du surmoi de ceux-ci ; il s'emplit du même contenu, devient le représentant de la tradition, de tous les jugements de valeur qui subsistent ainsi à travers les générations[21].

Voici enfin comment, dans les termes mêmes de Freud, les trois instances entrent en interaction, et comment le moi se voit forcé de « servir trois maîtres à la fois » :

Un adage nous déconseille de servir deux maîtres à la fois. Pour le pauvre moi la chose est bien pire, il a à servir trois maîtres sévères et s'efforce de mettre de l'harmonie dans leurs exigences. Celles-ci sont toujours contradictoires et il paraît souvent impossible de les concilier ; rien d'étonnant dès lors à ce que souvent le moi échoue dans sa mission. Les trois despotes sont le monde extérieur, le surmoi et le ça. [...] [Le moi] se sent comprimé de trois côtés, menacé de trois périls différents auxquels il réagit, en cas de détresse, par la production d'angoisse. Tirant son origine des expériences de la perception, il est destiné à représenter les exigences du monde extérieur, mais il tient cependant à rester le fidèle serviteur du ça, à demeurer avec lui sur le pied d'une bonne entente, à être considéré par lui comme un objet et à s'attirer sa libido. En assurant le contact entre le ça et la réalité, il se voit souvent contraint de revêtir de rationalisations préconscientes les ordres inconscients donnés par le ça, d'apaiser les conflits du ça avec la réalité et, faisant preuve de fausseté diplomatique, de paraître tenir compte de la réalité, même quand le ça demeure inflexible et intraitable. D'autre part, le surmoi sévère ne le perd pas de vue et, indifférent aux difficultés opposées par le ça et le monde extérieur, lui impose les règles déterminées de son comportement. S'il vient à désobéir au surmoi, il en est puni par de pénibles sentiments d'infériorité et de culpabilité. Le moi ainsi pressé par le ça, opprimé par le surmoi, repoussé par la réalité, lutte pour accomplir sa tâche économique, rétablir l'harmonie entre les diverses forces et influences qui agissent en et sur lui : nous comprenons ainsi pourquoi nous sommes souvent forcés de nous écrier : « Ah, la vie n'est pas facile ! » Le moi, quand il est forcé de reconnaître sa propre faiblesse, est saisi d'effroi : peur réelle devant le monde extérieur, craintes de la conscience devant le surmoi, anxiété névrotique devant la puissance qu'ont les passions dans le ça[22].

21. *Ibid.*, p. 90-91.
22. *Ibid.*, p. 104-105.

En conclusion, Freud propose un modèle de l'appareil psychique comportant trois instances qui remplissent des fonctions différentes : le *ça*, qui constitue le réservoir d'énergie psychique, le pôle pulsionnel de la personnalité, le *moi*, qui représente les intérêts de la personnalité dans son ensemble et le *surmoi*, qui est constitué de l'intériorisation des interdits sociaux. Les interactions entre la personnalité et le monde extérieur de même que les relations entre les trois instances constitutives de la personnalité sont complexes et s'effectuent de manière largement inconsciente. Cette représentation du psychisme humain constitue la base de la conception de l'être humain propre à la théorie freudienne.

« Le moi, quand il est forcé de reconnaître sa propre faiblesse, est saisi d'effroi : peur réelle devant le monde extérieur, craintes de la conscience devant le surmoi, anxiété névrotique devant la puissance qu'ont les passions dans le ça. »
(S. Freud, *Nouvelles conférences sur la psychanalyse*)

Rappel des IDÉES PRINCIPALES

2.5 L'APPAREIL PSYCHIQUE OU LA STRUCTURE DE LA PERSONNALITÉ

LE ÇA (énergie vitale)

- Est constitué de l'ensemble :
  - des énergies psychiques, c'est-à-dire des pulsions de vie (libido) et de mort (agressivité) ;
  - des désirs refoulés.
- S'enracine dans les besoins organiques et biologiques de l'individu.
- Tend essentiellement à satisfaire les besoins pulsionnels de l'individu.
- Alimente toute la vie psychique et sociale de l'individu.
- Est régi par le principe de plaisir.
- Se manifeste en partie par :
  - le rêve ;
  - l'humour (les mots d'esprit) ;
  - des comportements involontaires (lapsus, oublis, actes manqués, etc.) ;
  - des symptômes névrotiques.

LE MOI (régulateur de la vie psychique)	• Se construit à partir d'une modification du ça sous l'influence du monde extérieur. • Met l'individu en relation avec le monde extérieur. • Exerce une maîtrise sur les pulsions qui pourraient nuire à la personne. • Tient à distance les stimuli qui risquent d'accroître les sources intérieures d'excitation. • Ajuste la satisfaction des pulsions aux exigences de la réalité sociale. • Est régi par le principe de réalité. • Modifie les pulsions sexuelles ou agressives (processus de sublimation) ou les rejette (processus de refoulement).
LE SURMOI (censeur de la vie psychique)	• Se forme à la frontière du ça et du moi. • Représente les contraintes morales intériorisées et l'idéal de perfection auquel aspire l'individu. • Représente la tradition et la moralité transmises de génération en génération. • Rend possible la vie en société, le ça étant, par nature, égoïste et asocial.

3   L'ANTHROPOLOGIE FREUDIENNE

Si nous devions résumer en une phrase la contribution fondamentale du freudisme à l'anthropologie philosophique, nous dirions : l'être humain n'est pas avant tout un être de raison, mais *un être de pulsions et de désirs*, dans sa nature et son développement. Cette constatation situe d'emblée la pensée freudienne dans la filiation naturaliste.

Nous avons déjà souligné que Freud avait reçu une formation scientifique, notamment en neurologie. Nous savons par ailleurs qu'il était un disciple du darwinisme et qu'il cherchait à faire de la psychanalyse une discipline proprement scientifique. On peut en effet affirmer que la recherche psychanalytique représente une tentative d'explication rationnelle de ce qui est irrationnel dans l'être humain, sur la base de l'observation et de l'interprétation des faits cliniques, des symptômes des patients.

En ce sens, le but de la psychanalyse de même que sa méthode d'investigation rattachent la pensée freudienne au courant naturaliste. Par ailleurs, l'objet même de la recherche freudienne la situe dans une position critique en regard de la conception rationaliste. L'anthropologie rationaliste apparaît en effet réductionniste dans le sort qu'elle réserve à l'affectivité, d'autant plus que Freud prend pour objet d'étude cela même qui est écarté par la conception rationaliste : l'affectivité.

Dans les sections qui suivent, nous verrons comment les concepts de pulsion et de désir constituent l'assise de la psychanalyse.

3.1 L'ÊTRE HUMAIN, UN ÊTRE DE PULSIONS

3.1.1 Les pulsions

Dans la présentation que nous avons faite de l'appareil psychique, nous avons rencontré à plusieurs reprises la notion de pulsion et constaté qu'elle était à la base du modèle proposé par Freud. Pour bien marquer l'originalité de la conception freudienne du psychisme humain, il faut d'abord clairement distinguer la notion de pulsion de celle d'instinct.

Freud utilise le mot *instinct* pour désigner les normes de comportement établies par l'hérédité, donc caractéristiques d'une espèce animale et se manifestant de manière identique chez tous les représentants de l'espèce. Le déroulement du comportement instinctif, de même que son but, sont prédéterminés ; l'objet de la satisfaction suffit à combler le besoin organique qui s'exprime.

Sujet de réflexion

Freud souligne le caractère contraignant des pulsions, qu'on peut illustrer par l'exemple du joueur « compulsif » qui n'arrive pas à se maîtriser et qui devient littéralement esclave des jeux de hasard. Il en arrive à se ruiner dans l'espoir illusoire de devenir riche d'un seul coup de dés. Selon vous, comment peut-on expliquer la popularité grandissante des jeux de hasard et des loteries ? Peut-on affirmer qu'il s'agit d'un nouvel « opium du peuple », au même titre de la religion l'était autrefois selon Marx ?

Selon la définition donnée antérieurement (section 2.5.1, note 18), une *pulsion* (*trieb*, en allemand, de *treiben*, pousser) consiste en une poussée qui « fait tendre l'organisme vers un but ». Cette poussée a sa source dans une excitation corporelle, une excitation interne de l'organisme biologique qui crée un état de tension, lequel relève du fonctionnement de l'appareil psychique. L'individu doit alors agir afin d'éliminer cette excitation et mettre fin ainsi à cette tension pénible pour lui. Les pulsions expriment donc, sur le plan psychique, des besoins d'ordre physiologique, que la satisfaction, et elle seule, permet d'apaiser. À la différence des excitations externes que le sujet peut fuir ou dont il peut se protéger, les excitations provenant de l'intérieur de l'organisme ne peuvent pas être évitées : leur satisfaction est donc une nécessité.

Cette conceptualisation s'inscrit tout à fait dans une optique naturaliste, au sens défini dans le chapitre 2. D'une part, le moteur essentiel de l'activité psychique est l'organisme biologique : les processus psychiques ont pour origine des processus physiologiques. D'autre part, Freud décrit l'effet des pulsions sur l'évolution du psychisme humain en termes biologiques. On peut le constater dans ce passage de *Métapsychologie*, où il souligne le rôle des pulsions dans le développement du système nerveux :

 Les excitations externes n'imposent qu'une seule tâche : se soustraire à elles, ce qui se fait par des mouvements musculaires dont l'un finit par atteindre le but ; ce mouvement, étant le plus approprié, deviendra par la suite une disposition héréditaire. Les excitations pulsionnelles, qui ont leur origine à l'intérieur de l'organisme, ne peuvent être liquidées par ce mécanisme. Elles soumettent donc le système nerveux à des exigences beaucoup plus élevées, elles l'incitent à des activités compliquées, engrenées les unes dans les autres, qui apportent au monde extérieur ce qu'il faut de modification pour satisfaire la source interne des excitations ; elles le forcent avant tout à renoncer à son intention idéale de tenir à l'écart l'excitation, puisqu'elles entretiennent un afflux d'excitations inévitable et continu. Nous pouvons donc bien conclure que ce sont elles, les pulsions, et non pas les excitations externes, qui sont les véritables moteurs des progrès qui ont porté le système nerveux, avec toutes ses potentialités illimitées, au degré actuel de son développement[23].

Il est important de noter que c'est en étudiant la sexualité humaine que Freud a dégagé les grandes caractéristiques des pulsions. Si la *source* des pulsions est toujours l'organisme, leur *but* est toujours d'obtenir la satisfaction liée à la suppression de l'état d'excitation, donc d'obtenir un *plaisir organique*.

Par contre, l'*objet d'une pulsion*, c'est-à-dire le moyen qui permet de la satisfaire, n'est pas fixé à l'avance, comme c'est le cas pour l'instinct. Le choix de l'objet propre à satisfaire une pulsion peut en effet varier selon le degré de maturation de l'organisme et l'évolution de la personne. Il y a là une différence fondamentale entre l'instinct de l'animal et les pulsions de l'être humain.

Arrêtons-nous un instant sur cette dernière caractéristique. Nous avons vu à la section 2.4.2 que les pulsions sexuelles, contrairement à la croyance populaire, n'ont pas d'objet spécifique : les sources de plaisir (zones érogènes) sont diverses : la

---

23. Sigmund Freud, *Métapsychologie, op. cit.*, p. 16-17.

bouche, l'anus, les organes génitaux, etc. D'abord, les objets de ces pulsions ne sont choisis qu'en fonction de la maturation biologique de l'organisme ; ensuite, ce choix est fonction du développement et de l'histoire de l'individu, au cours de laquelle les pulsions se lient à des « représentants » qui viennent en spécifier l'objet et le mode de satisfaction. Au cours de la vie d'un individu, les pulsions, et spécifiquement les pulsions sexuelles, peuvent subir les transformations suivantes.

- Elles peuvent *se transformer en leur contraire* : ainsi l'amour peut se transformer en haine lorsqu'il est trahi ou n'est plus partagé par la personne aimée ;
- Elles peuvent *se retourner contre le sujet lui-même* : ainsi nous pouvons retourner notre haine contre nous-mêmes lorsque, par exemple, n'osant pas blesser ou frapper l'autre, nous nous arrachons les cheveux ;
- Elles peuvent *être refoulées*, comme nous l'avons vu antérieurement (section 2.3), lorsque l'adaptation à la réalité extérieure exige l'acceptation de valeurs sociales qui s'opposent à l'expression des pulsions, ou du moins à certains modes d'expression de celles-ci ;
- Finalement, elles peuvent *être sublimées dans des activités substitutives* qui reçoivent l'approbation sociale en présentant une utilité pour la société. L'énergie pulsionnelle est ainsi détournée vers des activités telles que la création artistique, le travail, l'engagement social, etc. (Nous reviendrons sur la notion de sublimation à la section 3.4.)

En résumé, les pulsions sont à la frontière du physique et du psychique ; elles constituent, selon les termes mêmes de Freud, « la cause ultime de toute activité humaine[24] ». Les pulsions démarquent aussi l'activité psychique humaine du comportement animal mû par l'instinct : la poussée pulsionnelle s'individualise en fonction de l'histoire personnelle, familiale et culturelle du sujet ; elle représente en quelque sorte la dynamique première de l'activité psychique propre à l'espèce humaine, et propre à chaque individu.

Cela dit, il reste à considérer une distinction majeure, qui est apparue tardivement dans la théorie freudienne, entre les pulsions de vie et les pulsions de mort. Il s'agit là d'un élément essentiel de la conception freudienne de l'être humain, qui définit celui-ci comme un être partagé, ambivalent.

3.1.2 Pulsions de vie et pulsions de mort (Éros et Thanatos)

Nous avons vu antérieurement que Freud a développé la notion de pulsion sur le modèle de la sexualité, dans lequel une excitation d'origine organique suscite sur le plan psychique une recherche de plaisir. Or l'expérience clinique (la psychanalyse) a progressivement révélé à Freud l'importance de l'agressivité, du sadisme ou du

---

24. Id., *Abrégé de psychanalyse, op. cit.*, p. 7.

masochisme dans la vie psychique des sujets névrosés. Il lui est alors apparu que ces manifestations morbides ne pouvaient être simplement déduites des pulsions sexuelles et qu'il fallait introduire dans sa théorie une nouvelle notion, celle de pulsion de mort. Pulsions de mort et pulsions de vie constitueront désormais, pour Freud, la dualité fondamentale du psychisme humain.

Freud regroupe sous le terme de *pulsions de vie* (*Éros*) les pulsions sexuelles et les pulsions d'autoconservation et, sous le terme de *pulsions de mort* (*Thanatos*), les pulsions d'agression et d'autodestruction. En introduisant le concept de pulsion de mort, Freud affirme l'existence chez l'être humain d'une tendance naturelle à l'agression, à la cruauté, à la destruction.

Voyons en quels termes Freud présente les deux pulsions fondamentales :

Nous donnons aux forces qui agissent à l'arrière-plan des besoins impérieux du ça et qui représentent dans le psychisme les exigences d'ordre somatique, le nom de *pulsions*. [...] Après de longues hésitations, de longues tergiversations, nous avons résolu de n'admettre l'existence que de deux instincts fondamentaux : l'*Éros* et l'*instinct de destruction* (les instincts, opposés l'un à l'autre, de conservation de soi et de conservation de l'espèce, ainsi que ceux, également contraires, d'amour de soi et d'amour objectal, entrent encore dans le cadre de l'Éros). Le but de l'Éros est d'établir des unités toujours plus grandes afin de les conserver : en un mot, un but de liaison. Le but de l'autre instinct, au contraire, est de briser tous les rapports, donc de détruire toute chose. Il nous est permis de penser de l'instinct de destruction que son but final est de ramener ce qui vit à l'état inorganique et c'est pourquoi nous l'appelons *instinct de mort*. [...]

Dans les fonctions biologiques, les deux instincts fondamentaux sont antagonistes ou combinés. C'est ainsi que l'action de manger implique la destruction d'un objet, suivie d'une assimilation de ce dernier. Quant à l'acte sexuel, c'est une agression qui tend à réaliser l'union la plus étroite. Cet accord et cet antagonisme des deux instincts fondamentaux confèrent justement aux phénomènes de la vie toute la diversité qui lui est propre. Par-delà le domaine de la vie organique, l'analogie de nos deux instincts fondamentaux aboutit à la paire contrastée : l'attraction et la répulsion, qui domine dans le monde inorganique.

Toute modification affectant la proportion des instincts fusionnés a les retentissements les plus évidents. Un excédent d'agressivité sexuelle fait d'un amoureux un meurtrier sadique, une diminution notable de cette même agressivité le rend timide ou impuissant[25].

25. *Ibid.*, p. 7-9.

RÉSUMÉ DE LA PENSÉE DE L'AUTEUR

1. Les pulsions sont des forces qui expriment les besoins impérieux du ça ; elles représentent les exigences de l'organisme sur le plan psychique.

2. Les différentes pulsions peuvent être ramenées à deux pulsions fondamentales : Éros et Thanatos.

3. Le but d'Éros, ou instinct de vie, est de conserver l'unité de l'être vivant.

4. Le but de Thanatos, ou instinct de mort, est de détruire cette unité, de ramener l'être vivant à l'état inorganique.

5. Les deux grandes pulsions interviennent dans l'accomplissement des fonctions biologiques, en étant opposées ou combinées :
   - ainsi l'acte de manger implique qu'on détruise l'objet avant de pouvoir l'assimiler ;
   - dans l'acte sexuel même, l'union profonde des deux êtres est précédée par une agression.

6. Les deux pulsions fondamentales correspondent aux lois de l'attraction et de la répulsion qui dominent dans le monde inorganique.

7. L'équilibre de la personnalité dépend de la dynamique entre Éros et Thanatos : trop d'agressivité sexuelle rend l'amoureux meurtrier, pas assez le rend impuissant.

Reprenons les points principaux de cette thèse. Les notions de pulsion de vie et de mort sont d'abord des catégories permettant de regrouper les pulsions selon une opposition primordiale, selon un modèle dualiste des conflits psychiques. Aux yeux de Freud, ce dualisme correspond aux deux tendances fondamentales de tout être vivant : un mouvement vers la conservation, l'attraction, l'union, représenté par Éros, et un mouvement vers la destruction, la désunion, la répulsion, représenté par Thanatos.

La pulsion de mort, qui suscite les manifestations d'agressivité humaine, résulte du mouvement même de la matière animée, c'est-à-dire de la tendance de tout être vivant à retourner à l'état inorganique, à l'état de stabilité inorganique, au repos de la matière inanimée. Aux yeux de Freud, la tendance à la destruction, au sadisme ou au masochisme par exemple, exprime la pulsion fondamentale, le principe primordial du fonctionnement psychique.

Dans cette perspective, la pulsion de vie est indissolublement liée à la pulsion de mort. La pulsion de vie agit comme un principe de liaison, elle vise à constituer des unités toujours plus grandes. Elle rencontre nécessairement la pulsion de mort et se conjugue à elle d'une double manière. D'une part, une partie de la pulsion agressive est mise au service de la libido, pour décupler en quelque sorte son énergie. D'autre part, la pulsion de vie désamorce la pulsion de mort, elle la rend partiellement inoffensive en la mettant au service de l'activité sexuelle. C'est le sens que l'on peut donner à ce passage de Freud :

 Heureusement les pulsions agressives ne sont jamais isolées, mais toujours alliées aux pulsions érotiques, et c'est à ces dernières qu'incombe, dans la civilisation créée par les hommes, le rôle de modératrices et de protectrices[26].

Ainsi, selon Freud, l'être humain est un être de pulsions dans lequel s'exerce un dynamisme de forces opposées : le développement de sa personnalité, son équilibre psychique de même que la qualité des relations qu'il établit avec ses semblables dépendent de l'expression harmonieuse des deux grandes tendances vitales qui agissent en lui : Éros et Thanatos.

Rappel des IDÉES PRINCIPALES

3.1 L'ÊTRE HUMAIN, UN ÊTRE DE PULSIONS

Pour Freud, l'être humain n'est pas avant tout un être de raison, mais un être de pulsions et de désirs, dans sa structure et son développement.

3.1.1 Les pulsions

Il faut distinguer :
- l'instinct, qui renvoie aux normes héréditaires de comportement spécifiques à une espèce animale donnée et dont l'objet de satisfaction est précisément fixé ;
- et la pulsion, qui correspond à l'expression psychique des besoins somatiques humains et dont l'objet de satisfaction peut varier selon le développement de la personnalité et l'histoire de l'individu.

Les pulsions peuvent subir les transformations suivantes :
- se transformer en leur contraire ;
- se retourner contre le sujet lui-même ;
- être refoulées ;
- être sublimées dans des activités socialement utiles.

---

26. Sigmund Freud, *Nouvelles conférences sur la psychanalyse, op. cit.*, p. 146.

3.1.2 Pulsions de vie et pulsions de mort

La vie psychique humaine est dominée par deux grandes pulsions conflictuelles, qui sont l'expression des deux grandes tendances vitales : Éros et Thanatos.

Les pulsions de vie (Éros) comprennent les pulsions sexuelles et les pulsions d'autoconservation ; elles tendent à la liaison, à l'unification.

Les pulsions de mort (Thanatos) comprennent les pulsions d'agression et les pulsions de destruction ; elles tendent à la désunion, au retour à l'état inorganique.

Le développement équilibré de la personnalité dépend de l'expression harmonieuse de ces deux grandes pulsions.

3.2 L'ÊTRE HUMAIN, UN ÊTRE DE DÉSIRS

En développant le concept de pulsion, Freud met l'accent sur l'enracinement somatique des activités psychiques, sur la relation entre le psychisme et le corps. Afin d'exprimer l'autre dimension fondamentale de la vie psychique, celle de la relation à autrui, il propose le concept de désir. Le désir constitue la clé des rapports entre les personnes et conduit la réflexion vers un ordre de réalité qui échappe à la dimension somatique proprement dite : il s'agit de l'ordre du langage et de la représentation symbolique des activités psychiques.

Le concept de désir s'articule autour du problème de la satisfaction des besoins. Selon la théorie freudienne, le besoin, qui est l'expression d'un état de tension, peut effectivement être satisfait par un objet approprié : par exemple, le besoin organique de nutrition de l'enfant est comblé par l'ingestion de nourriture. Sur le besoin se greffe le désir, qui naît de l'association de l'expérience de nutrition avec des signes liés à la première expérience de satisfaction, notamment avec des souvenirs de l'affection maternelle.

Le sein nourricier de sa mère est pour l'enfant le premier objet érotique, l'amour s'appuie sur la satisfaction du besoin de nourriture. Au début, l'enfant ne différencie certainement pas le sein qui lui est offert de son propre corps. C'est parce qu'il s'aperçoit que ce sein lui manque souvent que l'enfant le situe au dehors et le considère dès lors comme un *objet*, un objet chargé d'une partie de l'investissement narcissique primitif et qui se complète par la suite en devenant la personne maternelle. Celle-ci ne se contente pas de nourrir, elle soigne l'enfant et éveille ainsi en lui maintes autres sensations physiques agréables ou désagréables. Grâce aux soins qu'elle lui prodigue, elle devient sa première séductrice. Par ces deux sortes de relations, la mère acquiert une importance unique, incomparable, inaltérable et permanente et devient pour les deux sexes l'objet du premier et du plus puissant des amours, prototype de toutes les relations amoureuses ultérieures. [...] Si longtemps que l'enfant ait tété le sein de sa mère, il restera toujours convaincu, après le sevrage, d'avoir tété trop peu et pendant un temps trop court[27].

Les mères s'aperçoivent d'ailleurs très tôt de la signification de la demande de l'enfant; elles sentent bien que c'est l'attention, l'amour de sa mère que l'enfant recherche, par-delà le besoin d'ordre physiologique. C'est la manière de répondre à la demande d'affection « cachée » derrière le besoin alimentaire qui déterminera la réaction de l'enfant. À l'extrême, il pourra, en refusant de manger (anorexie), exprimer le fait que son désir d'affection est demeuré sans réponse. Les parents savent très bien utiliser à leur profit les règles de ce jeu : par exemple, en menaçant l'enfant de privation de dessert, ils lui expriment leur insatisfaction, ils le menacent d'un retrait partiel d'affection, et non pas de la privation d'un aliment essentiel.

Jacques Lacan[28] décrit ainsi la réalité du désir humain :

 Pour tout dire, nulle part n'apparaît plus clairement que le désir de l'homme trouve son sens dans le désir de l'autre, non pas tant parce que l'autre détient les clefs de l'objet désiré, que parce que son premier objet est d'être reconnu par l'autre[29].

On peut affirmer que le désir consiste dans le désir de l'autre, et cela, en un double sens :

- désirer l'autre : aimer ;
- désirer que l'autre nous désire : être aimé.

Pour bien comprendre la portée exacte de l'expression « désir de l'autre », il faut se rappeler que le désir humain a par nature une dimension sexuelle. Il est donc marqué par les restrictions, les normes, les refus et les interdits inhérents à l'éducation sexuelle. Ainsi, à la période critique du complexe d'Œdipe, l'enfant fait très tôt une expérience cruciale : l'autre résiste à son désir. Le désir qu'il éprouve envers son père ou sa mère est irréalisable et sans issue, comme nous l'avons déjà souligné à la section 2.4.2.

Jacques Lacan accorde une signification importante au fait que le désir humain est toujours accompagné de la possibilité d'être repoussé ou de demeurer sans réponse.

27. Id., *Abrégé de psychanalyse*, op. cit., p. 60-61.

28. Jacques Lacan (1901-1981), le plus connu et le plus controversé des psychanalystes français. Il a fait une entrée remarquée sur la scène de la théorie psychanalytique en donnant, en 1936, une conférence demeurée célèbre sur le « stade du miroir ». Dans ses écrits, qui sont d'une lecture difficile, il tente d'arrimer à la logique, aux sciences du langage et à l'anthropologie de son temps, le projet freudien de constitution de la psychanalyse comme science. Lacan a principalement développé la thèse selon laquelle l'inconscient humain est structuré comme un langage et qu'il relève de l'ordre symbolique.

29. Jacques Lacan, *Écrits I*, Paris, Seuil, 1966, p. 146.

À ses yeux, cela témoigne d'un trait fondamental de la réalité humaine : l'être humain est affecté d'un manque radical, aucun objet ne peut satisfaire intégralement son désir. Il est ainsi condamné à errer continuellement, à passer d'un objet de désir à un autre, sans jamais pouvoir combler son désir, son être.

Le désir est donc un appel à l'autre, mais un appel qui demeure à jamais sans réponse adéquate. L'autre ne pourra jamais pleinement satisfaire mon désir parce que, contrairement au besoin qui vise un objet réel indépendant du sujet, le désir cherche à être reconnu en tant que tel, intégralement, par l'autre. Le désir exprime ce qui manque à l'être humain et qu'il cherche dans l'autre, mais ce qu'il cherche n'est pas ce qui est caché dans l'autre et qu'il peut offrir.

Le désir est destiné à demeurer désir. L'être humain est destiné à rechercher l'autre sans jamais pouvoir le rejoindre, à éprouver toute sa vie un manque à être, une absence de l'être. La théorie freudienne du désir, telle que revue et développée par Lacan, nous propose donc une vision de l'être humain comme être de désir, un être qui tente de combler un manque fondamental, de colmater une faille à jamais béante.

Rappel des IDÉES PRINCIPALES

3.2 L'ÊTRE HUMAIN, UN ÊTRE DE DÉSIRS

Le concept de désir constitue la clé des rapports entre les personnes et renvoie à un ordre de réalité symbolique.

Il faut distinguer le besoin, qui peut effectivement être satisfait par un objet approprié, du désir, qui ne peut jamais être totalement comblé.

Le désir réside dans la demande d'affection associée à la satisfaction du besoin.

Le désir est toujours désir de l'autre : c'est l'aspiration à aimer et à être aimé qui motive l'être humain tout au long de son existence.

3.3 LIBERTÉ ET DÉTERMINISME PSYCHIQUE

La place prépondérante que Freud donne aux phénomènes inconscients dans l'ensemble de la vie psychique ainsi que l'importance déterminante qu'il prête aux états affectifs de l'enfance dans la formation de la personnalité adulte nous obligent à remettre en question l'idée de liberté humaine telle que véhiculée notamment par la tradition rationaliste. Cette remise en question apparaît encore davantage pertinente si l'on considère, avec Freud, que l'être humain est un être de pulsions et de désirs : si nous sommes soumis à des forces psychiques qui nous échappent, que reste-t-il de la liberté de choix ? Que reste-t-il de l'autonomie morale du sujet conscient, de sa capacité d'autodétermination ? Le sujet humain est-il à proprement parler un sujet, ou bien le simple objet des déterminismes familiaux et sociaux qui modèlent sa vie et son développement psychique ? Son comportement présent s'explique-t-il totalement par son histoire ? Bref, la théorie de Freud mène-t-elle à une conception déterministe de l'être humain ?

Nous ne le croyons pas, et ce, pour des raisons qui tiennent à la fois de la théorie et de la pratique psychanalytique elle-même.

a) D'une part, la notion même de pulsion dont nous avons parlé précédemment à la section 3.1.1, la plasticité des pulsions, notamment leur flexibilité, impliquent qu'il n'y a pas de véritable déterminisme biologique. Comme nous l'avons dit, le choix de l'objet propre à satisfaire une pulsion peut varier selon le degré de maturation de l'organisme et selon le stade de l'évolution de la personne (notamment selon le stade de la sexualité infantile). Ajoutons, pour être plus clairs, que ce choix de l'objet peut dépendre de l'éducation reçue et, de manière générale, des exigences familiales, sociales et politiques.

Ainsi, à part les cas extrêmes de déséquilibre psychique, notamment les cas où les pulsions provenant du ça ou des exigences du surmoi dominent largement et enlèvent toute autonomie au moi, le comportement humain n'est pas prédéterminé, n'est pas mécanique, programmé, bref, n'est pas instinctif. En témoignent les différentes manifestations des pulsions dont nous avons également parlé.

b) D'autre part, la pratique psychanalytique a pour objectif de libérer l'individu. La thérapie psychanalytique serait inutile si elle ne représentait pas un processus de libération pour le sujet. Le sens de cet argument mérite d'être développé.

Dans son ouvrage *De l'interprétation – Essai sur Freud*, Paul Ricœur[30] souligne que le psychanalyste désire que « l'analysé, en faisant sien le sens qui lui était étranger, élargisse son champ de conscience, vive mieux et finalement soit un peu plus libre[31]. »

Dans la même perspective, Jacques Lacan affirme que la thérapie doit être l'occasion pour le malade de se libérer d'un langage faux, en retrouvant, dans les composantes du langage inconscient, les lettres, les mots, les phrases, les chapitres censurés, « parce que c'est l'effet d'une parole pleine de réordonner les contingences passées, en leur donnant le sens de nécessités à venir, telles que les constitue le peu de liberté par où le sujet les fait présentes[32]. »

---

30. Paul Ricœur, philosophe français né en 1913. Influencé par les courants phénoménologique et existentialiste, Ricœur s'est particulièrement intéressé au problème de la volonté, dans ses dimensions psychologique, éthique et métaphysique, notamment dans *Le volontaire et l'involontaire*, publié en 1950. Il a développé une philosophie de l'interprétation (herméneutique) qui tient compte de l'apport de la psychanalyse dans son ouvrage *De l'interprétation – Essai sur Freud* (1965).

31. Paul Ricœur, *De l'interprétation – Essai sur Freud*, Paris, Seuil, 1965, p. 43.

32. Jacques Lacan, *Écrits I, op. cit.*, p. 133.

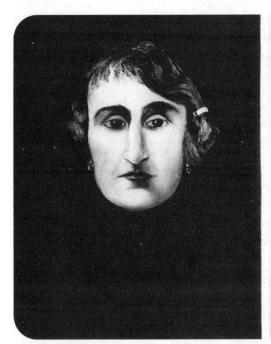

« Le moi n'est pas maître dans sa propre maison. Rentre en toi-même profondément et apprends d'abord à te connaître, alors tu comprendras pourquoi tu vas tomber malade, et peut-être éviteras-tu de le devenir. »
(S. Freud, *Essais de psychanalyse appliquée*)

On peut affirmer que la théorie freudienne reconnaît à l'être humain un pouvoir d'investigation de ses propres dynamismes psychiques inconscients. Cette capacité d'analyse peut lui permettre de s'approprier sa propre histoire, de reconnaître les événements qui ont marqué son passé. La théorie psychanalytique suppose donc une maîtrise possible des déterminismes psychiques par la parole : le sujet peut s'affranchir des tendances refoulées en les reconnaissant, en les nommant. C'est le sens de la « guérison » recherchée en psychanalyse que Freud exprime ainsi dans son *Introduction à la psychanalyse* : « En amenant l'inconscient dans la conscience, nous supprimons les refoulements, nous écartons les conditions qui président à la formation des symptômes, nous transformons le conflit pathogène en conflit normal qui d'une manière ou d'une autre finira par être résolu[33]. »

L'analyse peut donc être un moyen de libération pour l'être humain : celui-ci peut se retrouver, retrouver son identité profonde, que les expériences traumatisantes du passé et une socialisation exagérément répressive ont pu occulter.

L'expérience psychanalytique vient aussi renforcer la représentation de l'appareil psychique comme une structure dynamique, ouverte. L'appareil psychique humain

---

33. Sigmund Freud, *Introduction à la psychanalyse, op. cit.*, p. 412.

n'est pas une structure fermée, mécanique, mais un processus. Le psychisme humain se structure au contact du monde environnant : le moi se forme à partir des pulsions du ça, en réaction au monde extérieur. La thérapie permet au sujet d'intervenir dans ce processus.

L'éducation peut aussi, théoriquement, être une source de liberté, si le processus de socialisation auquel est soumis l'enfant lui permet de réaliser ses besoins affectifs fondamentaux, de développer harmonieusement sa personnalité jusqu'à l'âge adulte.

Pour résumer notre argumentation sur la question de la liberté, disons que la théorie freudienne tente d'aménager une voie de libération de l'être humain qui passe nécessairement par l'activité consciente du moi. L'être humain est soumis à un ensemble de forces innées, les pulsions, et de pressions provenant du milieu socio-familial. Ces forces sont le moteur de l'activité psychique et du comportement humain : elles peuvent être mises au service de la croissance et de la libération personnelles, à condition que l'on en désamorce la charge négative, qui peut annihiler complètement les chances de maîtrise consciente du comportement, lorsque les états morbides occupent tout l'espace du psychisme humain.

On peut donc affirmer que l'idée de l'être humain qui se dégage de la psychanalyse n'est pas celle d'un être libre, pleinement auteur de ses actes, doué d'une faculté de décision consciente et autonome. L'appareil psychique tel que défini par Freud ne peut jamais être totalement soumis au contrôle conscient du moi ; le moi demeure « sous influence » ou, selon les mots de Freud, « il n'est pas maître dans sa propre maison » :

Dans certaines maladies [...] le *moi* se sent mal à l'aise, il touche aux limites de sa puissance en sa propre maison, l'âme. Des pensées sur-gissent subitement dont on ne sait d'où elles viennent ; on n'est pas non plus capable de les chasser. Ces hôtes étrangers semblent même être plus forts que ceux qui sont soumis au *moi* [...].

La psychanalyse entreprend d'élucider ces cas morbides inquiétants, elle organise de longues et minutieuses recherches, elle se forge des notions de secours et des constructions scientifiques, et, finalement, peut dire au *moi* : « Il n'y a rien d'étranger qui se soit introduit en toi, c'est une part de ta propre vie psychique qui s'est soustraite à ta connaissance et à la maîtrise de ton vouloir. [...] »

« Tu crois savoir tout ce qui se passe dans ton âme, dès que c'est suffi-samment important, parce que ta conscience te l'apprendrait alors. Et quand tu restes sans nouvelles d'une chose qui est dans ton âme, tu admets, avec une parfaite assurance, que cela ne s'y trouve pas. Tu vas même jusqu'à tenir "psychique" pour identique à "conscient", c'est-à-dire connu de toi, et cela malgré les preuves les plus évidentes qu'il doit sans cesse se passer dans ta vie psychique bien plus de choses qu'il ne peut s'en révéler à ta conscience. [...] Tu te comportes comme un monarque absolu qui se contente des informations que lui donnent les hauts dignitaires de la cour et qui ne descend pas vers le peuple pour entendre sa voix. Rentre en toi-même profondément et apprends d'abord à te connaître, alors tu comprendras pourquoi tu vas tomber malade, et peut-être éviteras-tu de le devenir. »

C'est de cette manière que la psychanalyse voudrait instruire le *moi*. Mais les deux clartés qu'elle nous apporte : savoir, que la vie instinctive de la sexualité ne saurait être complètement domptée en nous et que les processus psychiques sont en eux-mêmes inconscients, et ne deviennent accessibles et subordonnés au *moi* que par une perception incomplète et incertaine, équivalent à affirmer que *le moi n'est pas maître dans sa propre maison*[34].

<u>Rappel des **IDÉES PRINCIPALES**</u>

3.3 LIBERTÉ ET DÉTERMINISME PSYCHIQUE

Une interprétation purement déterministe de l'appareil psychique semble incompatible avec la thérapie psychanalytique, dont le but est d'accroître la maîtrise consciente du sujet sur sa vie psychique.

Le but de la psychanalyse est d'augmenter le champ de liberté du sujet. Mais cette voie de libération demeure assez étroite : le moi est sous l'influence d'un ensemble de forces innées et de pressions du milieu sociofamilial ; il n'est pas maître dans sa propre maison.

3.4 CIVILISATION ET RÉPRESSION DES PULSIONS

Nous avons dit précédemment que Freud attribuait les névroses au refoulement excessif des désirs, à la répression de la sexualité. Nous avons vu également que l'instance appelée surmoi jouait le rôle de censeur des désirs jugés inacceptables par la famille et la société. En ce sens, on peut affirmer que les interdits sociaux et la morale sexuelle sont à l'origine des troubles mentaux et de la misère sexuelle des individus. Peut-on en conclure que l'absence de répression sociale de la sexualité favoriserait l'épanouissement sexuel et l'équilibre psychique des individus ? Freud a consacré une œuvre complète au rapport entre les pulsions sexuelles et agressives et la société ; il s'agit de *Malaise dans la civilisation*, publié en 1929. Voyons-en les thèses principales.

34. Id., *Essais de psychanalyse appliquée*, Paris, Gallimard, coll. Idées, 1971, p. 144-146.

Au chapitre 2 de *Malaise dans la civilisation*, Freud développe une réflexion sur les possibilités du bonheur. Il constate que tous les êtres humains cherchent à être heureux, mais que le bonheur ne peut être atteint que de manière partielle : il n'est qu'un « phénomène épisodique ».

Par ailleurs, Freud constate que les sources de malheur sont nombreuses : la déchéance progressive du corps (condamné au vieillissement, à la maladie et à la mort), l'hostilité du milieu naturel (cause de cataclysmes et d'épidémies) et les difficultés inhérentes aux rapports humains, qu'il considère comme la source principale du malheur individuel.

Au point de départ, la civilisation – que l'on peut définir comme l'ensemble des activités et des institutions qui assurent la protection des humains contre les phénomènes naturels et qui structurent les relations entre les individus – devrait contribuer au bonheur humain. En effet, le processus de civilisation impose aux individus de céder « une part de bonheur possible », pour obtenir en contrepartie une « part de sécurité ». Or cette situation est paradoxale, dans la mesure où la civilisation, qui contribue au bonheur de l'individu en lui assurant sa protection, ne peut s'ériger que sur le renoncement aux pulsions et leur refoulement dans l'inconscient. L'individu doit se soumettre au principe de réalité. Tout comme les nécessités vitales ont forcé nos ancêtres à restreindre les activités visant à satisfaire leurs pulsions au profit d'activités collectives ordonnées à la survie et à la protection, la participation aux avantages de la vie sociale et culturelle exige de l'individu qu'il renonce à la satisfaction d'une grande partie de ses pulsions sexuelles et agressives.

Sujet de réflexion

Selon Lacan, la dépression, le suicide des adolescents et les toxicomanies sont des symptômes du désarroi qui marque nos rapports interpersonnels, dominés par les impératifs de la rentabilité économique et marqués par l'instrumentalisation de l'être humain. Pouvez-vous illustrer cette analyse par des exemples concrets ?

Ainsi la vie sexuelle de l'individu s'est-elle vue encadrée, disciplinée : seule la sexualité génitale était considérée comme normale, à l'intérieur de règles matrimoniales précises et, encore, sous le primat de la procréation :

Le choix d'un objet par un individu venu à maturité sexuelle sera limité au sexe opposé, la plupart des satisfactions extragénitales seront prohibées en tant que perversions. Toutes ces interdictions traduisent l'exigence d'une vie sexuelle identique pour tous ; cette exigence, en se mettant au-dessus des inégalités que présente la constitution sexuelle innée ou acquise des êtres humains, retranche à un nombre appréciable d'entre eux le plaisir érotique et devient ainsi la source d'une grave injustice. [...] Mais la seule chose demeurée libre et échappant à cette proscription, c'est-à-dire l'amour hétérosexuel et génital, tombe sous le coup de nouvelles limitations imposées par la légitimité et la monogamie. La civilisation d'aujourd'hui[35] donne clairement à entendre qu'elle admet les relations sexuelles à l'unique condition qu'elles aient pour base l'union indissoluble, et contractée une fois pour toutes, d'un homme et d'une femme ; qu'elle ne tolère pas la sexualité en tant que source autonome de plaisir et n'est disposée à l'admettre qu'à titre d'agent de multiplication que rien jusqu'ici n'a pu remplacer.

C'est là naturellement aller à l'extrême. Chacun sait que ce plan s'est révélé irréalisable, fût-ce pour une courte durée. Seuls les débiles ont pu s'accommoder d'une si large emprise sur leur liberté sexuelle[36].

Ces restrictions de la libido, qui ont été à l'origine de bien des troubles de la personnalité, ne sont pas les seuls sacrifices exigés de l'individu : celui-ci doit renoncer encore davantage au plaisir sexuel pour investir son énergie dans des tâches socialement utiles, notamment dans le travail. En effet, Freud souligne que la civilisation ne peut subsister et progresser qu'en détournant partiellement la force de la pulsion sexuelle dans des activités comme la création artistique, le dévouement pour une cause sociale ou la recherche intellectuelle. Ce processus, que Freud appelle sublimation, consiste dans l'échange du but sexuel de la pulsion contre un but à vocation sociale. Cet échange est rendu possible grâce à la plasticité de la pulsion sexuelle, qui peut se satisfaire d'objets de nature très différente :

Elle [la pulsion sexuelle] met à la disposition du travail culturel une quantité extraordinaire de forces et cela, sans doute, par suite de la propriété particulièrement prononcée qui est sienne de déplacer son but sans perdre essentiellement en intensité. On appelle capacité de sublimation cette capacité d'échanger le but qui est à l'origine sexuel contre un autre qui n'est plus sexuel mais qui est psychiquement parent avec le premier. [...] La force originaire de la pulsion sexuelle est probablement plus ou moins grande suivant les individus ; le montant qu'elle consacre à la sublimation est certainement fluctuant. Il nous paraît que c'est la constitution innée de chaque individu qui décide d'abord de l'importance

---

35. Rappelons que Freud a écrit ce texte en 1929.
36. Sigmund Freud, *Malaise dans la civilisation*, Paris, PUF, 1971, p. 56-57.

de la part de la pulsion sexuelle qui se montrera chez l'individu capable d'être sublimée et utilisée ; en outre, la vie et l'influence intellectuelle exercée sur l'appareil mental réussissent à fournir une nouvelle part à la sublimation[37].

Freud souligne que la sublimation dans les activités artistiques ou intellectuelles est réservée à une minorité de gens doués. Mais il ajoute aussitôt que le travail librement choisi peut représenter une voie de sublimation accessible à un plus grand nombre. Quoi qu'il en soit, la confrontation entre la pulsion sexuelle et la civilisation ne se dénoue pas dans le simple processus de la sublimation.

En outre, la civilisation impose une autre restriction à l'individu, encore plus fondamentale pour le maintien du lien social : celle qui concerne la pulsion agressive et qui consiste principalement dans l'interdiction du meurtre et de la violence sexuelle. La société cherche à canaliser l'agressivité des individus dans des activités inoffensives, à développer un idéal d'amour : «[...] de là [...] cet idéal imposé d'aimer son prochain comme soi-même, idéal dont la justification véritable est précisément que rien n'est plus contraire à la nature humaine primitive[38]. »

Selon Freud, c'est dans sa nature même que l'être humain est agressif et destructeur, et c'est pour cette raison que la civilisation repose sur la contrainte et la répression :

L'homme n'est point cet être débonnaire, au cœur assoiffé d'amour, dont on dit qu'il se défend quand on l'attaque, mais un être, au contraire, qui doit porter au compte de ses données instinctives une bonne somme d'agressivité. Pour lui, par conséquent, le prochain n'est pas seulement un auxiliaire et un objet sexuel possibles, mais aussi un objet de tentation. L'homme est, en effet, tenté de satisfaire son besoin d'agression aux dépens de son prochain, d'exploiter son travail sans dédommagements, de l'utiliser sexuellement sans son consentement, de s'approprier ses biens, de l'humilier, de lui infliger des souffrances, de le martyriser et de le tuer. *Homo homini lupus* : qui aurait le courage, en face de tous les enseignements de la vie et de l'histoire, de s'inscrire en faux contre cet adage ? [...]

Cette tendance à l'agression, que nous pouvons déceler en nous-mêmes et dont nous supposons à bon droit l'existence chez autrui, constitue le facteur principal de perturbation dans nos rapports avec notre prochain ; c'est elle qui impose à la civilisation tant d'efforts. Par suite de cette hostilité primaire qui dresse les hommes les uns contre les autres, la société civilisée est constamment menacée de ruine[39].

---

37. Id., *La vie sexuelle*, Paris, PUF, 1969, p. 33.
38. Id., *Malaise dans la civilisation, op. cit.*, p. 66.
39. *Ibid.*, p. 64-65.

Aux yeux de Freud, la civilisation est effectivement parvenue à « civiliser » l'être humain, à assurer une sécurité et un bien-être de base en réprimant les pulsions égoïstes et agressives. Par contre, l'observation du contexte sociopolitique de son époque laissait craindre à Freud que de nouvelles flambées d'agressivité ne menacent l'existence même de la civilisation. Le dernier paragraphe de *Malaise dans la civilisation* est à ce point de vue éloquent ; il évoque le risque d'un conflit majeur qui menacerait la survie de l'humanité, en même temps qu'il exprime un espoir en des jours meilleurs :

La question du sort de l'espèce humaine me semble se poser ainsi : le progrès de la civilisation saura-t-il, et dans quelle mesure, dominer les perturbations apportées à la vie en commun par les pulsions humaines d'agression et de destruction ? À ce point de vue, l'époque actuelle mérite peut-être une attention toute particulière. Les hommes d'aujourd'hui ont poussé si loin la maîtrise des forces de la nature qu'avec leur aide il leur est devenu facile de s'exterminer mutuellement jusqu'au dernier. Ils le savent bien, et c'est ce qui explique une bonne part de leur agitation présente, de leur malheur et de leur angoisse. Et maintenant, il y a lieu d'attendre que l'autre des deux « puissances célestes », l'Éros éternel, tente un effort afin de s'affirmer dans la lutte qu'il mène contre son adversaire non moins immortel[40].

Par comparaison avec le projet rationaliste de paix perpétuelle, qui traduit la confiance profonde dans le progrès de la raison humaine, cette citation marque bien la spécificité de l'analyse freudienne de la civilisation. Ce n'est pas le concept de raison que Freud invoque pour formuler son espoir dans le progrès de l'humanité, mais le conflit primordial entre Éros et Thanatos, transposé sur le plan de la civilisation dans son ensemble : le progrès de l'humanité dépendra de la victoire des pulsions de vie sur les pulsions de mort.

Sujet de **réflexion**

Dans la suite de l'attentat terroriste du 11 septembre 2001 aux États-Unis, et en ayant à l'esprit les guerres et les génocides qui ont marqué les dernières décennies, peut-on encore espérer une victoire des pulsions de vie sur les pulsions de mort, au sens où Freud l'entend ? Êtes-vous plutôt optimiste ou plutôt pessimiste quant à une possible pacification des rapports humains ? Qu'est-ce qui motive votre attitude ?

---

40. *Ibid.*, p. 107.

3.4 CIVILISATION ET RÉPRESSION DES PULSIONS

Le processus de civilisation impose aux individus de céder «une part de bonheur possible» contre «une part de sécurité». Cela implique:

- un renoncement à la satisfaction d'une grande partie de leurs pulsions sexuelles et agressives;
- un investissement de leur énergie dans des activités socialement utiles (processus de sublimation).

La civilisation humaine ne peut subsister et progresser qu'à deux conditions:

- en détournant partiellement la force des pulsions sexuelles dans des activités socialement utiles comme le travail;
- en canalisant les pulsions agressives dans des activités inoffensives, en développant un idéal d'amour.

Ces deux conditions sont rendues nécessaires par la tendance naturelle à l'agressivité et à l'égoïsme que l'on observe chez l'être humain.

3.5 LA CRITIQUE DE LA RELIGION

Freud expose sa critique de la religion dans un ouvrage au titre éloquent, *L'avenir d'une illusion*, publié en 1927, soit deux ans avant la parution de *Malaise dans la civilisation*. Dans ces deux ouvrages, il applique sa réflexion au problème psychologique fondamental que pose le fonctionnement de la vie sociale et culturelle, et qu'il formule d'entrée de jeu comme suit dans *L'avenir d'une illusion*:

 La question décisive est celle-ci: réussira-t-on, et jusqu'à quel point, à diminuer le fardeau qu'est le sacrifice de leurs instincts et qui est imposé aux hommes, à réconcilier les hommes avec les sacrifices qui demeureront nécessaires et à les dédommager de ceux-ci[41]?

C'est dans cette optique que Freud présente la religion comme l'un des moyens que l'humanité s'est donnés pour apaiser la détresse humaine:

 Les dieux gardent leur triple tâche à accomplir: exorciser les forces de la nature, nous réconcilier avec la cruauté du destin, telle qu'elle se manifeste en particulier dans la mort, et nous dédommager des souffrances et des privations que la vie en commun des civilisés impose à l'homme[42].

---

41. Sigmund Freud, *L'avenir d'une illusion*, 6e éd., Paris, PUF, 1983, p. 10.
42. *Ibid.*, p. 25.

Freud reconnaît l'importance et la valeur du rôle joué par la religion à cet égard dans l'histoire. Il soutient en revanche qu'elle a échoué à rendre l'homme meilleur ou plus heureux, et même qu'elle le freine dans cette voie en raison de son caractère morbide d'illusion et de délire collectifs, qui l'apparente à la névrose obsessionnelle :

L'analogie entre la religion et la névrose obsessionnelle se retrouve jusque dans les détails, et bien des particularités et des vicissitudes de la formation des religions ne s'éclairent qu'au jour de cette analogie. En harmonie avec tout ceci est ce fait que le vrai croyant se trouve à un haut degré à l'abri du danger de certaines affections névrotiques ; l'acceptation de la névrose universelle le dispense de la tâche de se créer une névrose personnelle.

La reconnaissance de la valeur historique qu'ont certaines doctrines religieuses augmente le respect que nous leur accordons, mais n'enlève pas sa valeur à notre proposition de les exclure de la motivation des prescriptions culturelles. Tout au contraire ! Ces résidus historiques nous ont permis de concevoir, pour ainsi dire, les dogmes religieux comme des survivances névrotiques et nous sommes maintenant autorisés à dire que sans doute a sonné l'heure de remplacer – ainsi que dans le traitement analytique des névrosés – les conséquences du refoulement par les résultats du travail mental rationnel. On peut prévoir que ce remaniement des prescriptions culturelles ne s'arrêtera pas au renoncement à leur caractère solennel et sacré, mais qu'une révision générale de ces prescriptions impliquera la suppression de beaucoup d'entre elles. On ne peut guère le regretter. Le problème qui nous est posé, et qui est de réconcilier les hommes avec la civilisation, sera par là résolu dans une très large part[43].

En remplacement de l'illusion religieuse, Freud esquisse les grandes lignes d'un programme d'éducation proprement laïque, « l'éducation en vue de la réalité » :

On est en droit de nourrir une grande espérance en ce qui regarde l'avenir ; peut-être reste-t-il à découvrir un trésor qui enrichirait notre civilisation, et l'essai d'une éducation non religieuse vaut d'être tenté. [...]

Le stade de l'infantilisme n'est-il pas destiné à être dépassé ? L'homme ne peut pas éternellement demeurer un enfant, il lui faut enfin s'aventurer dans l'univers hostile. On peut appeler cela « l'éducation en vue de la réalité » ; ai-je besoin de vous dire que mon unique dessein, en écrivant cette étude, est d'attirer l'attention sur la nécessité qui s'impose de réaliser ce progrès ?

Vous craignez sans doute que l'homme ne supporte pas cette rude épreuve ? Cependant, espérons toujours. C'est déjà quelque chose que de se savoir

---

43. *Ibid.*, p. 62-63.

réduit à ses propres forces. On apprend alors à s'en servir comme il convient. L'homme n'est pas dénué de toute ressource; depuis le temps du déluge, sa science lui a beaucoup appris et accroîtra encore davantage sa puissance. Et en ce qui touche aux grandes nécessités que comporte le destin, nécessités auxquelles il n'est pas de remède, l'homme apprendra à les subir avec résignation. Que lui importe l'illusion de posséder de grandes propriétés dans la Lune, propriétés dont personne encore n'a vu les revenus? Petit cultivateur ici-bas, il saura cultiver son arpent de terre de telle sorte que celui-ci le nourrira. Ainsi, en retirant de l'au-delà ses espérances ou en concentrant sur la vie terrestre toutes ses énergies libérées, l'homme parviendra sans doute à rendre la vie supportable à tous et la civilisation n'écrasera plus personne. (Heine, *Deutschland*, chap. 1er)[44]

Dans ce projet de civilisation athée, centré sur la démonstration du caractère rationnel de la civilisation et des limites qu'elle impose à l'expression des pulsions, Freud manifeste une certaine confiance dans la capacité de l'humanité d'atteindre un équilibre sensé. Et, peut-être, d'élargir les possibilités du bonheur individuel.

Sujet de **réflexion**

Selon Freud, les progrès de la culture scientifique et l'avènement d'une éducation plus libérale nous autorisent à penser que le glas a sonné pour la foi religieuse. Selon vous, les religions connaissent-elles aujourd'hui une phase de déclin ou un nouvel essor? En d'autres termes, l'actualité donne-t-elle raison à Freud?

Rappel des IDÉES PRINCIPALES

3.5 LA CRITIQUE DE LA RELIGION

Freud classe la religion parmi les moyens que l'humanité s'est donnés pour apaiser la détresse humaine:
- la croyance dans le pouvoir qu'ont les dieux de maîtriser les éléments naturels a procuré aux anciens un état de sécurité acceptable;
- cette croyance dédommage les individus des sacrifices que la civilisation leur impose.

Selon Freud, la religion n'a pas su rendre l'homme meilleur ou plus heureux; elle l'empêche même de progresser dans cette voie en le maintenant dans un infantilisme nourri d'illusions de nature névrotique. Pour remplacer la religion, il faut promouvoir le «travail mental rationnel» et l'«éducation en vue de la réalité».

---

44. *Ibid.*, p. 69-71.

4 REMARQUES CRITIQUES

4.1 LA CONTRIBUTION DE FREUD À L'ANTHROPOLOGIE

On peut résumer en huit points principaux les éléments de la théorie freudienne qui ont contribué à faire avancer la réflexion sur l'être humain.

1. Depuis Freud, il n'est plus possible d'assimiler ou de réduire l'activité psychique humaine à l'activité consciente : une fois l'existence de l'inconscient démontrée, la conscience se définit comme un aspect limité de la vie psychique.

2. La théorie freudienne rend manifeste la relation existant entre les activités psychiques conscientes et les activités inconscientes : ce sont les dynamismes inconscients qui sont agissants, qui déterminent au premier chef les comportements humains. Pour se comprendre, le sujet doit mettre au jour les contenus de son inconscient.

3. La qualité de la vie psychique affecte la santé physique du sujet : des effets proprement organiques peuvent être causés par des troubles de la personnalité, des névroses ou des psychoses.

4. L'être humain se définit moins comme un être de raison que comme un être de pulsions, de désirs.

5. L'être humain apparaît comme un être déchiré entre deux tendances qui orientent son activité psychique et son comportement dans des directions opposées : une tendance à la destruction, au retour à l'état inorganique et une tendance à la conservation de la vie, au plaisir. L'équilibre psychique humain repose sur la conjugaison de ces deux pulsions (notamment dans l'activité sexuelle).

6. La période de l'enfance est déterminante dans le développement de la personnalité humaine. L'enfance est marquée par l'apprentissage du plaisir dans le cadre d'une sexualité diffuse et par l'importance capitale de la relation parentale pour l'équilibre affectif.

7. Le développement de la personnalité est soumis au processus de socialisation des instincts (éducation) : un refoulement excessif ou traumatisant de la libido peut handicaper gravement le sujet sur le plan affectif (névroses, psychoses).

8. L'intégration et la participation constructive à la vie sociale exigent le renoncement à l'égoïsme, à la recherche de l'autosatisfaction. La civilisation s'érige en détournant une partie des pulsions individuelles vers des tâches socialement utiles.

4.2 UNE CRITIQUE MARXISTE DE FREUD

Un courant de pensée critique, appelé le freudo-marxisme, s'est développé dès les années 20, pour culminer au tournant des années 70. Ce courant prétend concilier les pensées de Freud et de Marx, qui paraissent opposées de prime abord. On peut présenter schématiquement cette opposition dans une double perspective, de la façon suivante.

a) *Marx place la collectivité au centre de sa théorie.* Il montre que l'être humain est fondamentalement un être social, dont la survie et l'épanouissement dépendent de l'organisation du travail et de l'activité économique. Marx s'intéresse à la dynamique du développement historique des collectivités humaines, sans s'attarder aux dynamismes de la vie psychique des individus qui composent la société.

À l'opposé, *Freud met au premier plan le développement psychosexuel de l'individu.* Il montre que la vie psychique humaine peut être comprise en elle-même, dans ses structures propres. Les influences familiales et culturelles précises qui interviennent dans l'éducation et la socialisation de l'individu représentent en quelque sorte l'élément contingent, variable, du développement de la personnalité. Ces influences varient suivant les époques et les sociétés, elles agissent différemment selon les individus.

b) *Marx conçoit la destinée humaine comme la réalisation progressive de la nature sociale de l'être humain.* À ses yeux, la libération des aliénations et l'avènement d'une société égalitaire sont non seulement possibles, mais ils coïncident avec le sens de l'Histoire. Les contradictions de l'organisation socioéconomique et politique des sociétés industrielles libérales conduisent à l'instauration d'une société égalitaire qui permettra d'inaugurer une ère nouvelle de liberté personnelle et d'épanouissement individuel.

Pour sa part, *Freud livre une conception de la destinée humaine marquée par le réalisme* : la répression de la sexualité et de l'agressivité étant liée par nécessité au processus de socialisation, le bonheur individuel demeure, au sens plein du terme, difficilement atteignable. L'évolution de la société vers des pratiques éducatives moins répressives permettrait éventuellement aux individus d'atténuer leur misère morale ou de développer une personnalité mieux équilibrée. Cependant, nous n'avons pas l'assurance que cette évolution se fera dans le sens souhaité et que chacun pourra se réaliser pleinement dans une société réformée.

Parmi les représentants du freudo-marxisme, qui se proposent de rapprocher ces deux visions, on retient les noms de Wilhelm Reich[45] et de Herbert Marcuse. C'est

---

45. Wilhelm Reich (1897-1957). Personnage controversé du milieu psychanalytique. D'origine autrichienne, Reich a fait des études de médecine avant de devenir psychanalyste à Vienne. Il adhère au Parti communiste au début des années 30 et doit fuir les persécutions hitlériennes. Il s'installe aux États-Unis, où ses recherches et ses publications lui attirent les foudres de la justice américaine. Il mourra d'ailleurs en prison. Reich s'est employé à montrer que les structures socioéconomiques sont génératrices de névroses et que la révolution sexuelle est une dimension essentielle de la révolution sociopolitique. Son ouvrage le plus connu est *La révolution sexuelle* (1945).

la contestation étudiante de la fin des années 60 qui a projeté ces auteurs sur le devant de la scène culturelle et politique, Herbert Marcuse devenant l'un des maîtres à penser du moment.

HERBERT MARCUSE
(1898-1979)

Philosophe américain d'origine allemande, l'un des animateurs de l'école de Francfort. Il doit quitter l'Allemagne en 1933, pour s'installer définitivement aux États-Unis, où il écrira ses œuvres majeures, dont *L'homme unidimensionnel* (1964), et *Éros et civilisation* (1955). Marcuse a tenté de démontrer que l'être humain n'est pas insociable et que la civilisation peut ne pas être répressive.

Le conflit entre la sexualité et la civilisation se développe en même temps que la domination. Sous le règne du principe de rendement, le corps et l'esprit sont transformés en instruments du travail aliéné.
(Éros et civilisation)

On peut résumer en deux points essentiels la synthèse des pensées de Marx et de Freud que Marcuse a principalement développée dans son ouvrage *Éros et civilisation*[46]:

a) Marcuse soutient l'hypothèse d'une société non répressive, dans le but de dépasser la problématique freudienne du rapport nécessaire entre civilisation et répression de la sexualité;

b) Marcuse vise à combler les insuffisances de la théorie marxiste quant aux dynamismes psychiques individuels, en analysant les effets de l'organisation des sociétés industrielles avancées sur le développement psychosexuel des travailleurs.

Au point de départ, Marcuse prend appui sur la théorie freudienne de la socialisation des pulsions pour expliquer comment s'établit, sur le plan psychique, le rapport entre l'individu et la société. Il admet qu'il est nécessaire de détourner une partie des pulsions sexuelles des individus dans le travail, et ce aussi longtemps que la satisfaction des besoins humains exigera un lourd investissement de temps et d'énergie.

Toutefois, Marcuse soutient que le développement des sociétés industrielles rend le sacrifice de la libido de moins en moins nécessaire. Le progrès rapide des techniques de production devrait en effet avoir un double effet: humaniser le travail, le libérer du carcan des tâches aliénantes, et augmenter la capacité de production à un niveau tel que les besoins de tous les individus pourraient être satisfaits. Un minimum de travail pourrait ainsi suffire à combler les besoins humains essentiels.

46. Herbert Marcuse, *Éros et civilisation*, Paris, Éditions de Minuit, 1968.

Dès lors, une véritable libération de l'existence humaine deviendrait possible. L'individu n'ayant plus à détourner la plus grande partie de son énergie libidinale dans le travail, il disposerait de temps libre, qu'il pourrait consacrer à son épanouissement sexuel et à l'enrichissement de ses rapports avec autrui. En formulant l'hypothèse d'une société non répressive, Marcuse tente donc de dépasser la problématique freudienne du lien nécessaire entre civilisation et répression de la sexualité. Ce faisant, il propose un modèle de l'équilibre psychique humain où la libre expression de la sexualité est la meilleure garantie de la pacification des tendances agressives, la libération d'Éros ayant pour effet de neutraliser Thanatos.

Plusieurs commentateurs ont reproché à Marcuse la naïveté de sa conception des pulsions sexuelles et agressives en regard du caractère pervers, polymorphe, égoïste et asocial des pulsions humaines mis en lumière par Freud. Nous ne nous engagerons pas dans ce débat. Notre but est simplement de souligner qu'il existe dans l'œuvre de Marcuse certains éléments, dont l'idée de société non répressive, qui sont utiles à la réflexion critique sur l'œuvre de Freud. Voyons donc comment Marcuse présente et justifie cette idée de société non répressive.

On peut placer à l'origine de l'analyse marcusienne des sociétés industrielles modernes l'interrogation suivante : pourquoi les progrès scientifiques et techniques tardent-ils à porter leurs fruits, à instaurer une société non répressive et conviviale ? Pour y répondre, Marcuse introduit un nouveau concept, celui de *principe de rendement*, qui joue un double rôle. Il permet de reformuler le concept freudien de principe de réalité dans les termes d'une analyse marxiste du mode de production capitaliste. Il permet également de compléter l'analyse marxiste de l'aliénation du travail en considérant ses effets sur le développement psychosexuel du travailleur. Nous nous en tiendrons ici seulement au premier de ces deux rôles, celui qui concerne plus directement le freudisme.

Marcuse montre que, malgré les capacités presque illimitées de production, l'organisation du travail industriel demeure aliénante pour les travailleurs : elle est inutilement et exagérément répressive, elle exige le détournement des pulsions sexuelles dans le travail, alors que cela n'est plus nécessaire. Les impératifs de productivité et de profit imposent en effet un rythme et un temps de travail ainsi qu'une répression proportionnelle des pulsions sexuelles qui vont bien au-delà de ce qui serait nécessaire pour assurer un niveau de production et d'organisation sociale correspondant aux véritables besoins de l'être humain.

Ce n'est donc plus au principe de réalité que l'individu sacrifie sa libido et son temps libre, c'est au principe de rendement, c'est-à-dire à l'impératif de la productivité liée au profit. Il ne s'agit plus de répression de la sexualité par la civilisation, mais de surrépression de la sexualité par une organisation sociale qui n'en aurait plus besoin pour assurer le bien-être de la communauté.

C'est pourquoi Marcuse prône la socialisation des moyens de production, dans la lignée de Marx. Cette révolution sociopolitique serait le prélude à une véritable révolution des mœurs, y compris une révolution sexuelle, qui abolirait toutes les formes d'autorité limitant l'expression de la créativité et de la convivialité humaines. Marcuse affirme donc qu'il est permis d'espérer l'avènement d'une ère nouvelle, libérée de la lutte quotidienne pour la survie, orientée vers la pacification de l'existence et favorisant l'expression d'une nouvelle culture et d'une nouvelle morale marquées par la libre expression des jeux de l'amour et de la création artistique.

Avec cette vision optimiste d'un avenir possible de la civilisation, Marcuse se dresse contre certains des enseignements de Freud et ouvre un débat difficile à trancher. On peut résumer l'enjeu de ce débat par les questions suivantes. Les tendances au plaisir égoïste, à la domination et à l'agressivité, qui se manifestent sans interruption dans l'histoire de l'humanité depuis la nuit des temps, représentent-elles, comme le pense Freud, une donnée immuable du psychisme humain que la civilisation doit endiguer et canaliser ? Autrement dit, les pulsions sexuelles et agressives ont-elles par nature ce caractère destructeur qui rend nécessaire, aux yeux de Freud, leur répression sociale, qui est génératrice de misère psychologique, de malheur ? À l'opposé, peut-on affirmer avec Marcuse que le caractère destructeur des pulsions tient en dernière analyse à une organisation aliénante de la vie socioéconomique qu'il est possible de dépasser, et que des voies nouvelles d'expression de la libido et de l'agressivité, et partant de bonheur, peuvent être ouvertes par la modification des structures sociales ?

Nous ne prétendons pas trancher ici la question. Nous retenons toutefois de la thèse de Marcuse une critique importante adressée à la conception freudienne du rapport entre sexualité et répression. Le malaise dans la civilisation doit être analysé en tant que tel, c'est-à-dire en tant que malaise au moins en partie explicable par des formes d'organisation socioéconomiques et culturelles répressives. On peut affirmer que la dimension de l'analyse socioéconomique est effectivement absente de la théorie freudienne, alors qu'il s'agit d'un aspect fondamental de la réalité humaine.

4.3 LA PSYCHANALYSE EST-ELLE UNE SCIENCE ?

Nous avons évoqué, à la section 2.1, la formation scientifique de Freud, ses domaines principaux d'intérêt étant la physiologie et la neurologie. On peut affirmer que la méthode des sciences de la nature a constitué un modèle pour les recherches freudiennes, qui s'enracinent dans la conviction que tout phénomène psychique doit avoir un fondement d'ordre biologique.

Nous avons vu également que l'expérience clinique avait déterminé des développements importants de la théorie freudienne : Freud a créé des concepts et des modèles nouveaux pour expliquer des faits d'observation révélés dans le cadre de la relation thérapeutique.

Cela dit, une question mérite d'être soulevée : la psychanalyse satisfait-elle à l'idéal de rigueur scientifique ? Nous ferons trois remarques générales sur cette question.

4.3.1 La critique de Popper

Le philosophe Karl Popper[47] soutient, notamment dans *Conjectures et réfutations*, que la psychanalyse n'est pas au sens strict une science authentique, puisque, contrairement aux théories véritablement scientifiques, elle n'est pas réfutable. Expliquons brièvement en quoi consiste le critère de la réfutabilité.

Le but que poursuivait Popper en formulant ce critère était de distinguer les sciences des pseudo-sciences, ces dernières se définissant comme des théories qui se fondent sur l'observation et l'expérimentation, mais qui ne possèdent pas la rigueur des sciences.

Selon Popper, une hypothèse ou une théorie que l'on ne peut pas soumettre à des tests pour en vérifier le bien-fondé ne mérite pas le qualificatif de scientifique, parce qu'elle est invérifiable ou, plus exactement, parce qu'elle n'est pas réfutable. La réfutabilité d'une hypothèse ou d'une théorie consiste dans la possibilité qu'elle offre d'être remise en question par des observations précises, faites dans des conditions bien définies et répétables. En bref, une hypothèse ou une théorie n'a de valeur scientifique que si elle exclut certaines possibilités, c'est-à-dire si elle est virtuellement réfutable.

Popper estime que la psychanalyse ne satisfait pas à ce critère fondamental de scientificité. Il soutient que la psychanalyse se présente comme une théorie qui a réponse à tout, qui permet d'interpréter tous les faits psychiques, sans qu'aucun permette de la réfuter. C'est selon lui le signe qu'elle ne dit rien de véritablement précis, de rigoureux sur l'être humain, et ce malgré le fait que les hypothèses de la psychanalyse prennent appui sur de nombreuses observations cliniques :

Les « observations cliniques », comme tous les autres types d'observation sont des *interprétations faites à la lumière de théories* [...] ; c'est pour cette seule raison qu'elles peuvent sembler venir étayer les théories à la lumière desquelles elles ont été interprétées. En revanche, seules des observations entreprises afin de tester les théories (des « tentatives de

47. Philosophe autrichien, né en 1902. Il a grandement contribué à la réflexion épistémologique contemporaine en définissant la scientificité par le critère de la réfutabilité ou de la falsifiabilité d'une hypothèse. Son ouvrage majeur, *Logique de la découverte scientifique*, s'attache à démontrer qu'une hypothèse ne peut être reconnue comme scientifique que si la possibilité de la réfuter existe.

réfutation ») peuvent véritablement étayer celles-ci ; et, pour cela, il faut définir à l'avance des *critères de réfutation* : on conviendra de certaines situations observables qui, si elles sont effectivement observées, impliqueront que la théorie se trouve réfutée[48].

Ainsi, une théorie ne tire pas sa valeur scientifique de son origine expérimentale, mais de sa capacité à subir l'épreuve de la réfutation. Et, selon Popper, la théorie psychanalytique ne répond pas à cette exigence. Cela explique peut-être les interminables querelles d'écoles qui ont marqué et marquent encore l'histoire de la psychanalyse : chacune des écoles peut invoquer des faits cliniques à l'appui de son interprétation du psychisme humain et défendre ainsi un corpus théorique qui se dérobe à la réfutation.

Toutefois, il est important de préciser que si la psychanalyse, en tant que corpus théorique global, prête flanc aux critiques de Popper, cela n'implique pas nécessairement que toutes les connaissances qu'elle nous livre sur l'être humain soient inutiles ou invérifiables. Freud lui-même n'a pas hésité à modifier des éléments de sa théorie lorsque de nouvelles données cliniques obtenues par l'observation l'exigeaient. Aussi est-il légitime de penser que des éléments de la théorie freudienne puissent se prêter à l'épreuve de la réfutation. Parmi ces éléments, mentionnons les processus inconscients, la sexualité infantile et le processus du refoulement.

4.3.2 L'objet de la psychanalyse

La psychanalyse s'intéresse au domaine des désirs, des rêves, des sentiments, des conflits psychiques : ce sont manifestement là des aspects de la réalité humaine qui ne sont pas facilement accessibles à l'investigation scientifique. D'autre part, les liens entre les dynamismes somatiques et les dynamismes psychiques restent à préciser, et même dans certains cas à concevoir du côté des sciences biologiques.

Dans ce contexte, il est légitime de formuler l'argument voulant que la psychanalyse s'attaque à un aspect de la réalité humaine qui échappe aux critères d'expérimentation établis par les sciences exactes. Le savoir que constitue la psychanalyse sur la signification des rêves, la structure de l'appareil psychique ou l'origine des névroses s'élabore à partir d'une méthode différente : la psychanalyse est une « science de l'interprétation ».

Elle vise en effet à donner un sens à des phénomènes qui ne sont pas directement observables et dont la dynamique est inconsciente. Il est clair que la méthode fondée sur l'observation des faits et la vérification par des mesures quantifiables est ici inapplicable. C'est pourquoi la psychanalyse procède par un raisonnement

48. Karl R. Popper, *Conjectures et réfutations – La croissance du savoir scientifique*, Paris, Payot, 1985, p. 66.

largement analogique, empruntant plusieurs concepts fondamentaux aux grands mythes qui ont marqué l'histoire culturelle de l'humanité.

La force de la psychanalyse réside donc dans la lumière qu'elle jette sur les phénomènes psychiques humains en leur donnant un sens et, en même temps, dans la possibilité d'intervention thérapeutique qu'elle offre. Ce dernier point fait précisément l'objet de notre troisième remarque.

4.3.3 La psychanalyse en tant que science appliquée

Parce que le savoir psychanalytique fonde une pratique thérapeutique, il s'expose aux risques que courent toutes les sciences appliquées. Parmi ces risques, nous retenons le suivant : les sciences appliquées sont plus vulnérables que les sciences pures aux influences idéologiques.

Les valeurs et les croyances des théoriciens et des praticiens de la psychanalyse sont susceptibles d'occuper une place importante dans la formulation des hypothèses ou dans les interprétations des phénomènes psychiques. Ainsi, il est légitime de penser que le modèle de la famille traditionnelle valable à l'époque de Freud a influencé l'élaboration de sa théorie.

C'est dans cette perspective qu'il faut situer les critiques féministes de la théorie freudienne, qui soutiennent que des schèmes de la pensée masculiniste traditionnelle ont influencé plusieurs aspects de la psychanalyse. Ces critiques portent notamment sur l'importance accordée à la figure du père et à l'organe mâle dans la formation de la personnalité et le développement psychosexuel du garçon et de la fille, au détriment de la figure de la mère et de la reconnaissance d'une sexualité proprement féminine[49].

La dimension pratique de la psychanalyse comporte cependant un aspect positif. En effet, parce qu'il s'applique au traitement de troubles psychiques comme les névroses, le savoir psychanalytique a le pouvoir d'influencer le développement de la personnalité et, éventuellement, de la culture. Dans cette perspective, la difficulté, pour la psychanalyse, consiste précisément à exercer ce pouvoir dans un esprit critique, afin de le garder à l'abri des déviations idéologiques. Il s'agit là d'une préoccupation constante, que partagent d'ailleurs toutes les sciences appliquées.

49. Sur cette question, on pourra lire avec profit l'ouvrage de Christiane Olivier, *Les enfants de Jocaste – L'empreinte de la mère*, Paris, Denoël-Gonthier, 1980.

5 PROBLÉMATIQUE
LA RESPONSABILITÉ CRIMINELLE

La mise en situation par laquelle débute ce chapitre relate le cas de Christian, un adolescent incendiaire. Elle soulève une question souvent débattue dans les médias à propos des procès criminels et qui divise l'opinion publique : celle de la responsabilité. L'accusé est-il responsable de ses actes, auquel cas il doit en assumer les conséquences et subir les sanctions prévues par la loi ? À l'opposé, l'accusé a-t-il agi sous l'influence irrésistible de forces psychiques et d'influences sociales qui l'ont rendu irresponsable, auquel cas il faut le soumettre à une thérapie ? En d'autres termes, comment faut-il concevoir les relations entre les membres de la communauté face à la criminalité : dans l'optique de sanctions judiciaires punitives ou répressives, ou dans la perspective d'interventions éducatives, axées sur la thérapie ?

Nous proposons de développer brièvement ces questions dans une perspective psychanalytique. Notre but est de mettre en relief l'apport de la théorie freudienne à la réflexion sur l'action humaine, en prenant pour exemple la problématique de la responsabilité criminelle. Le premier élément à considérer est la remise en question de la conception traditionnelle de la responsabilité.

Dans la culture occidentale, nourrie par la philosophie rationaliste et par la pensée chrétienne, la question de la responsabilité se pose traditionnellement dans les termes suivants : l'individu adulte est réputé être le sujet, l'auteur individuel de ses actes, parce qu'il est doué de raison, qu'il est conscient de la portée bonne ou mauvaise de ses actes, à la condition que ceux-ci résultent d'un libre choix, c'est-à-dire qu'ils ne soient pas accomplis sous la menace ou la contrainte. Sur cette base, la personne individuelle est réputée responsable de ses actions tant sur le plan moral que sur le plan juridique.

Selon cette conception, la responsabilité est fondée sur la raison, définie comme faculté consciente et autonome : la raison est réputée capable de maintenir son autorité sur l'action humaine, de surmonter les impulsions « naturelles » ou les états affectifs, de même que les influences négatives exercées par l'entourage. L'individu, face à une situation, peut toujours décider de respecter telle loi ou telle règle morale. S'il fait un geste illégal ou immoral, on le tient pour responsable de ne pas avoir agi comme il le devait.

L'application du principe de responsabilité et d'imputabilité de l'action au sujet peut cependant être suspendue ou pondérée, dans les cas où le sujet est aliéné ou privé de sa raison, de manière temporaire ou permanente. C'est le cas, dans le domaine judiciaire, d'un crime commis en pleine crise de délire psychotique, ou d'un crime passionnel, où le meurtrier agit sous l'emprise d'un choc émotionnel violent.

Dans le premier cas, on imposera à la personne psychotique une cure psychiatrique[50]; dans le second, on atténuera l'accusation (meurtre au second degré) et la peine, ou on prononcera l'acquittement.

On suspend ainsi en tout ou en partie l'application de la sanction juridique dans l'espoir de voir la personne recouvrer un équilibre mental ou émotionnel acceptable, au terme d'une cure psychiatrique ou d'une peine d'emprisonnement. La décision de remettre une personne en liberté est alors fondée sur la conviction qu'elle jouit de nouveau d'une capacité décisionnelle, qu'elle est dorénavant en mesure de respecter la loi et qu'elle ne représente plus un danger pour la sécurité d'autrui.

La théorie psychanalytique remet en question, dans une large mesure, cette conception rationaliste de la responsabilité criminelle. Les données de la psychanalyse nous apprennent en effet que la source profonde de l'agir humain n'est pas la simple raison, que l'action humaine ne procède pas d'une liberté pleine et consciente. L'agir humain est plutôt la résultante des sollicitations souvent contradictoires des différentes instances psychiques. La personne est tiraillée entre les exigences de ses propres désirs et les impératifs du monde extérieur, elle est continuellement habitée par des conflits, certains étant conscients, d'autres inconscients. Ces conflits peuvent entraîner des désordres plus ou moins graves et permanents de la personnalité, et inspirer des gestes qui ne procèdent pas d'une décision rationnelle, lucide, informée et volontaire.

La psychanalyse nous apprend ainsi qu'il n'y a pas seulement les actes accomplis en état de psychose active ou de choc émotionnel grave qui sont de nature à remettre en cause la responsabilité criminelle. Elle montre que plusieurs actes criminels considérés comme volontaires et sanctionnés comme tels par la loi sont en fait attribuables à des troubles ou des déséquilibres de la personnalité, dont l'origine et l'accomplissement s'avèrent largement inconscients et involontaires. Ainsi, on peut penser que Christian (voir la section 1) a commis son geste incendiaire dans un état de conscience diminuée, de grande fébrilité; peut-être même était-il après coup incapable de s'en souvenir !

L'imputation à Christian de l'entière responsabilité de son action devient dès lors discutable. Dans l'optique psychanalytique, l'origine de sa faute n'est pas une mauvaise décision de sa raison, une volonté d'agir à l'encontre de la règle. Elle

---

50. Il faut ici distinguer la *psychiatrie*, qui est une spécialité médicale étudiant et traitant les maladies mentales, et la *psychanalyse*, qui relève du domaine de la psychologie clinique (voir la définition donnée à la section 2.1). En tant que médecin, le psychiatre peut poser des diagnostics et prescrire des médicaments. Ce sont les médecins psychiatres qui sont appelés à témoigner en cour à titre d'experts pour établir l'état mental d'un prévenu au moment du crime. On leur demande de faire preuve d'objectivité dans leur expertise, le juge ou le jury devant se prononcer hors de tout doute raisonnable. Dans la relation thérapeutique qu'il établit avec le patient, le psychiatre peut mettre à profit différentes approches de psychologie clinique, dans la mesure où il a la formation pour le faire.

réside plutôt dans la tendance largement inconsciente à résoudre dans un geste violent le conflit avec son père. Il n'y a pas à proprement parler aliénation mentale, mais il ne s'agit pas non plus de l'acte lucide d'un individu en pleine possession de ses moyens. Christian a mis le feu à sa maison, comme si cela pouvait représenter une solution à ses problèmes. Son comportement doit être interprété à partir du drame que révèle son histoire personnelle. Il est l'œuvre d'un sujet qui se cherche, qui s'égare et agit agressivement contre des personnes.

Dans la mesure où l'on peut montrer que la plupart des actes de violence familiale ont une histoire qui ressemble à celle de Christian, on peut soutenir que la peine d'emprisonnement ne peut en elle-même suffire à « ramener à la raison » les personnes violentes et à protéger les victimes éventuelles, parce que l'emprisonnement ne résout en rien les troubles psychiques à l'origine des excès d'agressivité. Nous savons en effet que ces troubles sont largement inconscients, qu'ils plongent leurs racines dans les événements de la période infantile et qu'ils ne peuvent se résorber d'eux-mêmes.

L'exemple de la violence conjugale, largement débattu sur la place publique, montre à l'évidence l'insuffisance de ces procédures qui supposent que la punition, l'incarcération, est de nature à modifier le comportement criminel. Les médias rapportent en effet des cas d'hommes violents condamnés à des peines d'emprisonnement pour avoir battu leur compagne, et qui l'ont assassinée dès leur libération conditionnelle.

Notre propos n'est pas de procéder à la critique du système des libérations conditionnelles, mais de tirer un enseignement de la théorie psychanalytique. Une première conclusion s'impose : les auteurs d'actes violents ont besoin d'une thérapie individuelle. Il faut offrir à chacun les meilleurs moyens de se libérer de l'emprise du passé en vue d'acquérir la meilleure maîtrise possible de l'expression actuelle des besoins et des désirs. La personne doit apprendre à exprimer ses états affectifs dans des comportements non violents. La psychanalyse nous invite donc à analyser et à traiter chaque cas dans sa singularité, à mettre entre parenthèses la conception abstraite du sujet rationnel, autonome et responsable qui sert de fondement aux institutions morales et juridiques.

La seconde conclusion est liée à l'enseignement de la psychanalyse selon lequel les traumatismes et les refoulements de l'enfance sont liés aux influences socio-familiales. La recherche des causes de la violence et des moyens de la contrer passe donc également par une analyse de l'origine socioculturelle des excès d'agressivité envers les personnes, par la critique des possibilités concrètes offertes à chaque personne d'exprimer ses pulsions sexuelles et agressives de manière équilibrée. Cela suppose enfin l'élaboration d'un programme sociopolitique qui permettrait de s'attaquer directement aux causes sociales, économiques, familiales et culturelles de la violence. Pour paraphraser Freud, il faut procéder à l'analyse du malaise dans la civilisation actuelle qui est à l'origine de la violence contre la personne.

FONDEMENTS THÉORIQUES DU FREUDISME

2.1 LA PSYCHANALYSE FREUDIENNE

1. Quelles principales critiques Freud adresse-t-il à la conception rationaliste moderne de l'être humain ?

2.2 L'INCONSCIENT

2. Résumez en des termes personnels le raisonnement qui a amené Freud à poser l'existence d'une activité psychique inconsciente.

3. Pourquoi, selon Freud, l'hypothèse de l'inconscient est-elle nécessaire ? Donnez les deux raisons avancées par l'auteur.

2.3 LE REFOULEMENT

4. Décrivez le mécanisme du refoulement, en faisant intervenir les notions de désir, de sexualité, d'interdit et de censure.

2.4 LA SEXUALITÉ

5. Dans le passage de l'*Introduction à la psychanalyse* cité à la section 2.4.1, Freud parle de la « perversité polymorphe » de l'enfant. Expliquez le sens de cette expression en montrant la différence entre la sexualité adulte et la sexualité infantile.

6. Construisez un tableau mettant en relation les stades du développement sexuel et les phases de l'évolution psychoaffective de l'enfant.

7. Expliquez comment le complexe d'Œdipe intervient dans le processus de socialisation de l'enfant.

2.5 L'APPAREIL PSYCHIQUE OU LA STRUCTURE DE LA PERSONNALITÉ

8. En vous inspirant du texte des *Nouvelles conférences sur la psychanalyse* cité à la page 260, décrivez les trois instances qui composent l'appareil psychique et expliquez la façon dont elles interagissent.

ANTHROPOLOGIE FREUDIENNE

9. Quels sont les principaux éléments qui rattachent la théorie freudienne au courant naturaliste ?

3.1 L'ÊTRE HUMAIN, UN ÊTRE DE PULSIONS

10. Expliquez et distinguez les notions d'instinct et de pulsion.

11. Quelles sont les quatre principales transformations que peuvent subir les pulsions ?

12. Quelles sont les caractéristiques des deux pulsions fondamentales de l'être humain, les pulsions de vie et les pulsions de mort ?

3.2 L'ÊTRE HUMAIN, UN ÊTRE DE DÉSIRS

13. Définissez les besoins et les désirs et expliquez en quoi ils se distinguent les uns des autres.

3.3 LIBERTÉ ET DÉTERMINISME PSYCHIQUE

14. Quelles sont les deux raisons invoquées dans le texte à l'appui de l'affirmation selon laquelle on ne peut pas parler d'un véritable « déterminisme » concernant la théorie freudienne ?

15. Expliquez comment le problème de la liberté humaine peut être traité à la lumière de la psychanalyse. Pour cela, inspirez-vous directement du passage cité (p. 274-275) des *Essais de psychanalyse appliquée* dans lequel Freud exprime l'idée que « le moi n'est pas maître dans sa propre maison ».

3.4 CIVILISATION ET RÉPRESSION DES PULSIONS

16. Expliquez dans quelle mesure la civilisation est liée à la répression des pulsions individuelles selon Freud, en précisant l'importance et l'objet de cette répression de même que les avantages que les individus obtiennent de la civilisation en compensation.

17. Selon votre compréhension de la théorie freudienne, quelles seraient les conséquences, pour les individus et pour la civilisation,

a) d'une éducation et d'une morale sexuelle trop permissives ?

b) d'une éducation et d'une morale sexuelle trop répressives ?

18. Pensez-vous que l'éducation et la morale sexuelle actuelles sont trop permissives ou trop répressives ? Développez votre point de vue et illustrez-le par un exemple.

3.5 LA CRITIQUE DE LA RELIGION

19. Partagez-vous les idées de Freud concernant la religion ? Développez votre réponse.

REMARQUES CRITIQUES

20. Énumérez et expliquez brièvement trois des principales contributions de Freud à l'anthropologie.

21. Pourquoi, selon Marcuse, les sociétés industrielles sont-elles trop répressives ?

22. Considérez-vous que la psychanalyse freudienne propose un modèle objectif ou scientifique de la psychologie humaine ? Développez votre point de vue en définissant brièvement ce que vous entendez par connaissance objective ou scientifique.

PROBLÉMATIQUE DE LA RESPONSABILITÉ CRIMINELLE

23. Exposez les principaux éléments de la position rationaliste sur la responsabilité humaine.

24. Expliquez le sens des critiques que l'on peut adresser à cette conception rationaliste de la responsabilité en s'inspirant de la psychanalyse.

25. Formulez une position personnelle quant à l'attitude de Mireille, la jeune éducatrice dont il est question dans la mise en situation. Exposez les raisons de votre accord ou de votre désaccord concernant son attitude en faisant intervenir la notion de responsabilité.

CHAPITRE 5

La conception
existentialiste
de l'être humain

Julie participe depuis peu au groupe de prévention du suicide de son collège, qui regroupe des étudiants, des professeurs et une psychologue. Au cours des vacances d'été, elle a été fortement ébranlée par la mort de Jérôme, le frère aîné de sa meilleure amie, qui s'est enlevé la vie. L'hiver précédent, il avait abandonné ses études de premier cycle universitaire. Au moment du drame, il vivait seul, sans emploi et sans autre revenu que l'aide sociale.

Julie est d'autant plus touchée qu'elle admirait le jeune homme pour sa froide lucidité à l'égard des motivations réelles de l'action humaine et pour son scepticisme tranchant face aux croyances naïves et aux discours politiques promettant des lendemains qui chantent. Ces traits de caractère lui semblaient enracinés dans un solide esprit critique, parfois teinté d'humour noir, mais imperméable aux grands emportements affectifs. Pourtant, Jérôme a manifestement sombré dans un profond découragement.

En joignant le groupe de prévention du suicide, Julie veut aider les jeunes qui manifestent des tendances suicidaires. Elle est également habitée par le besoin de comprendre le geste de Jérôme, de répondre aux interrogations soulevées par la lettre de suicide qu'il a laissée. Il y expose en effet une série de raisons d'agir pointant vers un sentiment dominant, qui revient comme un leitmotiv : l'absurdité de l'existence. Il aurait acquis la conviction que la vie ne vaut pas la peine d'être vécue en subissant une série de déceptions et de désillusions. Celles-ci lui ont d'abord causé une impression de vide, de lassitude, puis l'ont convaincu progressivement que l'enchaînement répétitif des gestes quotidiens ne mène nulle part et finalement lui ont donné la certitude que la vie n'a pas de sens.

Julie éprouve le besoin de réfléchir et d'échanger sur ces désillusions. La lettre de Jérôme exprime notamment l'impuissance qu'il ressentait à l'égard du déroulement de sa propre vie, le sentiment d'être de trop dans une société impersonnelle et hostile, sans voix dans le réseau des communications de masse, impuissant face aux pouvoirs de l'argent, désabusé des discours politiques incapables de susciter l'espoir en l'avenir. La lettre de Jérôme traduit la révolte sans issue d'un être exclu du monde, étranger aux autres, prisonnier d'une existence vide, sans horizon pour élever le regard et motiver l'action.

Par-delà ces désillusions, c'est l'explication ultime du geste de Jérôme qui préoccupe Julie. Son suicide intervient-il comme la conséquence logique d'une forme aiguë de lucidité, comme le résultat inévitable d'une démarche de réflexion critique rigoureuse sur le sens de la vie ? Est-il au contraire l'effet d'un état de dépression que sa lettre tente de justifier, de rationaliser après coup ? En d'autres termes, si Julie entreprenait à son tour une démarche de réflexion similaire à celle de Jérôme, à partir de sa seule expérience et en faisant abstraction des idées reçues sur la nature humaine et sa destinée, pourrait-elle conclure rationnellement que l'existence humaine est absurde et que la seule issue est le suicide ?

C'est là une question difficile, une question limite ; elle demande de faire appel à des œuvres qui s'intéressent au thème de l'absurde et au fait de l'existence individuelle, et qui traitent formellement de la question du suicide dans une perspective philosophique.

2 FONDEMENTS THÉORIQUES
LA PRIMAUTÉ DE L'EXISTENCE HUMAINE

La question du sens de l'existence telle que nous l'avons formulée à partir de la problématique du suicide de Jérôme offre un défi de taille qui consiste à prendre l'expérience vécue comme objet premier de l'analyse rationnelle, sans référence à une « nature humaine » prédéterminée. Elle fait appel à une optique philosophique nouvelle par rapport à celles qui mettent en relief la « nature » rationnelle, spirituelle, animale, sociale ou psychique de l'être humain. En effet, les philosophes de l'existence, ou existentialistes, ne définissent pas la « nature humaine ». On verra que cette différence délimite et oriente la réflexion sur l'action individuelle et sociale, sur la destinée humaine et sur le sens de la vie.

En suivant le fil de l'existentialisme depuis ses précurseurs du XIXᵉ siècle jusqu'à ses représentants contemporains, nous serons en mesure de proposer, à la fin, des pistes de réflexion concernant la question soulevée par Julie.

Auparavant, nous décrirons, dans la section 2.1 (« Mise en contexte historique »), le contexte d'émergence historique des œuvres existentialistes, qui ont été marquées par les grands événements sociopolitiques de la première moitié du XXᵉ siècle et qui ont en retour influencé la culture de cette époque.

Nous verrons ensuite, dans la section 2.2 (« Aux sources de l'existentialisme »), que ces événements historiques ont joué un rôle de stimulant ou d'accélérateur dans une évolution déjà en cours de la pensée philosophique. Les conceptions philosophiques dominantes de l'être humain avaient en effet été soumises aux critiques radicales de philosophes majeurs du XIXᵉ siècle tels que Kierkegaard, Schopenhauer et Nietzsche, dont les œuvres respectives ont donné une première formulation des concepts fondamentaux de l'existentialisme.

2.1 MISE EN CONTEXTE HISTORIQUE

Les penseurs existentialistes auxquels nous nous intéressons dans ce chapitre ont vécu dans un contexte social et culturel qui a suscité chez eux une prise de conscience et une démarche intellectuelle similaires à celle de Jérôme : amèrement déçus par l'échec des institutions, les contradictions de l'organisation sociale, la pauvreté des relations humaines et les conditions misérables de la vie quotidienne du plus grand nombre, ils ont cherché à échapper au sentiment de l'absurdité de l'existence humaine. Voyons quelques-uns des traits marquants des premières décennies du XXe siècle, qui ont inspiré un tel sentiment et motivé l'exploration du concept d'existence humaine.

2.1.1 Le désarroi d'une époque démoralisée

Le début du XXe siècle a été marqué par le sentiment amer d'une cassure que l'on peut résumer ainsi : les espoirs suscités par le Siècle des lumières[1] ne se sont pas concrétisés ; pire, ils ne sont qu'illusion. L'idéal kantien d'une paix perpétuelle reposait sur l'abolition des frontières entre les communautés humaines et sur la transformation de ces communautés en sociétés de droit. Or, il a été radicalement sapé par les déchirements politiques et sociaux ainsi que par le mépris de la vie et des droits de l'homme, qui culminèrent dans les horreurs de la Première Guerre mondiale (1914-1918).

Autre expression de la foi dans le progrès humain caractéristique de la seconde moitié du XIXe siècle : le *positivisme*, qui professait une confiance inébranlable dans la force civilisatrice des sciences et des techniques. Selon ce courant de pensée, une nouvelle ère de connaissance objective de l'être humain et de maîtrise de la nature s'ouvrait, porteuse d'une prospérité économique fondée sur le consensus social. Pour reprendre l'analogie d'Auguste Comte[2], l'esprit humain était arrivé à maturité, après une enfance religieuse et une adolescence métaphysique ; il pouvait dorénavant s'employer au progrès indéfini des connaissances objectives et les mettre au service de l'humanité. Or ces vœux positivistes se sont brisés au choc de deux réalités. D'une part, la Première Guerre mondiale a montré que les progrès obtenus par la science et la technologie pouvaient aussi servir des visées de mort et de destruction ; ainsi la recherche en chimie avait permis la mise au point d'armes chimiques et

---

1. Le Siècle des lumières est le nom donné au XVIIIe siècle. Il fait référence au mouvement d'idées européen qui soutenait l'idée de progrès de la civilisation fondée sur l'autonomie de la raison face aux autorités constituées et, partant, sur le développement du savoir et des libertés politiques.

2. Auguste Comte (1798-1857). Philosophe français dont les *Cours de philosophie positive*, publiés de 1830 à 1842, développent l'essentiel des thèses épistémologiques et politiques du positivisme. Auguste Comte y propose une réorganisation des savoirs et de la vie sociopolitique dirigée par l'esprit scientifique et motivée par la foi en l'avenir de l'humanité.

l'aéronautique, la construction d'avions de combat, deux facteurs clés qui contribuèrent à donner à cette guerre son ampleur destructrice. D'autre part, il est vrai que les progrès techniques ont soutenu la croissance économique et amélioré la capacité de production industrielle, d'où un accroissement rapide de la richesse. Mais cette prospérité nouvelle n'a amélioré le sort des masses humaines ni dans les pays industrialisés, ni dans les pays du tiers-monde. La menace de soulèvements populaires et ouvriers commençait à se faire pressante, dans la foulée de la révolution russe d'octobre 1917.

La grande crise économique qui suivit le krach de 1929 est venue aggraver la misère qui frappait désormais des millions de personnes, illustrant de manière dramatique les contradictions du capitalisme. Le diagnostic d'échec complet du projet civilisateur de la raison, sur le plan des conditions concrètes d'existence de tous les êtres humains, devenait inévitable.

Un véritable malaise de civilisation s'est installé : les repères moraux et culturels des générations précédentes avaient été dispersés ou abandonnés ; le rôle central de la raison comme dynamisme principal de l'être humain était radicalement remis en question.

Sujet de réflexion

En quoi la situation que nous vivons au début du XXIe siècle est-elle comparable à celle qu'ont vécue les premiers penseurs existentialistes, et en quoi est-elle différente ?

Les lettres et les arts reflètent ce nouvel état d'esprit des années 20 : le mouvement surréaliste[3] illustre de manière éloquente le rejet des règles et des valeurs établies par la raison, dénoncées comme entraves à la créativité. Inspirés par la pensée freudienne, les surréalistes cherchèrent la source de la vérité poétique dans le monde des rêves, de l'inconscient, créant de nouveaux modes d'expression artistique.

La recherche de nouveaux fondements, de nouvelles formes d'expression, caractérisa également le travail des philosophes de la première moitié du XXe siècle.

2.1.2 La recherche de repères conceptuels nouveaux

Les philosophes de l'existence ont été particulièrement sensibles au malaise de civilisation décrit précédemment, d'autant plus que celui-ci n'avait cessé d'avoir des

---

3. Surréalisme : mouvement littéraire et artistique des années 20. Les surréalistes soutiennent que la pensée rationnelle brime, par l'entremise des règles classiques de l'esthétique et des conventions sociales, la puissance créatrice de l'imaginaire et la liberté d'expression artistique. Cette thèse est développée par André Breton dans le *Premier manifeste du surréalisme*, publié en 1924, qui invite à l'exploration des limites du subconscient et à la perversion des modes établis de représentation du réel. Parmi les principaux représentants du mouvement, citons les peintres Salvador Dalì, Max Ernst, René Magritte et Juan Miró, le poète Louis Aragon et le cinéaste Luis Buñuel.

conséquences de plus en plus graves au fil des ans : la Deuxième Guerre mondiale et l'holocauste, la mise au point de la bombe atomique, capable de détruire l'humanité tout entière ; le triomphe du totalitarisme et le règne de la terreur stalinienne[4] en URSS.

Ainsi se développa la conscience aiguë que la science et ses applications techniques avaient servi davantage à semer la mort et la désolation qu'à instaurer une ère de bonheur pour les individus et les populations. Contrairement à ce que prétendait l'idéologie progressiste héritée du Siècle des lumières, la maîtrise de la nature ne coïncidait plus avec le progrès de la rationalité dans le monde, encore moins avec l'amélioration des conditions concrètes d'existence. Bref, le progrès scientifique, technique et économique n'avait pas produit le progrès humain escompté.

On procéda alors à une dévaluation du savoir objectif – qu'il provienne des sciences physiques, biologiques ou humaines – au profit du sujet existant ; on revendiqua les droits de la subjectivité, à l'encontre du souci scientifique, de l'objectivité et de la recherche de la connaissance. On se méfia à partir de ce jour du savoir extérieur, qui ignore l'aspect subjectif de l'existence, un savoir déraciné qui peut faire de l'être humain un simple objet économique, militaire, politique. L'accent fut donc mis sur l'individu, sur l'existant concret.

Cette attitude philosophique caractérise d'abord et avant tout le *mouvement existentialiste*, qui s'est imposé à la fois comme courant philosophique et comme style de vie d'une partie importante de la classe intellectuelle et artistique[5] porteuse d'une aspiration à la libération sans concessions.

En tant que courant philosophique, l'existentialisme ne se présente pas comme un corpus unifié de doctrines, mais comme la communauté d'intérêts de philosophes qui placent au centre de leur réflexion l'existence humaine dans sa dimension concrète et individuelle, qui accordent priorité au sens que chaque individu donne à sa vie, à son existence. Pour eux, le fait de définir l'être humain comme animal raisonnable ou comme objet de science ne nous apprend pratiquement rien sur Pierre et Paul ; aussi explorent-ils différents modes d'expression en plus de l'essai philosophique, dont le récit, le roman, le théâtre, des formes plus aptes à saisir et à traduire l'individuel et le concret. Les philosophes de l'existence cherchent ainsi

4. Staline (1879-1953). Homme politique soviétique qui a été le théoricien du marxisme. Il a succédé à Lénine à la tête de l'URSS et est connu pour avoir mis sous tutelle les pays d'Europe de l'Est et pour avoir ordonné des purges politiques massives.

5. Après la Deuxième Guerre mondiale, le quartier Saint-Germain-des-Prés, à Paris, devint le symbole de ce mouvement. Ses cafés, fréquentés par Jean-Paul Sartre et Simone de Beauvoir (voir plus loin dans ce chapitre), devinrent le centre d'une vie intellectuelle et artistique animée qui fut marquée, entre autres, par la chanteuse Juliette Gréco, les cinéastes Jean-Luc Godard et François Truffaut, et des musiciens de jazz américains de la trempe de Miles Davis.

un nouveau fondement à l'autonomie de la réflexion philosophique par rapport à la tradition philosophique et à la science.

À leurs yeux, la tradition rationaliste propose des concepts abstraits qui nous laissent impuissants à comprendre la vie personnelle. Elle s'est appliquée à mettre sur pied des institutions qui devaient assurer à l'individu sa sécurité, son égalité et la protection de ses droits, mais elle a négligé de penser son existence concrète. Le culte du général, de l'objectif et de l'abstrait qui caractérise la culture occidentale a ainsi entraîné le sacrifice de la plupart des valeurs existentielles authentiques : l'amour, la foi, la liberté, la fidélité, la passion.

Rappel des IDÉES PRINCIPALES

2.1 MISE EN CONTEXTE HISTORIQUE

2.1.1 Le désarroi d'une époque démoralisée

Au début du XXe siècle, la notion de progrès humain héritée du Siècle des lumières se voit démentie par :
- l'échec de l'idéal de paix perpétuelle ;
- le fait que l'évolution des sciences et des techniques ne se révèle pas synonyme de progrès humain.

Ainsi, le rôle de la raison comme dynamisme principal de l'homme et comme facteur de progrès est radicalement remis en question ; les lettres et les arts reflètent cet état d'esprit.

2.1.2 La recherche de repères conceptuels nouveaux

Le constat d'échec du progrès scientifique, technique et économique comme facteur de développement humain contribue à dévaloriser la recherche de la connaissance objective au profit de l'exploration de la subjectivité :
- l'individu concret existant devient le centre de la réflexion ;
- cependant, l'existence concrète ne peut être saisie par des concepts abstraits qui sont impuissants à rendre compte du caractère individuel et singulier de la vie.

2.2 AUX SOURCES DE L'EXISTENTIALISME

Avant d'étudier plus à fond les concepts principaux et les thèses anthropologiques des philosophies de l'existence, il convient d'exposer la pensée de trois philosophes majeurs – Kierkegaard, Schopenhauer et Nietzsche – qui ont directement inspiré les philosophes de l'existence, notamment par la critique radicale qu'ils ont élaborée de la vision rationaliste de la réalité.

2.2.1 Søren Kierkegaard

L'œuvre de Kierkegaard est considérée à juste titre comme la source première de la pensée existentialiste moderne. Nous en présentons ici les éléments principaux du point de vue de l'existentialisme.

SØREN KIERKEGAARD
(1813-1855)

Philosophe et théologien danois qui a exercé une influence déterminante sur les philosophies de l'existence du XXe siècle. Élevé dans un climat d'austérité religieuse, il a fait des études de théologie avant de développer une pensée originale, centrée sur la subjectivité, sur les contradictions et les souffrances de l'existence individuelle, sur l'angoisse et la culpabilité liées à la recherche de la liberté. Son œuvre évolue au gré de ses expériences vécues, à travers l'insouciance de la vie étudiante, les échecs de la vie amoureuse et la quête d'une transcendance morale et religieuse.

Plus je pense, moins je suis, et moins je pense, plus je suis.

A. L'insuffisance de la pensée abstraite

En quête de certitudes valables universellement et éternellement, les rationalistes du Siècle des lumières ont affirmé la primauté de la pensée abstraite. Aux yeux de Kierkegaard, celle-ci se montre incapable de comprendre le réel, le concret. Dans cette page du *Post-scriptum aux Miettes philosophiques*, il livre un véritable réquisitoire contre la philosophie abstraite :

 Dans la langue de l'abstraction, ce qui constitue la difficulté de l'existence et de l'existant, bien loin d'être éclairci, n'apparaît à vrai dire, jamais ; justement parce que la pensée abstraite est *sub specie æterni*[6], elle fait abstraction du concret, du temporel, du devenir de l'existence, de la détresse de l'homme posé dans l'existence par un assemblage d'éternel et de temporel. Si maintenant on veut admettre que la pensée abstraite est la plus haute, il s'ensuit que la science et les penseurs sortent fièrement de l'existence et ne nous laissent à nous autres hommes que le pire à supporter. Oui, il en résulte aussi quelque chose pour le penseur abstrait lui-même, à savoir qu'étant aussi après tout un homme existant, il doit être distrait de telle ou telle manière[7].

6. Sous la catégorie de l'éternité et de la nécessité. (Note des auteurs.)

7. Søren Kierkegaard, *Post-scriptum aux Miettes philosophiques*, trad. par Paul Petit, Paris, Gallimard NRF, coll. Classiques de la philosophie, 1949, IIe partie, 2e section, chap. III, § 1, p. 201.

Ainsi, selon Kierkegaard, la réflexion philosophique ne doit pas avoir pour effet de distraire l'individu de son existence vécue, temporelle. Elle doit au contraire affirmer la spécificité et l'irréductibilité de l'individu en quête de réponses concrètes aux problèmes de son existence, en quête de vérités *pour lui*. Kierkegaard soutient que la subjectivité est la vérité, c'est-à-dire que les vérités vraiment importantes sont d'ordre individuel.

La voie de l'abstraction est insuffisante et sans issue : en prétendant s'appliquer à tous les êtres, la pensée abstraite cache l'existence et oublie ainsi, en le dévalorisant, l'être particulier et individuel. Là où l'abstraction voit une maladie, le penseur existentiel voit des malades. Le penseur existentiel reconnaît que chaque existence particulière est une réalité subjective et que, comme telle, elle échappe à toute pensée abstraite.

À l'opposé des *penseurs objectifs*, dont « la pensée […] retire justement l'existence de la réalité et pense celle-ci en la supprimant[8] », Kierkegaard assigne au penseur *subjectif* la tâche de se comprendre lui-même comme existant, de saisir l'existant dans l'existence concrète. Il écrit à ce propos :

> Au lieu que la pensée abstraite a pour tâche de comprendre abstraitement le concret, le penseur subjectif a au contraire pour tâche de comprendre concrètement l'abstrait. La pensée abstraite détourne son regard des hommes concrets au profit de l'homme en soi ; l'abstraction « être un homme » le penseur subjectif la comprend concrètement : être tel homme particulier existant[9].

Et pour cet homme particulier existant, « la pensée n'est pas du tout plus haute que l'imagination ou le sentiment, mais elle leur est coordonnée. Dans l'existence, la suprématie de la raison produit de la confusion[10]. » Penser abstraitement n'est pas véritablement exister ; la joie de connaître ne nous dédommage pas de l'angoisse d'exister !

B. Existence individuelle et liberté

En reconnaissant qu'être un homme, c'est être un *homme particulier existant*, en affirmant qu'exister signifie être un individu, Kierkegaard rompt avec l'esprit de son temps, qu'il interprète comme une fuite devant l'existence individuelle. Il écrit à ce propos :

> Au milieu de tous les cris de triomphe sur notre époque et sur le XIXᵉ siècle résonne la note d'un mépris caché de l'homme : au milieu de l'importance que se donne la génération règne un désespoir sur ce que c'est

---

8. *Ibid.*, p. 212.
9. *Ibid.*, p. 237.
10. *Ibid.*, p. 233.

que d'être homme. [...] De même que, par crainte des brigands et des bêtes sauvages, on doit voyager dans le désert en grandes caravanes, de même les individus ont aujourd'hui un sentiment d'horreur devant l'existence, [...] et ce n'est qu'en grandes sociétés qu'ils osent vivre *en masse* en se tenant les coudes, afin d'être quand même quelque chose[11].

Dénonçant la perte d'identité individuelle liée au phénomène émergent de l'organisation collective de la vie, Kierkegaard affirme que seul mérite le nom d'individu celui qui, ne se laissant pas obnubiler par le déroulement de l'histoire du monde, travaille au développement de sa subjectivité, en pensant par lui-même les problèmes de son existence et ceux du monde. L'individu sait rester maître du cours des événements; ce faisant, il porte la responsabilité de sa propre destinée, face à lui-même et face à l'humanité :

Dans le monde animal, chaque sujet entretient immédiatement un rapport d'exemplarité avec son espèce et prend part sans plus au développement de l'espèce, si l'on veut parler d'un semblable développement. Quand, par exemple, une race de moutons est améliorée, il naît des moutons de type plus pur, parce que l'exemplaire se borne à exprimer l'espèce. Il en est pourtant bien différemment là où un individu, qui est déterminé par l'esprit, se rapporte à sa génération. [...] Le développement de l'esprit est une auto-activité; l'individu développé spirituellement emporte avec lui son développement dans la mort; si par la suite un autre individu doit l'acquérir, il faut que cela se produise par sa propre activité; il ne peut donc pas sauter des marches[12].

Pour l'être humain, l'existence se déploie donc d'abord dans un espace individuel; elle a une signification bien particulière qui correspond au surgissement de la liberté, du choix responsable. Le verbe exister ne signifie plus simplement être présent dans le réel parmi les objets matériels, les vivants et les autres humains; il signifie au contraire émerger de la masse des choses par une décision libre. *Exister*, c'est s'actualiser en tant qu'individu, c'est se rendre présent en tant que sujet libre :

Mais qu'est-ce donc que ce moi-même? Si je voulais parler d'un premier instant, le désigner par une expression première, ma réponse serait celle-ci : c'est ce qui est à la fois le plus abstrait et le plus concret – c'est la liberté[13].

La trajectoire de l'existence humaine n'est donc pas tracée à l'avance, elle est une possibilité qui s'actualise au gré des actes librement choisis et accomplis. Par ses choix, l'individu humain se définit lui-même, s'enfante lui-même.

---

11. *Ibid..*, p. 239.
12. *Ibid.*, p. 232.
13. Søren Kierkegaard, *Ou bien... Ou bien...*, trad. par F. et O. Prior et M. H. Guignot, Paris, Gallimard, coll. Tel, 1984, p. 506.

Tu es comme une femme en couches et, cependant, tu retiens toujours l'instant et tu restes dans la douleur. Si une femme, dans sa détresse, avait l'idée qu'elle donnerait peut-être naissance à un monstre, ou si elle commençait à réfléchir sur la nature de ce qu'elle mettra au monde, alors elle aurait une certaine ressemblance avec toi. Ses tentatives pour arrêter le cours de la nature seraient vaines, tandis que ta tentative est possible ; car ce qui, en un sens spirituel, permet à un homme de créer [...] est dans le pouvoir de l'homme lui-même. Que crains-tu donc ? Ce n'est pas à un autre être que tu dois donner naissance, mais à toi-même. Et cependant, je le sais bien, il y a là-dedans quelque chose de grave qui secoue toute l'âme ; l'instant où on prend conscience de soi-même dans sa validité éternelle est plus important que tout au monde. C'est comme si tu étais capturé et enlacé et que tu ne puisses jamais plus t'échapper, pour le temps et pour l'éternité ; c'est comme si tu te perdais toi-même, comme si tu cessais d'exister ; c'est comme si l'instant d'après tu le regrettais et que cela ne puisse pas être fait une seconde fois[14].

Kierkegaard exprime dans ce passage comment l'être humain ne vient au monde, ne vient à l'existence qu'en prenant conscience de son pouvoir d'autocréation. Il décrit la crainte, l'angoisse qui accompagnent cette prise de conscience, qui saisissent le sujet placé devant la liberté. L'acceptation de cette angoisse constitue le point de départ de l'aventure existentielle selon Kierkegaard.

C. L'acceptation de l'angoisse

Au premier degré, l'angoisse se manifeste lorsque l'individu considère les possibilités également réalisables dont chacune peut constituer son avenir. Il éprouve alors l'angoisse inhérente au pouvoir de choisir, de créer sa propre destinée. L'instant du choix est donc déterminant dans l'existence humaine, puisqu'en cet instant tout est également possible. Le choix suppose en effet que diverses options sont possibles et qu'en choisissant l'une on élimine nécessairement les autres, sans en connaître les avantages et les inconvénients, sans pouvoir les vivre, sans espoir de revenir sur la décision une fois qu'elle est prise.

Que va-t-il arriver ? Que réserve l'avenir ? Je ne le sais pas, je ne prévois rien. Lorsque d'un point fixe l'araignée se précipite en emportant toutes les conséquences de son acte, elle a toujours devant elle un espace vide où elle ne peut se poser en dépit de ses bonds. Tel est mon cas : un espace vide s'étend toujours devant moi, mais c'est une conséquence située derrière moi qui me pousse en avant. Cette vie est faite à rebours, elle est terrifiante, elle est insupportable[15].

14. *Ibid.*, p. 500.
15. *Ibid.*, p. 21.

La première source d'angoisse réside donc dans l'incertitude face à l'avenir, dans le vertige qui étreint l'être humain face au vide qui s'étend devant lui. Poussant plus loin l'analyse, Kierkegaard montre comment l'angoisse humaine est fondamentalement liée au fait de choisir d'exister, d'advenir à l'existence. Voici en quelques traits le cheminement de sa pensée.

Au point de départ, Kierkegaard définit le choix comme un engagement de toute la personnalité : la décision procède autant des mouvements de l'affectivité que du travail de la raison. Elle est l'expression de toute la personnalité qui tend vers l'existence.

Afin de bien saisir la portée de cette tension vers l'existence, il importe de préciser qu'en faisant un choix, en concrétisant l'une des possibilités qui lui sont offertes, l'individu ne devient pas fondamentalement différent de ce qu'il était auparavant : il devient lui-même. Ainsi :

> [...] la personnalité la plus riche même n'est rien avant de s'être choisie elle-même et la personnalité la plus pauvre qu'on puisse imaginer est tout lorsqu'elle s'est choisie elle-même ; car la grandeur ne consiste pas en ceci ou en cela, mais se trouve dans le fait d'être soi-même ; et il est dans le pouvoir de tout homme de l'être, s'il le veut[16].

Être soi-même, c'est donc devenir soi-même, sans possibilité d'appréhender, donc de maîtriser, son devenir avec exactitude. L'angoisse existentielle fondamentale réside ainsi dans cette indétermination première de l'acte fondateur de la liberté : c'est en choisissant que je commence à exister en tant qu'être humain individuel. Kierkegaard dira, dans un texte célèbre, que l'angoisse, c'est la possibilité d'exister.

> L'angoisse est la possibilité de la liberté ; [...] cette angoisse possède une valeur éducative absolue ; car elle corrode toutes les choses du monde fini et met à nu toutes leurs illusions. Il n'est pas de grand inquisiteur disposant de tourments aussi effroyables que l'angoisse ; il n'est pas d'espion pour assaillir avec autant de ruse un suspect à l'instant de sa plus grande faiblesse, ou pour lui tendre un fatal filet avec l'astuce dont il est capable ; il n'est pas de juge pour instruire un procès, examiner l'accusé avec la perspicacité de l'angoisse jamais en défaut, ni dans la distraction, ni dans le tumulte, ni dans le travail, ni le jour, ni la nuit.
>
> L'école de l'angoisse est celle de la possibilité [...]. Dans la possibilité tout est également possible [...]. Quand on suit jusqu'au bout le cours de la possibilité, on perd tout, absolument tout, comme personne dans la réalité. [...] Dans la réalité, aucun homme n'est tombé si bas qu'il ne puisse tomber encore plus bas, et qu'un ou plusieurs ne puissent tomber

---

16. *Ibid.* p. 479.

plus bas encore. Mais celui qui sombre dans la possibilité sent son regard se voiler, ses yeux se brouiller [...]. Il sombre absolument, mais il remonte du fond de l'abîme plus léger que tout le poids effroyable de la vie[17].

RÉSUMÉ DE LA PENSÉE DE L'AUTEUR

1. L'angoisse est la possibilité de la liberté : elle possède une valeur éducative, car sa perspicacité ne peut jamais être prise en défaut.

2. L'angoisse est la fille de la possibilité : lorsqu'on réalise que tout est également possible, on comprend que rien n'est assuré et qu'à partir de sa situation actuelle, on peut toujours tomber plus bas.

3. On est alors saisi de cette pensée : tout est également possible, il n'y a aucune raison qui justifie tel choix plutôt que tel autre, sinon ma liberté. On est envahi par le vertige de la liberté, on sombre dans l'angoisse.

En vue de conjurer cette angoisse fondamentale, pour assumer « le poids effroyable de la vie », l'être humain peut choisir un style de vie, une manière d'assumer son existence. Trois possibilités s'offrent à lui.

D. Les trois ~~stades~~ *manière* de l'existence *Pour échapper à l'angoisse*

Parmi les choix que l'on a à faire pour l'accomplissement de soi-même, le plus déterminant porte sur la manière globale de réaliser son existence, sur un style de vie. Trois voies peuvent être empruntées : celle de la jouissance, celle du devoir ou celle de la foi. Elles correspondent à trois stades de l'existence humaine, à trois manières d'affronter l'angoisse d'exister : le stade esthétique, le stade éthique et le stade religieux. Aux yeux de Kierkegaard, ces voies sont exclusives, elles s'opposent mutuellement.

a) Le stade esthétique : agir pour jouir. Au stade esthétique, l'individu choisit le monde des sens, il s'adonne à la recherche des plaisirs, il aspire à vivre dans la spontanéité des satisfactions immédiates. Le bien se définit comme ce qui est agréable, ce qui procure de la jouissance. Le but est tout simplement de jouir de l'existence, en écartant toute forme d'engagement. La figure exemplaire de ce style de vie est celle de Don Juan, le légendaire séducteur libertin représenté dans plusieurs œuvres littéraires, musicales et picturales. L'élément de la personnalité qui

---

17. Id., *Le concept d'angoisse*, cité dans *L'existence – Textes choisis*, Paris, PUF, 1972, p. 212-213.

domine celui qui vit au stade esthétique est le désir. Le désir structure et organise son existence.

Dans son analyse du stade esthétique, Kierkegaard souligne la limite de cette conception de l'existence : c'est que sa réalisation concrète dépend d'une foule de conditions extérieures à l'individu. Or l'individu ne peut contrôler l'ensemble de ces conditions, de sorte qu'un écart demeure irrémédiablement entre le désir, qui se veut absolu, et la jouissance effective, qui appartient en définitive au domaine du relatif, du fini. Aucun accomplissement réel n'est possible pour celui qui mène une existence esthétique, puisque le désespoir le guette à l'idée que les conditions nécessaires à la jouissance pourraient disparaître.

b) Le stade éthique : agir par devoir. Au stade éthique, l'être humain choisit de s'engager ; le but de son existence se trouve dans la vie sociale et dans la famille. Il aspire à vivre en citoyen responsable de ses choix. C'est le stade du devoir, au sens kantien du terme, qui consiste à tenter de vivre selon des critères moraux universellement acceptables. Accomplir ses devoirs, voilà le but de la vie.

> [L'individu éthique] s'est revêtu du devoir, qui est pour lui l'expression de sa nature la plus intime. Ainsi orienté en lui-même, il a approfondi l'éthique et il ne sera pas essoufflé en faisant son possible pour remplir ses devoirs. L'individu vraiment éthique éprouve par conséquent de la tranquillité et de l'assurance, parce qu'il n'a pas le devoir hors de lui, mais en lui. [...] Si l'éthique est correctement comprise, elle rend l'individu infiniment sûr de lui-même[18].

Or, pour Kierkegaard, l'individu qui recherche l'accomplissement de soi ne peut se satisfaire de l'identification à un rôle social, fût-il très noble, ou à une fonction morale. L'homme du devoir oublie qu'il est fondamentalement imparfait et limité, susceptible d'erreur, passible d'échec. L'ordre social pleinement raisonnable n'a-t-il pas un caractère illusoire ? Le mariage ne dégénère-t-il pas en habitude ? La maladie et la mort ne menacent-elles pas l'assurance de l'homme face à son destin ?

Le stade éthique a donc lui aussi ses limites, et c'est l'humour qui permet de le quitter. Les humoristes ont de tout temps, et à bon droit, caricaturé le sérieux des engagements naïfs et des certitudes morales quasi absolues. Au stade éthique, tout comme au stade esthétique, la recherche du bonheur humain est finalement dérisoire.

c) Le stade religieux : la foi en Dieu. Reste donc la foi : incapable de s'accomplir dans la recherche de la jouissance ou du devoir, l'homme s'abandonne sans réserve à Dieu. Or Dieu peut commander à l'homme un acte radicalement contraire aux règles de la morale. L'exemple biblique d'Abraham, qui reçut de Dieu l'ordre de

---

18. Id., *Ou bien... Ou bien...*, *op. cit.*, p. 535-536.

Sujet de **réflexion**

Selon votre perception ou votre expérience, les trois stades de l'existence sont-ils véritablement sans issue ? Peuvent-ils conduire à l'accomplissement de soi à certaines conditions ? Quelles sont ces conditions ?

sacrifier son fils, montre que la raison morale n'est pas l'instance ultime dans le domaine de la foi. Les devoirs humains y sont subordonnés au devoir absolu : l'obéissance à la volonté de Dieu, sur laquelle nous pouvons cependant nous tromper. En ce sens, la foi ne peut elle aussi, pour Kierkegaard, être source de certitude dans l'accomplissement de soi.

Après analyse, les possibilités offertes à l'homme dans sa tentative d'accomplissement de soi, c'est-à-dire la recherche de la jouissance, l'accomplissement du devoir et l'engagement religieux, s'avèrent sans issue. L'angoisse et le désespoir sont donc au rendez-vous d'une liberté qui ne peut s'exercer dans la certitude quant à l'issue de ses choix. Même dans la sphère du religieux, refuge ultime, il y a risque d'échec. C'est dans cette perspective qu'il faut lire ce passage où Kierkegaard donne libre cours à l'impression de profonde nausée qu'il éprouve devant l'absurdité de l'existence elle-même :

Je suis à bout de vivre ; le monde me donne la nausée ; il est fade et n'a ni sel, ni sens. Même si j'étais plus affamé que Pierrot, je ne voudrais pas me nourrir de l'explication que les hommes ont à donner. Comme on plonge son doigt dans la terre pour reconnaître le pays où l'on est, de même j'enfonce mon doigt dans la vie : elle n'a odeur de rien. Où suis-je ? Le monde, qu'est-ce que cela veut dire ? Que signifie ce mot ? Qui m'a joué le tour de m'y jeter et de m'y laisser maintenant ? Qui suis-je ? Comment suis-je entré dans le monde ; pourquoi n'ai-je pas été consulté, pourquoi ne m'a-t-on pas mis au courant des us et des coutumes, mais incorporé dans les rangs, comme si j'avais été acheté par un racoleur de garnison ? À quel titre ai-je été intéressé à cette vaste entreprise qu'on appelle la réalité ? Pourquoi faut-il que j'y sois intéressé ? N'est-ce pas une affaire libre ? Et si je suis forcé de l'être, où est le directeur, que je lui fasse une observation ? Il n'y a pas de directeur ? À qui dois-je adresser ma plainte ? La vie est l'objet d'un débat : puis-je demander que mon avis soit pris en considération ? Et s'il faut accepter la vie telle qu'elle est, ne vaudrait-il pas beaucoup mieux savoir comment elle est ? Un trompeur : que signifie ce mot ? Cicéron ne dit-il pas qu'on en trouve un en posant la question : *cui bono*, à qui le profit ? [...] Être coupable qu'est-ce donc ? Une affaire de sorcellerie ? Ne sait-on pas exactement comment répondre ? Personne n'a envie de répondre ? Le problème n'est-il donc pas de la dernière importance pour tous les co-intéressés ?

Ma raison s'arrête, ou plutôt, je la quitte. Un moment, je suis las, abattu, et comme mort d'indifférence ; le moment suivant, j'entre en fureur et je vais, désespéré, d'un bout du monde à l'autre, en quête d'un homme sur qui passer ma colère. Tout ce qui est en moi crie la contradiction. De quelle manière suis-je devenu coupable ? Ou suis-je non coupable ? Pourquoi suis-je donc appelé ainsi dans toutes les langues ? Quelle lamentable invention que le langage humain disant une chose quand il pense une autre[19] !

Ce sentiment de l'absurdité de l'existence, un autre philosophe, Arthur Schopenhauer, va aussi l'explorer. Il réfléchira lui aussi sur les modes de vie qui permettent le mieux de l'assumer.

Rappel des IDÉES PRINCIPALES

2.2.1 Søren Kierkegaard

A. L'insuffisance de la pensée abstraite
- Contre la pensée abstraite, Kierkegaard affirme la spécificité et l'irréductibilité de chaque individu ;
- chaque existence particulière est une réalité subjective qui, par définition, échappe à toute synthèse.

B. Existence individuelle et liberté
La pensée abstraite dévalorise l'être individuel, pour qui « exister » signifie :
- émerger de la masse des choses et des êtres naturels ;
- être sa propre création, par une décision libre qui lui permet de s'enfanter lui-même.

C. L'acceptation de l'angoisse
Le pouvoir d'autocréation est source d'angoisse :
- puisque tout choix implique nécessairement l'élimination de certaines possibilités ;
- le choix plonge l'individu dans un état d'incertitude face à l'avenir qu'il doit inventer en s'inventant lui-même.

Commencer à exister en tant qu'être humain individuel, c'est accepter l'angoisse de choisir.

---

19. Id., *La répétition*, cité dans *L'existence, op. cit.*, p. 70.

D. Les trois stades de l'existence

Pour Kierkegaard, trois choix fondamentaux de styles d'existence s'offrent à l'être humain :

- le stade esthétique, ou la recherche éphémère du plaisir ;
- le stade éthique, ou l'accomplissement de son devoir de citoyen responsable ;
- le stade religieux, ou le respect des exigences de la foi en Dieu.

Ces stades sont autant de possibilités offertes à l'homme dans sa tentative d'accomplissement de soi, mais tous trois s'avèrent sans issue, d'où le sentiment d'absurdité de l'existence.

2.2.2 Arthur Schopenhauer

Tout comme celle de Kierkegaard, la philosophie de Schopenhauer s'élabore dans la critique du rationalisme idéaliste, représenté par Hegel[20]. Schopenhauer s'en prend particulièrement à la représentation du monde défini comme réalisation de la raison : il rejette totalement l'idée que le monde et l'histoire sont ordonnés, planifiés, que nous vivons dans le meilleur monde possible. Cette prétention à rendre totalement compte de la réalité par la raison lui paraît une offense au sens commun. L'optimisme rationaliste est en effet radicalement démenti, à ses yeux, par le témoignage tragique du monde réel marqué par la douleur : loin d'être l'œuvre de la raison, le monde est la manifestation d'une volonté sans but, d'une impulsion sans direction. Le progrès de la rationalité dans l'histoire n'est qu'une illusion.

**ARTHUR SCHOPENHAUER
(1788-1860)**

Philosophe allemand formé à l'école des sciences naturelles et de la philosophie. Dans son œuvre majeure, *Le Monde comme volonté et comme représentation* (1818), il livre une conception d'un monde sans causalité ni raison, mû par une volonté aveugle. Ce monde est absurde et tragique pour l'être humain, dont le salut réside dans un ascétisme d'inspiration bouddhiste. Cette pensée pessimiste a exercé une influence certaine sur Nietzsche.

Si un Dieu a fait ce monde, je n'aimerais pas être ce Dieu : la misère de ce monde me déchirerait le cœur.
(Pensées et fragments)

---

20. Georg Wilhelm Friedrich Hegel (1770-1831). Philosophe allemand dont les œuvres ont marqué l'évolution de la pensée européenne. Le fil conducteur de sa pensée tient dans le rapport entre la raison et la réalité. Il a ainsi proposé une approche dialectique des lois de la pensée qui vise à tenir compte des contradictions du réel. Attentif aux bouleversements politiques de son époque, il a interprété l'histoire de l'humanité comme le travail d'une raison universelle. Voir la section 3.5 du chapitre 1.

Explicitons cette thèse fondamentale de Schopenhauer, qui prend appui sur la théorie kantienne de la connaissance[21]. Schopenhauer reconnaît la distinction établie par Kant entre les phénomènes et la réalité « derrière » les phénomènes (les choses en soi), mais il s'en démarque aussitôt. D'une part, contrairement à Kant, il soutient que les phénomènes ne sont pas objet de connaissance, qu'ils relèvent de l'apparence, de l'illusion. D'autre part, s'il accepte l'idée kantienne que la réalité en elle-même demeure inaccessible à la connaissance rationnelle, à la science, il soutient par contre que nous pouvons en avoir l'intuition, que nous en avons l'expérience, dans notre corps, dans notre volonté.

A. La volonté précède la raison

Pour Schopenhauer, c'est par l'expérience intérieure que nous pouvons lever le voile sur la véritable nature des choses. Par la raison, nous appréhendons en effet notre corps comme un phénomène, comme un objet parmi d'autres. Mais la raison ne nous fournit qu'une explication superficielle de la réalité, une représentation de son enveloppe extérieure. Le noyau des choses lui reste caché et inaccessible.

Là où notre corps se distingue véritablement des autres objets, c'est par l'expérience subjective que nous en avons. Cette expérience est constituée par un faisceau de besoins, de désirs, d'aspirations, d'espoirs, de craintes, de sentiments. Or ces tendances éprouvées dans notre corps sont autant de manifestations de notre volonté. Approché ainsi subjectivement, le corps se révèle comme instrument de nos désirs, comme manifestation de notre volonté. Le corps est en un sens la volonté même :

Tout acte réel de notre volonté est en même temps et à coup sûr un mouvement de notre corps ; nous ne pouvons pas vouloir un acte réellement sans constater aussitôt qu'il apparaît comme mouvement corporel. L'acte volontaire et l'action du corps ne sont pas deux phénomènes objectifs différents, reliés par la causalité ; ils ne sont pas entre eux dans le rapport de la cause à l'effet. Ils ne sont qu'un seul et même fait ; seulement ce fait nous est donné de deux façons différentes : d'un côté immédiatement, de l'autre comme représentation sensible. L'action du corps n'est que l'acte de la volonté objective, c'est-à-dire vu dans la représentation. [...] Oui le corps entier n'est que la volonté objectivée, c'est-à-dire devenue perceptible [...][22].

21. Emmanuel Kant (1724-1804). Homme de sciences et philosophe allemand qui a profondément marqué l'histoire de la pensée occidentale. Sa philosophie critique visait à déterminer les conditions *a priori* (avant toute expérience) de la connaissance, du jugement moral et du jugement esthétique. Il a exploré systématiquement le pouvoir, mais aussi les limites de la raison humaine.

22. Arthur Schopenhauer, *Le monde comme volonté et comme représentation*, trad. par A. Burdeau, Paris, PUF, 1966, p. 141.

Il importe de bien saisir la notion de volonté proposée par Schopenhauer pour exprimer le pouvoir d'agir qui se manifeste dans les mouvements corporels. Elle ne se réduit pas à la faculté consciente et intentionnelle du sujet rationnel qui se détermine à agir, notion issue de la tradition judéo-chrétienne. La volonté dont il est question dans ces pages est un concept à la fois anthropologique et cosmologique : elle exprime à la fois la réalité primordiale de l'être humain et celle du monde dans sa totalité.

Soulignons le renversement opéré par Schopenhauer : ce qui est premier chez l'humain n'est pas la raison, mais bien la volonté. Estimer, comme le veut le rationalisme idéaliste, que la connaissance détermine réellement et radicalement la volonté c'est, selon la comparaison de l'auteur, croire que la lanterne qui éclaire les pas de celui qui marche dans l'obscurité est la cause de son déplacement, de sa marche. La raison n'a aucun pouvoir sur la volonté : simple instrument de la volonté, elle s'en distingue autant que le marteau diffère du forgeron, dira encore Schopenhauer. La raison n'est pas destinée à nous instruire sur la nature des choses, mais seulement à nous montrer les relations des choses avec notre volonté. Selon la philosophie de Schopenhauer, c'est donc la volonté et non la raison qui donne la clé de l'énigme du monde et de l'être humain.

Revenons maintenant à la citation précédente, dans laquelle Schopenhauer exprime l'idée que le corps humain est la volonté matérialisée. Il est possible, en généralisant cette idée, d'affirmer que chaque corps est l'expression, l'objectivation, la manifestation d'une tendance, d'une volonté semblable à la nôtre. Qui plus est, l'analyse des phénomènes les plus simples de la nature, exprimée dans les différentes lois de la physique, de la chimie et de la biologie, montre l'existence d'une telle tendance. Cette tendance, à l'origine, c'est le *vouloir-vivre* en vue de sa propre conservation. L'instinct de conservation apparaît donc comme l'élément essentiel, et ce même à l'échelon le plus bas de la hiérarchie des corps. Toute la philosophie de Schopenhauer repose sur le développement de cette pensée.

La volonté, que nous trouvons au-dedans de nous, ne résulte pas avant tout, comme l'admettait jusqu'ici la philosophie, de la connaissance, elle n'en est même pas une pure modification, c'est-à-dire un élément secondaire dérivé et régi par le cerveau, comme la connaissance elle-même ; mais elle est [...] le noyau de notre être et cette propre force originelle qui crée et entretient le corps animal, en en remplissant toutes les fonctions conscientes et inconscientes : comprendre cette vérité est le premier pas à faire pour pénétrer dans ma métaphysique. [...] En outre, c'est cette même volonté qui fait germer le bourgeon de la plante, pour en tirer des feuilles ou des fleurs ; bien plus, la forme régulière du cristal n'est que l'empreinte laissée par son effort d'un moment. Enfin, d'une façon générale, en sa qualité de véritable et unique *automaton*

[agissant de soi-même][23] au sens propre du mot, c'est elle aussi qui est au fond de toutes les forces de la nature inorganique, qui se joue et agit dans leurs phénomènes variés, qui prête force à leurs lois [...]. Voilà la seconde vérité, le second pas à faire dans ma théorie fondamentale, et qui exige déjà une plus longue réflexion. Mais ce serait la plus grossière des méprises que de croire qu'il s'agit ici d'un simple mot destiné à désigner une grandeur inconnue : c'est au contraire la plus réelle de toutes les connaissances réelles qui est ici en question. [...] C'est l'idée que la substance intime et originelle est identique, quant à son essence, dans tous les changements et mouvements des corps, si variés qu'ils soient ; mais que la seule occasion d'en acquérir une connaissance précise et immédiate nous est fournie par les mouvements de notre propre corps et qu'à la suite de cette expérience nous lui devons donner le nom de *volonté*. C'est enfin l'idée que la force qui agit et se meut dans la nature et se manifeste dans des phénomènes de plus en plus parfaits, après s'être élevée assez haut pour que la connaissance l'éclaire d'une lumière directe, c'est-à-dire une fois parvenue à l'état de conscience de soi, nous apparaît comme étant cette *volonté*, cette notion dont nous avons la connaissance la plus précise et qui par cela même, loin de pouvoir s'expliquer par quelque élément étranger, sert bien plutôt elle-même d'explication à tout le reste. Elle est donc la chose en soi, autant qu'une connaissance quelconque peut y atteindre. Elle est ainsi ce qui doit s'exprimer de n'importe quelle manière, dans n'importe quelle chose au monde : car elle est l'essence du monde et la substance de tous les phénomènes[24].

RÉSUMÉ DE LA PENSÉE DE L'AUTEUR

1. La volonté est le noyau de notre être ; elle entretient la vie animale. La volonté est la force à l'œuvre dans le monde végétal et dans le monde inorganique.

2. La nature intime et originelle du mouvement et du changement est donc identique dans chacun des ordres de réalité, y compris la réalité humaine.

3. C'est par l'analyse de notre propre corps, qui obéit à notre volonté, que nous acquérons une connaissance précise et immédiate de cette force que nous nommons précisément « volonté ».

---

23. Selon l'étymologie grecque, *automatos* signifie « qui se meut soi-même ». Le terme *automaton* permet à Schopenhauer d'exprimer l'idée que la volonté est seule à l'origine de son propre mouvement.
24. A. Schopenhauer, *op. cit.*, p. 1008-1009.

4. Si nous découvrons que les phénomènes naturels et les lois de la nature sont la manifestation de cette volonté, c'est précisément parce qu'elle prend chez l'être humain la forme de la conscience, de la connaissance.

5. La volonté représente ainsi l'explication dernière de toute réalité : elle est l'essence du monde et son intime réalité.

Au-delà du monde tel qu'il est construit par nos connaissances, il est donc possible de découvrir la nature intime, le principe de toutes choses, de l'inorganique à l'homme : c'est le *vouloir-vivre*, c'est-à-dire l'affirmation de la vie vers un devenir sans fin, éternel. Ce vouloir-vivre constitue la réalité première, antérieure à toute pensée, à toute connaissance ; la vie utilise la raison, la met au service de ses finalités secrètes, au service de sa volonté. La connaissance se présente alors comme un outil que la volonté se donne pour survivre, pour s'orienter dans le monde.

Chez l'être humain, à cause de son pouvoir de connaître et de se représenter la vie, la volonté s'accompagne de motifs, de raisons d'agir ; mais, analysée en elle-même, elle est simple tendance, aveugle (sans buts) et irrationnelle (sans motifs). D'où le pessimisme de Schopenhauer, que nous abordons maintenant.

B. Désir sans fin, souffrance et pessimisme

Si la volonté se présente comme une tendance qui naît d'un manque, si le désir est la définition même de la volonté, alors il faut affirmer qu'elle n'a pas de fin. C'est ainsi que Schopenhauer présente les choses. L'essence de la volonté est de désirer toujours, sans fin. Pour elle, il n'y a pas de satisfaction finale, nulle part un lieu de repos. Et comme un obstacle se dresse toujours devant elle qui l'empêche de se concrétiser, voilà que la souffrance apparaît. La volonté humaine n'échappe pas à la dynamique conflictuelle constitutive de la réalité, qui se manifeste dans le choc des forces physiques, dans la lutte pour la survie des vivants. La volonté est sans fin parce que ce conflit primordial est sans issue ; la souffrance est donc l'expression tragique de la vie même, le lieu premier de l'expérience humaine.

Cet effort qui constitue le centre, l'essence de chaque chose, c'est au fond le même, nous l'avons depuis longtemps reconnu, qui en nous, manifesté avec la dernière clarté, à la lumière de la pleine conscience, prend le nom de *volonté*. Est-elle arrêtée par quelque obstacle dressé entre elle et son but du moment : voilà la *souffrance*. Si elle atteint ce but, c'est la satisfaction, le bien-être, le bonheur. Ces termes, nous pouvons les étendre aux êtres du monde sans intelligence ; ces derniers sont plus faibles, mais, quant à l'essentiel, identiques à nous. Or, nous ne les pouvons concevoir que dans un état de perpétuelle douleur, sans bonheur durable. Tout désir naît d'un manque, d'un état qui ne nous satisfait pas ; donc il est souffrance, tant qu'il n'est pas satisfait. Or, nulle satisfaction n'est de durée ; elle n'est que le point de départ d'un désir nouveau. Nous voyons le désir partout arrêté, partout en lutte, donc toujours à l'état de souffrance ; pas de terme dernier à l'effort ; donc pas de mesure, pas de terme à la souffrance[25].

Cette douleur née du manque ne s'interrompt que pour faire place à l'ennui lié aux satisfactions incomplètes et passagères : tel est le schéma inévitable de l'existence. Et la connaissance de cet état, chez l'être humain, lui rend l'existence encore plus tragique. À mesure que la conscience s'élève, la misère va grandissant : c'est donc en l'homme qu'elle atteint son plus haut degré d'intensité. Voyons à ce propos les termes mêmes de Schopenhauer :

Déjà en considérant la nature brute, nous avons reconnu pour son essence intime l'effort, un effort continu, sans but, sans repos ; mais chez la bête et chez l'homme, la même vérité éclate bien plus évidemment. Vouloir, s'efforcer, voilà tout leur être ; c'est comme une soif inextinguible. Or tout vouloir a pour principe un besoin, un manque, donc une douleur ; c'est par nature, nécessairement, qu'ils doivent devenir la proie de la douleur. Mais que la volonté vienne à manquer d'objet, qu'une prompte satisfaction vienne à lui enlever tout motif de désirer, et les voilà tombés dans un vide épouvantable, dans l'ennui ; leur nature, leur existence leur pèse d'un poids intolérable. La vie donc oscille, comme un pendule, de droite à gauche, de la souffrance à l'ennui ; ce sont là les deux éléments dont elle est faite, en somme. [...]

Or cet effort incessant, qui constitue le fond même de toutes les formes visibles revêtues par la volonté, arrive enfin, dans les sommets de l'échelle de ses manifestations objectives, à trouver le principe vrai et le plus général ; là, en effet, la volonté se révèle à elle-même en un corps vivant [...] ; ce corps, c'est tout simplement la volonté même de vivre, mais incarnée. Voilà bien pourquoi l'homme, la plus parfaite des formes objectives de cette volonté, est aussi et en conséquence, de tous les êtres, le plus assiégé de besoins ; de fond en comble il n'est que volonté, que besoin ; des besoins par milliers, voilà la substance même dont il est constitué. Ainsi fait, il est placé sur la terre, abandonné à lui-même, incertain de tout, excepté des besoins et de sa misère [...][26].

Vouloir, c'est donc essentiellement souffrir, et comme vivre c'est vouloir, toute vie est par nature douleur. La vie de l'homme n'est ainsi que lutte pour l'existence, assombrie par la certitude de perdre le combat ultime. Vouloir sans véritables motifs, toujours souffrir, toujours lutter, puis mourir.

25. *Ibid.*, p. 391-392.
26. *Ibid.*, p. 394-395.

Pour la plupart, la vie n'est qu'un combat perpétuel pour l'existence même, avec la certitude d'être enfin vaincus. Et ce qui leur fait endurer cette lutte avec ses angoisses, ce n'est pas tant l'amour de la vie, que la peur de la mort, qui pourtant est là, dans l'ombre, prête à paraître à tout instant. – La vie elle-même est une mer pleine d'écueils et de gouffres ; l'homme, à force de prudence et de soin, les évite, et sait pourtant que, vînt-il à bout, par son énergie et son art, de se glisser entre eux, il ne fait ainsi que s'avancer peu à peu vers le grand, le total, l'inévitable et l'irrémédiable naufrage ; qu'il a le cap sur le lieu de sa perte, sur la mort ; voilà le terme dernier de ce pénible voyage, plus redoutable pour lui que tant d'écueils jusque-là évités[27].

C'est ainsi que nous suivons le cours de notre vie, avec un intérêt extraordinaire, mais aussi avec mille soucis, mille précautions, aussi longtemps que possible, comme on souffle une bulle de savon[28], en s'appliquant à la gonfler au maximum tout en la conservant le plus longtemps possible, malgré la certitude qu'elle finira par éclater. La mort triomphera à la fin, car nous lui appartenons par le fait même de notre naissance ; la mort ne fait que jouer avec sa proie avant de la dévorer.

Entre les désirs et leurs réalisations s'écoule toute la vie humaine. Le désir, de sa nature, est souffrance ; la satisfaction engendre bien vite la satiété ; le but était illusoire ; la possession lui enlève son attrait ; le désir renaît sous une forme nouvelle, et avec lui le besoin ; sinon, c'est le dégoût, le vide, l'ennui, ennemis plus rudes encore que le besoin. – Quand le désir et la satisfaction se suivent à des intervalles qui ne sont ni trop longs, ni trop courts, la souffrance, résultat commun de l'un et de l'autre, descend à son minimum ; et c'est là la plus heureuse vie[29].

Le pessimisme de Schopenhauer découle, comme on vient de le voir, à la fois d'une métaphysique et d'une psychologie : la souffrance est universelle, mais elle atteint un paroxysme et revêt des formes complexes chez l'être humain. Tout au plus celui-ci peut-il espérer, dans la vie ordinaire, atteindre une sorte de bonheur négatif, fait de la réduction au minimum de la souffrance. Toutefois, Schopenhauer n'en est pas resté là et a soutenu qu'il est possible de s'extraire de la vie ordinaire pour suivre une voie plus exigeante visant une forme de libération.

C. La négation du vouloir-vivre : l'abnégation

Puisque, comme nous l'avons vu, la sérénité échappe à l'être humain tant qu'il est tenaillé par le désir ou déçu par la possession, c'est-à-dire tant qu'il est l'esclave de la

---

27. *Ibid.*, p. 395.
28. Cette image est de Schopenhauer.
29. A. Schopenhauer, *op. cit.*, p. 396.

volonté, il ne lui reste plus qu'à chercher à se libérer du joug de la volonté. Pour trouver le repos, dit Schopenhauer, il faut tuer en soi le *vouloir-vivre*, il faut suivre la voie de l'abnégation, et dans ce but l'art et l'ascétisme constituent des moyens privilégiés.

a) L'art, l'expérience esthétique. Défini comme contemplation désintéressée des choses, l'art exige de l'être humain l'oubli complet de ses intérêts et de ses besoins. Le monde, objet de la recherche esthétique, n'apparaît plus en effet comme un élément d'intérêt de notre volonté : la réalité est appréhendée en elle-même, pour elle-même. Nous devenons pour un temps de purs sujets contemplatifs.

Dans l'expérience esthétique, l'esclavage de la volonté est provisoirement aboli. Nous voyons les choses d'un autre œil : nous ne les concevons plus de manière subjective, d'après leurs relations avec nous, dans leur dimension utilitaire. Nous les appréhendons selon ce qu'elles sont en soi et par soi, de façon plus objective. Voici en quels termes Schopenhauer exprime cette idée :

> Transportons-nous dans une contrée solitaire ; l'horizon est illimité, le ciel sans nuages ; des arbres et des plantes dans une atmosphère parfaitement immobile ; point d'animaux, point d'hommes, point d'eaux courantes ; partout le plus profond silence ; – un pareil site semble nous inviter au recueillement, à la contemplation, tout affranchie de la volonté et de ses exigences ; c'est précisément cela qui donne à un pareil paysage, simplement désert et recueilli, une teinte de sublime. En effet, comme il n'offre aucun objet favorable ou défavorable à la volonté sans cesse en quête d'efforts et de succès, l'état de contemplation pure demeure seul possible. [...] Le site que nous venons de décrire nous a donné un exemple de sublime, bien qu'à son plus faible degré ; car ici à l'état de connaissance pure, tout plein de sérénité et d'indépendance, se mêle par contraste un souvenir de cette volonté dépendante et misérable, toujours en quête de mouvement. – Ce genre de sublime est celui que l'on vante dans le spectacle des immenses prairies du centre de l'Amérique du Nord[30].

Un tel spectacle est sublime, certes, puisqu'il nous met dans un état de ravissement total ; mais l'art ne constitue qu'un calmant provisoire de la volonté. La contemplation esthétique est bénéfique, mais sitôt l'extase passée, le désir reprend ses droits. Pour remédier à la souffrance de l'existence et échapper à l'ennui, l'ascétisme constitue une voie plus sûre et plus durable.

b) L'ascétisme, l'abnégation volontaire. Puisque c'est le vouloir-vivre lui-même qui fait problème, il faut arriver à le contrer en soi-même. Nier la volonté, adopter une attitude d'abnégation volontaire, de résignation, c'est tendre au calme, au repos véritable. L'aboutissement de l'abnégation est l'arrêt absolu du *vouloir-vivre*. Ces passages de Schopenhauer sont éloquents :

---

30. *Ibid.*, p. 262-263.

N'étant rien au fond, qu'un phénomène de la volonté, il cesse de vouloir quoi que ce soit, il se défend d'attacher sa Volonté à aucun appui, il s'efforce d'assurer sa parfaite indifférence envers toute chose. – Son corps, sain et fort, exprime par ses organes de reproduction le désir sexuel ; mais lui nie la Volonté, et donne à son corps un démenti ; il refuse toute satisfaction sexuelle, à n'importe quelle condition. Une chasteté volontaire et parfaite est le premier pas dans la voie de l'ascétisme, ou de la négation du vouloir-vivre. La chasteté nie cette affirmation de la Volonté, qui va au-delà de la vie de l'individu ; elle marque ainsi que la Volonté se supprime elle-même, en même temps que la vie de ce corps qui est sa manifestation. [...] Si cette maxime devenait universelle, l'espèce humaine disparaîtrait[31].

Non moins que la Volonté même, il mortifie ce qui la rend visible et objective, son corps [...]. Il pratique le jeûne, la macération même et les disciplines, afin, par des privations et des souffrances continuelles, de briser de plus en plus, de tuer cette volonté en qui il reconnaît et il hait le principe de son existence et de cette existence qui est la torture de l'univers. – Vienne enfin la mort, qui détruira cette manifestation d'une volonté, qu'il a depuis longtemps tuée dans son essence même, en la niant librement, jusqu'à la réduire à ce faible reste de vouloir qui animait son corps ; la mort sera alors pour lui la bienvenue, il la recevra avec joie, comme une délivrance longtemps souhaitée[32].

Par l'ascétisme, la volonté se détache de la vie. Toute initiative s'arrête et l'homme, délivré de tout désir, n'attend qu'une chose : que la dernière trace de cette volonté s'anéantisse avec le corps même qu'elle anime. Le nirvana désigne cet état de délivrance, de sérénité que l'individu peut atteindre dans le renoncement au vouloir-vivre, dans l'extinction de la flamme de la vie. La suppression en soi-même de la volonté s'accompagne finalement du retrait du monde, vécu comme l'anéantissement du monde. La dernière page du *Monde comme volonté et comme représentation* se termine ainsi :

Nous avons donc constaté que le monde en soi était la Volonté ; nous n'avons reconnu dans tous ses phénomènes que l'objectivité de la Volonté ; nous avons suivi cette objectivité depuis l'impulsion inconsciente des forces obscures de la nature jusqu'à l'action la plus consciente de l'homme ; arrivés à ce point, nous ne nous soustrairons pas aux conséquences de notre doctrine ; en même temps que l'on nie et que l'on sacrifie la Volonté, tous les phénomènes doivent être également supprimés ; supprimés aussi

---

31. *Ibid.*, p. 478.
32. *Ibid.*, p. 480.

l'impulsion et l'évolution sans but et sans terme qui constituaient le monde à tous les degrés d'objectivité ; supprimées ces formes diverses qui se suivaient progressivement ; en même temps que le vouloir, supprimée également la totalité de son phénomène ; supprimées enfin les formes générales du phénomène, le temps et l'espace ; supprimée la forme suprême et fondamentale de la représentation, celle de sujet et objet. Il n'y a plus ni volonté, ni représentation, ni univers.

Désormais il ne reste plus devant nous que le néant[33].

Ainsi, à l'idéal rationaliste d'une humanité qui se crée, s'épanouit par la maîtrise du monde naturel et du monde humain, Schopenhauer oppose le repli sur soi de la tradition bouddhiste, qui supprime le vouloir-vivre individuel et fait abstraction du monde, dans une démarche qui tend vers l'anéantissement de soi. En liant le destin de l'être humain au néant, à la négation de la volonté, qu'il pose comme principe même du monde et de l'existence humaine, Schopenhauer enferme la réflexion anthropologique dans une voie sans issue, hors de laquelle ses successeurs proposeront des échappées.

Sujet de réflexion

La solution de l'ascétisme que propose Schopenhauer pour échapper à la souffrance inhérente à l'existence humaine vous paraît-elle praticable à notre époque ? Pourquoi ?

Rappel des IDÉES PRINCIPALES

2.2.2 Arthur Schopenhauer

La vision dominante d'un monde idéal obéissant à un ordre rationnel est démentie par le témoignage tragique du monde réel marqué par la douleur. Loin d'être l'œuvre de la raison, le monde est plutôt la manifestation d'une volonté sans but.

A. La volonté précède la raison
- C'est la volonté, non la raison, qui constitue le principe explicatif du monde et de l'être humain.
- Chaque réalité, chaque corps est la manifestation de cette volonté, qui se dévoile comme un vouloir-vivre en vue de la conservation.

---

33. *Ibid.*, p. 514-515.

B. Désir sans fin, souffrance et pessimisme

- Vouloir, c'est désirer toujours, sans fin, sans espoir de réalisation pleinement satisfaisante ; en tant que manque, le désir est source de souffrance.
- La souffrance, qui est l'expression tragique de la vie elle-même, atteint psychologiquement l'être humain qui cherche à la réduire.

C. La négation du vouloir-vivre : l'abnégation

Pour échapper à la souffrance, l'individu doit se libérer de l'emprise de la volonté. L'art et l'ascétisme constituent les moyens privilégiés pour y arriver :

- en tant que contemplation désintéressée des choses, l'art exige l'oubli des intérêts et des besoins humains, sources de désirs ;
- parce qu'il réduit au silence les besoins corporels, l'ascétisme permet à l'individu de nier sa volonté dans son propre corps, de rechercher un état de sérénité, de détachement du monde.

2.2.3 Friedrich Nietzsche

Dans la généalogie de l'existentialisme, Nietzsche est certes le penseur qui a exercé l'influence la plus profonde sur la philosophie et la culture du XXe siècle. En réaction violente contre les traditions rationaliste et spiritualiste, et contre l'optimisme scientifique et politique de son temps, son œuvre est l'expression la plus aiguë et la plus ample de la crise de la pensée qui a marqué la fin du XIXe siècle. Maniant ce qu'il appelait la « philosophie du marteau », Nietzsche a poussé le travail de la pensée critique plus loin que tous ses prédécesseurs.

**FRIEDRICH NIETZSCHE
(1844-1900)**

Philosophe allemand dont l'œuvre marque une rupture dans l'histoire de la pensée occidentale. Renonçant à la tradition métaphysique, dénonçant le positivisme scientifique, proclamant la mort de Dieu et l'avènement du « dernier homme » anéanti par la collectivité, Nietzsche appelle la venue du surhomme, cet être résolument libre, capable de redéfinir les valeurs et les modes de vie, de modeler sa pensée et son agir sur le mouvement même de la vie. Nietzsche a écrit ses œuvres majeures entre 1878 et 1888, alors qu'il menait une vie solitaire, tourmenté par la maladie. En 1889, il fut terrassé par la folie.

Dieu est mort : maintenant nous voulons que le surhomme vive !
(Ainsi parlait Zarathoustra)

Adoptant une écriture à la fois discursive, polémique et poétique, il a laissé une œuvre abondante, où l'on distingue peu de traités systématiques. Tant dans le style métaphorique que dans le propos, il refuse le primat de la raison qui domine la tradition rationaliste de Platon jusqu'à Hegel, en passant par Kant. Il rejoint ainsi Kierkegaard et Schopenhauer, qui fut d'ailleurs son premier inspirateur.

Pour Nietzsche, la philosophie doit résolument tourner le dos à la métaphysique[34], qui prétend dire la vérité des choses et de l'être humain, simplement par l'agencement des concepts abstraits de la raison. Il faut rompre définitivement avec cette volonté d'atteindre une Vérité absolue, unique, porteuse de toute la signification de la réalité. La tâche du philosophe, à l'aube du XXe siècle, consiste à libérer la pensée humaine de ses illusions, pour en reconnaître toute la force, la complexité et la puissance créatrice. Certaines lignes de force de son œuvre ont été déterminantes pour les philosophies de l'existence du XXe siècle.

A. La volonté de puissance

La « volonté de puissance » est un concept clé de la pensée nietzschéenne, qui se situe dans le droit fil de l'œuvre de Schopenhauer. Nietzsche endosse en effet les thèses de son prédécesseur sur l'expérience de vivre : la vie est douleur, lutte, absence de sens et de finalité. Il n'en accepte cependant pas les conclusions, à savoir la résignation, l'ascétisme et finalement la négation du *vouloir-vivre* ; à ses yeux, ce sont autant de valeurs négatives issues du christianisme.

Nous avons montré précédemment comment, dans l'œuvre de Schopenhauer, la volonté, source de la détresse humaine, représente le fondement intime de toute réalité, et comment l'être humain ne peut échapper au malheur qu'en supprimant sa volonté de vivre. Nietzsche lui aussi reconnaît la volonté comme réalité première, mais il s'emploie à proclamer la valeur de la vie, le caractère fondamentalement créateur de la volonté : vouloir c'est vouloir croître, c'est créer. Le noyau de toute existence, son principe d'explication, c'est en effet la « volonté de puissance » :

> À supposer enfin qu'une telle hypothèse suffise à expliquer notre vie instinctive tout entière en tant qu'élaboration et ramification d'une seule forme fondamentale de la volonté – à savoir la volonté de puissance, comme c'est ma thèse, – à supposer que nous puissions ramener toutes les fonctions organiques à cette volonté de puissance et trouver en elle, par surcroît, la solution du problème de la génération et de la nutrition – c'est un seul problème, – nous aurions alors le droit de qualifier toute énergie agissante de volonté de puissance. Le monde vu de l'intérieur, le monde défini et désigné par son « caractère intelligible » serait ainsi « volonté de puissance » et rien d'autre[35].

---

34. Par *métaphysique*, nous faisons référence à la branche de la philosophie traditionnelle qui vise la connaissance de l'être absolu, des causes de l'univers et des principes premiers de la connaissance, et qui se fonde sur la raison comme seul moyen pour y arriver.

35. Friedrich Nietzsche, *Par-delà bien et mal – Prélude d'une philosophie de l'avenir*, trad. par Cornélius Heim, Paris, Gallimard, coll. Idées, 1971, 2e partie, n° 36, p. 56.

Toutes les choses finies ne sont que des formes temporaires de cette énergie première, de cette puissance qui régit aussi bien le monde organique (par le jeu des désirs et des instincts), que le monde inorganique. Qu'est-ce, en effet, que le « monde », se demande Nietzsche, sinon :

> [...] une force partout présente, un et multiple comme un jeu de forces et d'ondes de force, s'accumulant sur un point si elles diminuent sur un autre ; une mer de forces en tempête et en flux perpétuel, éternellement en train de changer, éternellement en train de refluer, avec de gigan-tesques années au retour régulier, un flux et un reflux de ses formes, allant des plus simples aux plus complexes, des plus calmes, des plus fixes, des plus froides aux plus ardentes, aux plus violentes, aux plus contradictoires, pour revenir ensuite de la multiplicité à la simplicité, du jeu des contrastes au besoin d'harmonie, affirmant encore son être dans cette régularité des cycles et des années, se glorifiant dans la sainteté de ce qui doit éternellement revenir, comme un devenir qui ne connaît ni satiété, ni dégoût, ni lassitude[36].

La tendance fondamentale, qui se joue par-delà ces formes multiples et ces mouvements conflictuels de la volonté de puissance, c'est le devenir, le dépassement : tout être tend à se dépasser, à se surmonter lui-même, à être plus que ce qu'il est. Contrairement à ce que soutient Schopenhauer, l'instinct de conservation – le maintien de soi dans la lutte pour l'existence – n'est pas l'exigence première de la vie. Celle-ci tend fondamentalement à s'élever et, en s'élevant, à devenir davantage. Tout être tend ainsi instinctivement à déployer sa force pour atteindre la plénitude de sa puissance. Et la véritable puissance a peu de chose en commun avec le désir de domination. Voici en quels termes Nietzsche nuance cet aspect de la « volonté de puissance » :

> Mais j'ai trouvé la force où on ne la cherche pas, chez des hommes simples, doux et obligeants, sans le moindre penchant à la domination – et inversement le goût de dominer m'est souvent apparu comme un signe de faiblesse intime ; ils craignent leur âme d'esclave et la drapent d'un manteau royal (ils finissent par devenir les esclaves de leurs par-tisans, de leur réputation, etc.). Les natures puissantes *règnent*, c'est une nécessité, sans avoir même besoin de lever le doigt, dussent-elles, de leur vivant s'enterrer dans une chaumière[37].

L'être humain est ainsi soumis à la même exigence primordiale que les autres êtres vivants : il est contraint de se surmonter lui-même. En imprimant ce mouvement au vivant, la volonté de puissance ne pointe pas vers une finalité préétablie, qui se

---

36. Id., *La volonté de puissance*, trad. de G. Bianquis, tome I, livre 2, n° 51, p. 235.
37. *Ibid.*, tome II, livre 4, n° 161, p. 321.

situerait au-dessus ou au-dehors d'elle-même. Elle vise à atteindre sa propre plénitude, la plénitude de la vie. L'être humain est toutefois susceptible d'atteindre un degré supérieur de puissance vitale. Cela tient au fait qu'il est un animal de type non fixé, dont les possibilités de développement sont davantage indéterminées. Il faut demeurer modeste, cependant, quant à la supériorité de l'être humain sur l'animal, comme le souligne Nietzsche dans ce passage de *L'Antéchrist*:

> Il n'est absolument pas le couronnement de la « création »; [...] l'homme est relativement le plus manqué des animaux, le plus maladif, celui qui s'est égaré le plus dangereusement loin de ses instincts – il est vrai qu'avec tout cela il est aussi l'animal le plus intéressant[38]!

L'indétermination de la nature humaine permet à la volonté de puissance d'emprunter chez l'homme deux trajectoires opposées. Elle peut se propulser vers le haut, en suivant une ligne ascendante; elle est alors active, libre et créatrice. Elle peut aussi être propulsée vers le bas, en suivant une ligne descendante; elle est alors régressive et réactive, elle devient un instrument de décadence. Cette double trajectoire est manifeste chez l'être humain, pris individuellement et collectivement, qui peut soit vivre dans la médiocrité, soit chercher à se surpasser lui-même pour devenir autre, supérieur à ce qu'il était.

Précisons encore que la volonté de puissance n'est pas un concept désincarné: elle est à l'œuvre dans le corps humain, elle se manifeste, positivement ou négativement, par la voie des pulsions, des instincts et des besoins. Ceux qui méprisent la vie instinctive, la réalité corporelle, refusent la manifestation première de la volonté de puissance; ce faisant ils se privent de l'élan vital qui pousse vers la liberté d'aspiration, de pensée et d'action, que Nietzsche décrit par ces métaphores:

> C'est un élan, une impulsion qui commande [...] une volonté, un vœu qui s'éveille [...] un désir de monde vierge [...] un besoin séditieux, despotique, volcanique de prendre les routes de l'étranger et de l'inconnu [...] une première explosion de force et de volonté d'autonomie dans la détermination de soi-même et de ses valeurs propres, [...] une volonté libre[39].

Nietzsche valorise la vie instinctive, les passions et le corps en général, largement méprisés dans la culture occidentale. Une profonde transformation – une métamorphose – s'impose selon lui pour assurer le passage de l'état de décadence de la civilisation occidentale à un état véritablement créatif.

---

38. Id., *L'Antéchrist*, trad. par Henri Albert, Paris, Mercure de France, 1952, §14, p. 206.
39. Id., *Humain, trop humain*, tome I, trad. par Robert Rovini, Paris, Gallimard NRF, 1968, préface, § 3, p. 15-16.

B. Les trois métamorphoses de l'être humain

Prenons d'abord contact avec l'esprit de cette transformation, à l'aide du premier discours de Zarathoustra. Nous distinguerons et analyserons ensuite chacun des trois moments de cette métamorphose.

Des trois métamorphoses

Je vais vous dire les trois métamorphoses de l'esprit : comment l'esprit se change en chameau, le chameau en lion, et le lion en enfant, pour finir.

Il y a bien des choses qui semblent pesantes à l'esprit, à l'esprit robuste et patient, et tout imbu de respect ; sa force réclame de lourds fardeaux, les plus lourds qui soient au monde.

« Qu'y a-t-il de plus lourd à porter ? », dit l'esprit devenu bête de somme, et il s'agenouille, tel le chameau qui demande à être bien chargé.

« Quelle est la tâche la plus lourde, ô héros, demande l'esprit devenu bête de somme, que je l'assume, afin de jouir de ma force.

Serait-ce de s'humilier afin de meurtrir son orgueil ? De faire éclater sa folie afin de bafouer sa sagesse ?

Serait-ce d'abandonner une cause triomphante ? De gravir de hautes montagnes afin de tenter le Tentateur ?

Serait-ce de se nourrir de glands et de l'herbe de la connaissance, et de faire jeûner son âme pour l'amour de la vérité ?

Serait-ce, étant malade, de congédier les consolateurs et de lier amitié avec des sourds qui n'entendent jamais ce que l'on désire ?

Ou de descendre dans une eau bourbeuse, si c'est l'eau de la vérité, et de ne point écarter de soi les grenouilles froides et les crapauds cuisants ?

Ou encore d'aimer ceux qui nous méprisent et de tendre la main au fantôme qui cherche à nous effrayer ? »

Mais l'esprit devenu bête de somme prend sur lui tous ces lourds fardeaux ; pareil au chameau chargé qui se hâte de gagner le désert, il se hâte lui aussi de gagner son désert.

Et là, dans cette solitude extrême, se produit la deuxième métamorphose : l'esprit devient lion. Il entend conquérir sa liberté et être le roi de son propre désert.

Il se cherche un dernier maître ; il sera l'ennemi de ce dernier maître et de son dernier Dieu ; il veut se mesurer avec le grand dragon, et le vaincre.

Quel est ce grand dragon que l'esprit refuse désormais d'appeler son seigneur et son Dieu? Le nom du grand dragon, c'est «Tu-dois». Mais l'âme du lion dit: «Je veux!»

«Tu-dois», lui barre la route, tout brillant d'or, couvert d'écailles, et sur chacune de ces écailles brillent en lettres d'or ces mots: «Tu-dois».

Des valeurs millénaires brillent sur ces écailles, et ainsi parle le plus puissant de tous les dragons: «Toutes les valeurs des choses étincellent sur mon corps.

Toutes les valeurs ont été créées dans le passé, et la somme de toutes les valeurs créées, c'est moi. En vérité, il ne devra plus y avoir de "je veux".» Ainsi parle le dragon.

Mes frères, à quoi sert le lien de l'esprit? Pourquoi ne suffit-il point de l'animal patient, résigné et respectueux?

Créer des valeurs nouvelles, le lion lui-même n'y est pas encore apte; mais s'affranchir afin de devenir apte à créer des valeurs nouvelles, voilà ce que peut la force du lion.

Pour conquérir sa propre liberté et le droit sacré de dire non, même au devoir, pour cela, mes frères, il faut être lion.

Conquérir le droit à des valeurs nouvelles, c'est pour un esprit patient et laborieux l'entreprise la plus redoutable. Et certes il y voit un acte de brigandage et de proie.

Ce qu'il aimait naguère comme son bien le plus sacré, c'est le «Tu-dois». Il lui faut à présent découvrir l'illusion et l'arbitraire au fond même de ce qu'il y a de plus sacré au monde, et conquérir ainsi de haute lutte le droit de s'affranchir de cet attachement: pour exercer une pareille violence, il faut être lion.

Mais dites-moi, mes frères, que peut encore l'enfant, dont le lion lui-même eût été incapable? Pourquoi le lion ravisseur doit-il encore devenir enfant?

C'est que l'enfant est innocence et oubli, commencement nouveau, jeu, roue qui se meut d'elle-même, premier mobile, affirmation sainte.

En vérité, mes frères, pour jouer le jeu des créateurs il faut être une affirmation sainte; l'esprit à présent veut son propre vouloir; ayant perdu le monde, il conquiert son propre monde[40].

40. F. Nietzsche, *Ainsi parlait Zarathoustra*, trad. par G. Bianquis, Paris, Aubier-Montaigne, 1968, première partie, «Des trois métamorphoses», p. 79-83.

RÉSUMÉ DE LA PENSÉE DE L'AUTEUR

Comment, selon Nietzsche, l'esprit se change-t-il en chameau, le chameau en lion, et le lion en enfant ? Reprenons les cinq grands moments de la citation précédente :

1. L'homme devenu bête de somme aspire à jouir de sa force : comme le chameau, il plie les genoux et demande à être chargé des fardeaux les plus lourds avant de gagner le désert.

   Ainsi agit l'homme soumis qui combat ses instincts vitaux et son affectivité.

2. Dans la solitude du désert, le chameau se mesure à son dernier maître : Dieu. Il entend conquérir sa liberté, se délester du fardeau des valeurs traditionnelles imposées par la croyance en Dieu. Le chameau se transforme alors en lion.

3. Le lion possède l'agressivité suffisante pour dire non, pour refuser d'obéir au devoir qu'on lui impose, pour dénoncer l'illusion et l'arbitraire des anciennes valeurs, bref pour s'en affranchir. Mais il ne peut créer de nouvelles valeurs.

4. Là où l'agressivité du lion se montre impuissante, l'innocence de l'enfant va réussir. La création des valeurs nouvelles est le fait de l'enfant puisqu'il est innocence et commencement, puisque son agir est déterminé par l'autonomie, le sens du jeu et la créativité.

5. La perte de l'Ancien Monde des valeurs exige de l'esprit humain qu'il crée désormais son propre monde.

Explicitons maintenant ces trois métamorphoses, qui s'associent chacune à un type d'homme.

a) Le chameau ou l'homme décadent. La métaphore du chameau qui porte sur lui le poids du devoir, qui plie les genoux pour mieux servir, est aux yeux de Nietzsche l'image même de la décadence de la civilisation occidentale. C'est le symbole de l'homme moyen, du médiocre qui se sacrifie, s'humilie, niant en lui-même l'élan vital, combattant ses instincts vitaux. Loin d'être des signes de noblesse et de grandeur morale, la lutte contre le corps et l'affectivité, la mauvaise conscience liée au désir ainsi que la docilité face à l'autorité sont autant de manifestations de la faiblesse de l'homme de troupeau, qui se résigne à une vie soumise, sans surprise, sans grands emportements. Dans la *Généalogie de la morale*, Nietzsche s'écrie :

Les *maladifs* sont le plus grand danger de l'homme : et *non* les méchants, non les « bêtes de proie ». Les disgraciés, les vaincus, les impotents de nature, ce sont eux, ce sont les plus débiles qui, parmi les hommes, minent surtout la vie, qui empoisonnent et mettent en question notre confiance en la vie, en l'homme, en nous-mêmes. Comment lui échapper, à ce regard fatal qui vous laisse une profonde tristesse ? ce regard rentré des mal venus dès l'origine qui nous révèle le langage qu'un tel homme se tient à lui-même, – ce regard qui est un soupir. « Ah ! si je pouvais être quelqu'un d'autre, n'importe qui ! ainsi soupire ce regard : mais il n'y a pas d'espoir. Je suis celui que je suis : comment saurais-je me débarrasser de moi-même ? Et pourtant – *je suis las de moi-même !*... » C'est sur ce terrain de mépris de soi, terrain marécageux s'il en fut, que pousse cette mauvaise herbe, cette plante vénéneuse, toute petite, cachée, fourbe et doucereuse. Ici fourmillent les vers de la haine et du ressentiment ; l'air est imprégné de senteurs secrètes et inavouables ; ici se nouent sans relâche les fils d'une conjuration maligne, – la conjuration des souffre-douleur contre les robustes et les triomphants, ici l'aspect même du triomphateur est *abhorré*. Et que de mensonges pour ne pas avouer cette haine en tant que haine ! Quelle dépense de grands mots et d'attitudes, quel art dans la calomnie « loyale » ! Ces mal venus : quel torrent de noble éloquence découle de leurs lèvres ! Quelle soumission douce, mielleuse, pâteuse dans leurs yeux vitreux ! Que veulent-ils enfin ? *Représenter* tout au moins la justice, l'amour, la sagesse, la supériorité, – telle est l'ambition de ces « inférieurs », de ces malades[41] !

Nietzsche identifie clairement deux causes de cette décadence : d'une part le rationalisme, et plus précisément le socratisme qui, au nom de la primauté de la connaissance, méprise la vie ; d'autre part le christianisme qui, au nom des valeurs morales, aboutit au même résultat. Socrate et le Christ représentent aux yeux de Nietzsche deux figures exemplaires de la dépréciation du monde terrestre, de la vie et du corps qui est son expression, au profit d'un monde transcendant, d'un autre monde, donné pour le « vrai » monde, celui des idées, celui de l'au-delà. Il dira à propos de ces échappées dans l'au-delà du monde de la vie :

Il est vrai que si vous ne redevenez semblables aux petits enfants, vous n'entrerez point dans le royaume des cieux, – et Zarathoustra montrait du doigt le ciel – mais quant à nous, nous ne voulons nullement aller au royaume des cieux, nous sommes devenus Hommes ; ce que nous voulons, c'est le royaume de la Terre[42].

---

41. Id., *La généalogie de la morale*, trad. par Henri Albert, Paris, Gallimard NRF, coll. Idées, 1975, troisième dissertation, n° 14, p. 184-185.

42. Id., *Ainsi parlait Zarathoustra, op. cit.*, quatrième partie, « *La fête de l'âne* », p. 607.

SOCRATE. Socrate « incarne un type d'existence qui apparaît pour la première fois avec lui, le type de l'*homme théorique* »[43], qui sacrifie la joie de vivre à la recherche de la vérité et de la connaissance. Chez Socrate, la raison remplace l'instinct, qu'il accuse d'engendrer erreur et illusion ; seule la raison peut conduire au savoir et au bien. Le socratisme et, avec lui, le rationalisme, oublie que la connaissance rationnelle n'est qu'un outil au service de la vie, qu'elle doit venir en aide à la faiblesse des organes des sens en élaborant les perspectives qui nous permettent de nous maintenir en vie :

« De la cire dans les oreilles », c'était là, jadis, presque la condition préalable au fait de philosopher : un authentique philosophe n'avait plus d'oreille pour la vie, pour autant que la vie est musique, il *niait* la musique de la vie [...] Or aujourd'hui nous serions portés à croire justement le contraire (ce qui pourrait bien être tout aussi faux), à savoir que les *idées* sont des séductrices pires que les sens, avec toute leur apparence anémique et malgré cette apparence, – elles ont toujours vécu du « sang » du philosophe, elles ont toujours vidé ses sens et si l'on veut bien nous croire, même son « cœur ». [...] Ne devinez-vous pas à l'arrière-plan quelque sangsue restée longtemps cachée, qui commence par s'attaquer aux sens et pour finir ne garde et ne laisse subsister que des os, que du claquement[44] ?

La raison, outil de la vie, nie désormais la « musique de la vie », selon les mots de Nietzsche. La volonté de mort triomphe de la volonté de vivre.

LE CHRISTIANISME. Le christianisme accentue encore cette dévaluation de la vie amorcée par Socrate et son disciple Platon. L'idée même de Dieu tend à appauvrir l'être humain. Plus Dieu est exalté, plus l'homme est abaissé ; l'effort même de spiritualisation commandé par la foi n'est en réalité qu'une déshumanisation. Glorifier le spirituel, c'est refuser sa condition d'être vivant ; c'est, au nom d'une autre vie hypothétique, nier la vie elle-même. On voit ainsi apparaître :

[...] la plus grande et la plus inquiétante de toutes les maladies, dont l'humanité n'est pas encore guérie aujourd'hui, *l'homme maladie de l'homme, malade de lui-même* : conséquence d'un divorce violent avec le passé animal, d'un bond et d'une chute tout à la fois, dans de nouvelles situations, au milieu de nouvelles conditions d'existence, d'une déclaration de guerre contre les anciens instincts qui jusqu'ici faisaient sa force, sa joie et son caractère redoutable[45].

---

43. Id., *La naissance de la tragédie*, trad. par Cornelius Heim, Paris, Denoël/Gonthier, 1964, p. 97.
44. Id., *Le gai savoir*, trad. par P. Klossowski, Club français du livre, coll. 10/18, 1973, n° 372, « Pourquoi nous ne sommes point idéalistes », p. 395-396.
45. Id., *La généalogie de la morale*, trad. par H. Albert, Paris, Gallimard, coll. Idées, 1964, n° 16, p. 121.

Cette volonté d'éradiquer les passions, qui sont pourtant des stimulants irremplaçables de l'existence, consomme le divorce de l'être humain avec son passé animal, « la dénaturation de toutes les valeurs naturelles », selon les termes de *L'Antéchrist*.

b) Le lion ou l'homme révolté. Afin de retrouver le courage de ses instincts naturels, de conquérir sa liberté et d'en finir avec le mépris de soi, l'être humain doit, tel un lion déployant son instinct de prédateur, détruire, éliminer les anciennes valeurs issues des traditions rationaliste et chrétienne. Ce sont les valeurs de la décadence, qui produisent un type d'homme médiocre et faible n'existant qu'en fonction de la masse, du « troupeau ». Tel est le diagnostic que porte Nietzsche sur l'expression de la volonté de puissance chez ses contemporains : à ses yeux, l'humanité s'achemine lentement mais sûrement vers l'avènement du dernier homme, type de l'homme diminué dans sa puissance de vie, placide, insignifiant, « trop humain », selon le titre d'un ouvrage célèbre.

Dans son diagnostic, Nietzsche remarque aussi que les valeurs traditionnelles sont chancelantes, que l'on y adhère de moins en moins. Or l'abandon sans remplacement de ces valeurs conduit à la perte du sens de la vie, qu'il soit moral, religieux ou philosophique. L'être humain en arrive à se dégoûter de lui-même et du monde ; rien ne vaut plus pour lui, tout s'équivaut : le vrai, le faux, le bien, le mal. Cette agonie du sens, Nietzsche l'appelle le nihilisme. C'est le sens du célèbre constat fait par Zarathoustra et repris dans *Le gai savoir* : « Dieu est mort. »

N'avez-vous jamais entendu parler de cet homme insensé qui, ayant allumé une lanterne en plein midi, courait sur la place du marché et criait sans cesse : « Je cherche Dieu ! Je cherche Dieu ! » – Et comme là-bas se trouvaient précisément rassemblés beaucoup de ceux qui ne croyaient pas en Dieu, il suscita une grande hilarité. L'a-t-on perdu ? dit l'un. S'est-il égaré comme un enfant ? dit un autre. Ou bien se cache-t-il quelque part ? A-t-il peur de nous ? S'est-il embarqué ? A-t-il émigré ? – ainsi ils criaient et riaient tous à la fois. L'insensé se précipita au milieu d'eux et les perça de ses regards. « Où est Dieu ? cria-t-il, je vais vous le dire ! *Nous l'avons tué* – vous et moi ! Nous tous sommes ses meurtriers[46] !

La disparition de Dieu comme fondement du monde, comme norme et idéal des pratiques, de la morale et des pensées ne constitue pas un simple effacement, une soustraction : c'est un événement qui bouscule radicalement la condition humaine, qui la retourne de fond en comble. La mort de Dieu est causée par la perte brutale de tous les repères, de toutes les valeurs cardinales : le vrai, le juste, le bien. L'effondrement de la croyance en Dieu plonge ainsi le monde dans l'obscurité : que faire désormais ? qui croire ? où aller ?

---

46. Id., *Le gai savoir, op. cit.*, livre troisième, n° 125 : « L'insensé », p. 208-209.

Mais comment avons-nous fait cela? Comment avons-nous pu vider la mer? Qui nous a donné l'éponge pour effacer l'horizon tout entier? Qu'avons-nous fait, à désenchaîner cette terre de son soleil? Vers où roule-t-elle à présent? Vers quoi nous porte son mouvement? Loin de tous les soleils? Ne sommes-nous pas précipités dans une chute continue? Et cela en arrière, de côté, en avant, vers tous les côtés? Est-il encore un haut et un bas? N'errons-nous pas comme à travers un néant infini? Ne sentons-nous pas le souffle du vide? Ne fait-il pas plus froid? Ne fait-il pas nuit sans cesse et de plus en plus nuit? Ne faut-il pas allumer les lanternes dès le matin? N'entendons-nous rien encore du bruit des fossoyeurs qui ont enseveli Dieu? Ne sentons-nous rien encore de la putréfaction divine? – les dieux aussi se putréfient! Dieu est mort! Dieu reste mort! Et c'est nous qui l'avons tué! Comment nous consoler, nous, les meurtriers des meurtriers? Ce que le monde avait possédé jusqu'alors de plus sacré et de plus puissant a perdu son sang sous nos couteaux – qui essuiera ce sang de nos mains? Quelle eau lustrale pourra jamais nous purifier? Quelles solennités expiatoires, quels jeux sacrés nous faudra-t-il inventer? La grandeur de cette action n'est-elle pas trop grande pour nous? Ne nous faut-il pas devenir nous-mêmes des dieux pour paraître dignes de cette action? Il n'y eut jamais d'action plus grande – et quiconque naîtra après nous appartiendra, en vertu de cette action même, à une histoire supérieure à tout ce que fut jamais l'histoire jusqu'alors[47]!

L'histoire de l'humanité tout entière s'en trouve bouleversée. Ou bien l'être humain accepte l'aplatissement d'une existence médiocre et sans horizon, ou bien il réagit. Sa réaction doit alors être à la mesure de l'événement: il n'a d'autre choix que se dépasser lui-même, se redéfinir, se réinventer. Comme l'enfant le fait chaque jour.

c) L'enfant ou l'homme créateur. Si Dieu est mort, si les valeurs anciennes sont en déroute, il dépend de l'être humain et de lui seul que sa vie et le monde aient un sens. Il doit inventer, créer les nouvelles valeurs, comme l'enfant crée constamment du nouveau, invente ses propres jeux, sa propre vie. Par delà l'homme-chameau qui se charge de tous les fardeaux, par delà l'homme-lion qui affirme son vouloir en renversant le fardeau du devoir, c'est l'homme-enfant qui doit voir le jour, en retrouvant l'innocence du jeu.

L'homme doit résolument adopter l'attitude positive de l'affirmation de soi. Ni Dieu ni homme ne le dominent: il peut retrouver l'instinct du créateur. Il peut désormais s'accorder le droit d'agir pour soi, de jouir de soi dans l'action. Donnant libre cours à la volonté de puissance, qui est essentiellement dépassement de soi, il libère le corps, rend aux passions la liberté et la confiance d'agir. La mort de Dieu doit donc faire émerger le *surhumain*. Ainsi parlait Zarathoustra:

---

47. *Ibid.*, p. 209-210.

Je vous enseigne *le Surhumain*. L'homme n'existe que pour être dépassé. Qu'avez-vous fait pour le dépasser ?

Jusqu'à présent tous les êtres ont créé quelque chose qui les dépasse, et vous voudriez être le reflux de cette grande marée et retourner à la bête plutôt que de dépasser l'homme ?

Le singe, qu'est-il pour l'homme ? Dérision ou honte douloureuse. Tel sera l'homme pour le Surhumain : dérision ou honte douloureuse.

Vous avez fait le chemin qui va du ver jusqu'à l'homme, et vous avez encore beaucoup du ver en vous. Jadis vous avez été singes, et même à présent l'homme est plus singe qu'aucun singe.

Même le plus sage d'entre vous n'est encore qu'un être hybride et disparate, mi-plante, mi-fantôme. Vous ai-je dit de devenir fantômes ou plantes ?

Voici, je vous enseigne le Surhumain.

Le Surhumain est le sens de la terre. Que votre vouloir dise : Puisse le Surhumain devenir le sens de la terre.

Je vous en conjure, ô mes frères, *demeurez fidèles à la terre* et ne croyez pas ceux qui vous parlent d'espérances supra-terrestres ! Sciemment ou non, ce sont des empoisonneurs.

Ce sont des contempteurs de la vie, des moribonds, des intoxiqués dont la terre est lasse : qu'ils périssent donc !

Blasphémer Dieu était jadis le pire des blasphèmes, mais Dieu est mort et morts avec lui ces blasphémateurs. Désormais le crime le plus affreux, c'est de blasphémer la terre et d'accorder plus de prix aux entrailles de l'insondable qu'au sens de la terre[48].

Le destin de l'être humain est donc de se réconcilier avec la vie, de retrouver le sens de la terre et, ce faisant, de créer de nouvelles valeurs fondées sur l'affirmation de soi. Pour Nietzsche, ce qui constitue le critère ultime de la nouvelle moralité et lui donne tout son sens, c'est la pensée de l'éternel retour. Cette pensée, en effet, place la décision morale devant une épreuve décisive : « Vis de telle sorte que tu souhaites toujours revivre ainsi ».

Sujet de **réflexion**

Selon la thèse de Nietzsche, l'avènement de l'homme créateur dépend des métamorphoses précédentes, donc de l'expression de la révolte. Pouvez-vous déceler, dans certaines manifestations actuelles de révolte chez les jeunes, la revendication de valeurs nouvelles ? Expliquez.

---

48. Id., *Ainsi parlait Zarathoustra, op. cit.*, prologue, n° 3, p. 51-53.

Et si un jour ou une nuit, un démon se glissait furtivement dans ta plus solitaire solitude et te disait : « Cette vie, telle que tu la vis et l'as vécue, il te faudra la vivre encore une fois et encore d'innombrables fois ; et elle ne comportera rien de nouveau, au contraire, chaque douleur et chaque plaisir et chaque pensée et soupir et tout ce qu'il y a dans ta vie d'indiciblement petit et grand doit pour toi revenir, et tout suivant la même succession et le même enchaînement – et également cette araignée et ce clair de lune entre les arbres, et également cet instant et moi-même. L'éternel sablier de l'existence est sans cesse renversé, et toi avec lui, poussière des poussières ! » – Ne te jetterais-tu pas par terre en grinçant des dents et en maudissant le démon qui parla ainsi ? Ou bien as-tu vécu une fois un instant formidable où tu lui répondrais : « Tu es un dieu et jamais je n'entendis rien de plus divin ! » Si cette pensée s'emparait de toi, elle te métamorphoserait, toi, tel que tu es, et, peut-être, t'écraserait ; la question, posée à propos de tout et de chaque chose, « veux-tu ceci encore une fois et encore d'innombrables fois ? » ferait peser sur ton agir le poids le plus lourd ! Ou combien te faudrait-il aimer et toi-même et la vie pour ne plus aspirer à rien d'autre qu'à donner cette approbation et apposer ce sceau ultime et éternel ?[49]

En faisant appel au mythe ancien de l'éternel retour, Nietzsche convie chacun à examiner la conduite de son existence individuelle : que peut-on vouloir au point de le vouloir éternellement, sinon l'affirmation de soi-même, d'un moi qui détermine pleinement sa propre existence et son propre destin ? Que peut-on vouloir, sinon ces moments de plénitude, de sérénité qui font vivre l'instant présent comme une parcelle d'éternité, hors du temps, et qui sont indifférents au passé et au futur ?

Rappel des IDÉES PRINCIPALES

2.2.3 Friedrich Nietzsche

A. La volonté de puissance
Pour Nietzsche, la volonté de puissance (à ne pas confondre avec la volonté de domination) constitue le principe d'explication de toute réalité.
- La volonté de puissance se présente comme une énergie agissante qui pousse à la création, au dépassement de soi : tout être tend à être plus que ce qu'il est.
- Chez l'être humain, les pulsions, les instincts, les besoins sont autant de manifestations de cette volonté.

---

49. Id., *Le gai savoir*, 21e éd. corr., trad. par P. Wotling, Paris, Flammarion, coll. GF, 2000, p. 279-280.

- Nietzsche valorise ainsi la vie instinctive, les passions et le corps en général, largement méprisés par la culture occidentale.
- L'être humain doit se transformer, sortir de la médiocrité de son époque et tendre vers la véritable création.

B. Les trois métamorphoses de l'être humain

Pour y arriver, l'homme doit se métamorphoser en chameau, qui lui-même doit devenir lion, lequel doit devenir enfant.

- *Le chameau ou l'homme décadent*
  C'est l'homme soumis qui combat ses instincts vitaux et son affectivité ; Nietzsche attribue cette décadence au rationalisme et au christianisme, qui considéraient la vie comme une maladie.
- *Le lion ou l'homme révolté*
  Pour renouer avec ses instincts naturels, avec la liberté, l'homme doit combattre tel un lion, détruire les valeurs issues de la tradition, proclamer la mort de Dieu.
- *L'enfant ou l'homme créateur*
  Comme l'enfant qui invente de nouveaux jeux, l'homme doit inventer de nouvelles valeurs pour donner un sens à sa vie et au monde en général ; en donnant libre cours à la volonté de puissance, il libère le corps et rend aux passions la liberté d'agir. La mort de Dieu fait émerger le surhomme.

3 L'ANTHROPOLOGIE EXISTENTIALISTE

Dans les pages précédentes, nous avons montré comment l'évolution de la pensée critique, dans le passage du XIXe siècle au XXe siècle, a placé l'existence humaine au centre de la réflexion philosophique. Les philosophes qui se sont engagés dans cette voie se sont donné pour tâche de rendre compte de l'expérience humaine, de l'expliciter le plus possible. Dans cette perspective, ils ne plaçaient plus au centre de la recherche philosophique la raison humaine, qu'ils jugeaient désormais incapable de saisir l'individuel, mais bien l'être humain dans son existence concrète.

Toutefois, la compréhension de l'être humain dans cette perspective se heurte à une difficulté théorique importante, que déjà Kierkegaard avait formulée : l'existence ne peut être objet d'un savoir systématique. Il n'y a pas, disait-il, de système théorique de l'existence, puisque « l'existence sépare les choses et les tient distinctes ; le système les coordonne en un tout fermé[50]». L'existence se dérobe ainsi à tout savoir systématique, à tout système philosophique, puisque chaque existant est unique et irréductible. Ainsi ce ne sont pas les savoirs constitués qui peuvent habiliter l'individu à opter pour un mode de vie – qu'il soit esthétique, éthique ou religieux.

Un siècle plus tard, reprenant à son compte cette idée de Kierkegaard, le philosophe existentialiste allemand Karl Jaspers[51] fera la critique des sciences humaines en ces termes : si les différents systèmes de pensée élaborés jusque-là par les philosophes ont échoué à saisir l'individualité humaine, les sciences humaines telles que la psychologie, la sociologie et l'anthropologie n'ont pas plus de chances d'y arriver. Il écrit :

> La sociologie, la psychologie et l'anthropologie nous apprennent à considérer l'homme comme un objet susceptible d'être soumis à des expériences et d'être modifié par des procédés appropriés ; elles atteignent ainsi, sans doute, certains aspects de l'homme, mais pas l'homme lui-même. L'homme en tant que spontanéité ouverte sur le possible ne peut se réduire à l'état d'un pur résultat. Les constructions de la sociologie, de la psychologie ou de l'anthropologie ne sont nullement contraignantes pour l'individu[52].

Ainsi, les choix existentiels individuels ne relèvent ni d'observations quantifiables sur les comportements humains, ni d'une analyse du contexte socioéconomique ou même d'une expertise psychologique, dans la mesure où ces approches visent à constituer des modèles explicatifs de portée générale. Les savoirs produits par ces méthodes ne traitent que de l'homme en général, de l'homme moyen, sans visage ; ils ne peuvent prendre en considération l'individualité propre à chaque être humain, qui est toujours vue comme l'exception à la règle.

Or tout individu est justement unique ; c'est le défi de l'analyse existentielle que d'expliquer le général, l'universel – l'être humain donc – à partir de l'individu. Cela n'est possible que si l'on admet, selon l'expression de Kierkegaard, que l'individu existant, l'*exception*, « explique le général en s'expliquant elle-même[53] ».

Cette explication de l'existence sera progressivement élaborée à partir d'expériences fondamentales, souvent tragiques, considérées comme autant de moments privilégiés où l'existence se dévoile. Ces expériences, qui feront l'objet de la section qui suit,

50. Søren Kierkegaard, *Post-scriptum aux Miettes philosophiques*, cité dans *L'existence – Textes choisis, op. cit.*, p. 44.

51. Karl Jaspers (1883-1969). Psychologue et philosophe existentialiste allemand qui situe sa réflexion dans le prolongement des œuvres de Kierkegaard et de Nietzsche. Il a élaboré une critique du savoir objectif, avant d'aborder l'analyse de l'existence à partir des situations limites qui révèlent la finitude humaine. Il a aussi travaillé à élaborer une éthique nouvelle qui motive l'engagement politique.

52. Karl Jaspers, *La situation spirituelle de notre époque*, Paris, Desclée de Brouwer ; Louvain, E. Nauwelaerts, 1966, p. 186.

53. Søren Kierkegaard, *La répétition*, cité dans *L'existence, op. cit.*, p. 65.

ne nous permettent pas de constituer un savoir abstrait sur l'existence. Elles nous plongent au cœur même de l'expérience concrète, et le travail philosophique consiste simplement à les décrire.

3.1 LA SPÉCIFICITÉ HUMAINE : SITUATIONS LIMITES ET PROJET

Les paragraphes qui suivent présentent quelques-unes de ces expériences, que Jaspers qualifie de situations limites pour désigner les conditions non choisies dans lesquelles se déploie l'existence humaine. Ces situations limites caractérisent l'existence humaine, elles en constituent en quelque sorte les modalités. Voyons en quels termes les philosophes existentialistes décrivent l'expérience de la contingence, l'expérience de la finitude humaine et l'angoisse existentielle.

3.1.1 L'expérience de la contingence

Toute anthropologie philosophique existentialiste commence par affirmer la réalité de l'existence. Cette position initiale est indissociablement liée à une expérience subjective première, qui s'impose à l'esprit : la constatation que l'existence est là, tout simplement. Elle est là sans raison véritable, sans justification aucune, puisqu'elle ne résulte d'aucune nécessité : tout pourrait aussi bien ne pas exister. En somme, mon existence n'a pas d'explication : je prends conscience que je suis déjà là, parmi les choses, que rien ne justifie le fait que j'existe. Une page célèbre du premier roman de Jean-Paul Sartre, *La nausée*, exprime l'étonnement éprouvé par le narrateur, Antoine Roquentin, qui, se trouvant dans un jardin public, prend conscience de l'existence des choses :

Donc j'étais tout à l'heure au Jardin public. La racine du marronnier s'enfonçait dans la terre, juste au-dessous de mon banc. Je ne me rappelais plus que c'était une racine. Les mots s'étaient évanouis et, avec eux, la signification des choses, leurs modes d'emploi, les faibles repères que les hommes ont tracés à leur surface. J'étais assis, un peu voûté, la tête basse, seul en face de cette masse noire et noueuse, entièrement brute et qui me faisait peur. Et puis j'ai eu cette illumination.

Ça m'a coupé le souffle. Jamais, avant ces derniers jours, je n'avais pressenti ce que voulait dire « exister ». J'étais comme les autres, comme ceux qui se promènent au bord de la mer dans leurs habits de printemps. Je disais comme eux « la mer *est* verte ; ce point blanc, là-haut, *c'est* une mouette », mais je ne sentais pas que ça existait, que la mouette était une « mouette-existante » ; à l'ordinaire l'existence se cache. Elle est là, autour de nous, en nous, elle est *nous*, on ne peut pas dire deux mots sans parler d'elle et, finalement, on ne la touche pas. Quand je croyais y penser, il faut croire que je ne pensais rien, j'avais la tête vide, ou tout juste un mot dans la tête, le mot « être ». Ou alors, je pensais… comment dire ? Je pensais l'*appartenance*, je me disais que la mer appartenait à la classe des objets verts ou que le vert faisait partie des qualités de la mer. Même quand je regardais les choses, j'étais à cent lieues de songer qu'elles existaient : elles m'apparaissaient comme un décor. Je les prenais dans mes mains, elles me servaient d'outils, je prévoyais leurs résistances. Mais tout ça se passait à la surface. Si l'on m'avait demandé ce que c'était que l'existence, j'aurais répondu de bonne foi que ça n'était rien, tout juste une forme vide qui venait s'ajouter aux choses du dehors, sans rien changer à leur nature. Et puis voilà : tout d'un coup, c'était là, c'était clair comme le jour : l'existence s'était soudain dévoilée. Elle avait perdu son allure inoffensive de catégorie abstraite : c'était la pâte même des choses, cette racine était pétrie dans de l'existence. Ou plutôt la racine, les grilles du jardin, le banc, le gazon rare de la pelouse, tout ça s'était évanoui ; la diversité des choses, leur individualité n'était qu'une apparence, un vernis. Ce vernis avait fondu, il restait des masses monstrueuses et molles, en désordre – nues, d'une effrayante et obscène nudité[54].

JEAN-PAUL SARTRE
(1905-1980)

Philosophe et écrivain français, figure dominante de la vie intellectuelle française du milieu du XXe siècle.

Dans *L'être et le néant*, il expose la thèse existentialiste selon laquelle l'existence précède l'essence. Dans la *Critique de la raison dialectique*, il tente de concilier l'existentialisme et le marxisme. Il a laissé de nombreuses œuvres littéraires (*Le mur, La nausée, Huis clos*, etc.), pour lesquelles il a mérité le prix Nobel de littérature en 1964, qu'il a refusé.

L'homme n'est rien d'autre que ce qu'il se fait. Il est condamné à être libre.
(L'existentialisme est un humanisme)

La réalité de l'existence, son « épaisseur » et son omniprésence sont ressenties par Roquentin comme un malaise : il aurait souhaité que ces existants, que ces objets existent moins fort, que leur présence soit plus discrète. Mais ces objets qui l'incommodent sont-ils de trop ? Lui-même, Roquentin, est-il de trop ?

---

54. Jean-Paul Sartre, *La nausée*, Paris, Gallimard, coll. Folio, 1975 [1938], p. 178-180.

Nous étions un tas d'existants gênés, embarrassés de nous-mêmes, nous n'avions pas la moindre raison d'être là, ni les uns ni les autres, chaque existant, confus, vaguement inquiet, se sentait de trop par rapport aux autres. *De trop*: c'était le seul rapport que je pusse établir entre ces arbres, ces grilles, ces cailloux. En vain cherchais-je à compter les marronniers, à les situer par rapport à la Velléda, à comparer leur hauteur avec celle des platanes: chacun d'eux s'échappait des relations où je cherchais à l'enfermer, s'isolait, débordait. Ces relations (que je m'obstinais à maintenir pour retarder l'écroulement du monde humain, des mesures, des quantités, des directions), j'en sentais l'arbitraire; elles ne mordaient plus sur les choses. *De trop*, le marronnier, là en face de moi un peu sur la gauche. *De trop*, la Velléda...

Et *moi* – veule, alangui, obscène, digérant, ballottant de mornes pensées– *moi aussi j'étais de trop*. Heureusement je ne le sentais pas, je le comprenais surtout, mais j'étais mal à l'aise parce que j'avais peur de le sentir (encore à présent j'en ai peur – j'ai peur que ça ne me prenne par le derrière de ma tête et que ça ne me soulève comme une lame de fond). Je rêvais vaguement de me supprimer, pour anéantir au moins une de ces existences superflues. Mais ma mort même eût été de trop. De trop, mon cadavre, mon sang sur ces cailloux, entre ces plantes, au fond de ce jardin souriant. Et la chair rongée eût été de trop dans la terre qui l'eût reçue et mes os, enfin, nettoyés, écorcés, propres et nets comme des dents eussent encore été de trop: j'étais de trop pour l'éternité[55].

Il n'y a qu'un mot pour décrire un tel état d'esprit, une telle conviction d'être de trop parmi un foisonnement de choses et de relations sans signification: l'absurdité de l'existence. En elle-même, l'existence échappe à toute tentative d'explication. L'appréhension que j'en ai ne correspond pas à une véritable connaissance, à un savoir, puisque l'existence ne se laisse pas enfermer dans des concepts, dans des définitions. Le monde des explications et des raisons, dominé par la recherche de la nécessité, ne coïncide donc pas avec celui de l'existence, dont la contingence semble être la condition première. L'existence est partout, toujours, à l'infini, et pourtant sans nécessité aucune. Pourquoi tant d'existences? À quoi bon tant d'arbres tous pareils? Pourquoi suis-je? Toute existence est-elle de trop? Telle semble être l'issue de la réflexion de Roquentin:

L'essentiel c'est la contingence. Je veux dire que, par définition, l'existence n'est pas la nécessité. Exister, c'est *être là*, simplement; les existants apparaissent, se laissent *rencontrer*, mais on ne peut jamais les *déduire*. Il y a des gens, je crois, qui ont compris ça. Seulement ils ont essayé de

55. *Ibid*, p. 180-181.

surmonter cette contingence en inventant un être nécessaire et cause de soi. Or, aucun être nécessaire ne peut expliquer l'existence : la contingence n'est pas un faux-semblant, une apparence qu'on peut dissiper ; c'est l'absolu, par conséquent la gratuité parfaite. Tout est gratuit, ce jardin, cette ville et moi-même[56].

3.1.2 L'expérience de la finitude humaine, ou l'être pour la mort

Une deuxième situation limite vient dévoiler une facette – une propriété – majeure de l'existence humaine. Selon le philosophe allemand Martin Heidegger, en effet, la mort ne représente pas seulement le terme de la vie, qui intervient au moment ponctuel du décès ; elle constitue aussi une condition première de l'existence humaine, qui marque et accompagne tous les moments de celle-ci. Elle indique la cessation des fonctions vitales et l'extinction de la conscience, donc la fin des projets de vie et du rêve d'éternité. En ce sens, la mort est la marque indiscutable de la finitude humaine : l'être humain est un être fini.

MARTIN HEIDEGGER
(1889-1976)

Philosophe allemand, professeur et recteur d'université dans les années 30 et 40, à qui l'on a reproché son attitude envers le parti nazi pendant la guerre. Son projet philosophique consiste à élaborer le problème métaphysique de l'être sur la base d'une description de l'existence humaine concrète. Sa critique de la logique technicienne est toujours présente dans les réflexions critiques actuelles sur le progrès technoscientifique.

L'homme seul existe.
(L'être et le temps)

Pour mieux saisir ce trait caractéristique de l'existence humaine, comparons la mort de l'être humain à la fin de phénomènes courants. On dit, par exemple, que la pluie est finie ; cela désigne seulement la cessation, la terminaison du phénomène. Pour l'être humain, la mort non seulement signifie la cessation des fonctions vitales, mais révèle également une caractéristique fondamentale de l'existence elle-même, sa finitude. C'est ce que Heidegger souligne dans le passage suivant de *L'être et le temps* :

---

56. *Ibid.*, p. 184-185.

La pluie est finie, c'est-à-dire évanouie. Le pain est fini, c'est-à-dire consommé [...]. Ce n'est par aucune de ces manières de finir que l'on peut adéquatement caractériser la mort en tant que fin de la réalité-humaine. [...] Cette fin que l'on désigne par la mort ne signifie pas, pour la réalité-humaine, être-à-la-fin, « être-finie » ; elle désigne un *être pour la fin*, qui est l'être de cet existant. La mort est une manière d'être que la réalité-humaine assume, dès qu'elle est[57].

La conscience de notre finitude nous permet d'appréhender le sens de la mort. La mort n'est pas un but que l'on peut rechercher comme un seuil de passage vers un au-delà de la mort[58], ou comme la fin d'une vie malheureuse[59].

De plus, si l'existence est *finie*, et s'il n'y a rien au-delà de la mort, l'homme ne peut s'appuyer que sur lui-même pour exister. L'existence se révèle alors pleinement comme œuvre de l'homme, comme projet d'exister ; mais elle se donne en même temps comme *une passion inutile*, selon l'expression de Sartre, puisque l'œuvre de l'homme – qui est sa propre existence – est marquée par cette finitude qui, avant même de survenir, imprègne de part en part son existence.

Pourtant, dira Heidegger, le commun des mortels supporte mal la pensée de la mort. Chacun préfère se la dissimuler comme si elle ne concernait finalement personne : on meurt bien un jour, mais en attendant on reste soi-même sain et sauf. Dans une page célèbre de *L'être et le temps*, le philosophe fait l'analyse de cette expression commune : *on meurt*.

L'analyse du « on meurt » nous dévoile sans équivoque la manière d'être, dans sa banalité quotidienne, de *l'être pour la mort*. Celle-ci est comprise, dans une semblable façon de parler, comme quelque chose d'indéterminé, qui sans doute surgira bien un jour de quelque part, mais qui pour vous-même, en attendant, *est une réalité-non-encore-donnée*, dont par conséquent la menace n'est pas à craindre. Le « on meurt » propage cette opinion que la mort concerne pour ainsi dire le « On ». L'explication de la réalité-humaine qui a cours dans les propos des gens déclare : « On meurt », parce qu'en disant « on meurt », chacun des autres et soi-même en même temps, « on » peut s'en faire accroire ; oui, on meurt, mais chaque fois ce n'est justement pas moi ; le « On », ce n'est *personne*. Le « fait de mourir » est ainsi ramené au niveau d'un événement qui concerne bien la réalité-humaine, mais ne touche personne en propre. Si jamais l'équivoque a été le fait des *parleries* quotidiennes, c'est bien ici dans

57. Martin Heidegger, *Qu'est-ce que la métaphysique ? – Suivi d'extraits sur l'être et le temps et d'une conférence sur Hölderlin*, trad. par H. Corbin, Paris, Gallimard, 1951, p. 131-132.

58. Nous traitons de l'athéisme théorique de l'existentialisme dans la section 3.5.

59. Nous verrons, dans la section 5, que l'existentialisme ne fait nullement l'apologie du suicide.

le parler sur la mort. Cette mort qui, sans suppléance possible, est essentiellement la mienne, la voici convertie en un événement qui relève du domaine public ; c'est à « On » qu'elle arrive. [...] Par une telle ambiguïté, la réalité-humaine [...] se met en état de se perdre dans le « On ». Le « On » justifie et aggrave la *tentation* de se dissimuler à soi-même l'être pour la mort, cet être possédé absolument en propre.

[...] Dans l'angoisse devant la mort, la réalité-humaine est mise en présence d'elle-même, comme livrée à sa possibilité indépassable. Le « On » prend soin de convertir cette angoisse, d'en faire une simple crainte devant un quelconque événement qui approche. Métamorphosée en crainte et ainsi voilée d'équivoque, l'angoisse est en outre jugée comme une de ces faiblesses qu'une réalité-humaine confiante en soi n'a pas le droit de connaître[60].

Ainsi dissimulée, la mort change de visage : elle est relative à un événement qui touche les autres et nous confirme ainsi que nous, « on vit encore ». Cette fuite devant la pensée de la mort transforme l'angoisse devant la mort en une simple crainte. Or c'est précisément en assumant l'angoisse que l'être humain peut véritablement retrouver son identité, en prenant conscience d'un autre aspect de sa condition : la solitude.

3.1.3 L'angoisse existentielle et la solitude

Précisons d'entrée de jeu que l'angoisse se distingue de la peur par le fait que son objet est indéterminé : aucune menace précise ne pèse sur celui qui est angoissé. On dit souvent que c'est la peur de la peur qui induit l'angoisse. À proprement parler, l'être angoissé ne sait pas au juste ce qui l'angoisse ; c'est notamment le cas de l'angoisse devant la mort. Heidegger dira dans *L'être et le temps* :

Ce qui nous serre la gorge, ce n'est donc ni ceci ni cela, mais ce n'est pas davantage la somme de tout ce qui subsiste, [...] c'est-à-dire le monde. Une fois l'angoisse passée, le discours quotidien a coutume de dire qu'« au fond ce n'était rien du tout »[61].

La réalité n'a plus aucune signification pour celui qui est dominé par l'angoisse. Le monde ne peut plus rien lui offrir, il ne lui est plus familier. Le monde se referme sur lui-même, comme une feuille enflammée qui se recroqueville, jusqu'à perdre toute capacité d'attirer l'attention de l'angoissé, jusqu'à perdre tout intérêt pour lui. C'est

---

60. Martin Heidegger, *op. cit.*, p. 144-146.
61. Id., *L'être et le temps,* trad. par R. Boehms et A. de Waelhens, Paris, Gallimard NRF, Bibliothèque de philosophie, 1964, p. 229.

la réalité même du monde, du monde de l'angoissé[62], qui s'évanouit : il devient insignifiant pour lui. L'angoissé se sent étranger, isolé. L'angoisse singularise l'être humain, elle révèle sa solitude fondamentale. En ce sens, l'existence humaine se réalise au singulier.

La mort d'un être cher peut induire un état similaire à l'angoisse existentielle. Le monde s'écroule, dit-on alors. La perte irremplaçable de la familiarité quotidienne désoriente et provoque un repli sur soi. Les liens tissés au fil des ans avec le monde extérieur, avec les autres, se brisent. Les gestes les plus coutumiers deviennent des tâches insurmontables. L'individu est alors dépaysé, renvoyé à lui-même, sans appuis, sans repères ; il se voit suspendu dans le vide infini, comme l'araignée de Kierkegaard au bout de son fil.

Le sens habituel de la réalité se trouve déformé pour celui qui, habité par l'angoisse, ne projette plus que le masque de la terreur.

(Edvard Munch, *Le Cri*, bois et lithographie, 1893)

Le décalage entre ce qu'on veut être et ce qu'on vit, entre l'image qu'on se fait de soi et celle que nous renvoient les autres peut aussi être source d'angoisse existentielle. Se savoir digne d'estime et se voir traité comme le dernier des vivants, se rendre compte qu'on n'est pas à la hauteur des attentes des autres mine l'intérêt à vivre : le futur apparaît sans perspective, fermé. Cette expérience de l'angoisse existentielle n'est pas exceptionnelle. Chaque individu se trouve, un jour ou l'autre, dans une situation similaire.

Ainsi, à l'adolescence, l'individu traverse une période cruciale de son développement personnel durant laquelle il fait l'expérience parfois angoissante de nouvelles responsabilités et de nouveaux rapports sociaux. Ces apprentissages, qui se font dans la solitude, sont déterminants pour son avenir. Ainsi, la solitude structure en profondeur le sens de l'existence humaine. Elle révèle souvent un autre visage de l'angoisse : la peur d'entrer dans la vie, de vivre sa vie. L'individu se trouve alors dans un état d'interminable attente, source d'une angoisse permanente[63].

---

62. À propos de la notion de monde, précisons qu'elle renvoie au monde de notre existence et non au monde compris comme la totalité, comme la somme de tout ce qui existe. Quel intérêt peut en effet avoir le monde tel que la science le représente sinon un intérêt théorique ? Le monde qui a une signification pour l'être humain est « son » monde, celui qui est l'objet de sa préoccupation quotidienne, celui dans lequel il mène sa vie, celui qui lui est familier, qu'il habite. Avant d'avoir une signification cosmologique, le monde a une signification existentielle : il fait partie intégrante de la réalité humaine. D'où le sens de l'expression « être au monde » souvent utilisée par les existentialistes.

63. Il importe ici de bien faire la différence entre l'angoisse existentielle et l'état dépressif, qui implique l'impossibilité de sortir de cette angoisse existentielle.

Dans l'expérience de l'angoisse, l'être humain comprend ce que c'est que « de ne pas être chez soi »[64], selon le mot de Heidegger. Devenu étranger dans un monde qui a perdu son caractère familier, l'être humain se découvre seul et isolé : « Que l'être-là [l'être humain] soit abandonné à lui-même se manifeste originellement et concrètement dans l'angoisse[65]. » L'être humain ne peut donc compter que sur lui-même. Tel est le message premier de l'angoisse.

Sujet de réflexion

À votre connaissance et selon votre expérience, la réflexion existentialiste sur les situations limites signifie-t-elle quelque chose pour les jeunes adultes d'aujourd'hui ou s'enracine-t-elle dans une expérience plus longue de la vie ?

L'angoisse révèle aussi que l'être humain est le seul auteur possible de son existence. Sartre, dans *L'être et le néant*, met en relief, à la suite de Kierkegaard, le lien entre liberté et angoisse, l'angoisse étant l'une des manifestations de la liberté :

J'émerge seul et dans l'angoisse en face du projet unique et premier qui constitue mon être, toutes les barrières, tous les garde-fous s'écroulent, néantisés par la conscience de ma liberté : je n'ai ni ne puis avoir recours à aucune valeur contre le fait que c'est moi qui maintiens à l'être les valeurs [...] j'en décide, seul, injustifiable et sans excuse[66].

L'angoisse révèle ainsi mon existence comme liberté.

3.1.4 L'existence comme projet

La description de l'expérience première d'exister, qui est fondamentalement individuelle et subjective, révèle donc trois situations limites, qui sont autant de conditions de l'existence humaine : la gratuité et la contingence, la finitude et la mort, l'angoisse et la solitude. Sur cette toile de fond se dessine une prise de conscience cruciale, celle du *projet* humain : librement, l'être humain peut faire advenir le sens et introduire des valeurs au sein même de l'existence. Il n'y a pas de sens préalable à l'existence, ni de sens autre que celui que l'être humain lui donne. Telle est la conviction de Sartre.

---

64. *Ibid.*, p. 231.

65. *Ibid.*, p. 235.

66. Jean-Paul Sartre, *L'être et le néant*, Paris, Gallimard, 1943, p. 77.

On se situe ici dans la perspective ouverte par Nietzsche selon laquelle l'être humain est l'unique source du sens, le créateur de toutes les valeurs. Dans la vision sartrienne, l'être humain a la possibilité d'échapper à la contingence, à la finitude et à l'angoisse, parce qu'il est capable de dépasser le donné, de faire des choix à l'encontre des déterminismes qui conditionnent son existence.

Sartre associe cette idée à la notion de *projet*. L'être humain a l'existence pour tâche. Certes, l'être humain partage avec tous les autres êtres la propriété d'exister, d'être là ; c'est d'ailleurs ce qui constitue sa facticité. Mais il a en propre de devoir affirmer son existence et de la réaliser ; fondamentalement, il est un projet d'existence. Sa réalité est devant lui, elle est à réaliser par des choix qui lui reviennent en propre. Cela signifie qu'il n'y a pas de nature humaine, d'essence humaine dont chaque individu serait un exemplaire. Pour mieux comprendre cette position, situons-la en regard de la conception rationaliste, avec laquelle elle contraste.

La pierre d'assise du rationalisme, c'est la thèse selon laquelle tous les êtres humains ont en commun une propriété spécifique constitutive de leur nature, soit la raison. Chaque être humain est donc un cas particulier, un exemplaire en quelque sorte, du concept universel d'homme rationnel ; tous possèdent les mêmes qualités de base, les mêmes caractéristiques. On dit ainsi que l'essence de l'être humain – ou son être propre – précède son existence, au sens où chaque être humain cherche, dans sa vie concrète, dans son action, à réaliser sa nature d'être rationnel, à devenir ce qu'il est déjà par définition : un être rationnel.

Pour Sartre, il n'y a pas de définition préalable de l'être humain, ou mieux : l'homme existe d'abord, il se définit ensuite. Dans son cas, et dans son cas seulement, l'existence précède l'essence. Dans *L'existentialisme est un humanisme*, véritable manifeste de l'existentialisme, Sartre précise la portée de cette différence fonda-mentale, en la situant par rapport à la culture religieuse occidentale :

[Les existentialistes] estiment que l'existence précède l'essence, ou, si vous voulez, qu'il faut partir de la subjectivité. Que faut-il au juste entendre par là ? Lorsqu'on considère un objet fabriqué, comme par exemple un livre ou un coupe-papier, cet objet a été fabriqué par un artisan qui s'est inspiré d'un concept ; il s'est référé au concept de coupe-papier, et également à une technique de production préalable qui fait partie du concept, et qui est au fond une recette. [...] Nous dirons donc que, pour le coupe-papier, l'essence – c'est-à-dire l'ensemble des recettes et des qualités qui permettent de le produire et de le définir – précède l'existence [...].

Lorsque nous concevons un Dieu créateur, ce Dieu est assimilé la plupart du temps à un artisan supérieur [...]. Ainsi, le concept d'homme, dans l'esprit de Dieu, est assimilable au concept de coupe-papier dans l'esprit de l'industriel ; et Dieu produit l'homme suivant des techniques et une conception, exactement comme l'artisan fabrique un coupe-papier suivant une définition et une technique. Ainsi l'homme individuel réalise un certain concept qui est dans l'entendement divin. [...] L'homme est possesseur d'une nature humaine ; cette nature humaine, qui est le concept humain, se retrouve chez tous les hommes, ce qui signifie que chaque homme est un exemplaire particulier d'un concept universel, l'homme [...]. Ainsi, là encore, l'essence de l'homme précède cette existence historique que nous rencontrons dans la nature.

L'existentialisme athée, que je représente, [...] déclare que si Dieu n'existe pas, il y a au moins un être chez qui l'existence précède l'essence, un être qui existe avant de pouvoir être défini par aucun concept et que cet être c'est l'homme ou, comme dit Heidegger, la réalité humaine. Qu'est-ce que signifie ici que l'existence précède l'essence ? Cela signifie que l'homme existe d'abord, se rencontre, surgit dans le monde, et qu'il se définit après. L'homme, tel que le conçoit l'existentialiste, s'il n'est pas définissable, c'est qu'il n'est d'abord rien. Il ne sera qu'ensuite, et il sera tel qu'il se sera fait. Ainsi, il n'y a pas de nature humaine puisqu'il n'y a pas de Dieu pour la concevoir. [...] L'homme n'est rien d'autre que ce qu'il se fait[67].

RÉSUMÉ DE LA PENSÉE DE L'AUTEUR

Que signifie donc l'expression « l'existence précède l'essence » ? Décomposons l'argumentation de Sartre en sept points :

1. Tout objet fabriqué a d'abord été conçu ; ainsi un coupe-papier est un objet fabriqué par un artisan selon une idée, un concept.

2. Pour qu'un coupe-papier existe, il faut d'abord un modèle, puis des techniques qui permettent de le produire. Chaque coupe-papier existant est un exemplaire du concept, de l'essence du coupe-papier. Ici, l'essence précède l'existence.

3. Ceux qui admettent un Dieu créateur considèrent que l'être humain a été créé de la même façon. Chaque individu réalise un concept de l'être humain ; il est un exemplaire d'une essence ou d'une nature humaine préalable.

4. Selon la conception traditionnelle, l'homme est possesseur d'une « nature », qu'il réalise tout au long de sa vie. Ici encore, l'essence (la nature humaine) précède l'existence.

---

67. Id., *L'existentialisme est un humanisme*, Paris, Nagel, 1970, p. 17-22.

5. Pour un athée, l'idée du grand artisan qui crée les êtres humains n'est pas acceptable : chaque individu crée sa propre essence, sa propre réalité ; chacun est son propre modèle.

6. L'homme existe d'abord, il se définit ensuite. Il n'est pas un exemplaire d'une nature préexistante, il se fabrique lui-même. Chez l'homme, l'existence précède l'essence.

7. L'homme n'est rien d'autre que ce qu'il se fait ; il est son propre projet.

Si l'être humain n'est pas le produit d'un artisan supérieur qui le crée à partir d'un modèle préétabli, force est de reconnaître qu'il n'y a pas de concept universel, de modèle universel « contraignant » de l'être humain. Chaque individu doit inventer lui-même sa propre réalité ; il doit se définir lui-même. Essentiellement projet, il n'est rien en dehors de ce projet : il sera tel qu'il se sera fait, il ne sera que ce qu'il aura voulu être :

[...] l'homme existe d'abord, c'est-à-dire que l'homme est d'abord ce qui se jette vers un avenir, et ce qui est conscient de se projeter dans l'avenir. L'homme est d'abord un projet qui se vit subjectivement, au lieu d'être une mousse, une pourriture ou un chou-fleur ; rien n'existe préalablement à ce projet ; rien n'est au ciel intelligible, et l'homme sera d'abord ce qu'il aura projeté d'être[68].

Exister, pour l'être humain, c'est donc se projeter dans le futur pour faire advenir certaines possibilités. Dans l'action de se projeter, l'être humain est constamment hors de lui-même ; il n'est lui-même – il n'existe qu'en tant que sujet humain – que dans ce qu'il fait de lui. Dans une formule lapidaire, Sartre définit l'être humain « comme étant ce qu'il n'est pas et n'étant pas ce qu'il est[69] ».

Si, pour l'être humain, exister c'est fondamentalement se projeter, il faut en conclure que l'être de l'homme consiste précisément dans sa liberté : exister pour l'être humain, c'est être libre. Voilà la thèse fondamentale de Sartre, autour de laquelle s'élabore toute son anthropologie.

68. *Ibid.*, p. 23.
69. Id., *L'être et le néant, op. cit.*, p. 33.

Rappel des IDÉES PRINCIPALES

3.1 LA SPÉCIFICITÉ HUMAINE : SITUATIONS LIMITES ET PROJET

La difficulté de l'analyse existentielle consiste à expliquer la réalité humaine à partir de l'individu, dans la description de sa propre situation, puisque l'existence échappe à tout savoir systématique et que la vie est le contraire de l'abstraction.

L'existence peut être analysée à partir de certaines situations limites qui en constituent en quelque sorte les modalités.

3.1.1 L'expérience de la contingence

- Le constat de la réalité de l'existence est inséparable de l'appréhension de sa contingence : ce qui existe aurait tout aussi bien pu ne pas exister.
- L'existence échappe ainsi à toute démonstration, à toute tentative d'explication rationnelle : elle est absurde.

3.1.2 L'expérience de la finitude, ou l'être pour la mort

La mort est la marque inéluctable de la finitude humaine. Cette appréhension de la finitude permet de saisir le sens de la mort :
- elle n'est pas un passage vers l'au-delà, puisque Dieu n'existe pas ;
- elle n'est pas simplement le terme de la vie humaine ;
- elle montre le caractère absurde de l'existence elle-même, puisqu'elle est l'œuvre de l'homme, dont les projets sont voués à rester à jamais inachevés.

3.1.3 L'angoisse existentielle et la solitude

L'angoisse témoigne de la solitude humaine : l'existence se réalise au singulier.
- Dans l'expérience de l'angoisse, les liens tissés au fil des ans avec le monde extérieur, avec le monde familier, se brisent ; l'individu est renvoyé à lui-même sans appuis et sans points de repère.
- L'angoisse témoigne de la liberté humaine : l'homme est projet.

3.1.4 L'existence comme projet

L'être humain est capable d'échapper à la contingence, à la finitude et à l'angoisse, parce qu'il est capable de dépasser le donné ; il a la possibilité de projeter, de réaliser son existence.
- Telle est la caractéristique principale de l'être humain : son existence est entre ses mains, puisqu'il n'est pas le produit d'un artisan supérieur (Dieu).
- Chez l'être humain, l'existence précède l'essence ; mieux, c'est en existant, en choisissant, que l'homme se donne une réalité humaine, une essence.
- L'être de l'homme consiste précisément dans sa liberté.

3.2 LIBERTÉ ET AUTHENTICITÉ

Dans la perspective sartrienne, l'être humain est donc projet, il ne possède pas une nature que ses actes réaliseraient ; il n'est pas programmé à être ceci ou cela. Il n'a pas d'identité préalable : il n'est rien d'autre que ce qu'il se fait. Il détermine sa propre réalité, il crée sa propre essence : il devient ce qu'il fait. Il est la totalité de ses choix.

Ainsi, l'être humain devient en quelque sorte sa propre œuvre. Simone de Beauvoir[70] dira qu'on ne naît pas femme, mais qu'on le devient. La première signification de la liberté est cette capacité de l'être humain à se définir par lui-même. La liberté est la réalité humaine la plus profonde. Dès le début de son œuvre majeure, *L'être et le néant*, Sartre affirme :

> La liberté humaine précède l'essence de l'homme et la rend possible, l'essence de l'être humain est en suspens dans sa liberté. Ce que nous appelons liberté est donc impossible à distinguer de l'être de la « réalité humaine ». L'homme n'est point *d'abord* pour être libre *ensuite*, mais il n'y a pas de différence entre l'être de l'homme et son « être-libre »[71].

Si la liberté est l'étoffe même de la réalité humaine – son essence – l'être humain doit choisir constamment ; il est condamné à être libre, puisqu'il lui incombe d'exister. Toujours dans *L'être et le néant*, Sartre précise :

> Je suis condamné à exister pour toujours par delà mon essence, par delà les mobiles et les motifs de mon acte : je suis condamné à être libre. Cela signifie qu'on ne saurait trouver à ma liberté d'autres limites qu'elle-même ou, si l'on préfère, que nous ne sommes pas libres de cesser d'être libres[72].

Selon l'acception commune, être libre signifie bien sûr pouvoir réaliser ses projets, mais, contrairement à ce qu'on pense ordinairement, cela ne signifie pas nécessairement obtenir ce qu'on a voulu. Dans la perspective existentialiste, le sens de la liberté consiste à se déterminer à vouloir par soi-même, à être la source de son propre agir, de son propre choix, même si les résultats de ce choix restent problématiques ou incertains. Être libre, c'est d'abord agir en vue d'une fin, d'un objectif qu'on s'est soi-même fixé. Sartre exprime cela en ces termes :

> L'esclave dans les chaînes est libre *pour les briser* ; cela signifie que le sens même de ses chaînes lui apparaîtra à la lumière de la fin qu'il aura choisie : rester esclave ou risquer le pis pour s'affranchir de la servitude[73].

---

70. Voir la section 3.4.
71. Jean-Paul Sartre, *L'être et le néant, op. cit.*, p. 61.
72. *Ibid.*, p. 515.
73. *Ibid.*, p. 635.

Sartre qualifie d'authentique l'action – et partant, l'existence – de l'individu qui assume cette liberté, comprise comme devoir de choisir. La vie quotidienne nous présente trop fréquemment des cas où l'être humain accepte une situation difficile, imposée par les autres, sans se révolter. Sartre n'hésite pas à qualifier de mauvaise foi les détours qu'on prend pour éviter d'assumer sa propre liberté. S'en remettre aux autres, à la société, à l'éducation reçue, à l'inconscient, aux situations socio-économiques, aux traditions culturelles, c'est vouloir ne pas être libre. C'est être de mauvaise foi et vivre dans l'inauthenticité, c'est réclamer pour soi-même le statut de chose, d'objet. En prétextant : « je suis comme ça, c'est mon caractère, c'est ma nature, je ne suis qu'un simple étudiant, un simple professeur, un simple citoyen, je ne peux guère changer la situation », je refuse d'assumer ma liberté. Tout changement devient alors impossible. Avouer son impuissance, tel est donc l'argument de ceux qui, de mauvaise foi, refusent d'exister par eux-mêmes. Ainsi :

 L'argument décisif utilisé par le bon sens contre la liberté consiste à nous rappeler notre impuissance. Loin que nous puissions modifier notre situation à notre gré, il semble que nous ne puissions pas nous changer nous-mêmes. Je ne suis « libre » ni d'échapper au sort de ma classe, de ma nation, de ma famille, ni même d'édifier ma puissance ou ma fortune, ni de vaincre mes appétits les plus insignifiants ou mes habitudes[74].

À cela, dit Sartre, il faut répondre que notre vouloir est infini et que, par exemple, le coefficient d'adversité des choses ne saurait être un argument contre notre liberté. Car c'est nous qui donnons un sens aux choses, par nos actions et par les finalités que nous leur assignons. Ainsi le rocher peut être envisagé soit comme un obstacle, s'il obstrue le passage, soit comme un outil, s'il surplombe un paysage que je veux admirer. En lui-même, le rocher est neutre. C'est mon agir, mon but, qui lui donne un sens. Mon choix est donc fondamental.

Sujet de **réflexion**

Dans quelle mesure la notion de mauvaise foi permet-elle de faire une lecture critique de certains phénomènes socioculturels actuels comme la domination idéologique du libéralisme économique ou le phénomène du discours « politiquement correct » ?

Quand Sartre affirme que le vouloir humain est infini, il ne suggère pas que la liberté humaine s'étend au choix du monde historique où vit l'individu, ou à ses antécédents familiaux ou génétiques (ce qui manifestement n'aurait pas de sens). Il affirme que l'être humain exerce sa liberté de choix dans un monde individuel,

---

74. *Ibid.*, p. 561.

social et physique qui est déjà là. La liberté humaine est donc toujours une liberté « située », ou en situation, c'est-à-dire toujours incorporée aux événements du vécu, confrontée à la réalité du monde et de l'histoire. C'est précisément cette situation qui définit la manière d'être de la liberté dans le monde, sa facticité et ses limites.

C'est cette liberté d'agir dans le monde qui constitue le lot de tous les êtres humains. S'il n'existe pas une nature humaine, il existe en revanche une « universalité humaine de condition ». C'est le sens de cet extrait de *L'existentialisme est un humanisme*, qui offre une féconde méditation de conclusion sur la problématique de la liberté :

[...] s'il est impossible de trouver en chaque homme une essence universelle qui serait la nature humaine, il existe pourtant une universalité humaine de *condition*. Ce n'est pas par hasard que les penseurs d'aujourd'hui parlent plus volontiers de la condition de l'homme que de sa nature. Par condition ils entendent avec plus ou moins de clarté l'ensemble des *limites* a priori qui esquissent sa situation fondamentale dans l'univers. Les situations historiques varient : l'homme peut naître esclave dans une société païenne ou seigneur féodal ou prolétaire. Ce qui ne varie pas, c'est la nécessité pour lui d'être dans le monde, d'y être au travail, d'y être au milieu d'autres et d'y être mortel. Les limites ne sont ni subjectives ni objectives ou plutôt elles ont une face objective et une face subjective. Objectives parce qu'elles se rencontrent partout et sont partout reconnaissables, elles sont subjectives parce qu'elles sont *vécues* et ne sont rien si l'homme ne les vit, c'est-à-dire ne se détermine librement dans son existence par rapport à elles. Et bien que les projets puissent être divers, au moins aucun ne me reste-t-il tout à fait étranger parce qu'ils se présentent tous comme un essai pour franchir ces limites ou pour les reculer ou pour les nier ou pour s'en accommoder[75].

Rappel des IDÉES PRINCIPALES

3.2 LIBERTÉ ET AUTHENTICITÉ

- Si l'homme est projet, la liberté est l'étoffe même de la réalité humaine. Exister, c'est être libre.
- Or, souvent, dans sa vie, l'individu évite d'assumer sa liberté ; il préfère s'en remettre aux autres, à l'éducation reçue. Il est alors de mauvaise foi.
- Les événements sociohistoriques « situent » la liberté de chaque individu, qui est toujours intégrée à la réalité du monde, sans toutefois l'éliminer.
- Ils constituent la condition universelle commune de l'être humain, à défaut d'une nature humaine universelle.

---

75. Id., *L'existentialisme est un humanisme, op. cit.*, p. 67-69.

3.3 AUTRUI ET LE CONFLIT DES LIBERTÉS

Nous avons vu dans ce qui précède comment l'existentialisme récuse le postulat d'une nature humaine donnée une fois pour toutes. L'être humain n'a pas d'identité préétablie, il est condamné à se faire. Parce qu'il choisit d'exister, il est responsable de ce qu'il est ; la responsabilité totale de son existence lui est imputable.

Qui plus est, précise Sartre, l'être humain n'est pas seulement responsable de sa stricte individualité, de sa seule existence individuelle. Il est aussi responsable de tous les êtres humains. Par les choix qu'il fait, même les plus personnels – s'engager envers un conjoint, choisir un programme d'études, un métier –, l'être humain affirme en même temps la valeur de ce qu'il choisit. C'est le sens de ce passage de *L'existentialisme est un humanisme* :

> Quand nous disons que l'homme se choisit, nous entendons que chacun d'entre nous se choisit, mais par là nous voulons dire aussi qu'en se choisissant il choisit tous les hommes. En effet, il n'est pas un de nos actes qui, en créant l'homme que nous voulons être, ne crée en même temps une image de l'homme tel que nous estimons qu'il doit être. Choisir d'être ceci ou cela, c'est affirmer en même temps la valeur de ce que nous choisissons, car nous ne pouvons jamais choisir le mal ; ce que nous choisissons, c'est toujours le bien, et rien ne peut être bon pour nous sans l'être pour tous. Si l'existence, d'autre part, précède l'essence et que nous voulions exister en même temps que nous façonnons notre image, cette image est valable pour tous et pour notre époque tout entière. Ainsi, notre responsabilité est beaucoup plus grande que nous ne pourrions le supposer, car elle engage l'humanité entière[76].

Chacun de mes actes met donc en jeu le sens du monde et la place de l'homme dans la société et dans l'univers. Chacun d'eux contribue à constituer, à actualiser, une échelle de valeurs dont j'ai à répondre devant l'humanité. Ma liberté est solidaire de celle des autres : en me choisissant, je choisis tous les hommes. Mon existence possède donc une dimension sociale.

Sartre analyse longuement ce corollaire de la liberté individuelle, la liberté d'autrui. Non seulement je suis responsable de mes choix face aux autres, mais ces derniers représentent la condition même de mon existence individuelle :

> [L'individu] se rend compte qu'il ne peut rien être (au sens où on dit qu'on est spirituel, ou qu'on est méchant, ou qu'on est jaloux) sauf si les autres le reconnaissent comme tel. Pour obtenir une vérité quelconque sur moi, il faut que je passe par l'autre. L'autre est indispensable à mon existence, aussi bien d'ailleurs qu'à la connaissance que j'ai de

---

76. *Ibid.*, p. 25-26.

moi. Dans ces conditions, la découverte de mon intimité me découvre en même temps l'autre, comme une liberté posée en face de moi, qui ne pense, et qui ne veut que pour ou contre moi. Ainsi, découvrons-nous tout de suite un monde que nous appellerons l'intersubjectivité, et c'est dans ce monde que l'homme décide ce qu'il est et ce que sont les autres[77].

La connaissance de soi-même passe donc par la reconnaissance des autres. Simone de Beauvoir, dans *Pyrrhus et Cinéas* illustre cette idée par un exemple familier :

Dès qu'un enfant a achevé un dessin ou une page d'écriture, il court les montrer à ses parents ; il a besoin de leur approbation autant que de bonbons ou de jouets ; le dessin exige un œil qui le regarde : il faut que pour quelqu'un ces lignes désordonnées deviennent un bateau, un cheval ; alors le miracle s'accomplit, et l'enfant contemple avec orgueil le papier bariolé : il y a là dorénavant un vrai bateau, un vrai cheval ; seul avec lui-même, il n'eût pas osé se fier à ces traits hésitants[78].

Mais cette reconnaissance a aussi son revers : l'autre peut me figer, me fixer dans un rôle limité, en me réduisant à ce que je suis actuellement sur le plan personnel ou social – je suis étudiant, professeur, etc. En restreignant ainsi mes possibilités, l'autre me réduit à un statut d'objet. C'est un moi délimité, statique que l'autre regarde ; dans ce regard, je cesse d'être libre. Cet aspect déterminant de la puissance de l'autre, Sartre le développe en ces termes :

S'il y a un Autre, quel qu'il soit, où qu'il soit, quels que soient ses rapports avec moi, sans même qu'il agisse autrement sur moi que par le pur surgissement de son être, j'ai un dehors, j'ai une *nature* ; ma chute originelle c'est l'existence de l'autre ; et la honte est – comme la fierté – l'appréhension de moi-même comme nature, encore que cette nature même m'échappe et soit inconnaissable comme telle. Ce n'est pas, à proprement parler, que je me sente perdre ma liberté pour devenir une *chose*, mais elle est là-bas, hors de ma liberté vécue, comme un attribut donné de cet être que je suis pour l'autre. Je saisis le regard de l'autre au sein même de mon *acte*, comme solidification et aliénation de mes propres possibilités. Ces possibilités, en effet, que je *suis* et qui sont la condition de ma transcendance, par la peur, par l'attente anxieuse ou prudente, je sens qu'elles se donnent ailleurs à un autre comme devant être transcendées à leur tour par ses propres possibilités. Et l'autre, comme regard, n'est que cela : ma transcendance transcendée[79].

---

77. *Ibid.*, p. 66-67.

78. Simone de Beauvoir, *Pour une morale de l'ambiguïté*, suivi de *Pyrrhus et Cinéas*, Paris, Gallimard, coll. Idées, 1947, p. 306-307.

79. Jean-Paul Sartre, *L'être et le néant, op. cit.*, p. 321.

Ma liberté est donc dépassée par celle des autres, qui tend à limiter la mienne et même à me rendre esclave :

> Être vu me constitue comme un être sans défense pour une liberté qui n'est pas ma liberté. C'est en ce sens que nous pouvons nous considérer comme des « esclaves », en tant que nous apparaissons à autrui[80].

Sartre en donne un exemple tiré d'une situation vécue : l'expérience de la honte. Si j'ai honte d'un de mes gestes (par exemple, regarder par le trou d'une serrure), c'est parce que l'autre qualifie mon geste d'inapproprié et de honteux. Je m'approprie donc du jugement des autres, qui me révèle ce que je suis, un indiscret, tout en me figeant dans cette nouvelle dimension de mon être, dont je suis évidemment responsable. Le système éducatif, observe Sartre, recourt souvent à cette méthode qui consiste à « faire honte » aux enfants.

> Je viens de faire un geste maladroit ou vulgaire : ce geste colle à moi, je ne le juge ni le blâme, je le vis simplement [...]. Mais voici tout à coup que je lève la tête : quelqu'un était là et m'a vu. Je réalise tout à coup toute la vulgarité de mon geste et j'ai honte. [...] Or autrui est le médiateur indispensable entre moi et moi-même : j'ai honte de moi *tel que j'apparais* à autrui. Et, par l'apparition même d'autrui, je suis mis en mesure de porter un jugement sur moi-même comme sur un objet, car c'est comme objet que j'apparais à autrui. Mais pourtant cet objet apparu à autrui, ce n'est pas une vaine image dans l'esprit d'un autre. Cette image en effet serait entièrement imputable à autrui et ne saurait me « toucher ». Je pourrais ressentir de l'agacement, de la colère en face d'elle, comme devant un mauvais portrait de moi, qui me prête une laideur ou une bassesse d'expression que je n'ai pas ; mais je ne saurais être atteint jusqu'aux moelles : la honte est, par nature, *reconnaissance*. Je reconnais que je *suis* comme autrui me voit[81].

Si l'autre peut me réduire au statut d'objet, ce n'est pas le fait de sa seule puissance. C'est aussi parce que l'être humain aspire de lui-même à cet état stable de permanence des objets, pour échapper au vertige face au vide inhérent à l'état de liberté. Cette tentation explique le phénomène de la mauvaise foi dont nous avons parlé précédemment. Elle est d'autant plus forte que, dominé par le monde du « on », par la masse, l'individu tend à se réduire lui-même à l'image que les autres ont de lui.

La présence des autres est donc source continuelle de conflit, d'où la célèbre expression de Sartre : « L'enfer, c'est les autres. » Les individus étant tous libres par

---

80. *Ibid.*, p. 326.
81. *Ibid.*, p. 275-276.

définition, il est inévitable que leurs libertés ne s'accordent pas entre elles. Or, soutient Sartre, cette réalité conflictuelle ne peut être que partiellement surmontée, au moyen de l'engagement social. L'engagement en vue d'une transformation de la réalité peut permettre une certaine solidarité entre les différentes libertés, dans la mesure où il a pour effet de préparer un monde où d'autres êtres humains peuvent à leur tour vivre et exercer leur liberté :

> Lorsque je déclare que la liberté à travers chaque circonstance concrète ne peut avoir d'autre but que de se vouloir elle-même, si une fois l'homme a reconnu qu'il pose des valeurs, dans le délaissement, il ne peut plus vouloir qu'une chose, c'est la liberté comme fondement de toutes les valeurs. Cela ne signifie pas qu'il la veut dans l'abstrait. Cela veut dire simplement que les actes des hommes de bonne foi ont comme ultime signification la recherche de la liberté en tant que telle.
>
> [...] Et en voulant la liberté, nous découvrons qu'elle dépend entièrement de la liberté des autres, et que la liberté des autres dépend de la nôtre. Certes, la liberté comme définition de l'homme, ne dépend pas d'autrui, mais dès qu'il y a engagement, je suis obligé de vouloir en même temps que ma liberté la liberté des autres, je ne puis prendre ma liberté pour but, que si je prends également celle des autres pour but[82].

Sujet de réflexion

L'expression célèbre de Sartre « L'enfer, c'est les autres » incite à réfléchir à nos insuccès dans nos rapports avec autrui, sur le plan interpersonnel et sur le plan social. Donnez des exemples de situations illustrant l'échec dans les relations humaines. Dites quel type d'engagement serait nécessaire pour influer positivement sur les relations interpersonnelles et les rapports sociaux.

Ainsi s'explique l'engagement de Sartre lui-même dans certains mouvements sociaux et politiques[83] de même que la revendication de liberté dont témoignent ses ouvrages fondamentaux et son choix de la philosophie marxiste[84] comme passage obligé de la libération politique de l'être humain. Aux yeux de Sartre, soutenir la liberté, c'est nécessairement agir en vue de transformer la réalité historique et sociale.

---

82. Id., *L'existentialisme est un humanisme, op. cit.*, p. 82-83.

83. Voir à ce propos la section 4.2 de ce chapitre.

84. Dans la *Critique de la raison dialectique* (1960), Sartre tente de concilier l'existentialisme centré sur le sujet individuel et la théorie politique marxiste, dans son application communiste, qui met la collectivité humaine au premier plan.

Rappel des IDÉES PRINCIPALES

3.3 AUTRUI ET LE CONFLIT DES LIBERTÉS

- Si l'être humain est le résultat de ses propres choix, s'il en est l'auteur, il est aussi responsable de son existence individuelle.
- Il est également responsable d'une certaine image de l'être humain, puisque ses choix affirment la valeur de ce qu'il choisit.
- Chacun de nos choix contribue à actualiser, à promouvoir une échelle de valeurs dont nous avons à répondre devant l'humanité.
- Ma liberté est solidaire de celle des autres : l'autre est indispensable à mon existence, et la connaissance que j'ai de moi-même passe par la reconnaissance des autres.
- Mais l'autre peut aussi me réduire à l'état d'objet, à un rôle passif ; en ce sens, « l'enfer, c'est les autres ».
- Le conflit des libertés peut être partiellement surmonté par l'engagement social, qui consiste à agir pour la libération d'autres humains, à être solidaire des autres.

3.4 LE DESTIN DE L'ÊTRE HUMAIN

Dans la perspective des positions de Sartre sur l'engagement, on peut affirmer que la philosophie existentialiste prône le « salut » de l'être humain, qu'elle est un humanisme[85]. Ce qui importe fondamentalement dans l'engagement social, c'est de découvrir les conditions de la réalisation de l'être humain, d'atteindre ce que Sartre appelle l'existence authentique. L'existence authentique dont il est ici question, c'est celle du dépassement de soi en vue de la libération de soi et des autres ; c'est l'acceptation du choc des libertés individuelles afin de préparer un monde où d'autres êtres humains pourront à leur tour mener une existence authentique. Vers la fin de *L'existentialisme est un humanisme*, Sartre décrit le sens de son humanisme :

L'homme est constamment hors de lui-même, c'est en se projetant et en se perdant hors de lui qu'il fait exister l'homme et, d'autre part, c'est en poursuivant des buts transcendants qu'il peut exister ; l'homme étant ce dépassement et ne saisissant les objets que par rapport à ce dépassement, est au cœur, au centre de ce dépassement. Il n'y a pas d'autre univers qu'un univers humain, l'univers de la subjectivité humaine. Cette liaison de la transcendance, comme constitutive de l'homme – non pas au sens

---

85. Humanisme : tout mouvement d'idées qui prône la valeur inconditionnelle de l'être humain et place son épanouissement au premier plan de l'action humaine individuelle et collective.

où Dieu est transcendant, mais au sens de dépassement – et de la subjectivité, au sens où l'homme n'est pas enfermé en lui-même mais présent toujours dans un univers humain, c'est ce que nous appelons l'humanisme existentialiste. Humanisme, parce que nous rappelons à l'homme qu'il n'y a d'autre législateur que lui-même, et que c'est dans le délaissement qu'il décidera de lui-même ; et parce que nous montrons que ça n'est pas en se retournant vers lui, mais toujours en cherchant hors de lui un but qui est telle libération, telle réalisation particulière, que l'homme se réalisera précisément comme humain[86].

Ainsi, le « destin » de l'être humain – si tant est que l'on puisse parler de « destin » dans l'optique d'une philosophie radicale de la liberté – ne réside certes pas dans la recherche de la connaissance absolue. Il consiste plutôt dans le travail sans cesse inachevé de conception et d'aménagement des conditions concrètes d'existence dans lesquelles l'être humain se réalise comme sujet et affirme sa différence essentielle face aux objets. Voilà la tâche que se propose l'existentialisme sartrien : rechercher le sens de l'existence humaine dans le fait même que l'être humain est précisément cet être qui donne librement sens à sa propre existence et à celle des autres.

Sartre écrit au tout début de son texte que l'existentialisme est « une doctrine qui rend la vie humaine possible »[87], parce qu'elle laisse une possibilité de choix à l'homme. En ce sens, le destin de l'être humain est à chercher en lui-même. Il y a donc toujours un avenir à inventer et c'est l'homme, laissé à lui-même, qui peut le réaliser.

> [...] l'homme, sans aucun appui et sans aucun secours, est condamné à chaque instant à inventer l'homme. Ponge a dit, dans un très bel article : « L'homme est l'avenir de l'homme. » C'est parfaitement exact. Seulement, si on entend par là que cet avenir est inscrit au ciel, que Dieu le voit, alors c'est faux, car ce ne serait même plus un avenir. Si l'on entend que, quel que soit l'homme qui apparaît, il y a un avenir à faire, un avenir vierge qui l'attend, alors ce mot est juste[88].

Les choses seront donc telles que l'homme en aura décidé. Simone de Beauvoir, dans un très beau texte, explique le sens d'une telle affirmation :

> Un acte jeté dans le monde ne s'y propage donc pas à l'infini comme l'onde de la physique classique ; c'est plutôt l'image proposée par la nouvelle mécanique ondulatoire qui conviendrait ici : une expérience peut définir une onde de probabilité et son équation de propagation ; mais elle ne permet pas de prévoir l'expérience ultérieure qui jettera dans

---

86. Jean-Paul Sartre, *L'existentialisme est un humanisme*, *op. cit.*, p. 92-94.
87. *Ibid.*, p. 12.
88. *Ibid.*, p. 38-39.

le monde des données neuves à partir desquelles il faudra reconstruire l'onde à nouveau. L'acte ne s'arrête pas à l'instant où nous l'accomplissons, il nous échappe vers l'avenir ; mais il y est aussitôt ressaisi par des consciences étrangères ; il n'est jamais pour autrui une contrainte aveugle, mais un donné à dépasser et c'est autrui qui le dépasse, non pas moi. À partir de cet acte figé, autrui se jette lui-même dans un avenir que je ne lui ai pas tracé. Mon action n'est pour autrui que ce qu'il en fait lui-même : comment donc saurais-je d'avance ce que je fais ? et si je ne le sais pas, comment puis-je me proposer d'agir pour l'humanité ? Je construis une maison pour les hommes de demain ; ils s'y abriteront peut-être ; mais elle peut aussi les gêner dans leurs constructions futures ; peut-être la subiront-ils, peut-être la démoliront-ils, peut-être l'habiteront-ils et elle s'écroulera sur eux. Si je mets un enfant au monde, il sera peut-être demain un malfaiteur, un tyran ; c'est lui qui décidera ; et chacun des enfants de ses enfants décidera pour soi. Est-ce donc pour l'humanité que j'engendre ? Combien de fois l'homme s'est exclamé en contemplant le résultat inattendu de son action : « Je n'avais pas voulu cela ! » Nobel croyait travailler pour la science : il travaillait pour la guerre. Épicure n'avait pas prévu ce qu'on appela plus tard l'épicurisme ; ni Nietzsche le nietzschéisme ; ni le Christ l'Inquisition. Tout ce qui sort des mains de l'homme est aussitôt emporté par le flux et le reflux de l'histoire, modelé à neuf par chaque nouvelle minute, et suscite autour de soi mille remous imprévus[89].

SIMONE DE BEAUVOIR
(1908-1986)

Écrivain et essayiste française, elle a été la compagne de Sartre. À la recherche d'une morale de l'authenticité, elle a notamment écrit sur les relations entre hommes et femmes, et sur la situation de la femme. *Le deuxième sexe*, ouvrage publié en 1949, est une référence obligée de la littérature féministe.

L'homme est libre ; mais il trouve sa loi dans sa liberté même. D'abord il doit assumer sa liberté et non la fuir ; il l'assume par un mouvement constructif : on n'existe pas sans faire ; et aussi par un mouvement négatif qui refuse l'oppression pour soi et pour autrui.
(Pour une morale de l'ambiguïté)

---

89. Simone de Beauvoir, *Pyrrhus et Cinéas, op. cit.*, p. 285-287.

3.4 LE DESTIN DE L'ÊTRE HUMAIN

Le destin de l'être humain, ce qui donne un sens à la vie de l'être humain, c'est d'être condamné à chaque instant à inventer l'homme, en créant des conditions d'existence qui permettent d'être libre.

3.5 LE PROBLÈME DE DIEU

L'existence libre, l'opposition du monde de la réalité humaine au monde des choses, l'existentialisme les affirme en excluant toute transcendance religieuse, toute idée de Dieu[90]. L'humanisme existentialiste est une profession de foi en l'être humain. Cette profession de foi est nécessaire, certes, pour échapper au sentiment de l'absurde, à l'angoisse, décrits dans *La nausée*.

L'athéisme constitue l'un des postulats de la théorie sartrienne. Pour que l'homme soit libre, Dieu ne doit pas exister. La conscience humaine doit se libérer du regard inquisiteur de Dieu, ce regard qui juge sans appel et nous transforme en être sans défense, selon l'analyse précédemment évoquée de l'expérience de la honte[91]. Sartre rappelle à ce propos, dans *Les mots*, l'expérience vécue dans son enfance :

Pendant plusieurs années encore, j'entretins des relations publiques avec le Tout-Puissant ; dans le privé, je cessai de le fréquenter. Une seule fois, j'eus le sentiment qu'Il existait. J'avais joué avec des allumettes et brûlé un petit tapis ; j'étais en train de maquiller mon forfait quand soudain Dieu me vit, je sentis Son regard à l'intérieur de ma tête et sur mes mains ; je tournoyai dans la salle de bains, horriblement visible, une cible vivante. L'indignation me sauva : je me mis en fureur contre une indiscrétion si grossière, je blasphémai, je murmurai comme mon grand-père : « Sacré nom de Dieu de nom de Dieu de nom de Dieu. » Il ne me regarda plus jamais[92].

Commentant la célèbre expression de Dostoïevski : « Si Dieu n'existait pas, tout serait permis », Sartre écrit :

---

90. Certains penseurs contemporains ont tenté de concilier la méditation sur l'existence concrète avec la foi chrétienne, la foi en Dieu engageant l'individu sur la voie de la transcendance. C'est le cas de Gabriel Marcel (1889-1973) notamment. Les existentialistes chrétiens ne représentent toutefois pas l'humanisme existentialiste dans son acception première.

91. Voir la section 3.3, « Autrui et le conflit des libertés ».

92. Jean-Paul Sartre, *Les mots*, Paris, Gallimard, 1964, p. 83.

En effet, tout est permis si Dieu n'existe pas, et par conséquent l'homme est délaissé, parce qu'il ne trouve ni en lui, ni hors de lui une possibilité de s'accrocher. Il ne trouve d'abord pas d'excuses. Si, en effet, l'existence précède l'essence, on ne pourra jamais expliquer par référence à une nature humaine donnée et figée ; autrement dit, il n'y a pas de déterminisme, l'homme est libre, l'homme est liberté. Si, d'autre part, Dieu n'existe pas, nous ne trouvons pas en face de nous des valeurs ou des ordres qui légitimeront notre conduite. Ainsi, nous n'avons ni derrière nous, ni devant nous, dans le domaine lumineux des valeurs, des justifications ou des excuses. Nous sommes seuls, sans excuses. C'est ce que j'exprimerai en disant que l'homme est condamné à être libre. Condamné, parce qu'il ne s'est pas créé lui-même, et par ailleurs cependant libre, parce qu'une fois jeté dans le monde, il est responsable de tout ce qu'il fait[93].

L'homme est donc laissé à lui-même, il est le seul à décider de ce qui est bien et de ce qui est mal. Dans un premier temps, il est donc angoissant d'affirmer que Dieu n'existe pas, puisqu'il n'y a plus de valeurs qui tiennent, y compris les valeurs fondamentales de respect de la vie, de justice, d'amour. Avec Dieu disparaît définitivement la possibilité de se fier à des valeurs toutes faites. Dans un second temps, il faut relever le défi posé à l'être humain par la liberté, par la responsabilité de créer les valeurs. Vous êtes libres, nous dit Sartre, choisissez donc, inventez des nouvelles valeurs ; aucune morale, aucune religion ne peut vous indiquer ce que vous avez à faire.

Sujet de réflexion

En vous situant dans la perspective de l'athéisme existentialiste, commentez les mots célèbres de Dostoïevski : « Si Dieu n'existait pas, tout serait permis ».

Si Dieu est mort, pour reprendre l'expression de Nietzsche, l'être humain n'a plus de repères sûrs auxquels raccrocher son action. Il doit définir, inventer le bien par des actes exemplaires qui engagent l'ensemble de l'humanité. En cela, chacun est seul : il accomplit son travail existentiel sans filet, il doit faire des choix sans aucun signe dans le monde pour lui indiquer s'il a raison. Ce constat brutal peut être source d'angoisse ; ceux qui assument des responsabilités, face à la collectivité notamment, connaissent bien ce sentiment, dit Sartre.

Rappelons ici cette belle formule de Kierkegaard à propos de l'angoisse de choisir, où il compare l'être humain à l'araignée qui se précipite dans le vide, « emportant toutes les conséquences de son acte »[94]. Aux yeux de Sartre, toutefois, cette angoisse est loin d'être paralysante ; elle est au contraire source de motivation envers l'engagement, la solidarité, puisqu'il n'y a d'espoir que dans l'action motivée par le but

93. Id., *L'existentialisme est un humanisme, op. cit.*, p. 36-37.
94. Voir ci-dessus, la note 15.

de faire advenir des conditions concrètes d'existence authentique pour le plus grand nombre.

L'humanisme existentialiste représente donc un effort systématique pour tirer toutes les conséquences d'une position athée cohérente. C'est ce que souligne Sartre dans la conclusion de son livre :

> L'existentialisme n'est pas tellement un athéisme au sens où il s'épuiserait à démontrer que Dieu n'existe pas. Il déclare plutôt : même si Dieu existait, ça ne changerait rien ; voilà notre point de vue. Non pas que nous croyions que Dieu existe, mais nous pensons que le problème n'est pas celui de son existence ; il faut que l'homme se retrouve lui-même et se persuade que rien ne peut le sauver de lui-même, fût-ce une preuve valable de l'existence de Dieu. En ce sens, l'existentialisme est un optimisme [...][95].

Pour le philosophe et écrivain Albert Camus, c'est la réalité du mal, sous toutes ses formes, qui constitue la plus sérieuse objection à l'existence de Dieu.

Le monde n'est-il pas en effet le théâtre de désordres naturels (éruptions volcaniques, séismes, sécheresses, épidémies) qui causent un mal immense et dont la responsabilité ne peut être imputée aux êtres humains ? Du mal *dans* l'existence ne devrait-on pas conclure au mal *de* l'existence, et affirmer avec Schopenhauer que « la souffrance est le fond de toute vie[96] » ?

À l'opposé de ce questionnement, la théologie chrétienne traditionnelle considère le mal comme la privation du bien, comme un manque caractérisant toute créature finie et limitée qui a été créée par Dieu. Dieu peut toujours tirer du mal un bien futur et, même, faire de l'existence du mal une condition d'avènement du bien. En dernière analyse, le croyant ne trouvera, dans la justification chrétienne du mal, que des raisons pour nourrir l'espoir en un monde meilleur, à venir après la mort, espoir qui seul peut donner un sens positif à son existence dans un monde de souffrances.

Aux yeux d'Albert Camus, cette justification est fondamentalement inadéquate et l'existence même du mal constitue une contradiction insoluble, une raison de rejeter la foi en Dieu :

> On connaît l'alternative : ou nous ne sommes pas libres et Dieu tout-puissant est responsable du mal. Ou nous sommes libres et responsables mais Dieu n'est pas tout-puissant. Toutes les subtilités d'écoles n'ont rien ajouté ni soustrait au tranchant de ce paradoxe[97].

95. Jean-Paul Sartre, *L'existentialisme est un humanisme, op. cit.*, p. 95.
96. Arthur Schopenauer, *Le monde comme volonté et comme représentation,* Paris, PUF, 1966, p. 393.
97. Albert Camus, *Le mythe de Sisyphe*, Paris, Gallimard, 1942, p. 79.

3.5 LE PROBLÈME DE DIEU

- L'affirmation de la liberté absolue de l'être humain conduit à la négation de l'existence de Dieu.
- L'homme est dès lors laissé à lui-même : il doit décider «seul» du bien et du mal.
- La disparition de Dieu entraîne avec elle l'impossibilité de se fier à des valeurs toutes faites : être libre, c'est assumer la responsabilité de créer des valeurs nouvelles, sans avoir de garantie quant à leur bien-fondé.
- L'existence du mal constitue l'objection la plus sérieuse à l'existence de Dieu.

4 REMARQUES CRITIQUES

4.1 LA SOUS-ÉVALUATION DES DÉTERMINISMES

Nous avons vu, dans les pages précédentes, comment l'existentialisme, et en particulier celui de Sartre, se présente comme une philosophie de la liberté. L'existence s'affirme, se produit, se crée dans la liberté : l'être humain est l'œuvre de lui-même. Ce n'est plus dans la pensée – *cogito ergo sum* – mais bien dans la liberté que se trouve le fondement de toute certitude, de tout sens : je suis libre, donc j'existe. J'existe par mes choix. La liberté n'est pas seulement la source de mon action, mais de tout mon être. Dans l'acte de choisir, je ne choisis pas seulement une action à accomplir, mais je choisis mon existence : je me choisis moi-même. Il est impossible de penser et de vivre séparément liberté et existence humaine.

Devant une affirmation aussi radicale de la liberté humaine, on peut se demander si la conception existentialiste de l'être humain ne sous-évalue pas l'importance des différents déterminismes (psychiques, culturels ou socioéconomiques) qui façonnent, malgré nous, notre existence.

Ainsi, pour Maurice Merleau-Ponty, cette idée d'une liberté comme création absolue de soi-même est illusoire. À ses yeux, l'action humaine s'exerce toujours dans une situation déjà donnée qui, dès lors, doit être considérée comme un moyen, un point d'appui pour accéder à une forme de liberté qui n'est pas absolue. Dans son ouvrage *Phénoménologie de la perception*, il écrit :

Le choix que nous faisons de notre vie a toujours lieu sur la base d'un certain donné. Ma liberté peut détourner ma vie de son sens spontané, mais par une série de glissements, en l'épousant d'abord, et non par aucune création absolue. Toutes les explications de ma conduite par mon passé, mon tempérament, mon milieu sont donc vraies, à condition qu'on les considère non comme des apports séparables, mais comme des moments de mon être total dont il m'est loisible d'expliciter le sens dans différentes directions, sans qu'on puisse jamais dire si c'est moi qui leur donne leur sens ou si je le reçois d'eux[98].

Dans cette optique, notre liberté se déploie progressivement à l'intérieur d'une situation historique et sociale dont elle ne peut s'abstraire.

MAURICE MERLEAU-PONTY
(1908-1961)

Philosophe français qui a intégré dans ses œuvres l'héritage de la phénoménologie et de l'existentialisme. La phénoménologie est une méthode philosophique créée notamment par Edmund Husserl (1859-1938); elle met de l'avant la description des phénomènes comme approche des structures de la conscience et de l'essence des choses.

Nous sommes mêlés au monde et aux autres dans une confusion inextricable. L'idée de situation exclut la liberté absolue à l'origine de nos engagements. (Phénoménologie de la perception)

Sartre lui-même reviendra d'ailleurs sur sa conception initiale de la liberté. Dans une entrevue publiée dans *New Left*, et reproduite dans *Le Nouvel Observateur* du 26 janvier 1970, il avoue:

L'autre jour, j'ai relu la préface que j'avais écrite pour une édition de ces pièces – *Les Mouches, Huis clos* et d'autres – et j'ai été proprement scandalisé. J'avais écrit ceci: «Quelles que soient les circonstances, en quelque lieu que ce soit, un homme est toujours libre de choisir s'il sera un traître ou non.» Quand j'ai lu cela, je me suis dit: «C'est incroyable, je le pensais vraiment[99]!»

---

98. Maurice Merleau-Ponty, *Phénoménologie de la perception*, Paris, Gallimard, 1967 [1945], p. 519.
99. Jean-Paul Sartre, «Sartre par Sartre», dans *Situations,* IX, Paris, Gallimard, 1972, p. 100.

Sartre commence alors à admettre que les choix humains sont conditionnés. Sa conception de la liberté tiendra compte désormais du conditionnement historique et socioéconomique révélé par les analyses critiques de Karl Marx, auxquelles il adhère. La conception sartrienne de la liberté se formule alors en ces termes :

> Car l'idée que je n'ai jamais cessé de développer, c'est que, en fin de compte, chacun est toujours responsable de ce qu'on a fait de lui-même s'il ne peut rien faire de plus que d'assumer cette responsabilité. Je crois qu'un homme peut toujours faire quelque chose de ce qu'on a fait de lui. C'est la définition que je donnerais aujourd'hui de la liberté : ce petit mouvement qui fait d'un être social totalement conditionné une personne qui ne restitue pas la totalité de ce qu'elle a reçu de son conditionnement[100].

Sartre reconnaît donc vers la fin de sa vie que la liberté n'est pas absolue, qu'elle peut se limiter à un « petit mouvement » d'émancipation à l'égard des conditionnements sociohistoriques. La liberté s'exprime ainsi sous la forme d'un acte de libération, au sens où nous l'avons étudié dans le contexte de l'anthropologie marxiste. Le sens de l'existence humaine, et partant de la liberté, est à trouver dans l'engagement social et politique. Ce sera l'objet de notre seconde remarque critique.

4.2 LE RISQUE DE L'ENGAGEMENT SOCIOPOLITIQUE

La période de l'occupation de la France par l'Allemagne, durant la Deuxième Guerre mondiale, a été l'occasion pour Sartre de prendre conscience que la possibilité même de la liberté personnelle reposait sur la liberté collective.

Dès ce moment, il participera activement, par la parole et par le geste, à divers mouvements de contestation sociale et de libération politique, tant sur le plan national – il sera de la résistance française contre l'occupation nazie – qu'international. Usant de son prestige d'écrivain et de philosophe, il dénoncera la torture pratiquée par les troupes d'occupation françaises en Algérie, militera contre la guerre au Viêtnam, appuiera la contestation étudiante et ouvrière de Mai 68. Son allégeance au parti communiste, à la fin des années 40, sera marquée de contradictions : ainsi, il continuera à endosser l'idéologie communiste, tout en dénonçant l'existence des camps de concentration soviétiques.

Ces actions radicales et ces contradictions ont été sévèrement reprochées à Sartre, de même que la difficulté de concilier sur le plan conceptuel ses options marxistes avec les thèses centrales de sa philosophie existentialiste. Nous avons montré

---

100. *Ibid.*, p. 101-102.

précédemment comment l'existentialisme sartrien propose une conception de la liberté humaine « en situation », c'est-à-dire envisagée dans la réalité concrète du monde et de l'histoire. Nous avons également indiqué que cette réalité humaine est faite de conditionnements, d'inégalités, d'oppression, et qu'en ce sens liberté signifie libération, engagement. Ce que nous apprennent les contradictions qui ont marqué le parcours politique de Sartre, c'est que l'engagement est nécessairement un risque, le risque d'avoir tort ; le risque, même, d'agir involontairement à l'encontre de la libération des opprimés.

Pour Sartre, toutefois, ce risque est de loin préférable à l'attitude qui consiste à dénoncer abstraitement les injustices sociales, sans se « salir » les mains dans l'action politique. Réfléchissant sur le rôle de l'intellectuel, il écrit à ce propos :

Il ne suffit pas (pour ne citer qu'un exemple) de combattre le *racisme* (comme idéologie de l'impérialisme) par des arguments universels, tirés de nos connaissances anthropologiques : ces arguments peuvent convaincre au niveau de l'universalité ; mais le racisme est une attitude concrète de tous les jours ; en conséquence de quoi, on peut tenir sincèrement le discours universel de l'antiracisme et, dans les lointaines profondeurs qui sont liées à l'enfance, demeurer raciste, et, du coup, se comporter sans le voir en raciste dans la vie quotidienne. Ainsi l'intellectuel n'aura rien fait, même s'il démontre l'aspect aberrant du racisme, s'il ne revient pas sans cesse sur lui-même pour dissoudre un racisme d'origine enfantine par une enquête rigoureuse sur « ce monstre incomparable », soi[101].

L'engagement est une responsabilité existentielle difficile, qui implique la remise en question de soi ; mais il est aussi porteur d'espoir, au sens où il affirme la possibilité pour l'être humain de changer le monde concret, de se porter responsable de son existence individuelle et collective, avec tout ce que cela implique de contingence.

4.3 L'HUMANISME EXISTENTIALISTE

Aux yeux de Sartre, les guerres, les inégalités sociales ainsi que la misère et la détresse engendrées par les crises économiques, sont autant de facteurs qui motivent résolument l'engagement, lequel devient condition de possibilité d'une existence proprement humaine.

C'est le mérite de Sartre d'avoir réhabilité le courant humaniste en le fondant sur une exigence première : l'idée même de liberté, dont chaque être humain est effectivement la réalisation et qui fonde dès lors sa dignité. On peut interpréter

---

101. *Ibid.*, p. 241-242.

l'évolution de sa pensée comme une tentative de concilier une philosophie radicale de la liberté avec un idéal de l'homme. L'humanisme existentialiste de Sartre procède de la volonté de libérer l'homme de ses chaînes, de lutter inlassablement contre la menace toujours présente de réduire l'homme au statut d'objet, plutôt que de le considérer comme sujet de sa propre création. Sartre affirme dans l'ouvrage souvent cité, *L'existentialisme est un humanisme* : « [...] cette théorie est la seule à donner une dignité à l'homme, c'est la seule qui n'en fasse pas un objet[102]. »

Il est vrai que la tentation de se considérer soi-même comme un objet est toujours présente : c'est comme si l'homme désirait se décharger, se libérer du poids de sa liberté. Car il n'est pas facile d'être libre : l'homme a plutôt tendance à chercher des prétextes pour ne pas avoir à user de sa liberté.

Malgré tout, l'affirmation de la dignité de l'homme reste primordiale, même si elle ne nous prémunit pas contre des erreurs et des égarements possibles. En cela, Sartre renoue avec un humanisme que nous appellerons « ouvert » et qui était déjà présent dans l'ouvrage d'un penseur de la Renaissance, Pic de la Mirandole[103], intitulé *De la dignité de l'homme*. Ce texte constitue la pierre d'assise de tout humanisme véritable. En voici la teneur.

Dieu ayant épuisé tous les modèles qu'il s'était donnés pour créer les différents êtres de la création, Il dit au premier homme :

Si nous ne t'avons donné, Adam, ni une place déterminée, ni un aspect qui te soit propre, ni aucun don particulier, c'est afin que la place, l'aspect, les dons que toi-même aurais souhaités, tu les aies et les possèdes selon ton vœu, à ton idée. Pour les autres, leur nature définie est tenue en bride par des lois que nous avons prescrites : toi, aucune restriction ne te bride, c'est ton propre jugement, auquel je t'ai confié, qui te permettra de définir ta nature. Si je t'ai mis dans le monde en position intermédiaire, c'est pour que de là tu examines plus à ton aise tout ce qui se trouve dans le monde alentour. Si nous ne t'avons fait ni céleste ni terrestre, ni mortel ni immortel, c'est afin que, doté pour ainsi dire du pouvoir arbitral et honorifique de te modeler et de te façonner toi-même, tu te donnes la forme qui aurait ta préférence[104].

C'est cette tradition humaniste que nous retrouvons chez Sartre. Elle soutient que la dignité de l'homme ne réside pas dans une position privilégiée qu'il occuperait d'entrée de jeu parmi les autres êtres naturels ; elle tient plutôt à sa liberté, entendue comme pouvoir de création de l'homme par lui-même, selon de multiples possibilités.

102. Id., *L'existentialisme est un humanisme, op. cit.*, p. 65.

103. Pic de la Mirandole (1463-1494). Philosophe italien célèbre pour son érudition, sa maîtrise des langues et son intérêt pour la philosophie de l'Antiquité et pour l'étude comparée des religions.

104. Pic de la Mirandole, *De la dignité de l'homme*, cité dans *Le temps des philosophes*, Paris, Hatier, 1995, p. 166.

L'homme est donc invention de l'homme, son action témoigne d'une humanité qui cherche à s'achever, d'une humanité ouverte, donc. Les échecs, les guerres, les injustices sont autant de raisons de lutter, de s'engager au nom de la dignité humaine et de la liberté qui la fonde. Le véritable humanisme ne projette pas une image idéale déjà constituée de l'être humain ; il convie à inventer, à créer une réalité humaine. Ne serait-ce pas là, aussi, la signification du vœu de Nietzsche selon lequel l'homme doit être dépassé ?

5 PROBLÉMATIQUE
DÉTRESSE EXISTENTIELLE ET ENGAGEMENT

Sommes-nous maintenant, au terme de notre exploration de l'existentialisme, en mesure de répondre à la question formulée par Julie au début de ce chapitre : l'existence humaine est-elle irrémédiablement absurde, au point de motiver le suicide, ou peut-elle au contraire faire sens et à quelles conditions ?

Pour tenter de répondre à cette question, nous allons puiser dans deux œuvres marquantes de la littérature d'inspiration existentialiste : *Le mythe de Sisyphe* (1942) et *L'homme révolté* (1951), d'Albert Camus. Le premier ouvrage traite directement du rapport entre le sentiment de l'absurde et la mort, tandis que le second propose la révolte comme moyen d'échapper à la logique du suicide. *Le mythe de Sisyphe* s'ouvre sur ces phrases très souvent citées :

Il n'y a qu'un problème philosophique vraiment sérieux : c'est le suicide. Juger que la vie vaut ou ne vaut pas la peine d'être vécue, c'est répondre à la question fondamentale de la philosophie. Le reste, si le monde a trois dimensions, si l'esprit a neuf ou douze catégories, vient ensuite[105].

On se demandera peut-être si cette question peut se poser dans l'optique d'existentialistes comme Kierkegaard et Sartre, qui ont mis l'accent sur l'absurdité de l'existence. La réponse, « non », ne se trouve-t-elle pas déjà dans le sens du mot « absurdité » ? Comment une vie *absurde* vaudrait-elle la peine d'être vécue ? L'existentialisme ne mène-t-il pas tout droit, en toute logique, au suicide ?

À cela, il faut répondre qu'il y a absurde et absurde. L'absurdité de l'existence dont souffrait Jérôme avant son suicide n'avait sans doute pas le même sens que celui des philosophes existentialistes. Elle désignait le caractère *insensé* ou *dérisoire* de la vie, qui peut effectivement la faire apparaître sans valeur. L'absurdité des existentialistes

---

105. Albert Camus, *Le mythe de Sisyphe*, Paris, Gallimard, coll. Folio, 1993, p. 17.

est tout autre : elle qualifie l'existence qui n'a aucune finalité, aucune direction, aucun sens préétabli. Et cette absence de sens préétabli, selon Sartre et Camus, loin de donner à l'existence un caractère insensé, fonde plutôt la liberté de l'homme.

ALBERT CAMUS
(1913-1960)
Écrivain français, auteur d'essais, de romans et de pièces de théâtre à caractère philosophique. Prix Nobel de littérature de 1957. On lui doit notamment *L'étranger*, *Le mythe de Sisyphe*, *La peste*, *L'homme révolté*. Ses écrits témoignent d'une interrogation sur l'absurdité de l'existence humaine et la révolte qui en résulte. Il propose de dépasser la révolte individuelle dans la recherche d'une morale collective.

Il n'y a pas d'amour de vivre sans désespoir de vivre.
(L'envers et l'endroit)

Ainsi, la négation de l'existence de Dieu prive l'homme de l'espérance en l'au-delà, mais au lieu de rendre la vie dérisoire, l'athéisme constitue l'acte fondateur de la liberté humaine, la condition qui rend possible le projet humain, une existence authentiquement humaine. On peut donc affirmer qu'il n'est pas absurde en soi de reconnaître que le destin de l'homme est « une affaire d'homme, qui doit être réglée entre les hommes »[106], pour reprendre les mots de Camus.

Cette distinction étant faite, il reste maintenant à savoir si la forme que prend concrètement la vie de chaque individu « libre », laissé à lui-même, « vaut la peine d'être vécue ». Comment un individu peut-il surmonter le sentiment de l'absurde qui l'envahit lorsqu'il fait face à des situations extrêmes de solitude et de souffrance ? Peut-il trouver une raison de vivre malgré son fardeau ? C'est ici que peut survenir la tentation du suicide, que la mort peut paraître préférable à une existence qui bascule dans l'angoisse. Camus écrit à ce propos :

 Vivre, naturellement, n'est jamais facile. On continue à faire les gestes que l'existence commande, pour beaucoup de raisons dont la première est l'habitude. Mourir volontairement suppose qu'on a reconnu, même instinctivement, le caractère dérisoire de cette habitude, l'absence de toute raison profonde de vivre, le caractère insensé de cette agitation quotidienne et l'inutilité de la souffrance[107].

106. *Ibid.*, p. 167.
107. *Ibid.*, p. 20.

Aux yeux de Camus, toutefois, la tentation de la mort volontaire ne relève pas d'une démarche purement rationnelle, d'un raisonnement philosophique désincarné. Il en affirme fortement le caractère passionnel :

> À partir du moment où elle est reconnue, l'absurdité est une passion, la plus déchirante de toutes. Mais savoir si l'on peut vivre avec ses passions, savoir si l'on peut accepter leur loi profonde qui est de brûler le cœur que dans le même temps elles exaltent, voilà toute la question[108].

En affirmant que l'absurdité est une passion déchirante, Camus nous rappelle indirectement que la majorité des gestes suicidaires ne sont pas le fait d'une décision volontaire et réfléchie, mais d'un processus d'autodestruction de la personne, dont l'analyse et le traitement relèvent au premier chef de la psychologie et de la sociologie[109]. Les spécialistes de ces disciplines nous indiquent que les victimes d'un tel état de dépression ont besoin d'aide ; et d'ailleurs, dans nos sociétés, le support aux personnes suicidaires est largement perçu comme un devoir moral de solidarité. L'état de dépression qui accompagne, dans la vaste majorité des cas, le comportement suicidaire doit donc être distingué de l'état d'esprit qui caractérise le suicide dit « philosophique ».

Par ailleurs, si la question du suicide philosophique est une affaire à la fois de cœur et de raison, elle s'adresse toutefois d'abord à la raison. En d'autres termes, c'est d'abord par une délibération rationnelle que l'on tente de déterminer si la vie vaut la peine d'être vécue, compte tenu des angoisses et des souffrances qui sont le lot de l'existence humaine. C'est la question du sens qui est posée, et cette question s'adresse en premier lieu à la raison, bien qu'elle soit par ailleurs angoissante.

Dans la perspective de l'analyse existentielle, l'homme se découvre « condamné » à évoluer, pour un temps limité, dans un monde marqué par la misère et la souffrance, au milieu d'autres humains dont les choix conditionnent son existence. Il sait que son avenir dépend de ses choix, mais que ceux-ci s'exercent « en situation » ; ils peuvent conduire à l'amélioration des conditions concrètes de la vie individuelle et collective, comme à leur détérioration.

Pour exprimer cette idée, Camus rappelle la figure de Sisyphe, ce personnage de la mythologie grecque condamné par les dieux à rouler éternellement un rocher jusqu'au sommet d'une colline, d'où il retombe inévitablement, emporté par son propre poids. Sisyphe représente aux yeux de Camus le « héros absurde » :

> Si ce mythe est tragique, c'est que son héros est conscient. Où serait en effet sa peine, si à chaque pas l'espoir de réussir le soutenait ? L'ouvrier d'aujourd'hui travaille, tous les jours de sa vie, aux mêmes tâches et ce destin n'est pas moins absurde. Mais il n'est tragique qu'aux rares moments

---

108. *Ibid.*, p. 40.

109. Mentionnons, à titre d'exemple, l'ouvrage du sociologue Émile Durkheim, *Le suicide* (Paris, Alcan, 1897), qui constitue encore aujourd'hui une référence obligée.

où il devient conscient. Sisyphe, prolétaire des dieux, impuissant et révolté, connaît toute l'étendue de sa misérable condition : c'est à elle qu'il pense pendant sa descente[110].

La vie de Sisyphe a-t-elle un sens ou justifie-t-elle au contraire le choix de la mort volontaire ? Pour reprendre les termes de Camus, peut-on imaginer Sisyphe heureux ?

À notre sens, la réponse existentialiste à cette question est affirmative, en vertu de deux prémisses qui s'adressent d'abord à la raison, mais aussi au sentiment. La première consiste à reconnaître comme telles les situations limites qui déterminent les conditions de l'existence humaine – l'expérience de la contingence, de la finitude et de la solitude –, avec ce qu'elles comportent d'angoisse et de souffrance. La seconde repose sur la conscience de la liberté humaine, de la capacité dont dispose l'homme de s'affirmer comme individu, d'être la source de son propre agir, de ses choix, même si les résultats de ses choix restent incertains.

L'existentialisme propose ainsi de dépasser le sentiment individuel de l'absurde dans l'action, dans la reconnaissance de la responsabilité éthique et politique de chacun envers autrui. L'existence humaine vaut la peine d'être vécue parce que chacun peut travailler à changer ses conditions concrètes d'existence, parce qu'il peut s'engager socialement, selon Sartre, parce qu'il peut se révolter, selon Camus.

S'engager ou se révolter face à la misère et à la souffrance humaines, c'est affirmer la valeur que l'on attribue à chacun des individus humains, c'est manifester l'importance que l'on accorde aux conditions concrètes d'existence dans la possibilité du bonheur humain, c'est témoigner de valeurs que l'on propose comme universelles : la justice, la solidarité, la liberté.

Sujet de **réflexion**

Selon vous, quelles situations vécues par des personnes ou des collectivités constituent des objets de révolte ? Au nom de quoi cette révolte s'exprime-t-elle ? Quel type d'engagement serait nécessaire pour créer des conditions d'existence acceptables ?

Cette révolte, écrit Camus dans les dernières pages de *L'homme révolté*, ne peut certes prétendre résoudre tous les problèmes, réduire toutes les inégalités, corriger toutes les injustices. Il suffit pourtant qu'elle fasse naître chez soi-même et chez autrui « la joie étrange qui aide à vivre et à mourir et que nous refusons désormais de renvoyer à plus tard[111] ».

En ce sens, on peut affirmer que l'anthropologie existentialiste propose une solution de rechange au suicide philosophique, en reconnaissant à chaque être humain le pouvoir de donner un sens à son existence en s'y engageant, échappant ainsi à l'emprise destructrice du sentiment de l'absurde. Il est donc possible d'imaginer Sisyphe heureux.

---

110. Albert Camus, *op. cit.*, p. 165-166.

111. Id., *L'homme révolté*, Paris, Gallimard, coll. Idées, n° 36, 1969, p. 366.

FONDEMENTS THÉORIQUES DE L'EXISTENTIALISME

2.1 MISE EN CONTEXTE HISTORIQUE

1. Quels constats permettent d'affirmer que le progrès scientifique, économique et technique n'a pas rendu l'homme plus libre?

2.2 AUX SOURCES DE L'EXISTENTIALISME

2.2.1 Søren Kierkegaard

2. Selon Kierkegaard, en quoi la pensée abstraite est-elle insuffisante?

3. Quel sens Kierkegaard donne-t-il au mot « exister »?

4. Après avoir brièvement exposé les trois choix d'existence décrits par Kierkegaard (les stades esthétique, éthique et religieux), montrez les insuffisances de chacun par un exemple approprié.

2.2.2 Arthur Schopenhauer

5. Pourquoi le monde est-il marqué par la douleur et la souffrance, selon Schopenhauer?

6. Comment l'être humain peut-il se libérer de l'emprise de la volonté, d'après Schopenhauer?

7. La solution de Schopenhauer au problème de l'existence vous paraît-elle acceptable?

2.2.3 Friedrich Nietzsche

8. Comment Nietzsche définit-il la volonté de puissance? Comment cette volonté de puissance se manifeste-t-elle chez l'être humain?

9. Selon Nietzsche, l'être humain doit connaître trois métamorphoses: a) le chameau ou l'homme décadent; b) le lion ou l'homme révolté; c) l'enfant ou l'homme créateur. Décrivez chacune d'elles en termes d'attitudes et de valeurs.

10. Pourquoi, d'après Nietzsche, Socrate et le christianisme ont-ils causé la décadence de l'homme occidental?

11. Quel est le sens de l'expression « Dieu est mort »?

12. Quelles sont les conséquences de la proclamation de la mort de Dieu pour l'être humain?

ANTHROPOLOGIE EXISTENTIALISTE

3.1 LA SPÉCIFICITÉ HUMAINE : SITUATIONS LIMITES ET PROJET

13. Dans quelle mesure les descriptions existentielles des trois situations limites (expérience de la contingence, expérience de la finitude humaine – « l'être pour la mort » – angoisse existentielle et solitude) correspondent-elles à votre expérience personnelle ?

14. Expliquez le sens de l'affirmation de Jean-Paul Sartre « l'existence précède l'essence », en faisant intervenir la notion de projet.

3.2 LIBERTÉ ET AUTHENTICITÉ

15. Commentez l'affirmation suivante : « Je suis condamné à être libre. »

16. Dans quelle mesure faut-il être « authentique » pour être libre ?

17. Comparez les positions existentialiste, marxiste et freudienne à propos du rapport entre liberté et déterminisme.

18. En quel sens Sartre affirme-t-il que nous sommes responsables de tous les êtres humains ?

3.3 AUTRUI ET LE CONFLIT DES LIBERTÉS

19. Pourquoi Sartre affirme-t-il que « l'enfer, c'est les autres » ? Que pensez-vous personnellement de cette affirmation ?

3.4 LE DESTIN DE L'ÊTRE HUMAIN

20. « L'homme est l'avenir de l'homme. » Commentez cette idée en faisant appel à la notion d'engagement social.

3.5 LE PROBLÈME DE DIEU

21. Aux yeux de Sartre, la foi en Dieu est incompatible avec l'affirmation de la liberté humaine. Expliquez cette proposition en établissant un rapprochement avec la proclamation nietzschéenne de la mort de Dieu.

22. Que pensez-vous personnellement des professions d'athéisme de Sartre, de Nietzsche et de Camus ?

REMARQUES CRITIQUES

23. Que signifie être humaniste aujourd'hui :

a) dans le domaine de l'éducation ?

b) dans le domaine social ?

c) dans le domaine économique ?

d) dans le domaine politique ?

PROBLÉMATIQUE – DÉTRESSE EXISTENTIELLE ET ENGAGEMENT

24. Le suicide de Jérôme présenté dans la mise en situation peut-il être considéré comme un suicide rationnel ?

25. Que signifie la phrase «Il est possible d'imaginer Sisyphe heureux» ?

26. Quelles seraient aujourd'hui les raisons de se révolter ?

27. Quelles formes l'engagement peut-il prendre aujourd'hui ?

CONCLUSION

L'histoire des conceptions de l'être humain, dont nous avons présenté les principaux courants, nous apprend la grande diversité des manières de définir l'être humain et de donner un sens à son existence. Au terme de cette étude, une question essentielle s'impose : est-il possible, aujourd'hui, de constituer une représentation unifiée de l'être humain ? Peut-on à tout le moins instaurer un dialogue entre les tenants des diverses conceptions de l'être humain ? Un dialogue qui serait suffisamment fécond pour permettre d'établir des repères solides en vue de la constitution d'une anthropologie philosophique actuelle ? Quel serait alors le fil conducteur entre les diverses conceptions ?

Nous situons au centre de la réflexion philosophique sur l'être humain son *caractère rationnel*, le fait qu'il soit capable de se connaître et de se définir comme un être différent au sein de l'univers, par les moyens de la pensée conceptuelle. L'être humain dispose d'une faculté qui le distingue entre tous les vivants, celle d'organiser les matériaux du langage symbolique selon des règles de cohérence et de validité qui lui sont propres, de manière à constituer des savoirs et des moyens de transformer le monde selon une intention, un but.

> Le **caractère rationnel de l'être humain** constitue le fil conducteur qui permet de relier, par-delà leurs divergences, les cinq conceptions étudiées.

- La *tradition philosophique rationaliste* fait de la raison humaine le fondement premier de son anthropologie, le dialogue rationnel cohérent constituant la pierre d'assise de la connaissance et de l'action humaine tant sur le plan individuel que sur le plan social.

- La *tradition naturaliste* constitue un développement particulier du rationalisme, la méthode scientifique se présentant comme un perfectionnement du pouvoir de connaissance de la raison humaine. Les principes du naturalisme établissent qu'il est possible de construire des modèles de l'univers physique, du monde vivant et de l'être humain qui soient rigoureux sur le plan logique, vérifiables sur le plan méthodologique et utiles sur le plan pratique, mais qui demeurent susceptibles d'être réfutés.

- La *tradition marxiste* réalise d'une certaine façon la fusion des philosophies naturaliste et matérialiste. Tout en mettant au premier plan de son anthropologie les dynamismes socioéconomiques constitutifs de la vie matérielle et culturelle, elle soutient que l'être humain conserve la capacité de critiquer rationnellement l'organisation aliénante de la vie sociale et de développer des moyens de libération.

- La *tradition freudienne*, qui met au jour les dynamismes inconscients de la vie psychique, vient certes remettre en question la notion traditionnelle de raison comme faculté dominante. Cependant, la théorie freudienne prend appui sur un postulat naturaliste : la possibilité d'établir un modèle explicatif de la vie psychique humaine qui soit valide sur le plan logique et méthodologique et, partant, d'élaborer une thérapie fondée sur la capacité d'analyser consciemment et rigoureusement les phénomènes inconscients.

- Quant à la *pensée existentialiste*, elle s'assigne la tâche de décrire rigoureusement et d'expliciter les conditions concrètes d'existence dans lesquelles la raison est immergée. Ce faisant, elle met en évidence le caractère foncièrement individuel et singulier de l'existence, et rejette toute prétention à atteindre une essence abstraite du réel et de l'être humain. C'est ainsi que l'individu peut prendre conscience du pouvoir dont il dispose de donner un sens à son existence.

Avant de montrer quel parti nous pouvons tirer de ce trait commun, rappelons qu'il existe des divergences importantes entre les cinq approches quant à leurs fondements théoriques et méthodologiques et quant aux représentations qu'elles donnent de l'être humain. Des différences se manifestent également dans l'analyse du phénomène religieux que fait chacune des conceptions. Revenons donc brièvement sur les composantes de ces représentations, soit la spécificité, la liberté, la sociabilité et la destinée humaines, pour en faire une lecture transversale.

> La définition de la **spécificité humaine** exprime de manière concentrée, dans la qualité qui distingue en propre l'être humain, l'essentiel d'une représentation donnée de l'être humain. C'est pourquoi les divergences entre les conceptions s'y révèlent clairement.

- Le *rationalisme* définit l'être humain comme un être doué de la faculté de raisonner.

- Pour le *naturalisme*, l'être humain appartient au monde vivant ; sa nature est celle d'un animal culturellement développé.

- Quant au *marxisme*, il considère que la production de la vie matérielle et sociale par le travail représente le trait distinctif de l'*Homo faber*.

- Le *freudisme* fait de l'appareil psychique la structure primordiale de l'être humain, celui-ci se caractérisant comme être de pulsions et de désirs.

- Pour l'*existentialisme*, enfin, l'expérience des situations limites – la contingence, la finitude et la solitude – révèle la spécificité de l'existence humaine et, partant, celle de l'être humain, qui se distingue par sa capacité de dépasser la situation dans un projet d'existence propre.

Le problème de la **liberté** est développé par chacune des conceptions en fonction de la spécificité qu'elle reconnaît à l'être humain. Celui-ci sera plus ou moins libre ou déterminé dans ses choix, selon qu'on accorde à la raison un pouvoir plus ou moins grand.

- Pour le *rationalisme*, l'être humain jouit d'une liberté fondamentale, qui tient à la capacité de la raison de dominer la vie affective, de comprendre les déterminismes naturels et sociaux et de les maîtriser.

- Le *naturalisme* soutient que l'être humain possède une aptitude biologique à l'autodétermination, qui peut se réaliser si les conditions socioculturelles sont favorables.

- Le *marxisme* postule qu'aucune liberté individuelle n'est possible sans la satisfaction des besoins essentiels et sans la solidarité sociale : l'être humain n'est pas libre, il le devient en se libérant des aliénations.

- En faisant de l'inconscient la part la plus active du psychisme humain, le *freudisme* remet en cause le concept rationaliste de liberté : l'autonomie réside désormais dans la recherche consciente d'un équilibre entre la satisfaction des désirs et les exigences de la vie sociale.

- En faisant du projet la caractéristique fondamentale de l'existence humaine, l'*existentialisme* propose une affirmation radicale de la liberté humaine : par les choix qu'il fait à l'encontre des conditions sociohistoriques qui peuvent le limiter, l'être humain se donne sa propre réalité, sa propre essence. L'être humain est ce qu'il choisit d'être.

La question de la **sociabilité** situe à un autre niveau les divergences entre les cinq conceptions : la définition du lien social constitue en quelque sorte une illustration ou une application des concepts fondamentaux qui précisent la spécificité et la liberté humaines.

- Ainsi, le *rationalisme* fait du dialogue rationnel entre les acteurs sociaux la condition nécessaire de la vie en société, la reconnaissance des droits de la personne étant l'aboutissement de ce dialogue.

- Même si nous n'avons pas étudié nommément le *naturalisme* sous l'angle de la sociabilité, on peut ici avancer qu'il tient l'être humain pour un animal sociable dont le comportement est déterminé par des facteurs biologiques, environnementaux et culturels.

- Pour le *marxisme*, la sociabilité humaine prime sur l'individualité : les êtres humains ne peuvent se réaliser que dans l'effort collectif de production grâce à la solidarité sociale.

- Pour le *freudisme*, l'intégration de l'individu à la vie sociale soulève un dilemme fondamental : la civilisation constitue une condition nécessaire de survie et de développement de l'humanité, mais ses exigences entraînent des conflits psychiques parfois graves chez l'individu.

- Pour l'*existentialisme*, enfin, l'existence sociale est vécue sous le mode du conflit des libertés. La liberté de chacun est en principe solidaire de celle des autres, dans les rapports de collaboration. En pratique, les rapports sociaux réduisent souvent les individus à l'état d'objets passifs ; une solidarité dans le refus des modes d'existence inauthentique s'impose alors.

La question de la **destinée** humaine vient tracer une perspective globale concernant le devenir de l'être humain, à partir des points de fuite posés par les éléments de définition de la spécificité, de la liberté et de la sociabilité humaines.

- Le *rationalisme* prend appui sur le dialogue rationnel et l'avènement de la société de droit pour affirmer sa confiance dans le progrès vers une paix universelle.

- Le *naturalisme* voit la mort de l'espèce humaine comme une fatalité très lointaine ; il y a place pour un progrès historique de l'humanité en fonction du progrès des savoirs scientifiques et de leur intégration culturelle.

- Le *marxisme* soutient que l'histoire conduira l'humanité entière, à la suite d'une révolution fondamentale de l'organisation économique et sociale, à l'édification de sociétés fondées sur l'égalité, la solidarité et la satisfaction des besoins.

- Le *freudisme* esquisse la possibilité d'atténuer les conflits inhérents à la civilisation par l'instauration de sociétés laïques qui limiteraient la répression des pulsions au strict nécessaire.

- Quant à l'*existentialisme*, il appelle à la révolte contre toute forme de privation de liberté et à l'engagement dans la réalisation de changements aux conditions d'existence. Ce faisant, l'individu fait la promotion d'une échelle de valeurs dont il se porte responsable devant l'humanité ; il affirme la possibilité de changer réellement le monde.

Dans la foulée de la perspective qu'elle ouvre sur la destinée humaine, chacune des conceptions aborde la question du **phénomène religieux** sous un angle critique particulier qui invite le lecteur à une réflexion personnelle sur le sens de la foi religieuse et de ses différentes manifestations à travers les époques et les cultures.

- Le *rationalisme* pose la croyance religieuse comme un choix personnel, étant donné l'impossibilité d'établir un savoir rationnel sur l'existence de Dieu ou l'immortalité de l'âme.

- Le *naturalisme*, quant à lui, trouve sa raison d'être dans son projet d'expliquer le monde et l'être humain sans référence à une dimension surnaturelle. Dans son optique, les connaissances doivent être vérifiables et falsifiables.

- Le *marxisme* soutient que la religion constitue un « opium » pour l'être humain, une projection dans un monde idéal qui le détourne de la nécessité d'entreprendre sa libération économique et politique « ici et maintenant ».

- Le *freudisme* analyse la foi religieuse comme un moyen illusoire que l'humanité s'est donné pour apaiser son sentiment de détresse et pour compenser les souffrances et les privations imposées par les exigences de la civilisation.

- Enfin, pour l'*existentialisme*, l'athéisme est la condition même de l'existence de l'être humain comme projet. De plus, la foi en Dieu se heurte à la question tragique de l'existence du mal.

Au terme de ce rappel synthétique des principales composantes des cinq approches anthropologiques, il apparaît clairement qu'on ne saurait réconcilier celles-ci par une simple formule rhétorique affirmant que l'être humain est un être bio-psycho-social doué de raison. Une réflexion critique s'impose ici, notamment en ce qui concerne la généralisation que fait chaque anthropologie de ses principes explicatifs. En d'autres termes, il faut se demander si chacune d'elles ne pousse pas trop loin l'application de ses concepts fondamentaux. C'est le sens que nous avons voulu donner aux **remarques critiques** qui concluent l'exposé théorique de chacun des chapitres de cet ouvrage. Notamment, nous avons interrogé :

- le *rationalisme* quant à la primauté qu'il donne à la raison sur les émotions, à la rationalité sur l'animalité et à la confiance naïve qu'il place dans la notion de progrès social et politique ;

- le projet théorique et pratique du *naturalisme* quant aux limites du déterminisme et aux difficultés d'intégration culturelle des savoirs scientifiques, notamment de la théorie de l'évolution en regard du créationnisme ;

- le *marxisme* quant à la notion de sens de l'histoire, au danger du réductionnisme économique et aux dérapages totalitaires de ses applications politiques ;

- la *psychanalyse freudienne* sur les limites de son analyse des conditions socio-économiques d'existence, sur sa validité comme discipline scientifique et sur les risques d'influence idéologique qui la guettent ;

- l'*existentialisme sartrien* quant à la sous-évaluation des déterminismes qui limitent concrètement la liberté de choix et au risque de dérapage de l'engagement socio-politique vers des modes d'action et d'organisation plus répressifs encore.

Une question découle de l'ensemble de ces remarques critiques : peut-on corriger les limites ou les insuffisances d'une conception donnée par les éléments positifs des autres conceptions ? Autrement dit, peut-on réunir dans un modèle synthétique cohérent les cinq anthropologies étudiées, en supposant que chacune représente un aspect ou une dimension incontournable de la réalité humaine ? La réponse à cette question constitue l'une des principales tâches de l'anthropologie philosophique. Mais il s'agit là d'un travail fort complexe et de longue haleine, qui ne peut être mené à bien dans le cadre de cet ouvrage. Notre objectif premier étant de proposer à chacun des moyens de clarifier, de critiquer et de consolider sa propre conception de l'être humain, nous indiquons, pour terminer, cinq conditions essentielles d'une démarche de réflexion visant à élaborer une représentation intégrée de l'être humain.

1. Tout d'abord, la *volonté de remise en question*. Il est en effet nécessaire d'interroger le bien-fondé de ses propres convictions et des idées reçues de l'éducation et du milieu culturel. Pour entreprendre une démarche d'analyse conceptuelle, il faut accepter de prendre du recul par rapport à ses conceptions habituelles. Dans ce but, le moyen privilégié est la fréquentation des auteurs qui, au fil de l'histoire de la pensée, ont proposé différentes lectures de la condition humaine. Nous avons présenté dans ces pages bon nombre d'auteurs classiques et actuels, choisis en fonction du projet théorique et pédagogique de l'ouvrage. Il va de soi que notre choix est limité et que la lecture d'autres philosophes s'avère féconde et nécessaire.

2. La *recherche de complémentarité* entre les conceptions étudiées. Une première lecture permet de reconnaître les positions spécifiques des auteurs et les différences qui caractérisent ou opposent leurs conceptions de l'être humain. Une seconde lecture est nécessaire pour déterminer dans quelle mesure les postulats théoriques et l'approche méthodologique de tel auteur pourraient mettre en évidence un aspect de la réalité humaine laissé dans l'ombre par d'autres auteurs. Les premières pages de cette conclusion donnent une illustration de cette démarche, dont le succès repose sur deux règles fondamentales de l'argumentation : la définition de concepts clairs et distincts et l'élimination de toute contradiction importante entre les éléments de la conception formulée.

3. La *recherche de cohérence théorique*. Une représentation théoriquement valide de l'être humain doit dépasser le niveau des perceptions subjectives pour accéder à celui de l'organisation des connaissances factuelles et des concepts abstraits dans un ensemble cohérent. Les connaissances sur l'être humain, qui nous viennent des enseignements de l'histoire et des différentes disciplines scientifiques, doivent être mises en relation avec les concepts abstraits proposés par les philosophes pour rendre compte de la condition humaine. Il s'agit là d'un travail de longue haleine, qui doit demeurer attentif aux limites des différentes perspectives scientifiques

et philosophiques, chacune d'elles représentant une manière de découper la réalité humaine à partir de certains postulats théoriques et de certaines options méthodologiques.

4. *La nécessité de proposer un modèle anthropologique qui soit signifiant sur le plan existentiel.* Dans les pages de cet ouvrage, nous avons présenté cette exigence par l'entremise des mises en situation et des problématiques actuelles qui encadrent les chapitres. Nous avons alors constaté que, au-delà des composantes affectives qui motivent l'action, une conception de l'être humain se profile derrière la lecture que nous faisons des phénomènes naturels et des événements sociaux, et derrière les valeurs individuelles et sociales que nous invoquons pour justifier nos actions. À l'inverse, le modèle de l'être humain que nous cherchons à définir doit permettre de comprendre un peu mieux la réalité quotidienne de la vie concrète, de proposer des fondements plus solides aux valeurs qui justifient l'action individuelle et sociale et de donner ultimement un sens à l'existence humaine.

5. La *nécessité du dialogue.* Cette dernière condition reprend le fil conducteur entre les cinq conceptions étudiées, la rationalité humaine, pour en faire la condition de toute représentation commune de l'être humain. Certes, l'histoire des conceptions de l'être humain nous enseigne qu'il n'y a pas de représentation univoque, absolument vraie et définitive de l'être humain. Cette constatation s'impose davantage dans le contexte des sociétés pluralistes et démocratiques. Mais cela ne signifie pas que la référence à la raison soit désormais disqualifiée, bien au contraire. La relativité des conceptions anthropologiques n'évacue pas le besoin de fonder l'action humaine sur une représentation cohérente et existentiellement significative de l'être humain, de sa spécificité, de sa sociabilité, de sa liberté et de sa destinée ; une représentation qui serait critiquée, corrigée, développée et, idéalement, partagée par d'autres. Cette nécessaire confrontation repose sur le dialogue, sur la mise en jeu des perceptions et des croyances personnelles. La condition essentielle de ce dialogue demeure la reconnaissance du pouvoir qu'a la raison de produire des argumentations justes quoique perfectibles et d'établir des correspondances avec la réalité qui soient fondées et ouvertes à la réfutation.

En bref, la recherche individuelle aussi bien que collective d'une représentation de l'être humain qui soit cohérente et existentiellement significative repose sur la confiance dans le pouvoir de la raison humaine de dépasser ses limites actuelles, qu'elles soient d'ordre méthodologique, logique ou socioculturel. Un pouvoir qui, loin d'être un fait acquis, se présente comme une conquête sans cesse inachevée. Pour le dire dans les termes de Sartre, l'homme est condamné à inventer l'homme : l'homme est l'avenir de l'homme.

GUIDE DE **DISSERTATION**

L'importance du débat d'idées n'est plus à démontrer dans le contexte des sociétés démocratiques pluralistes. Il constitue le moyen privilégié de l'expression publique de la diversité des opinions et des croyances et permet de dégager un accord raisonnable sur les différents aspects de l'organisation de la vie commune.

L'apprentissage de la dissertation comme modèle dialectique développe à nos yeux le sens critique et favorise la maîtrise des habiletés argumentatives, compétences de base des citoyens. Ainsi, en fin de parcours, nous vous invitons à mettre en scène un dialogue entre différentes positions ou thèses à propos d'une problématique philosophique donnée, en vue de dégager une synthèse personnelle.

Outre qu'il permet l'acquisition des habiletés démocratiques, l'exercice trouve son intérêt dans les attitudes qu'il pousse à adopter : reconnaissance effective de la pluralité des idées, respect des différents points de vue et relativisation de sa propre position. Il permet aussi de découvrir que le dialogue est fondamentalement non dogmatique et que la synthèse ou la conclusion du débat, dans la mesure où elle est justifiée c'est-à-dire rationnellement argumentée, constitue elle-même une nouvelle piste de réflexion et de discussion.

Nous proposons ici une méthodologie avec, sous forme de grille, un guide de rédaction et d'évaluation de la dissertation. Puis nous donnons une liste de sujets qui portent sur les principaux thèmes abordés dans le cours.

MÉTHODOLOGIE DE LA DISSERTATION

La dissertation philosophique est un exercice consistant tout d'abord à mettre au jour un problème compris implicitement dans l'énoncé d'un sujet, puis à exposer une problématique sous forme alternative, enfin à exposer, à l'aide d'un ensemble d'arguments rigoureusement organisés, deux thèses ou positions philosophiques qui s'affrontent, ainsi qu'un point de vue personnel dépassant si possible cette opposition, en réponse au problème initial.

Cet exercice comporte deux grandes étapes : analyse de l'énoncé et formulation du problème sous forme alternative, et composition de la dissertation.

ANALYSE DE L'ÉNONCÉ ET FORMULATION DU PROBLÈME SOUS FORME ALTERNATIVE

Toute question d'ordre philosophique d'un sujet de dissertation est un appel à résoudre par le débat une difficulté, qu'on appelle problème[1], pour laquelle il n'y a pas de solution directe et immédiate. L'examen des différentes réponses possibles, qui peuvent être opposées, va permettre de résoudre la difficulté. En général, on trouvera au moins deux réponses possibles, c'est-à-dire une alternative. L'analyse de l'énoncé consistera précisément à déterminer la difficulté implicite du sujet (qui en explique la raison d'être) et à construire une problématique sous forme alternative. La démarche suivante permet de transformer le sujet proposé, la question, en problème à résoudre. Elle est à la portée des élèves du collégial et est conforme aux objectifs de la dissertation philosophique exposés en introduction.

1. Tout d'abord, il s'agit de trouver et d'énumérer sur une feuille de papier brouillon différentes réponses possibles à la question posée. Ces réponses constituent autant de positions qui peuvent être défendues dans un débat. On peut les appeler des « réponses-positions ».

2. Ensuite, il faut choisir deux réponses-positions divergentes et si possible opposées et s'en servir pour formuler une nouvelle question. Cette nouvelle question expose ainsi le problème sous la forme d'une alternative, les termes de cette alternative étant les deux réponses-positions retenues qui seront débattues et développées dans la dissertation.

Le tableau suivant présente un exemple qui rend cette méthode plus concrète[2].

---

1. Problème : du grec *problêma* qui signifie au sens propre « tâche proposée », d'où la définition de « difficulté à résoudre ». Voir l'article « Problème » dans André Lalonde, *Vocabulaire technique et critique de la philosophie*, vol. 2, Paris, PUF, 1992, p. 836-837.
2. Un ouvrage de Michel Tozzi et coll. (*Apprendre à philosopher dans les lycées d'aujourd'hui*, Paris, Hachette Éducation, 1992) propose, aux pages 48 à 52, des exercices pratiques pour faciliter l'appropriation de cette méthode.

Exemple de formulation d'un sujet sous forme alternative

THÈME	LA LIBERTÉ
Sujet	Pouvons-nous affirmer que l'être humain est libre ?
Première réponse ou position (thèse)	L'être humain est le maître ou l'artisan de son destin.
Deuxième réponse ou position (antithèse)	L'être humain est la proie ou le produit de différents déterminismes.
Reformulation sous forme alternative du problème à résoudre	L'être humain est-il l'artisan de son destin ou le produit des différents déterminismes ?

COMPOSITION DE LA DISSERTATION

Après l'analyse de l'énoncé et la reformulation sous forme alternative, on s'attache à construire la dissertation. Trois parties composent habituellement une dissertation :
1. L'introduction qui pose le problème de l'énoncé ;
2. Le développement qui se propose de résoudre le problème de l'énoncé ;
3. La conclusion qui fait ressortir l'intérêt de la solution proposée et qui ouvre le débat.

1. L'introduction (10 à 15 % du texte)

L'introduction comprend une ou plusieurs phrases qui amènent le sujet (sujet amené), une ou plusieurs phrases qui énoncent le problème (sujet posé) et une ou plusieurs phrases qui annoncent les réponses-positions qui seront élaborées dans le développement et la synthèse qui va être proposée (sujet divisé).

Sujet amené : Pour amener le sujet, on peut partir d'une constatation (tirée par exemple de l'actualité) qui permet d'amorcer la réflexion sur le sujet proposé et de mettre en relief la pertinence et l'intérêt de ce dernier.

Sujet posé : Pour poser le sujet, il suffit de reprendre la question alternative à laquelle on a abouti grâce à l'analyse de l'énoncé pour laquelle nous avons précédemment proposé une méthode.

Sujet divisé : Pour diviser le sujet, on annonce en quelques mots les trois parties du développement, c'est-à-dire qu'on nomme les positions philosophiques qui s'affrontent ainsi que la position que l'on défend.

2. Le développement (70 à 80 % du texte)

Le développement est le corps, la partie principale de la dissertation. Il met à contribution vos capacités à raisonner à partir de vos connaissances. En effet, l'exposition des deux positions (thèse et antithèse) doit s'appuyer sur des arguments rationnels inspirés par les auteurs ou les courants philosophiques étudiés.

Pour reprendre l'exemple de sujet portant sur la liberté, on trouve les arguments permettant de soutenir la thèse (l'être humain est l'artisan de son propre destin) dans le chapitre de ce manuel portant sur le rationalisme (chapitre 1, section 3.3) et dans celui portant sur l'existentialisme (chapitre 5, section 3.2). On trouve par ailleurs les arguments permettant de soutenir l'antithèse (l'être humain est la proie ou le produit de différents déterminismes) dans le chapitre portant sur le naturalisme (chapitre 2, sections 2.2.3 C et 3.3), dans celui portant sur le marxisme (chapitre 3, section 3.3.1) et dans celui portant sur le freudisme (chapitre 4, sections 2.5 et 3.3).

Proposer une synthèse ou une solution demande de faire appel à sa capacité de relativiser les deux positions présentées en en reprenant certains éléments, afin de résoudre le problème posé. Pour continuer avec le même exemple, présenter la liberté comme une conquête et non pas comme une donnée permet de limiter la portée des deux positions examinées et de proposer une solution au problème posé.

Il est important de « nourrir » la réflexion par des exemples dont le but n'est pas de prouver, mais bien d'illustrer les idées avancées.

3. Conclusion (10 à 15 % du texte)

Dans la conclusion, on rappelle l'intérêt du sujet et on résume les différentes positions examinées dans le développement. Mais on souligne aussi la réponse qu'on propose ainsi que sa portée et peut-être ses limites.

GUIDE POUR LA RÉDACTION ET L'ÉVALUATION DE LA DISSERTATION[3]

OBJECTIFS Je dois être capable…	MOYENS Pour y parvenir, ai-je bien…	Évaluation	Points
	I. Introduction		**6**
de bien poser le problème dans l'introduction (10 à 15 % du texte)	• repéré les *mots clés* de la question, du sujet de réflexion ?		
	• défini les principales *notions*?		2
	• exposé et amené le *problème*? (sujet amené)		
	• formulé le problème sous forme alternative ? (sujet posé)		2
	• annoncé le plan selon les termes de l'alternative et en proposant une solution ? (sujet divisé)		2
	II. Développement		**30**
d'exposer deux positions philosophiques divergentes sur le problème présenté et proposer une synthèse possible (70 à 80 % du texte)	• présenté et soutenu une première position (thèse)… – à l'aide d'arguments rationnels cohérents et pertinents… – clairement exprimés… – inspirés par les auteurs ou courants philosophiques… et développés dans la perspective du sujet ?		10
	• présenté et soutenu une deuxième position (antithèse)… – à l'aide d'arguments rationnels cohérents et pertinents… – clairement exprimés… – inspirés par les auteurs ou courants philosophiques… – et développés dans la perspective du sujet ?		10
	• proposé une *synthèse* personnelle reprenant certains éléments des deux positions exposées…		6
	… et illustré chaque position par des exemples suffisamment développés ?		4
	III. Conclusion		**4**
de conclure sur la problématique exposée dans l'introduction (10 à 15 % du texte)	• rappelé l'intérêt de la question posée ?		
	• résumé les différentes réponses possibles ?		
	• résumé ma réponse et sa justification ?		
	• ouvert le débat sur une autre question ?		4
Qualité de la langue – Nombre de fautes × 0,1 =			– 4

---

3. Tableau adapté de celui de Michel Tozzi et coll., dans *Apprendre à philosopher dans les lycées d'aujourd'hui*, Paris, Hachette Éducation, p. 118-119 – ©Hachette Livre 1992.

SUJETS DE DISSERTATION

Sujets portant sur la spécificité humaine
- Qu'est-ce qui fait de nous des humains ?
- Faut-il renoncer à l'idée que l'être humain a une nature ?
- Les hommes sont-ils des êtres à part dans la nature ?
- Le travail est-il nécessairement aliénant pour l'homme ?
- Quelle conception de l'homme l'hypothèse de l'inconscient remet-elle en question ?
- N'exprime-t-on que ce dont on a conscience ?
- Peut-on connaître le moi ?
- Peut-on dire que l'homme est un animal raisonnable ?
- Vaut-il mieux changer nos désirs que l'ordre du monde ?

Sujets portant sur la liberté
- La liberté est-elle une donnée ou une conquête ?
- Être libre, est-ce être autonome ?
- Peut-on invoquer l'hypothèse de l'inconscient pour échapper à nos responsabilités ?
- L'hypothèse de l'inconscient réintroduit-elle la fatalité dans l'existence de l'homme ?
- Les passions sont-elles un obstacle à notre liberté ?
- La loi constitue-t-elle, pour la liberté, un obstacle ou une condition ?
- S'engager, est-ce perdre ou affirmer sa liberté ?

Sujets portant sur la sociabilité
- L'homme est-il un loup ou un dieu pour l'homme ?
- La société est-elle une contrainte pour l'individu ?
- Autrui n'est-il qu'un moyen ou un obstacle ?
- Peut-on être homme sans être citoyen ?

Sujets portant sur la notion de progrès
- Le progrès des connaissances est-il nécessairement une source de bonheur ?
- Dans quelle mesure peut-on parler d'un progrès de l'homme dans l'histoire ?

Sujets portant sur les croyances religieuses
- Peut-on penser Dieu ?
- La croyance religieuse implique-t-elle une démission de la raison ?
- La croyance religieuse est-elle une consolation pour les faibles ?

SOURCES DES PHOTOGRAPHIES

CHAPITRE 1

Page 1 : *Le Penseur*, de Rodin, Superstock. **Page 10 :** Musée du Louvre (Paris), H.P. Archives/Publiphoto. **Page 13 :** Bibliothèque nationale de Paris/H.P. Archives/Publiphoto. **Page 18 :** Emmanuel Kant en 1789, Publiphoto. **Page 23 :** *Cicéron et les magistrats découvrant la tombe d'Archimède*, de Benjamin West (1797), H.P. Archives/Publiphoto. **Page 35 :** Bibliothèque nationale de Paris/H.P. Archives/Publiphoto. **Page 41 :** *Platon*, par Raphaël (Vatican, Rome), H.P. Archives/Publiphoto. **Page 43 :** Archives Snark/H.P. Archives/Publiphoto. **Page 46 :** Collection Lausat/Explorer/Publiphoto. **Page 60 :** *Saint-Thomas d'Aquin*, de Fra Angelico (Musée du Vatican, Rome), H.P. Archives/Publiphoto. **Page 69 :** *Hegel* peint par Schlesinger, Bettmann/Corbis/ Magmaphoto.com. **Page 74 :** *Jean-Jacques Rousseau*, par LaTour, Bettmann/Corbis/ Magmaphoto.com. **Page 85 :** *Déclaration des droits de l'homme*, Musée Carnavalet (Paris), H.P. Archives/ Publiphoto. **Page 88 :** H.P. Archives/Publiphoto.

CHAPITRE 2

Page 93 : *Précis analytique du système de Mr le Docteur Gall* (Planche - 1806, Bibliothèque nationale de Paris), Archives Snark/ H.P. Archives/Publiphoto. **Page 103 :** Gravure de Zocchi, H.P. Archives/Publiphoto. **Page 109 :** Bibliothèque nationale de Paris/ H.P. Archives/Publiphoto. **Page 111 :** *Voltaire en 1716*, de Carguillière (Musée Carnavalet, Paris), H.P. Archives/Publiphoto. **Page 113 :** Bibliothèque nationale de Paris, H.P. Archives/Publiphoto. **Page 114 :** Lithographie de Kneller, National Portrait Gallery (Londres), Collection Snark/H.P. Archives/Publiphoto. **Page 116 :** Gravure vers 1840, Explorer/Publiphoto. **Page 118 :** (*en haut*) H.P. Archives/Publiphoto ; (*en bas*) H.P. Archives/Publiphoto. **Page 119 :** Collection Lausat/Explorer/ Publiphoto. **Page 122 :** *Darwin*, par John Coallier, National Portrait Gallery (Londres), Archives Snark/H.P. Archives/Publiphoto. **Page 125 :** H.P. Archives/Publiphoto. **Page 157 :** © P. Roussel/ Publiphoto. **Page 165 :** Archives Snark/H.P. Archives/Publiphoto.

CHAPITRE 3

Page 183 : Lénine sur la Place Rouge à Moscou, le 25 mai 1919, Novosti (photo de K. Kuzentsov), Bettmann/Corbis/Magmaphoto.com. **Page 184 :** © Teyss/Publiphoto. **Page 186 :** © B. Carrière/Publiphoto. **Page 188 :** Archives Snark/H.P. Archives/Publiphoto. **Page 189 :** (*à gauche*) Engels (Manchester 1864), H.P. Archives/Publiphoto ; (*à droite*) Lénine enregistrant un discours (Moscou - Kremlin 29 mars 1919), H.P. Archives/Publiphoto. **Page 191 :** Travail des enfants aux mines, 1838, Archives Snark/The Graphic Collection (Londres)/H.P. Archives/Publiphoto. **Page 197 :** Usine Ford (Détroit 1931), Washington Library of Congress/H.P. Archives/Publiphoto. **Page 216 :** Grande-Bretagne/Archives Snark/H.P. Archives/ Publiphoto. **Page 218 :** AKG-Images. **Page 222 :** *Arrestation de M. De Launay, gouverneur de la Bastille, le 14 juillet 1789*, dessin de Prieur, gravure de Berthault, Explorer Archives/Publiphoto. **Page 223 :** *La Terre promise*, Archives Snark/H.P. Archives/Publiphoto. **Page 229 :** © Tihomir Penov/Publiphoto. **Page 230 :** H.P. Archives/Publiphoto.

CHAPITRE 4

Page 235 : *L'espion* (détail), de Magritte (vers 1928), © Succession René Magritte/SODRAC 2004, H.P. Archives/Publiphoto. **Page 237 :** Lichtenstein Andrew/Corbis Sygma/Magmaphoto.com. **Page 239 :** H.P. Archives/Publiphoto. **Page 240 :** Freud Museum (London, UK)/Peter Aprahamian/Corbis/Magmaphoto.com. **Page 252 :** *Œdipe Roi*, de Pasolini (1966), Archives Snark/H.P. Archives/Publiphoto. **Page 261 :** *La légende des siècles : La conscience*, de Victor Hugo, H.P. Archives/Publiphoto. **Page 273 :** *L'espion*, de Magritte (vers 1928), © Succession René Magritte/SODRAC 2004, H.P. Archives/Publiphoto. **Page 285 :** H.P. Archives/ Publiphoto.

CHAPITRE 5

Page 297 : *La persistance de la mémoire*, de Salvador Dali, © Salvador Dali.Fondation Gala-Salvador Dali/SODRAC 2004, The Bettmann Archive/Corbis/Magmaphoto.com. **Page 304 :** Bettman/Corbis/ Magmaphoto.com. **Page 313 :** Schopenhauer peint par Jules Lunteschutz, Corbis/Magmaphoto.com. **Page 323 :** H.P. Archives/Publiphoto. **Page 339 :** Sartre à son arrivée à Berlin (29 janvier 1948), Bettmann/Corbis/ Magmaphoto.com. **Page 341 :** Bettmann/Corbis/Magmaphoto.com. **Page 344 :** *Le cri*, de Edvard Munch (1893), H.P. Archives/Publiphoto. **Page 359 :** Photo prise le 25 septembre 1975, H.P. Archives/Publiphoto. **Page 364 :** Photo prise en 1960, H.P. Archives/Publiphoto. **Page 369 :** Publiphoto.

INDEX

A

Abnégation, 319-321
ABRAHAM, 310
Abstraction, 303, 304-305
Absurdité de l'existence humaine, 311, 340, 368
Action, 7, 21-22, 41, 59
    autonomie, 57, 83
    collective, 214
    de la justice divine, 62
    déterminisme, 363
    et conscience sociale, 187
    instinct du créateur, 333
    juste, 23, 31
    morale, 25
    motivation, 226
    responsabilité, 291
    sur la nature, 34, 55, 154, 193, 208, 212
    volontaire, 29
    voir aussi Devoir moral
Activité économique, 187
    aliénation du travail, 200
    et vie des sociétés, 194-195
    évolution, 195, 206
    primauté, 193
    recherche du profit, 198
    satisfaction des besoins, 204, 206
    voir aussi Travail
Activité psychique, 242, 283
    moteur biologique, 264
Activité sexuelle, *voir* Sexualité
Adaptation, 119-120, 123, 126, 140, 143, 154
    notion, 127
    rôle du moi, 255, 258
    voir aussi Génétique, Hérédité, Sélection
        naturelle
Affectivité, 241
    raison, 82
    voir aussi Désir, Émotion, Passion, Sentiment
Affirmation de soi, 333
Agnosticisme, 61
Agressivité, 265-267, 275, 278
Aliénation
    de soi, 202
    mentale, 291
    religieuse, 219
Aliénation du travail, 200

dépassement, 204, 285
    dépersonnalisation du travailleur, 202
    dépossession des fruits du travail, 200-201
    déshumanisation, 203
Âme, 4, 19-20, 22, 38-39, 41, 63, 97, 101, 107
    survie après la mort, 176
Amour, 28, 37-38, 218, 248, 251, 265
    canalisation de l'agressivité, 278
    désir, 270
    sublimation, 277
    valeur existentielle authentique, 303
ANAXIMÈNE, 98
Angoisse
    acceptation, 307
    besoin d'être aimé, 248
    disparition de Dieu, 360, 369
    et liberté, 307, 345
    face à la mort, 178-179, 343
    incertitude face à l'avenir, 308
    solitude existentielle, 343
Animal, 4-5, 41, 44, 73, 248, 306, 326
    cerveau, 144, 151
    et humanité, 81-82, 332
    innovation, 153
    instinct, 263-264
    politique, 42
    raisonnable, 65
    social, 42, 47
Animalité humaine, 5, 34, 36-37, 65, 73, 132
Anthropologie
    existentialiste, 336
    freudienne, 262, 283
    marxiste, 206, 225
    naturaliste, 96, 131, 167
    rationaliste, 32, 72
Appareil psychique, 255, 261, 273
    ça, 255, 256, 260
    moi, 255, 258, 260, 274
    processus, 273-274
    surmoi, 255, 259-260
    voir aussi Personnalité
Appartenance, 339
    à la communauté, 10, 212
    voir aussi Société
Apprentissage, 153-154, 241
    des normes et comportements, 244
    voir aussi Adaptation
Argumentation rationnelle, 3, 5-6, 10
    voir aussi Discours
ARISTOTE, 8, 42-43, 70
Art, 301, 320
Ascétisme, 320-321, 324
Astrologie, 114

K

KANT, Emmanuel, 10, 16-20, 24-30, 37-39, 46-47, 48, 52-53, 55, 57, 61-63, 67-68, 83, 86, 106, 109, 300, 310, 314, 324
KEPLER, Johannes, 104
KIERKEGAARD, Søren, 304-311, 324, 336-337, 344, 345, 361, 368

L

LACAN, Jacques, 270-271, 272
Laïcité, 58, 108, 112, 281
LAMARCK, Jean-Baptiste de Monet, chevalier de, 117, 119-121, 129
LA METTRIE, Julien Offray de, 113, 192
Langage, 5, 36-37, 42, 44, 137, 146, 148-151
LANGANEY, André, 132-134, 136-137, 153-154
LAPLACE, Pierre Simon, marquis de, 115-116
LA ROCHEFOUCAULD, François, 65
LAVELLE, Louis, 66
LÉNINE, 189
Libération de l'être humain
    collective, 214
    conditions concrètes, 215
    par la psychanalyse, 272
    politique, 356
Liberté, 46, 54, 66
    angoisse, 307, 345, 355
    autonomie, 55, 57, 81, 83, 154
    autotransformation de l'être humain, 157, 209
    collective, 365
    contrat social, 79-80
    déterminisme psychique, 271
    déterminisme universel, 54
    disparition de Dieu, 361, 369
    et authenticité, 350
    et autrui, 353, 355
    et besoins, 215
    et comportement humain, 153
    et dignité humaine, 366
    et existence individuelle, 305, 348, 365
    et passion, 38-39
    et société, 56, 77-79, 214-215
    limites, 354
    lois naturelles, 55-56
    par le travail, 208-209, 213
    projet humain, 345, 350
    révolution industrielle, 189-190
    sens de l'histoire, 69-72
    sous-évaluation des déterminismes, 363
    valeur existentielle authentique, 303

volonté de puissance, 326
Libido, 243-244, 268, 276-277, 283
    et société industrielle, 285
LOCKE, John, 163
Loi
    de l'attraction universelle, 114
    du plus fort, 78-79, 186
Lois
    de la nature, 23-24, 29, 54, 95-97, 114, 167
    formulation, 106
    logiques universelles, 6-7, 10, 17
    réforme, 112
Lois morales – universalité, 27, 29
LUCRÈCE, 12, 99-101, 160, 176-177

M

Machinisme, 190, 192, 197
Maîtrise des passions, 24, 37-39, 44
Mal, 24, 63, 78, 111, 256, 332
    rejet de la foi en Dieu, 362
    voir aussi Bien, Morale
MALTHUS, Thomas, 122
MAO TSÉ-TOUNG, 188
MARC AURÈLE, 22, 44
Marché, 203
MARCUSE, Herbert, 284-287
MARX, Karl, 187-215, 219-228, 238, 284, 365
Marxisme, 188, 206, 356
    application politique, 225
Masochisme, 253, 266, 267
Matérialisme, 97, 113, 192
Mathématiques, 15-16, 104-106, 170
Matière
    changement ininterrompu, 192
    création de Dieu, 172
    de la connaissance, 19
    réalité du monde, 100
MAYR, Ernst, 161
Médecine, 117
Médiocrité, 326, 329
Mémoire, 146
MENDEL, Johann, 117, 126
MERLEAU-PONTY, Maurice, 363-364
Métamorphose de l'être humain, 327
Métaphysique, 324
Méthode
    connaissance du réel, 12-16
    de psychologie clinique, 240
    expérimentale, 103-104, 117
    scientifique, 169-170
    voir aussi Hypothèse